国内外典型江河治理经验及水利发展理论研究

尚宏琦　鲁小新　高　航　编著

黄 河 水 利 出 版 社

图书在版编目(CIP)数据

国内外典型江河治理经验及水利发展理论研究/尚宏琦,鲁小新,高航编著.—郑州:黄河水利出版社,2003.8

ISBN 7-80621-698-7

Ⅰ.国… Ⅱ.①尚…②鲁…③高… Ⅲ.①河道整治-经验-世界②水利建设-理论研究 Ⅳ.TV88

中国版本图书馆 CIP 数据核字(2003)第 052072 号

出 版 社:黄河水利出版社

地址:河南省郑州市金水路 11 号　　邮政编码:450003

发行单位:黄河水利出版社

发行部电话及传真:0371-6022620

E-mail:yrcp@public.zz.ha.cn

承印单位:黄委会设计院印刷厂

开本:850mm×1 168mm　1/32

印张:16.5

字数:460 千字　　印数:1—2 000

版次:2003 年 8 月第 1 版　　印次:2003 年 8 月第 1 次印刷

书号:ISBN 7-80621-698-7/TV·318　　定价:35.00 元

前　言

河流与文明紧紧联系在一起，在世界上凡是河流流经的地方大都居住有人群，都有文明和文化遗迹。河流也与民族的昌盛紧密相连，凡是河流流经的地方，大都有著名的大都市和丰厚的文化底蕴。如欧洲之都法国的巴黎建设在著名的塞纳河岸边，著名的阿姆斯特丹是荷兰的大都市，四面河流环绕，英国首都伦敦建设在泰晤士河畔，澳大利亚的悉尼建设在墨累—达令河的入海口。又如，中国南部的重庆、武汉、南京和上海等著名的城市都建设在长江的岸边。位于中原的名城开封等建设在黄河岸边。城市发展与河流有着不解的渊源，城市的发展为河流的治理开发提供了基础，河流的治理也制约和促进了城市的发展。研究河流（流域）的开发治理，不仅在水利界具有重要的意义，同时也可以了解城市及世界文明的发展。

国外江河（流域）治理的经验和成就是很吸引人的。在很久以前，作者就有心编著一本关于国外江河治理开发方面的参考书，并着手收集相关的资料。恰在此时，水利部黄河水利委员会（以下简称黄委会）启动了“面向21世纪的治黄思路研究”专题项目。其主要任务和目的是：

对国内外江河治理经验和水利发展的理论进行研究,以借鉴国际上发达国家江河治理的经验,为21世纪治黄提供可参考和学习的流域治理模式、先进的技术手段和水利发展思路。借此专题项目研究的机会,我们对国内外的江河治理情况进行了系统的分析、总结和研究,本书也是在此基础上形成的。

在专题研究的过程中,水利部黄委会有关单位的专家做了大量的工作,特别是在对各条国外河流基本资料的整理和分析中,付出了辛勤的汗水。在专题的研究中,姚文艺、赵业安、齐璞、王基柱教授级高工等负责阿姆河及伏尔加河治理开发基本情况的整理汇编;陆德福教授、牛红生、孙阳波高工负责对美国密西西比河、田纳西河及科罗拉多河治理开发基本情况进行整理汇编;裴勇高级工程师负责对墨累—达令河治理开发基本情况进行整理汇编;袁中群教授,孙凤、屈珠副教授及马鲜果工程师负责对罗讷河、卢瓦尔河—布列塔尼流域治理开发基本情况及相关资料进行整理汇编。在各专题组所提供的基本资料的基础上,由林斌文教授级高工和王富贵高工对所选择的国外典型河流的基本材料进行了系统校正和编改,形成基本资料的雏形,最后由本书作者对这些基本资料进行了系统的梳理、归纳,形成了本书的附件。

该专题的研究得到了黄委会领导和有关专家的大力支持,特别是得到了黄委会总工程师薛松贵教授及吴致尧教授等专家的指导,在此表示感谢。

由于时间仓促，专题的研究在很多方面还不完善，有些观点也不够确切，加之作者水平有限，不足和缺陷在所难免。敬请同行和专家批评指正。

编著者

2003 年 5 月

目　录

1 概　述

在水利工程实践和建设成就方面，中国可谓是水利工程的鼻祖，从汉代吴王开凿邗沟，到秦国修建郑国渠、隋朝开通2 500多公里的京杭大运河、李冰父子修建都江堰等，中国在水利工程建设方面的成就在世界水利史上具有重要的地位，也是水利教科书上不可缺少的一笔。

中国水资源有其自身的特点，与世界其他国家相比，中国是一个水资源缺乏的国家，水资源总量为28 124亿m^3，其中，河川径流27 115亿m^3，居世界第4位，但人均水量却在180多个国家中排名第110位，在此基础上所形成的水利发展阶段和格局构成了中国水利发展的特点。中国政府一向关注水资源的调控和管理，把水资源、粮食和油气资源的安全列为中国三大安全问题，体现了政府在人类社会的生存与发展方面所做的努力。中国内陆水资源主要由江河湖泊及水网构成，不同省区有不同的特点，一般而言南方雨多水丰，河网密集，洪水多发；中国北方干旱少雨，江河断流，地下水开采超度，不时山洪爆发。特别是中国西北地区更加明显，许多河流干枯，生态环境遭到破坏。在中国主要江河中，最有代表性的是黄河。众所周知，黄河的问题是中国水利问题的关键所在，几乎包含了我国河流所有的共性和特点，诸如生态环境、水资源及防洪等，近几十年来黄河水资源开发的实践，已被喻为解决中国水资源问题的“钥匙”。

世界上有成千上万条河流,著名的河流就有几百条,每一条河流都有自身的特点和治理开发过程,有的已经高度开发,有的正在治理开发中,有的还没有开发。在对世界河流的研究中,把全部河流的治理开发情况都系统地整理和总结既不现实,也没有必要。因此,我们在对国内外江河治理和水利发展理论的研究中,做了 4 个方面的工作:第一,收集了国外(特别是发达国家)河流治理开发的有关资料,进行整理、分析、筛选和重点研究;第二,结合中国江河的特点选择了国内外典型河流(流域),分析典型河流流域的自然地理和经济社会状况、生态环境条件等相关因素,总结典型河流的特点和经验;第三,系统地研究分析典型河流(流域)在不同时期和不同社会发展阶段的治理发展状况、治理的思路、管理体制、运行机制、治理效果等,并进行治理经验总结;第四,在分析研究的基础上,总结国内外水利发展和流域治理的历程及一般理论,同时结合中国江河的治理情况,特别是黄河的实际情况,提出今后黄河治理开发应借鉴的经验和技术。

在对国外江河治理开发的研究中,通过系统分析国际上典型江河治理开发情况,并在普遍分析研究国内外典型河流经验的基础上,选择了几条有代表性的河流进行了重点研究,总结了一些有价值的经验和教训,探讨了江河治理发展的模式,对未来中国江河治理的发展进行了展望。在分析研究的同时,对国际水利发展的历程和水利发展理论进行了研究和分类,同时把国内外河流治理的经验进行了理论升华，提出了流域水利和水利一般发展理论的阶段。作为流域治理开发的特例，在分析研究黄河在中国水利发展及国际水利发展中的地位的基础上，讨论了黄河 21 世纪的发展模式，并对未来黄河流域的基本特征进行了描述，根据国内外典型江河的治理开发经验，对黄河治理开发所可能出现的问题进行了预测。

在对国内外江河治理开发模式研究和经验总结的过程中，针对国际上江河在不同时段的开发特点，重点对以下几个方面的内容进行了较为详细和认真的研究。

(1)河流(流域)水资源管理模式和运作方法，包括不同时期流域水资源的管理体制及运行机制变革过程和影响因素。

(2)分析研究在不同社会经济发展阶段河流治理的方法和思路。

(3)研究分析在不同条件下江河治理发展历程、发展规律和发展理论。

(4)分析研究国内外河流及黄河治理思想的变革、主要技术措施、改革措施、管理模式和治理效果等。

同时，在分析国内外河流及典型河流治理开发经验的基础上，从一定的理论高度提炼出江河治理开发的经验、技术及水利发展理论，为中国江河的治理，特别是未来黄河的治理开发提供具有参考价值的治理经验、理论和应用技术。

2　全球水资源状况及国内江河治理特点

水，是五大自然资源之一[1]，它主宰着生命的生长和生存、社会经济发展与文明进步，是无可替代的一种重要资源。一位未来学家预言："水资源紧缺是未来世界战争和争端的主要根源，21 世纪将是水战的世纪。"

2.1　全球水资源情况分析

水资源问题已成为举世瞩目的重要问题之一。现在，地球总水量为 138.6×10^8 亿 m^3，其中淡水储量仅为 3.5×10^8 亿 m^3，占总水量的 2.53%。淡水中，冰雪固态淡水、深层地下水等还很少能被直接利用。与人类生活和生产关系最为密切及比较容易开发利用的水资源，仍是河流、湖泊、水库和浅层地下淡水，但这些仅占淡水总储量的 0.34%，还不到全球总储水量的万分之一，可见，水的短缺与珍贵。

随着经济的发展和人口数量的急剧增加，世界用水量也在迅速增加，1970 年的用水量为 2 530 亿 m^3，到 1985 年就增加到了 3 850 亿 m^3，2000 年达到了 5 740 亿 m^3，然而全球人均供水量比 1970 年减少了 1/3。事实表

---

[1] 五大资源分别为：光、热、气、水、土。

明,水已经制约了经济和社会的发展,已引发了国际间的用水纠纷。中东是世界上缺水国家最集中的地区,14个国家中有9个已面临缺水困境,已经出现了由于水权问题而引起的紧张的政治局势。还有一些国家尽管水资源总量比较丰富,但由于时空及区域分布不合理,如中国、印度、墨西哥、泰国等国和美国西部、北非等地区,水资源短缺问题也在加剧。

世界银行1995年的调查报告指出:占世界人口40%的80个国家正面临着水危机,发展中国家约有10亿人喝不到清洁的水,17亿人没有良好的卫生设施,每年约有2 500万人死于饮用不清洁的水。联合国秘书长安南在2001年"世界水日"的讲话中指出:"获得安全饮用水是人类的基本需求,也是基本的人权。污染过的水损害了人们的身体健康和社会健康,是对人类尊严的侮辱……即使是今天,洁净水仍然是许多人根本得不到的奢侈品。世界上有10多亿人无法获得改善的水源,同时还有25亿人生活在没有基本卫生条件的环境里。这些人不仅在世界上最为穷困,而且健康状况最不理想。实际上,缺乏安全的水供给导致了发展中国家80%的疾病和死亡。"所以,淡水资源的缺乏不是个别国家所独有的问题,而是全球在发展中面临的问题,并且有愈来愈加剧的趋势。从未来水资源开发利用和水资源与人类的关系方面分析可以预测,在21世纪水资源将同20世纪的石油问题和危机一样,上升为全球的另一种资源危机,它的影响将会远远大于20世纪石油的影响。

中国是一个水资源缺乏的国家，水资源总量为28 124亿 m^3，其中河川径流27 115亿 m^3，居世界第4位，水资源总量并不少。但我国人均水量2 350 m^3，只有世界人均占有水量的27%，在世界上排名第110位。耕地每公顷平均水量27 867 m^3，约为世界每公顷平均水量的3/4。中国政府对未来水资源有比较清醒的认识，并十分重视水资源的开发、利用和保护。在中国国民经济发展"第十个五年计划"中，把水资源、粮食和油气资源的安全列为我国三大安全问题，充分体现了我国政府在人类社会的生存与发展方面所做的努力。

2.2 中国江河治理的发展及特点

中国水利发展的历史始于黄河，黄河水利是中国水利的先驱，也是世界水利发展史上的典范。黄河又是中华民族的发祥地和中华文明的摇篮，其经济开发历史悠久，文化源远流长，在中华五千年的文明历史中，黄河流域作为我国政治、经济和文化的中心就达3 300多年。

从大禹治水到黄土高原大规模的流域综合治理，从智伯渠到如今的引黄济津，从20世纪中叶三门峡水利枢纽的兴建到小浪底水利枢纽的蓄水运行，从过去的洪水泛滥到新中国成立后的岁岁安澜，无处不凝结着中华民族智慧的结晶和镌刻着中国水利发展的轨迹。新中国成立后，在党和政府的领导下，我国的水利事业取得了巨大成就，特别是水利部直接管理的全国七大流域机构，为江河的治理奠定了基础。同时各省(区)水利事业也取得了巨大成就。如长江三峡水利枢纽的建设及上中游地区水电资源的开发、长江干堤加固及防洪体系的建设成就举世瞩目。黄河治理开发的步伐也在加快，治黄事业取得了前所未有的成就，结合下游防洪和堤防建设，在黄河干流上相继兴建了三门峡、刘家峡、龙羊峡、小浪底等多座水利枢纽，变“水害”为“水利”，同时在中游黄土高原地区开展了大规模的水土保持工作，有效地减少了入黄泥沙，形成了“上拦下排、两岸分滞”的治黄方略，改变了历史上“三年两决口”的局面，为黄河的安澜、国民经济的持续发展、社会的稳定起到了积极的促进作用，在中国水利史上写下了光辉灿烂的一页。

作为流域治理和江河治理的特例，众所周知，黄河的问题几乎包含了我国河流所有的问题，诸如生态环境、水资源及防洪等。近几十年来的实践表明，黄河治理开发是我国水资源开发的关键问题，黄河水资源治理开发的经验已被喻为解决中国水资源问题的“钥匙”。有关专家做过一个假设，即假如黄河的问题得到了妥善的解决，解决中国河流开发与治理中存在的问题便有了希望。研究中国水利和水资源的问题首先从黄河开始。

众所周知，黄河是世界上最难治理的河流之一。黄河治理开发的难度和“症结”在于泥沙，由于大量的泥沙使下游河道严重淤积，形成地上“悬河”，直接威胁到两岸甚至整个黄淮海平原人民生命财产的安全，成为中华民族之“忧患”。近年来，又出现了缺水断流加剧及水污染严重等新问题。这与人口、资源、环境和经济社会协调发展的目标很不适应，与黄河在国民经济和社会发展中的地位也极不相称。

黄河的治理与开发,对中国的水利事业产生了重大的影响,特别是在泥沙控制、防洪、水库泥沙、高含沙河流的水利工程设计等方面的治理和研究成果,引起了世界各国专家的关注,并对世界河流泥沙的综合治理和水利工程建设产生了深远的影响。

2.3 借鉴国内外江河治理开发经验的意义

河流治理开发是一项长期的任务,受制因素很多,特别是受到社会发展阶段、社会制度、社会经济状况、人文、宗教以及地理环境和气候条件等因素的影响。

在中国水利的编年史中,黄河占据重要的篇幅,可谓是水利文明的鼻祖。同时,在世界水利教科书中黄河也是不可缺少的范例。黄河经历了几千年的治理开发历程,为我国河流的治理积累了丰富的经验,形成了一系列治理开发思路和治理方略,为现代治黄技术和理论的形成奠定了基础。但是,黄河的问题还没有从根本上解决,黄河的厄运始终未能摆脱。由于受自然条件、历史、政治、经济等诸多方面的影响,黄河的治理开发进程缓慢。1978年改革开放以来,中国经济出现了前所未有的新局面,黄河水利职工抓住有利时机,进一步深入研究黄河、开发治理黄河,努力为黄河流域经济的发展保驾护航,并取得了巨大的成就。

在新形势下,站在中国江河边,放眼全世界,我们清醒地认识到研究发达国家河流治理开发的历史对中国江河治理的重大意义。在世界众多的江河治理开发中,世界各国根据自己国家的发展状况和社会背景，对本国河流（或流经本国的国际河流）进行了治理开发及一系列的研究工作，特别是发达国家在河流和流域治理的过程中经历了发展、破坏、治理、保护和再发展的过程，有力地推动了流域和区域经济的发展，形成了各具特色的河流（流域）治理开发经验和模式，并总结出了一系列的治理方略，这些经验形成了世界上河流治理开发的宝库。美国的田纳西河流域把开发、治理、管理、经济等有机地结合起来，形成了一个完整的、高标准的流域保护和经济发展体系；法国的卢瓦尔河和罗讷河，把流域的保护与水资源的开发利用并重，使流域内的生态系统基本处于良好状态，起到了经济发展的先锋和纽带作用等。面对全球的发展变化和时代潮流，现代科技的进步和发展，国际上一些发达国家在河流和流域治理方面取得了比较成功的经验，特别是在流域管理模式、现代化技术的应用等方面使我们比之不及，他们已经走在了前面。研究、学习发达国家在河流治理开发方面的思想和先进经验，引进先进技术，对黄河来说，无疑是在寻找一条捷径，让现代治河理论和先进技术根植于黄河治理开发的全过程，这必将使黄河的治理开发进入一个与世界潮流相适应的崭新阶段。对照 21 世纪议程和 21 世纪中国水资源发展战略，在对国际流域管理和水利发展的进程研究的基础上，选择国内外几条有代表性的河流进行剖析，总结他们的成功经验和管理模式，并结合中国社会、经济和黄河流域的具体情况，从战略高度着眼，从系统的观点出发，针对性地借鉴国际水资源管理及国际典型河流治理开发的先进经验，认真研究中国江河治理存在的普遍问题，特别是黄河治理开发保护中的重大问题，提出相应的治理方略、措施和政策建议，具有战略性的重要意义。

3 国内外河流的治理开发特点及典型河流治理开发状况分析

综观世界水利史，水利发展可追溯到远古时代中国的共工“以土壅水治洪水”，古代的埃及、巴比伦和印度的水利事业及美洲的玛雅文明和印加文明。在空间概念上可覆盖亚洲、欧洲、美洲及非洲广大的地域，从时间顺序上，亚洲、欧洲及非洲的水利可上溯到公元前四五千年前，美洲的玛雅文明和印加文明的水利遗迹距今也有两三千年以上的历史。此后，埃及和巴比伦的水利技术传播到希腊和罗马，文艺复兴后传遍了欧美各国。公元1824年英国人J.阿斯普丁发明了水泥后，带动了混凝土结构的发展，使土木工程进入了一个新的发展阶段。19世纪下半叶，出现了钢筋混凝土，进一步推动了轻型混凝土建筑物的发展，由于混凝土的发明和应用，19世纪70年代出现了水电站。20世纪，水利工程具有大型化、综合化、跨流域、多目标等特点，许多新兴科学技术已开始在水利工程中得到广泛应用，例如利用计算机进行工程辅助设计和经济评价等；利用系统分析方法进行水资源的优化调度和工程的优化设计；喷灌、滴灌等节水灌溉技术正在或已经得到迅速推广；利用遥感、超声波等手段，分析鉴定大型水利枢纽工程的水文地质及工程地质情况等。在一个多世纪的时段内水利的发展进程经历了大的飞跃,形成了相对完善的水利理论体系并与有关的学科和技术手段融会在一起,推动了经济的发展。河流的治理开发也随着水利的发展形成了相对独立的开发模式,并成为水利发展的主体。

3.1 国内外河流治理开发特点分析

河流的治理与开发关系到地区经济的发展和社会的稳定,在一些重要河流,河流的治理与开发甚至关系到国家的命运和前途。但是,由于国内外各河流的自然条件千差万别,各个国家的社会制度、管理体制、运行机制、经济发达程度、治理开发目标等又不甚相同,这就决定了各河流的治理开发方略的特殊性。虽然存在着诸多的差异,但是从科学技术角度、流域治理开发成就和所取得的经验来看,各河流的治理开发又有其普遍意义和基本一致的特点。

3.1.1 流域(河流)规划布局随经济发展逐步趋于合理

河流与世界文明总是紧密联系在一起,世界上著名的城市大都是沿河而建,逐步发展成为现代的大都市。如有欧洲之都之称的巴黎建设在著名的塞纳河河畔,英国伦敦建设在泰晤士河边,意大利的罗马也是依河而建。中国也是这样,宋朝的都城开封,就是建设在黄河河畔。在河流治理方面,从对历史的研究上看,河流治理的初期所采取的主要措施是在城镇上下游修建防洪堤,保护城镇的安全。随着人口的增加和都市的不断扩大,防洪压力越来越大,只靠修建防洪堤已远远不能达到防洪减灾的目标。由于防洪堤的质量、结构形式等问题和受生产力发展水平的限制，在遭遇洪水时常常决堤，造成巨大损失，更无法抵御大洪水的袭击。同时，修建堤防使河流行洪断面缩小，河槽的调蓄能力减弱，洪水的演进速度加快，水位升高，对河槽与河岸的冲刷加剧，在某些河段的安全隐患更为突出。后来人们便考虑在河流上游修建水库拦蓄洪水，以减轻或确保下游的防洪安全。

人口的增加对农业生产的要求也越来越高，人类为了生产更多的粮食以维持生计，耕地面积不断扩大，毁林开荒、围滩造田致使大面积森林被毁，水土流失加剧，河道淤积严重，河道的调洪能力降低，洪水泛滥更加频繁和严重。当然，这里只是说明了一些人类发展的正常因素，同时也受制于战争因素对自然的破坏，特别是中国的情况更加突出，从某种意义上讲，战争因素对环境的破坏占主要成分。面对这些问题，人类又不得不花费精力去恢复植被，保护流域的自然景观。虽然这种认识与所采取的措施仅是针对水土流失和洪水泛滥，但却从一开始就没有遏止住此类破坏向全流域蔓延和扩大，造成全流域性的生态危机。

随着全球工业化进程的加快、科学技术的进步和人类对河流演变规律认识的增强，修建水库和水电站已成为河流治理开发的首要选择，大坝建设由单一目标逐步发展成为多目标设计，系统论和优化规划方法的出现更是为流域规划提供了科学的理论依据。在水库规划方面，从河流的上游到下游综合考虑，进行梯级开发，以最大限度地调节、利用水资源，为国民经济发展服务。在这个大前提下，就形成了在上中游修建水库，下游修建堤防、丁坝，合理保护流域湿地的规划布局，促进了河流治理开发的工程布局向合理化发展。在流域治理方面，大力开展植树造林，采取植物、工程、耕作措施相结合的方法，控制土壤侵蚀，防止水土流失，恢复流域植被，发挥森林对流域气候以及河川径流的调节作用，把流域治理和河流治理纳入一个系统，进行全面、综合规划与治理，促进了流域生态环境向良性循环转化。

总而言之，国内外的河流治理随着社会的发展、人类观念的更新在不断进步，在新的条件下以流域为单元的规划布局更趋向合理。

3.1.2 大坝建设规模大、标准高、速度快，水电开发带来巨大的经济效益

从水利发展进程而言，自进入工程水利阶段以来，河流的治理开发速度之快前所未有，特别是在 20 世纪，全球的河流治理与开发进入了一个新的历史阶段，发达国家在水利方面的投资急剧增加，大坝建设快速发展。据著名统计分析学家皮特斯（Petts）1984 年估算，全世界完工的大坝以每天多于 1 座的速度增加，到 2000 年受调节的径流量达到全世界河川径流总量的 1/3。

随着河流开发所带来的一系列问题的出现，20 世纪后期，大坝的建设速度有所减缓，但是又有向大型建筑物发展的趋势，1979 年阿姆河上 300m 高的努列克坝的建成就是一个典型的实例，同时科罗拉多河上 1933 年修建

的胡佛大坝也失去了其“坝主”地位。到目前为止，全世界高于200m的大坝有51座(其中23座在计划或正在修建)。1961年以前，全世界高于15m的大坝7 408座，1961～1980年新建了5 556座，1981年以后修建了1 316座。20世纪70年代是世界大坝发展速度最快的时期，梯级开发和坝库群建设是这一时期河流治理开发的显著特点，同时呈现出工程建设规模大和经济快速增长的特点。

3.1.3 大力开展河道整治，积极发展航运事业

随着地区经济的不断发展，地区之间的商业贸易和人们的往来逐渐变得频繁起来，世界上有许多河流都承担起了航运的任务，如多瑙河、莱茵河、伏尔加河、密西西比河等国际河流和世界知名的大河。但是，由于河流弯曲、河底暗礁、河水浅、港口淤积等原因，起初时候通航条件较差，人们为了改善通航条件，开展了大规模的河道整治工作，像缩窄河道、增加水深、清除河底暗礁、裁弯取直等，使河流渠化，大大改善了航运条件，航运业迅速发展。同时，也加强了地区间的交流与合作，促进了社会经济的发展。如美国密西西比河是世界上航运事业最发达的河流之一，干支流主要航程19 875km，其中水深在2.74m以上的航道为9 700km，1980年的货运量达到了5.27亿t。俄罗斯的伏尔加河及中国的长江也是世界上航运发达的河流，被誉为“黄金水道”。

3.1.4 跨流域调水配置水资源，解决区域水资源不平衡分布，已成为世界各国的共识和重要手段

自然情况下水循环具有一定的时间和空间分布，就

全球范围来看,河川径流量为 46 848km^3,其中亚洲占31%;南美洲占 25%,北美洲占 17%,非洲占 10%,欧洲占 7%,大洋州占 5%,南极洲占 5%。水资源的分布和丰枯与经济发展相联系,随着社会经济的发展和人民生活水平的提高,区域水资源供需矛盾日趋突出,一些国家和地区的水资源已经严重地制约了国民经济的发展,人类的生命也因此受到威胁。跨流域调水解决水资源地区分配不均和缺水地区的供水问题,已成为世界各国的共识。

美国跨流域调水工程有 13 处,年调水量为 230 亿 m^3,其中加利福尼亚州的北水南调工程最大,年调水量 52 亿 m^3,7 级提水工程,总扬程 1 151m,灌溉面积 29 万 hm^2。巴基斯坦的印度河调水工程,是世界上较大的调水工程之一,年调水量达 148 亿 m^3,灌溉面积达 153 万 hm^2。埃及的尼罗河调水工程年调水量为 75 亿 m^3。这些调水工程的兴建与运用,为当地工农业生产的发展、人民生活质量的提高和环境的改善,提供了充足的水资源保障,发挥了极其重要的作用。

3.1.5 大坝建设促进了经济的发展,也带来了严重的环境问题

在河流上修建大坝等经济活动,改变了流域内的水量分配,为工农业生产的发展和城镇生活用水提供了保证,改善了航运条件,为国民经济的发展提供了电力,这些都有力地推动了人类文明的进程。在带来巨大经济效益的同时也带来了严重的环境和生态影响,埃及的阿斯旺大坝的兴建和运用就是一个范例。

众所周知，埃及的阿斯旺大坝建成后，在灌溉、发电、航运和养殖方面均取得了明显的效益，使苏丹的灌溉用水量从 135 亿 m^3 增加到 185 亿 m^3，埃及的灌溉用水量从 460 亿 m^3 增加到 608 亿 m^3，并能够发电 70 亿 kW·h，使两国干旱地区的粮食生产大幅度增长。然而，大坝的建成使环境、生态系统发生了很大的变化，带来一些不良后果，毁掉了东地中海沿岸沙丁鱼加工业，河流中营养物质丰富的淤泥不能进入地中海，引起食物链中低营养级生物大量死亡，致使沙丁鱼捕获量减少 95%。水库泥沙淤积严重，每年淤积量达 1.1 亿 t，对洪水的控制使尼罗河河谷及三角洲地区损失大量天然的无污染肥料，严重影响了农业生产。由于入海水量减少，造成海水倒流，致使尼罗河三角洲农业区遭受盐渍化威胁。另外，还造成大坝下游河道冲刷，危及堤防、桥梁、地基的安全，地中海海岸线不断后移，威胁滨海城市的安全。最严重的是血吸虫病的发病率增高，库区人群感染率从 0 猛增到 80%，库区内埃及人口有一半人患病。

3.1.6 大力发展节水高效农业，提高水资源利用效率

从世界各国的水资源利用情况看，农业灌溉用水量最大，尽管现代化农业设施呈现较好的发展势头，但发展中国家粗放的水资源管理仍然是农业灌溉管理的主要手段，发达国家对水资源的利用率较高。据统计，2000 年发达国家农业用水量占工农业和生活用水总量的 59.2%。在水资源日益紧缺的今天，世界各国都把推行农业节水措施作为解决水资源短缺的一个重要手段。

据有关资料介绍，20 世纪 70 年代中期，英国和以色列的喷灌面积已经占本国农业灌溉面积的 100%，瑞典达 99%。特别是以色列，沙漠面积占国土总面积的 2/3，淡水资源奇缺，人均水资源量不足 370m^3，却创造了世界上节水灌溉的奇迹，以色列农业灌溉总面积 19.3 万 hm^2，其中微灌（包括滴灌和微喷灌）面积占灌溉总面积的 40%，其余均为喷灌，并普遍推行了自动控制，使农产品的自给率达到了 95%。由于采用了一系列先进的节水措施，灌水量从 1949 年的 8 566m^3/hm^2 减少到 1994 年的 6 171m^3/hm^2。

世界各国根据本国的实际，正确选择节水农业技术。如沙特阿拉伯、阿曼等国，灌溉规模小、水源短缺、经济实力强，实行了以喷滴灌为主的技术战略。而埃及、印度、巴基斯坦等国灌溉面积大，由于国力有限，主要以灌区更新改造，发展地面灌溉为主。美国和苏联灌溉面积大，经济技术实力雄厚，既注重改造原有地面灌溉系统，又大力发展喷微灌，同时结合农业措施和管理措施，走综合发展节水高效农业的道路。

3.1.7 流域环境对河流的影响越来越受到重视

河流的开发促进了区域工农业生产的发展，改善了人民生活，推动了社会的进步，但也带来了意想不到的严重的环境问题，诸如水土流失、水质污染、疾病传播、物种减少或灭绝、土地荒漠化、海岸蚀退等。国内外治理经验表明，最早因流域开发造成的环境问题就是水土流失，其次是其他环境问题。

随着人口的增加，人类对自然生态系统的影响越来越大，垦荒种地，毁林造田，发展工业、交通和建筑业，开发矿产资源和兴修水利工程等，大面积地破坏了森林植被，加剧了水土流失。水土流失的加剧，不仅造成了一些河流洪水泥沙的猛增，而且难以对河川径流进行调蓄和利用，并严重威胁到水利工程的安全运行，但最危险的还是减少了人类赖以生存的土地。严重的水土流失不仅恶化了生态环境，也给国民经济带来了重大的损失。

人类的经济活动，包括广泛推行综合农业技术措施、排水、改良土壤、营造森林、地区都市化等，直接影响了地表径流和地下径流的变化，也带来了其他环境问题。阿姆河流域的咸海水量变化就是一个典型的例子。20 世纪 50 年代以后，阿姆河、锡尔河上游修建水库，开挖运河，扩大灌溉面积，使两河的入海水量从原来的 54.8 亿 m^3 减少到 30 亿 m^3，1960 年到 1973 年间咸海水位下降 3.5m，水面面积缩小了 7 000km^2，1974 年后，锡尔河已经基本上没有常年入海径流，阿姆河的入海径流也减少了 75%，到如今，咸海水位已经下降了 16m。在此过程中，海水的含盐量不断增高，渔业产量大幅度下降。还有，美国西北部的哥伦比亚河流域修建了 150 多座大型水坝，严重地破坏了鲑鱼的洄游产卵习性，并使从河流的入海口到加拿大境内的河水犹如死水一潭，造成河水中含有过饱和的氮和磷，引起鱼类患弯体病而死亡。为了遏制环境继续恶化，80 年代在哥伦比亚河梯级水库修建鱼道，取得了成功。

面对河流开发过程中所出现的问题,人们已经开始采取积极的措施来减少其负面的影响。20 世纪 60 年代末期,水利工程对环境的影响逐渐被人们所认识。如美国国会在 1969 年通过了《国家环境政策法》,1973 年颁布了《水土资源规划原则与标准》,环境问题被正式提到了开发目标的地位。

现在人们已经开始从全局和全流域的观点出发,站在全流域的高度去寻找解决流域环境问题的根本途径,恢复流域植被、改善流域生态环境、实现水资源的可持续利用成为今后流域治理开发的主题。如美国西部在 20 世纪 20 年代以前,水资源的开发一直是以灌溉和发电为主,灌溉方面的投资占 85%,直到 20 世纪 70 年代以后,水资源开发的主要目标为环境和生态改善,这方面的投资占到了 81.5%。

环境问题已不是某一个国家的问题,而是全球性的问题,并受到各国政府和国际组织的高度关注。1992 年"联合国环境与发展大会"上"关于环境与发展的里约宣言"和《21 世纪议程》等条约与协议的签署,标志着全球范围内保护地球的行动拉开序幕,各个签约国都采取相应的行动,制定流域环境保护计划,维护人类赖以生存的自然环境,实现真正意义上的全球经济可持续发展,这是人类对环境、生态和发展认识的突破,代表着未来的发展方向。

3.2 国内外河流治理分析及治理典型的选择

以上阐述主要是从普遍意义上对国内外水利发展进

程和江河治理的共同特点进行了简要分析。在河流治理方面，国内外均取得了巨大的成就，在取得突出的经济效益的同时也推动了水利研究事业与水利发展理论的形成，特别是近代河流治理的模式及经验极大丰富了水利理念及理论。要充分认识河流开发的模式和经验还要对国内外典型河流进行“解剖麻雀”式的详细研究对比，从多层次、全方位分析水利及水利发展状况。

3.2.1 国内外典型河流对比研究的选择原则

典型河流的选择是研究流域治理开发的关键，选择的得当与否直接影响专题研究的代表性和效果，也影响到对河流治理中共性问题的分析及自身特点的分析。我们更希望世界上典型河流的治理能为中国河流的治理开发，特别是对未来黄河治理提供经验借鉴和科学依据。首先要合理地选择比较合适的典型河流，然后根据其开发治理特点进行分析总结。

在研究过程中，紧紧围绕本专题的研究目的和所要达到的目标，全面考虑国内外河流的自然因素、地理因素、发展历程、治理成就和经验教训，选择有代表性的河流进行研究。根据黄河的特点和治理开发现状，确定国内外典型河流的选择原则如下。

(1)河流(流域)特性、地理位置、流域自然状况等在空间分布上要有代表性，最好与中国江河(如黄河等)的基本特点相似或相近。

(2)河流的治理开发经历了开发、治理、保护、完善直至稳定发展的全部过程。

(3)河流的治理开发中存在的问题(包括水资源、洪水及生态等)及对生态环境的影响与中国江河(如黄河、长江等)相似或相近。

(4)在综合整治方面取得了系统的经验和理论,形成了较为成熟的治理和管理模式。

(5)综合效益比较明显,在本国经济发展中占据重要地位,在国际上有较大的影响。

(6)代表当代河流(流域)治理、开发、管理水平及发展方向等。

3.2.2 国内外典型河流的特点比选及选择

根据以上选择原则,对国际上重大河流进行了分类和比选,并结合中国江河的特点,特别是黄河治理开发的现实情况,确定专题研究所涉及的河流(流域)为:美国的密西西比河(包括田纳西河)、科罗拉多河,俄罗斯的伏尔加河,乌兹别克斯坦的阿姆河,澳大利亚的墨累—达令河,法国的卢瓦尔河、罗讷河,中国的海河和黄河。这些河流分布在北美洲、欧洲、大洋洲和亚洲,其中阿姆河、罗讷河、科罗拉多河属国际性河流,阿姆河穿越阿富汗、塔吉克斯坦、土库曼斯坦、乌兹别克斯坦4国。罗讷河发源于瑞士,流经瑞士和法国,注入地中海。科罗拉多河流经美国和墨西哥。这些河流(流域)地跨南纬24°43′到37°34′,北纬30°到61°55′,东经4°32′到152°28′,西经0°43′到117°33′的广大区域(图3-1、表3-1、表3-2)。

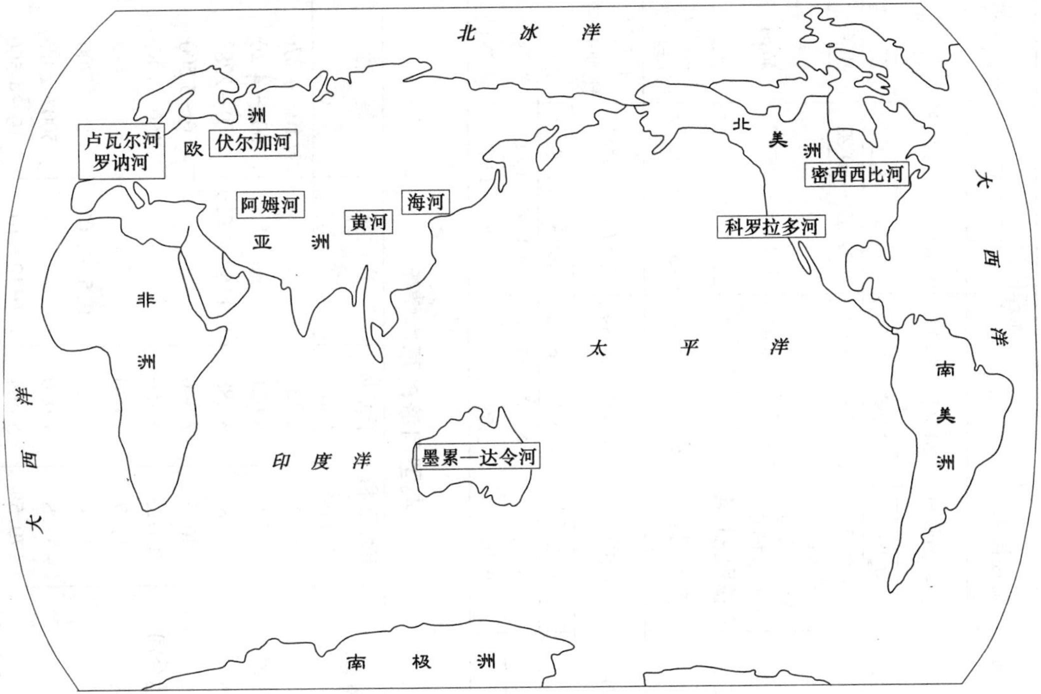

北冰洋
卢瓦尔河
罗讷河
欧洲
伏尔加河
阿姆河
亚洲
黄河
海河
非洲
大西洋
印度洋
墨累—达令河
太平洋
北美洲
密西西比河
科罗拉多河
南美洲
大西洋
南极洲

图 3-1　国内外典型河流分布

表 3-1　　典型河流(流域)地理位置情况

河流名称	流经国家	地理位置		入注水域
		纬度	经度	
科罗拉多河	美国、墨西哥	N31°02′～43°13′	W106°22′～117°33′	加利福尼亚湾
密西西比河	美国	N29°～49°	W80°～112°	墨西哥湾
伏尔加河	俄罗斯	N45°35′～61°55′	E32°05′～60°22′	里海
阿姆河	阿富汗、塔吉克斯坦、土库曼斯坦、乌兹别克斯坦	N34°30′～43°45′	E58°15′～75°07′	咸海
墨累—达令河	澳大利亚	S24°43′～37°34′	E139°13′～152°28′	南印度洋因康特湾
卢瓦尔河	法国	N44°43′～48°39′	W2°07′～E4°45′	大西洋比斯开湾
罗讷河	瑞士、法国	N43°03′～46°05′	E4°32′～8°02′	地中海
海河	中国	N35°～43°	E112°～120°	渤海湾
黄河	中国	N32°～42°	E96°～119°	渤海湾

表 3-2　　典型河流的基本情况

河流名称	流域面积(万 km²)	干流长(km)	河道比降(‰)	高　程(m)
科罗拉多河	66.8	2 333		10～4 270
密西西比河	322	6 021	11.36～1.9	600～4 200
伏尔加河	138	3 688	0.116～0.029	0～228
阿姆河	46.5	2 540		0～5 500
墨累—达令河	107.3	3 750		150～1 826
卢瓦尔河	11.7	1 020		
罗讷河	9.9	812	0.5～2.07	0～1 700
海河	31.8	1 050		500～2 000
黄河	79.5	5 464	0.12～10	10～4 500
合计	813.5	26 678		

3.3 国内外典型河流基本情况及治理开发成就分析

3.3.1 阿姆河流域基本情况和治理开发成就

阿姆河与黄河的纬度相近，河流的特点也很相似，主要体现在多沙、下游河道游荡多变，河流治理开发中出现河流断流和环境生态问题等。

3.3.1.1 自然概况

(1) 地形地貌。阿姆河发源于阿富汗与克什米尔地区交界处兴都库什山脉北坡的维略夫斯基山，海拔约4 900m，干流全长为2 540km，流域面积46.5万km^2。流域由北至南延伸1 230km，由西向东延伸1 470km，山地面积占流域总面积的48.8%。阿姆河河谷在喷赤、瓦赫什河交汇处到克尔基城一段呈弧形扩展，有许多沼泽和湖泊。从克尔基城到伊尔吉克峡谷，比降平缓。伊尔吉克与秋亚木云峡谷以下，河谷扩展到几十公里宽，到珠木尔套与塔希峡谷河谷变窄。三角洲始于塔希亚托斯村以下，是汊流纵横交错的缓斜平原。阿姆河中、下游流经广大的图兰平原，西侧是卡拉库姆沙漠，东侧是克齐尔库姆沙漠。

(2)水系。阿姆河主要支流有喷赤河、瓦赫什河等。喷赤河几乎是全程穿流于深山峡谷之中，全长921km，流域面积11.35万km^2。

瓦赫什河是阿姆河的第二大支流，河长524km，流域面积3.91万km^2，总落差835m，多年平均流量为645m^3/s。见图3-2。

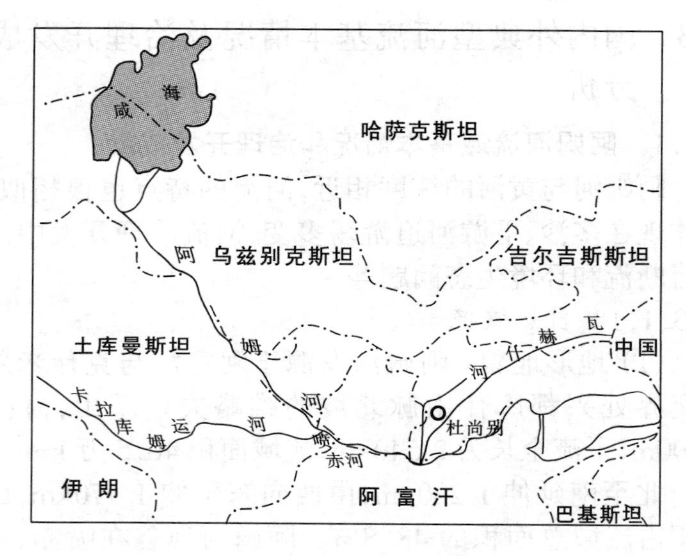

图 3-2　阿姆河水系示意

(3)气候气象。阿姆河流域位于大陆内部,属强烈的大陆性气候,夏季干燥而酷热,冬季冰冽寒冷。7 月平均气温 26～30℃,1 月最低气温为 －30℃或更低。高山区降水量大,平原和山麓降水少。山地的年降水量有的地方超过 1 000mm 甚至达到 2 000mm,而平原降水量只有 100mm。

(4)水文泥沙。阿姆河径流的年内分配特征表现为多峰式,汛期延续时间长,约 6 个月。下游因融雪而引起的春汛始于 3 月,延续到 6 月底,径流一般占 20%～30%。7 月或 8 月,由永久积雪与冰川融化所形成的主要洪峰通过,汛期一直延续到 10 月,克尔基城附近的最大流量通常发生在 7 月;年最小水流往往在 1～2 月,偶尔也会在3月。

阿姆河的悬移质含沙量在中亚细亚河流中居于前列,克尔基城的年平均含沙量为4.22kg/m^3,瓦赫什河的含沙量为4.24kg/m^3。5月份河流含沙量最高,从6月份起含沙量减少,11～12月达到最低值。阿姆河在克尔基城的年均输沙量为2.7亿t。

(5)水资源与水能。不考虑水量沿程损失,就阿姆河流域各支流的来水量而言,地表水资源量为679亿m^3(不含内流河),其中喷赤河来水量最大,达349.2亿m^3,占51.4%,是主要的水量来源区。除此以外,两岸还有一些与阿姆河密切相关的内陆河,水资源总量为90.4亿m^3。阿姆河流域水力资源(包括内流区)蕴藏量为4 060亿kW·h,可开发量为2 090亿kW·h。其中喷赤河蕴藏量最大,为1 190亿kW·h,占总量的29.3%,可开发量为850亿kW·h,占可开发总量的41%。

3.3.1.2 社会经济状况

阿姆河流经阿富汗、塔吉克斯坦、土库曼斯坦和乌兹别克斯坦4国。人口约2 500万(包括引阿灌区),流域内大片荒漠被变成数百万公顷的良田,建成了卡拉库姆灌区、阿姆布哈拉灌区、卡尔申灌区等,水浇地面积300万hm^2。阿姆河流域曾是苏联的中亚经济区,制造业、加工业发达,盛产棉花、水果,也是中亚桑蚕业和畜牧业基地,下游盛产水稻。

阿姆河流域矿产资源丰富,从20世纪50年代以来,随着有色金属矿石的开采,冶炼工业发展迅速,主要分布在东部山区，西部主要是石油、天然气的开采，土库曼斯坦和乌兹别克斯坦的天然气储量达 101 750 亿 m^3。

3.3.1.3 治理开发历程与主要成就

自 1950 年开始，阿姆河流域治理开发进入全面规划和计划用水阶段，水利工程建设于 20 世纪 50 年代末和 60 年代初全面展开，且主要是通航与灌溉工程。1956 年开始修建卡拉库姆运河，1962 年修建澳门—布哈拉运河，1974 年修建卡尔希运河等。

(1)防洪工程体系。为了防御洪水，自 20 世纪 50 年代开始，乌兹别克水利部做了大量工作，完成了修筑堤防、河道整治、修筑大型多年调节水库或分洪区的工作。从 1967 年开始，推行了堤防施工和管理现代化，加快了堤防的建设速度，提高了工程质量。现在，阿姆河的中、下游已普遍修筑了堤防，特别是土雅姆水库以下直至塔希阿塔什之间的河段及河口三角洲段沿河两岸都全部得到堤防保护。有些地方大堤已形成了二、三道连续的保护线，下游堤防总长度已达 1 390km。

河道整治工程主要是逆水上挑 60°～65°的横向丁坝(对口丁坝)，大量丁坝的修建，稳定了河势，保证了中、下游灌区的大型无坝引水口能顺利引水，汛期能安全度汛，保护了城镇居民区及铁路、工厂等的安全。河道整治措施，为游荡性河流的治理提供了先进的经验和范例。

(2)灌溉网络和灌区建设。阿姆河流域是苏联的粮棉生产基地，也是世界上最大的棉花产地。20 世纪 60 年代和 70 年代，阿姆河流域新建成了一些技术装备较好的灌溉系统。

50多年以来，阿姆河流域修建了许多水渠，流域内形成了庞大的灌溉网络体系。比如，吉萨尔水渠将卡菲尔尼干河流域的水调配至苏尔汉河流域，赞水渠将苏尔汉河下游的水调配至舍拉巴德河流域，伊斯卡—安加拉水渠将泽拉夫森河的水调配至卡什卡达里亚河，卡拉库姆水渠将阿姆河的水送往捷詹河、莫尔加布河流域等西部地区，而阿姆—布哈拉河和阿姆—卡拉库姆河的水则调配至泽拉夫森河流域。全流域灌溉网长度达10.4万km，其中在乌兹别克境内有6.66万km。有衬砌的渠道长度为2 782km，其中1 383km在乌兹别克境内。灌溉面积发展到了500多万hm^2，其中灌区面积达到了400多万hm^2，正常情况下引水量达460亿～480亿m^3，其中从阿姆河引水390亿～400亿m^3。

(3)水库及水电站建设。1935年在塔吉克的杜尚别修建了第一座水电站，装机容量为7 200kW；1945～1961年，在塔吉克南部修建了80座小水电站，装机容量2万kW。从1958年开始按瓦赫什—阿姆河梯级开发规划修建水电站，共修建了6座水电站及2座渠道水电站。阿姆河流域已建水库总容量达380亿m^3，其中在阿姆河产流区为130亿m^3，位于内陆河流区为250亿m^3。电力总装机容量达880多万kW，年发电量达330多亿kW·h。

总之，阿姆河流域的土地开发和水资源开发利用，有力地促进了流域内农业生产的发展，给流域内的人民带来了巨大的物质财富。河流的治理经验和治理成就，特别是河道的治理丰富了世界河流治理的经验宝库。

3.3.2 伏尔加河流域基本情况和治理开发成就

3.3.2.1 自然概况

(1)地形地貌。伏尔加河发源于俄罗斯瓦尔代丘陵东南,海拔228m,干流全长3 688km,流域面积138万km^2。流域南北长1 910km,东西宽1 805km,绝大部分位于俄罗斯平原,只有10%的流域面积位于乌拉尔山区。流域自北向南倾斜,北部和西部略为隆起。北部和西北部在古代冰川区域分布着大量湖泊,但一般都不大。河道平均比降为0.07‰,上游段为0.116‰,中游段为0.065‰,下游段为0.029‰。

(2)水系。伏尔加河有200多条主要支流,最大的支流有奥卡河(Oka)和卡马河(KaMa)(图3-3)。奥卡河是伏尔加河右岸最大和水量最多的支流,发源于俄罗斯丘陵,河源海拔226m,全长1 478km,流域面积24.5万km^2,河口多年平均流量1 230m^3/s;卡马河是伏尔加河左岸最大的支流,河长2 032km,流域面积52.17万km^2,河口年平均流量为3 760m^3/s,河道平均坡降0.11‰。

(3)植被。伏尔加河流域植被状况差异较大。左岸喀山和白河以北地区及乌拉尔地区是原始森林带,天然植被保存完好,森林覆盖率平均为75%~90%,在南部边缘地带为50%~70%。伏尔加河与奥卡河河间地区为混合林带,森林覆盖率为60%左右,湖泊与沼泽很多。以上两个林带是伏尔加河径流的主要来源区。

伏尔加河中游及奥卡河右岸为森林草原带,植被覆

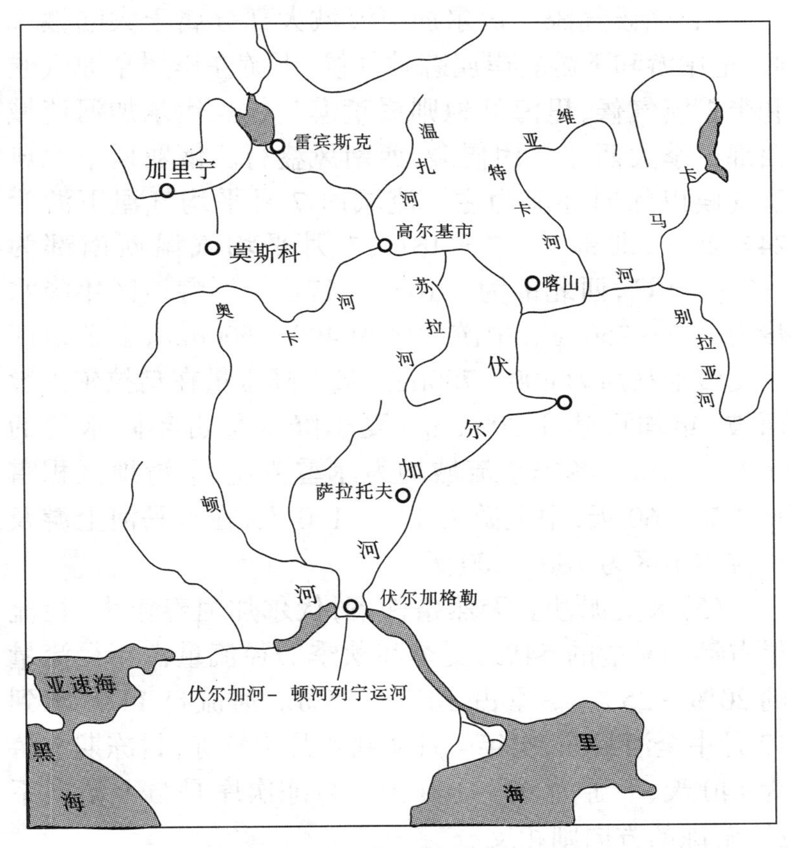

图 3-3　伏尔加河水系示意

盖率为 15％左右。该区耕地面积占总面积的 50％～80％。

伏尔加河下游大部分地区为草原带及半沙漠带，草原耕作率为 60％～80％。河口地区位于沙漠带，沿河形成了长约 600km、宽 40～50km 的著名绿洲。

(4)气候气象。伏尔加河流域大部分属于大陆性气候,上中游和下游右岸属森林气候,下游左岸属草原气候和半荒漠气候,里海低地则属荒漠气候。伏尔加河流域西部冬季大西洋气团侵袭,西南风盛行。俄罗斯平原典型气候以纬向环流为主。流域内 7 月平均气温下游为 24～25℃,北部为 17～18℃;1 月平均气温西南部为 -7～-8℃,西北部为 -16～-17℃。下游地区年降水量为 200～250mm,中游地区为 400～600mm,上游地区及支流卡马河为 600～780mm,最大降水量在乌拉尔山脉西坡,年均可达 1 000mm。夏季降水量占年降水量的 60%～75%。冬季全流域均为冰雪覆盖,下游地区积雪日数50～60 天,中上游为 140～160 天,在卡马河上游及乌拉尔山区为 180～200 天。

(5)水文泥沙。天然条件下,伏尔加河春汛大,径流量占年径流量的 54%,夏季和秋季的径流量占年径流量的 20%～25%,冬季占 10%～15%。河流自 11 月末到 12 月中全河封冻,次年 4 月初到 4 月中解冻,封冻期上游为 140 天、下游为 90～100 天。封冻次序是自上游向下游,解冻的方向则相反。

伏尔加河含沙量年内变化很大,并与水量有关。年输沙量为 2 700 万 t,平均含沙量在杜博夫卡附近为 0.105kg/m^3。

(6)水资源与水能。伏尔加河的水量补给中,融雪水占 53%,地下水占 30%,雨水占 17%,多年平均入海径流量为 2 540 亿 m^3。流域内自上游至下游,到处可见大小湖泊以及湖泊群，其中上游最为集中，这些湖泊为流域内水资源起着巨大的调节作用。两条大支流奥卡河与卡马河的年径流量分别为410亿m^3和1 200亿m^3，其中卡马河年径流量占伏尔加河年径流量的47%，是该流域径流的主要来源区。

伏尔加河地下水资源量为400亿m^3，其中与地表径流不重叠的为201亿m^3。

伏尔加河流域可开发的水能资源为1 200万kW，已开发1 110万kW，年发电量为400亿kW·h。

3.3.2.2 社会经济状况

伏尔加河流域是俄罗斯政治、经济和科学文化的中心地带，总人口5 900万，约占俄罗斯总人口的40%。流域内灌溉面积为210万hm^2，农业产值占全国的40%以上，工业产值约占全国的一半。航运是伏尔加河的一大特点，年货运量曾超过3亿t，占全国内河货运总量的70%以上。伏尔加—卡马河水系是俄罗斯淡水鱼的主要产区，天然状态下淡水鱼的捕捞量曾占全俄罗斯的一半左右，鲟鱼产量约占90%。

3.3.2.3 治理开发历程和主要成就

伏尔加河在20世纪以前处于天然状态，仅航运业和捕鱼业比较发达，1931年制定了以能源和水运为主要目标的伏尔加河综合利用规划。1933年开始建设莫斯科—伏尔加运河及伊万柯夫、乌格里奇、雷宾斯克水利枢纽；1948年开工建设高尔基水电站及伏尔加河—顿河运河；1950年开工建设加里宁和伏尔加格勒水电站，1955年古比雪夫水库开始蓄水，1956年建设萨拉托夫水电站，1971

年开工建设切博克萨雷水电站。与此同时,在伏尔加河最大的支流卡马河上建成了卡马、沃特金和下卡马3座梯级水电站,使伏尔加—卡马河水系变成了一连串水库相接的阶梯(图3-4)。已建成的12座水电站总库容1 870亿m^3,有效库容900亿m^3。此外还修建了300多座中小型水库,总库容125亿m^3,有效库容50亿m^3,水库水面总面积2 600km^2。

1964年,经过大规模扩建后的伏尔加—波罗的海运河投入运用,伏尔加河成了"五海之河",即通过伏尔加—顿河运河把伏尔加河同亚速海、黑海相连,通过伏尔加—波罗的海运河把伏尔加河同波罗的海相连,通过北德维纳运河把伏尔加河同白海相连,再就是伏尔加河流入的里海。

伏尔加河沿岸还修建了大批抽水站、灌溉渠、防护堤、污水处理厂、河港、避风港、码头和旅游设施、疗养院等。

经过50多年的开发利用,伏尔加河梯级水电站总装机容量达到1 110万kW,年发电量400亿kW·h,是俄罗斯欧洲部分电网的核心电站。流域内已发展灌溉面积210万hm^2,每年捕鱼量约30万公担。梯级水电站的兴建,大大提高了下游的防洪能力,极大地减轻了洪灾损失。

3.3.3 密西西比河流域基本情况和治理开发成就

3.3.3.1 自然概况

(1)地形地貌。密西西比河发源于美国西部落基山

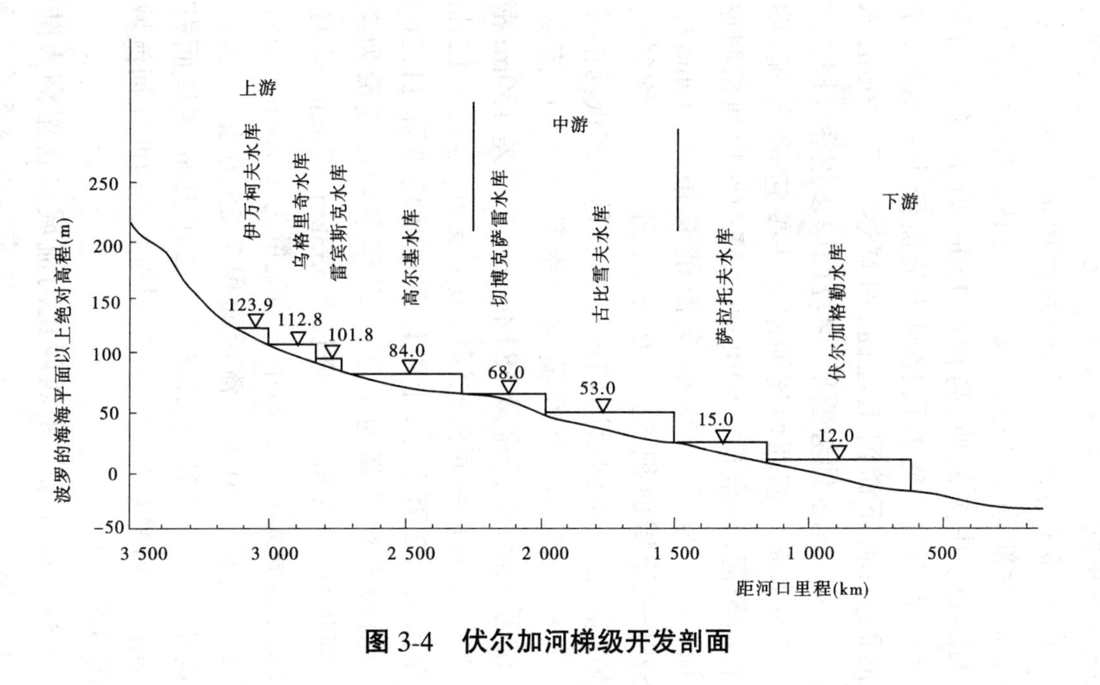

图 3-4　伏尔加河梯级开发剖面

脉的密苏里河支流红石溪,全长 6 021km。密西西比河处于美国中部平原地带。上密西西比河两岸地形低矮,湖泊密布,大部分地势平坦或微有起伏。中游支流俄亥俄河大部处于中央低地,高程在 150m 以下,东部与阿巴拉契亚山地相接。密西西比河干流流经中央低地,中游河段河面宽阔,下游河道迂曲,河宽达 2.5～3km,水势平稳。三角洲地区地势低平,河堤两岸多沼泽、洼地。

(2)水系。密西西比河水系主要包括:干流,明尼阿波利斯至河口,全长 2 940km;上密西西比河指明尼阿波利斯以上,全长 827km;支流俄亥俄河(Ohio),全长 1 578km,流域面积 52.8 万 km^2,河口年平均径流量为 2 302 亿 m^3。田纳西河(Tennessee)是俄亥俄河的主要支流,全长 1 050km,流经美国东南部 7 个州,流域面积 10.62万 km^2,年径流量 584 亿 m^3,总落差 130m;密苏里河(Missouri)是密西西比河的最大支流,全长 4 126km,流域面积 137.2 万 km^2,上游段河道平均坡降 11.36‰,中下游河段平均坡降为 1.9‰,多年平均径流量为 703 亿 m^3;阿肯色河(Arkansas)全长 2 333km,流域面积 41.6 万 km^2,天然情况下短山站年平均流量为 1 700m^3/s;怀特河(White)全长 1 102km,流域面积 7.25 万 km^2,河口平均流量 909m^3/s;雷德河(Red)全长 2 075km,流域面积 24.1 万 km^2,河口平均流量 1 585 m^3/s。密西西比河流域水系如图 3-5 所示。

(3)气候气象。密西西比河流域包含湿润大陆性气候、半干旱草原气候及湿润亚热带气候等 5 个气候区。

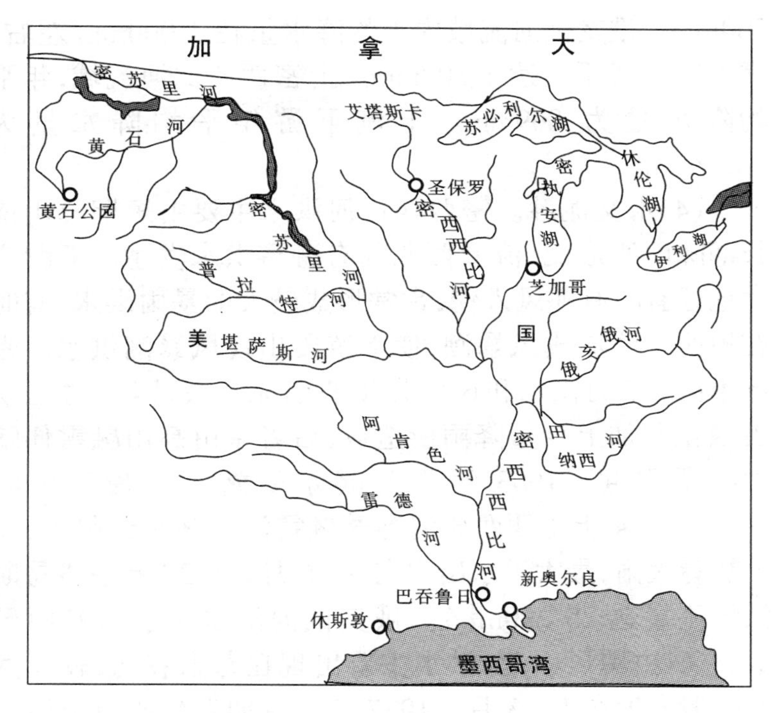

图 3-5　密西西比河流域水系示意

流域内降水自西向东逐步增加。落基山脉以东地区，一般在 500mm 以上。大平原东部达到 800mm，靠近阿巴拉契亚山区达到 1 200～1 500mm，最大达到 2 050mm。密苏里河流域的年降水量在上游河段及支流山区为 300～800mm，下游地区为 820～1 000mm。但流域内的年蒸发量为 800～1 400mm，比降水量还要大，属半干旱地区。密苏里河上游地区及支流山区年降雪量较大，一般为 1 000～2 500mm，中下游降雪量小于 1 000mm，最小为

300mm。俄亥俄河流域内平均降水量在 1 000mm 左右，靠近东部高原则达 1 500mm。上密西西比河流域，年平均降水量为 809mm。干流下游年平均降水量为 1 257mm。

(4)水文泥沙。密西西比河洪水主要由短期暴雨或长期降雨所形成，流域西北部有融雪洪水发生。下游广大地区有时有飓风入侵，常常形成较大的暴雨洪水，有时在墨西哥湾造成风暴潮，使下游段出现风暴潮洪水。密苏里河分 3 月洪水和 6 月洪水，前者系苏城以上平原区积雪融化并加上少量降雨所造成；后者系由高山融雪伴随大雨所引起。1903 年 6 月赫尔曼站实测最高洪峰 19 140m^3/s。上密西西比河春季融雪洪水来水量很大，加上初春大雨，最大洪水出现在 3～6 月。1927 年圣路易斯洪峰流量达 25 200m^3/s。俄亥俄河洪水一般由暴雨形成，有时由飓风引起，洪水主要出现在冬末春初，较大洪水一般发生在 1～3 月。1937 年 2 月初发生历史上最大洪水，河口洪峰流量高达 52 350m^3/s。密西西比河下游洪水，除本地区降雨产生的洪水外，主要来自各支流，其中以俄亥俄河来水最大，所占比例达 59%～92%。1927 年 3～4 月间，全流域普降大雨，暴雨中心在阿肯色河口，密西西比河下游水位全线上涨，雷德河码头测站洪峰流量为66 300m^3/s，是最大的一次洪水。

密西西比河是一条泥沙较多的河流，年均输沙量 4.95亿 t，平均含沙量为 0.67kg/m^3。泥沙主要来自右岸的一些支流，密苏里河的年均输沙量 2.18 亿 t，阿肯色河

1.05 亿 t。密西西比河上游干流年输沙量只有 2 000 万 t。下游段经常有泥沙淤积,每年要疏浚 2 300 万～5 350 万 m^3。过去,每年有 2.4 亿 t 泥沙淤积在河口,自 1953 年至 1963 年,密苏里河上建了 6 座水库,泥沙全部拦在库内,使入海泥沙比 1953 年前减少了一半。据 1980 年统计,包括阿查法拉亚河在内,密西西比河年平均入海沙量减至 2 亿 t,从而引起密西西比河河口三角洲退蚀。

(5)水资源与水能。密西西比河水资源丰沛,河口年均径流量为 5 800 亿 m^3。径流分布以俄亥俄河为最大,年径流量为 2 302 亿 m^3,占总径流量的 39.7%,而其流域面积仅占全流域面积的 16.4%。各主要支流的径流情况见表 3-3。

表 3-3　　密西西比河主要支流河川径流量

河流名称	俄亥俄河	密苏里河	阿肯色河	怀特河	雷德河
面积(万 km^2)	52.8	137.2	41.6	7.25	24.1
年径流量(亿 m^3)	2 302	703	536	287	500

3.3.3.2　社会经济状况

密西西比河流域内居住着美国近一半的人口,约 1.1 亿。人口分布的基本特点是:①东密西疏。东部地区平均人口密度在 60 人/km^2 以上,西部地区为 16 人/km^2。②沿海密内陆疏。墨西哥湾沿岸人口密度为 57.8 人/km^2,内陆地区为 16.5 人/km^2。

密西西比河流域工农业生产相当发达,工农业产值占全流域总产值的 33%。农用土地的利用率相当高,耕地面积占流域面积的35%，占美国总耕地面积的64%。这里生产的玉米、大豆占全美国生产量的80%，而且还盛产棉花、大米、高粱（蜀黍类）和小麦。另外，密西西比河流域的牧场面积也非常辽阔，相当于全美国牧场面积的30%。流域内总灌溉面积713万 hm^2，其中喷灌面积157万 hm^2，占22%。灌溉工程主要集中在流域西部，西部10个州的灌溉面积587万 hm^2，占全流域的82%。

流域内矿产资源丰富，主要有煤炭、石油、天然气及其他有色金属等。工业相对发达，钢铁、机械、汽车、炼油、化工、食品工业都驰名国内外。电器、橡胶、飞机工业也颇具盛名。

3.3.3.3 治理开发历程及主要成就

密西西比河流域是美国的“粮仓”，是美国经济的核心地带。流域内所蕴藏的广袤的土地资源、矿产资源和丰沛的水资源，吸引人们去不断开发，以期创造出更多的财富，满足人们日益增长的物质需求。然而，频繁的自然灾害时常威胁着流域内人民生命财产的安全，制约着流域经济的发展。因而，河流的治理又成为人们生产过程中的另一个主题。

公元1879年，美国国会建立了密西西比河委员会，负责勘测、调查研究、改善航道、防洪等工作，当时的重点是航运。1927年密西西比河发生大洪水，受灾严重。1928年5月国会通过密西西比河防洪法令，由密西西比河委员会提出以防洪为主，兼顾航运、发电、灌溉等综合治理开发方案。

从19世纪初起,美国的经济从东北部的五大湖和大西洋沿岸地区开始发展起来,至20世纪初,已成为美国工农业最发达的地区。由于中央低地与五大湖连成一片,美国的经济逐渐向腹地推进,因此密西西比河和东部支流俄亥俄河(包括支流田纳西河)开发较早,大部分工程于30～50年代建成。后来,美国的经济逐步向西部和南部推进,促进了密苏里河和阿肯色河的开发,大部分工程于50～70年代建成。

密西西比河的水资源综合开发利用工程在世界河流的治理开发史上处于领先水平,其工程措施主要包括:上游清除暗礁、堵塞支汊、修建梯级闸坝与渠化河道;中游修建防洪堤、丁坝群、护岸以及疏浚缩窄河道;干流下游建防洪堤、分洪区、分洪道、裁弯取直并辅以护岸、丁坝、顺坝以及疏浚等;在河口修建导流堤,治理拦门沙水道等;在各支流则以综合利用水库为主。

现在,密西西比河干支流上已修筑堤防7 860km;支流上修建水库150多座,总库容2 000多亿m^3;分洪道工程4处,总分洪能力56 600m^3/s;完成裁弯取直工程56处,缩短流程311km;修建丁坝1 445座,总长度457km;需要疏浚的地点已经从30多处锐减为12处;共建成闸坝100多座,全水系形成了统一的航道。

3.3.4　科罗拉多河流域基本情况及治理开发成就

3.3.4.1　自然概况

(1)地形地貌。科罗拉多河发源于美国科罗拉多州中北部落基山脉弗兰特岭西坡,干流全长2 333km,其中最下游145km在墨西哥境内。流域边界三面环山,东部和北部为构成大陆分水岭的山脉,西部为落基山脉,整个流域地势北高南低。从发源地到利斯费里为上游段,长约1 030km,河道蜿蜒,下切明显。中游从利斯费里至比尔威廉斯河河口,长570km,属峡谷地形,著名的科罗拉多大峡谷就在该段,长350km 最大深度1 740m,河床比降大,为1.5‰,河流曲折蜿蜒,水流湍急。下游地势低洼,有山地、盆地、沙漠等。

(2)水系。科罗拉多河水系复杂,支流逾50条(图3-6),主要支流有:甘尼森河(Gunnison);格林河(Green),全长1 175km,流域面积11.7万km^2,多年平均流量185m^3/s;圣胡安河(San Juan);小科罗拉多河(Little Colorado),流域面积7.7万km^2,年均径流量4.4亿m^3,年均输沙量5 300万t;维尔京河(Virgin);希拉河(Gila),全长1 014km,流域面积13.4万km^2。

(3)植被。科罗拉多河干支流大部分流经干旱的科罗拉多高原,穿行于深山峡谷之中,气候干旱,植被稀少。著名的科罗拉多大峡谷南壁气候干燥,植物稀少;北壁气候寒冷,林木苍翠;谷底气候干热,呈荒漠景象。

(4)气候气象。科罗拉多河上游受海拔和地形的影响,气候变化较大,最低气温-46.7℃,最高气温达42.8℃,年均降水量为200～500mm,秋冬春季降水多为降雪。中、下游地区大部分属干旱、半干旱气候,年均降水量不足100mm,蒸发量大。

(5)水文泥沙。科罗拉多河的洪水主要是由冰雪融水形成的,并且在年内年际间变化很大,春末夏初洪水泛

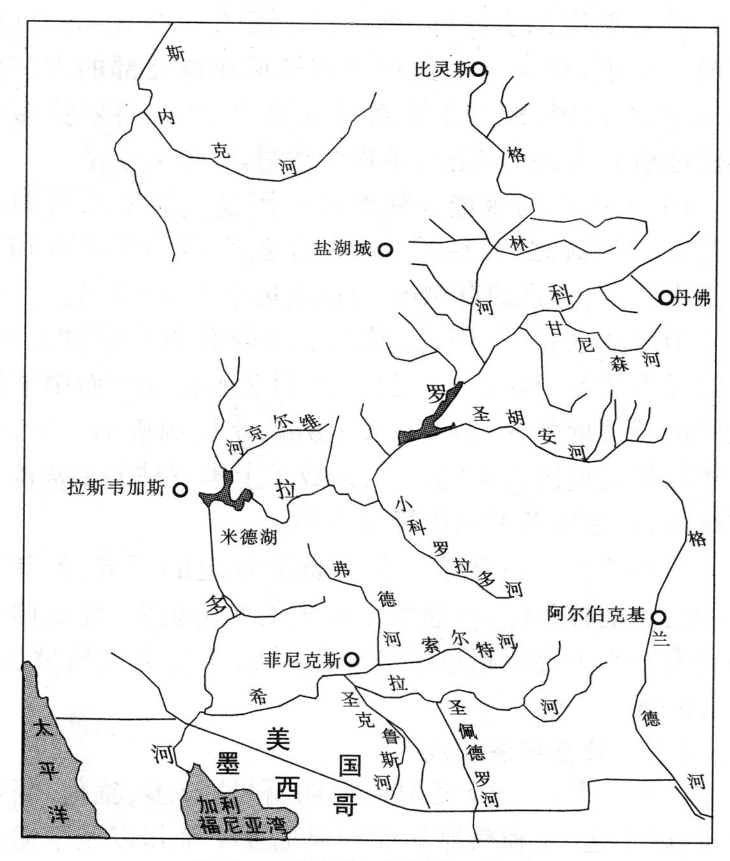

图 3-6　科罗拉多河水系示意

滥，秋冬季河水干涸。4～5 月洪水期流量达 1 982～3 115m³/s，最大洪水流量达 8 500m³/s，枯水期流量仅 85m³/s，最小为 20m³/s。

科罗拉多河中下游河流含沙量高，年均含沙量 27.5kg/m³。在科罗拉多大峡谷处测得年均输沙量为

1.81亿 t,平均含沙量11.6kg/m^3。河流泥沙大部分沉积在河口附近,形成一个横跨加利福尼亚湾北部的大三角洲,并向南发展,有些支流含沙量更大,如小科罗拉多河年侵蚀模数为688t/km^2,平均含沙量达120kg/m^3。

(6)水资源与水能。科罗拉多河是世界上水资源最为贫乏的河流之一,径流主要靠上游落基山区降水和冰雪融水补给,并且约有70%的径流集中在4~7月。由于落基山区降水较多,因此,其上游水资源非常丰富,多年平均径流量为186亿 m^3,最大达到296亿 m^3,而中下游地区由于雨量稀少,加上蒸发、渗漏,水资源极为贫乏,河口年均径流量仅为49亿 m^3,形成了上丰下枯的水资源分配格局,对水资源的利用极为不利。

科罗拉多河虽然是一条水资源贫乏的河流,但其独特的河流地貌条件,却蕴藏了较大的水力资源,流域内已经开发的水力资源超过了524亿 kW,年发电量超过360亿 kW·h。

3.3.4.2 社会经济状况

科罗拉多河流经美国怀俄明、科罗拉多、犹他、新墨西哥、内华达、亚利桑那和加利福尼亚7个州以及下游的墨西哥。流域内人口约2 500万,水浇地面积已达120万 hm^2。自20世纪60年代起,科罗拉多河流域各州制造业迅速发展,至70年代制造业职工总数增加了两倍。产品主要有机械、食品和军用品。农田大部分依靠灌溉,主要农作物有小麦、玉米、高粱、甜菜等。家畜和畜产品在农业收入中占显著地位。

流域内还蕴藏着丰富的矿产资源，历史上曾盛产金、银，现以钼、铀、锌、钒、铜、铅、石油、煤和天然气为主。煤和铀的开采将是21世纪的发展趋势，石油和天然气的开采将有所下降。

3.3.4.3 治理开发历程与主要成就

科罗拉多河的治理与开发主要面对三个问题：一是洪水问题，二是泥沙问题，三是干旱问题。

科罗拉多河早期的治理开发，是在支流上游建小工程，引水灌溉和发电，但是这些措施都不能彻底解决这些问题。为了从根本上解决防洪、灌溉、泥沙问题，并兼顾电力生产，1931年开始修建干流上第一座大坝——胡佛坝，从此，科罗拉多河的治理开发迈入了一个新的历史阶段。1934年开始修建"全美渠"，1940年引水，可灌溉面积20万hm^2。1942年帕克坝投入运行，1950年戴维斯坝竣工等。如今，科罗拉多河干流上已建水库11座，支流已建95座，总库容872亿m^3，总装机容量超过524万kW。这些水库都充分考虑了防洪、发电、灌溉、供水、综合利用等问题。兴建引水工程10余处，其中规模最大的是科罗拉多河—大汤普森河调水工程。这些工程对解决干旱地区水资源问题、水资源的地区分配问题以及附近工农业生产都具有重大意义。

3.3.5 墨累—达令河流域基本情况和治理开发成就

3.3.5.1 自然概况

(1)地形地貌。墨累—达令河发源于澳大利亚新南威尔士州东南部雪山派勒特山西侧，流域内大部分地区地势平坦，海拔在200m以上，属于典型的平原地区。墨累河上游占整个河长的20%，河道比降大，从源头的1 430m，下降到150m左右，中下游河道比降小，宽阔的河谷中多沼泽，表面广布近期的冲积层和风化层，地表很少起伏。

(2)水系。墨累河主要支流有达令河和马兰比吉河(图3-7)。达令河是墨累河最长的支流，发源于新南威尔士州新英格兰山脉的西麓，在文特沃思汇入墨累河，全长2 740km，流域面积65万km^2，在梅宁迪附近年平均流量为102m^3/s。大部分支流集中在芒金迪至伯克以上河段，自伯克以下是干旱地区，除沃里戈、帕鲁两条间歇性河流外，基本无支流，河道有时形成分汊，在河流下游梅宁迪附近有一系列的湖泊，对墨累河下游径流起着重要的调节作用。达令河地处亚热带内陆地区，流经大面积的盐碱草原，降水少，大多数地区降水量在250mm以下，从支流补充的水量常少于干流河水的蒸发量。大部分支流为季节性河流，仅在雨季才形成径流，有些支流尚未流到干流就消失在内陆盆地中。马兰比吉河位于新南威尔士州东南部，发源于雪山北段，在罗宾韦尔市附近注入墨累河，全长1 690km，流域面积9.7万km^2，多年平均流量119m^3/s。

(3)气候气象。墨累—达令河流域跨越不同的气候带，从高山严寒带到亚热带，从温湿地区至干旱地区。流域降水稀少，气候干旱，年均降水量425mm，5%的地区年均降水量在750mm以上，河流源头地区年均降水可达1 400mm，其他地区降水稀少，甚至降水量少于蒸发量，

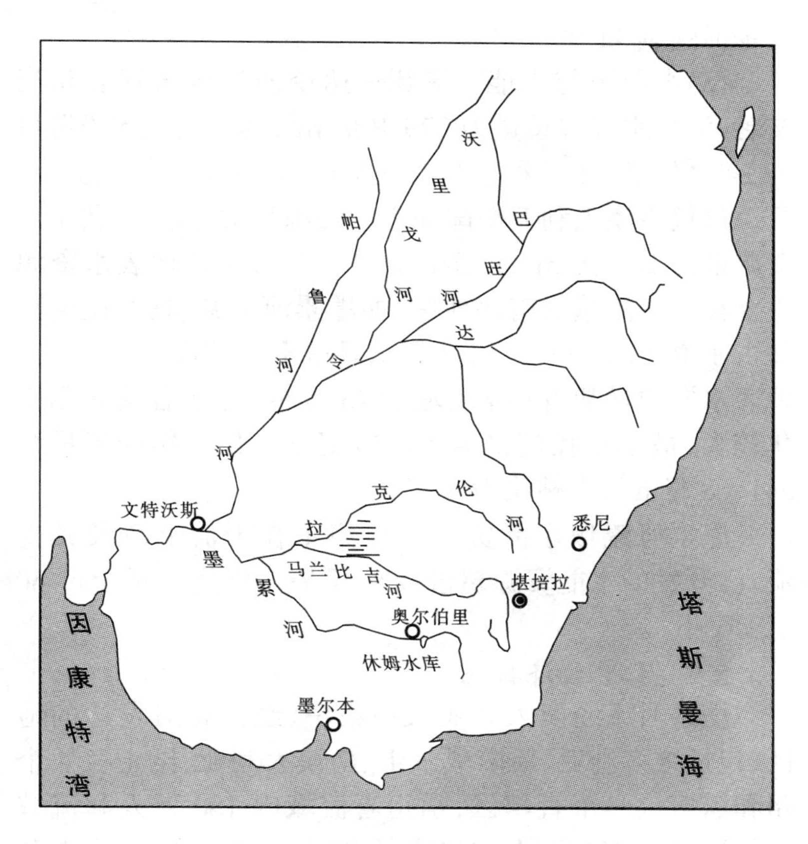

图 3-7　墨累—达令河水系示意

86%的地区径流极少或不产生径流。

(4)水文泥沙。墨累河干流多年平均流量 190m^3/s，实测最大流量 4 400m^3/s，实测最小流量 28m^3/s。墨累河源于降水丰富的东部高地，流经降水稀少、蒸发旺盛的广大平原地带，致使多数支流的中下游常出现断流，干旱年的断流时间更长。如 1920 年，拉克伦河连续 9 个月断流，达令河连续 11 个月无水。

(5)水资源与水能。墨累—达令河流域水资源相当贫乏，流域水资源总量为 279.8 亿 m^3，其中地表水资源量为 243 亿 m^3，可开采地下水资源量 36.8 亿 m^3。地表水资源量仅占澳大利亚全国地表水资源量的 6%，可利用水资源量为 123 亿 m^3，占全国的 12.4%，并且地表水资源主要集中在流域的南部地区，如墨累河上游、马兰比吉河和古尔本(Goulburn)河，其面积只占全流域面积的 11%，地表水资源量却占到全流域的 45.4%。地表径流年际变化较大，最小年径流量为 16.26 亿 m^3，最大年径流量为 541.68 亿 m^3，丰枯比为 33.3。

墨累河流域水能资源主要集中在干流上游及其支流，已开发的水能资源超过 389 万 kW，年发电量超过 50 亿 kW·h。

3.3.5.2 社会经济状况

墨累河流经澳大利亚人口集中、经济相对发达的地区，包括维多利亚、新南威尔士、南澳大利亚、昆士兰 4 个州和堪培拉一个直辖区，承担着流域内 180 万人和流域外临近地区 125 万人的供水任务，供水人口约占澳大利亚总人口的 17%。这里是澳大利亚最重要的农业区，灌溉面积 147 万 hm^2，占澳大利亚总灌溉面积的 70%。流域内的农场占全澳大利亚的 40%，年农产值约 85 亿澳元，占全澳大利亚的 40%以上。

流域内制造业主要依靠农业，年产值约 107.5 亿澳元。流域外临近地区的制造业也主要依靠或全部依靠墨累河水资源供给，如 Adelaide 地区主要依靠墨累—达令河的水供给，制造业年产值约 123 亿澳元，Northen Spencer Gulf 市全部依靠墨累—达令河水资源，制造业年产值 10 亿澳元。流域内采矿业年产值 16.6 亿澳元，旅游业年收入 34.4 亿澳元。此外，流域内林业年收入占全澳大利亚的 15%。

3.3.5.3 治理开发历程及主要成就

墨累—达令河流域的治理开发主要围绕水资源的开发利用、保护以及防治土壤盐碱化进行。19 世纪末以前，治理开发的目标是保障航道的通畅，随着土地资源的大规模开发，用水矛盾日趋突出，到 20 世纪 60 年代以前的五六十年间，流域内的灌溉事业有了较大的发展。但是，水土资源的不合理利用造成了水环境污染和土地盐碱化，进一步加剧了用水矛盾，从此，墨累河流域的治理开发工作进入了以资源和环境保护为主的阶段，所采取的主要措施一方面是强化流域的协调管理和环境保护的职责；另一方面是控制用水需求。

墨累—达令河水资源开发已达到了很高的程度。流域内共建各种大坝、水库和水电站 28 座，总库容 300 亿 m^3，超过了墨累河的多年平均径流量，总装机容量 417 万 kW，年发电量 54.8 亿 kW·h。著名的雪山调水工程是该流域最大的工程体系，包括 16 座水库，有效库容 70 亿 m^3，7 座水电站，总装机容量 374 万 kW，2 座扬水站（扬程分别为 232m 和 155m），输水隧洞 145km。年调水量为 23.6 亿 m^3，年发电量约 50 亿 kW·h。

3.3.6 卢瓦尔河流域基本情况和治理开发成就

3.3.6.1 自然概况

(1)地形地貌。卢瓦尔河发源于法国中央高原东部维瓦赖山,先向北流,至迪关转向西北,经法国中部,至奥尔良后蜿蜒西流,于圣纳泽尔附近注入大西洋比斯开湾。河流全长1 020km,地跨山地高原、阿尔莫利干高原和中央高原,中部是广袤的平原。

(1)水系。卢瓦尔河主要支流有:阿鲁(Arroux)河、阿列(Allier)河、科松(Cosson)河、谢尔(Cher)河、安德尔(Indre)河、维埃纳(Vienne)河和卢瓦(Loir)河等(图3-8)。维埃纳河是卢瓦尔河的最大支流,发源于科雷兹省、上维埃纳省和克雷兹省三省交界处,河流先向西流,至圣瑞尼安转向北流,先后接纳克兰(Crease)河等,最后在索米尔附近注入卢瓦尔河。

(3)植被。东部高山地区,以前草地占第一位,现在又栽植了针叶林;过渡地带为利马涅草原和罗昂草原,在地势低洼的黏土河谷地区有林网草场。西南部有森林、泥炭沼泽草原和稀少的耕地;西北部耕地面积超过了森林面积,其余地区主要是草地。

(4)气候气象。卢瓦尔河主要受海洋性气候和地中海气候的影响。阿尔莫利干高原西部、莫尔旺和中央高地降水量丰沛,雷恩平原、瓦勒峡谷地区以及狭窄平原区降水量偏少。东部以降雪为主,气候受塞文山脉影响。

(5)水文。卢瓦尔河多年平均流量900m^3/s,多年平均径流量284亿m^3。洪峰流量12 000m^3/s,枯水流量50m^3/s。

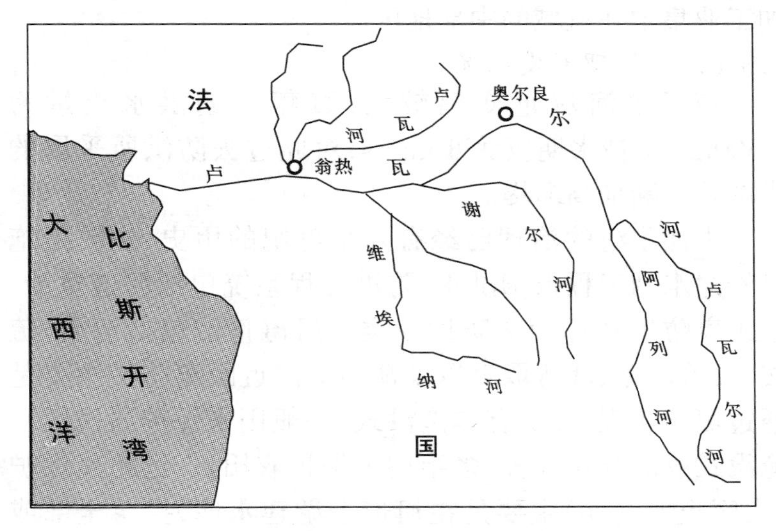

图 3-8　卢瓦尔河水系示意

(6)水资源。卢瓦尔河流域地表水资源量为284 亿 m^3。

3.3.6.2　社会经济状况

卢瓦尔河流域有 10 个大区,31 个行政省,7 300 个市镇,其中超过 50 000 人口的城市 20 个,6 000 多个市镇人口不足 1 000 人。流域内总人口 1 150 万,平均密度达到 75 人/km^2。人口分布极不均匀,集中分布在邻近滨海地区,流域东部的河谷以外地区人口密度低,西部居民聚集点的人口密度较高。

流域内饲养业占法国的 2/3,2/3 的屠宰业分布在生猪饲养地区,乳制品生产占 1/2。流域的中部地区是重要的植物类生产基地。

流域内电力工业占全国的 1/5,占主导地位的农产品加工业集中在流域的中部地区。

3.3.6.3 治理开发状况

卢瓦尔河流量变幅较大，百年一遇洪水流量为7 500m^3/s，枯水期仅为15m^3/s，对此过去防洪所采取的措施是不断加高河堤。

卢瓦尔河的治理已经有几个世纪的历史，主要措施是修建水利工程抵御洪水，防洪工程系统包括河道整治，近距离防护和远距离防护3类。河道整治包括清淤、疏浚、改善水流、裁弯取直以及清障等。近距离防护主要是通过堤防实现，堤防有非淹没式(一般用来保护居民区)、淹没式或混合式3种(多半用来保护农田)。远距离保护(山区土地例外)主要是在河道上游建水库，拦蓄全部或部分上游洪水量。

19世纪，当地人民还无法抵御大洪水所造成的灾难，在当时的情况下，只有修筑设有“自溃式堤坝”的非常溢流堰。到了20世纪，卢瓦尔河流域的人民继续修筑堤防，并对薄弱段进行加固，现已有堤防600km，并修建了一座调洪水库。

卢瓦尔河的防护体系已基本形成，即在上游支流修建水库拦蓄洪水，中下游修建堤防和分洪区，与此同时加强了洪水预警系统。卢瓦尔河沿岸25万hm^2的易淹没区域，有10万hm^2受到堤防保护。

现在，卢瓦尔河的治理思路不仅仅局限在修建水利工程，而且将重点转移到研究河谷地可持续发展的方式，既能适应洪水，又能减少财产损失，使人们能够与洪水和谐共存。

3.3.7 罗讷河流域基本情况和治理成就

3.3.7.1 自然概况

(1)地形地貌。罗讷河发源于瑞士伯尔尼的罗讷冰川,流经瑞士西南部和法国东南部,西部是中央高原和塞文山脉,东面是汝拉山和阿尔卑斯山脉,里昂至马赛之间的干流地处罗讷低地。

(2)水系。罗讷河主要支流有伊泽尔河、迪朗斯河和索恩河(图 3-9)。索恩河是罗讷河最大的支流,总面积2.96万 km^2,年平均流量 432m^3/s,最大流量 4 000m^3/s。迪朗斯河因靠近地中海,虽然其流域面积仅 1.5 万 km^2,年平均最大流量为 350 m^3/s,罗讷河最大洪水流量就出现在该支流,为10 000m^3/s。

(3)植被。罗讷河流域植被状况良好,全流域森林覆盖率高于全国平均值 34%。茂密的森林使人们已经感觉不到流域内各地区地理状况、气候、土壤和人文的差别,这些森林大部分属于人工林,原始和次生的森林生态系统仅存在于局部地区。

(4)气候气象。罗讷河流域位于法国的东南部,是大陆气候、大洋气候和地中海气候的交汇地区,并且易受大洋气候和地中海气候的影响。1 月平均气温为 6~8℃,7 月平均气温为 20~23℃,多年平均降水量从西北的 600mm 递增至东南的 1 000mm 以上。马赛属地中海型气候,冬季温和、多雨,夏季炎热、干燥;里昂属大西洋渐弱型气候,冬季气温偏高。

(5)水文泥沙。罗讷河水量丰沛,常常造成洪水灾

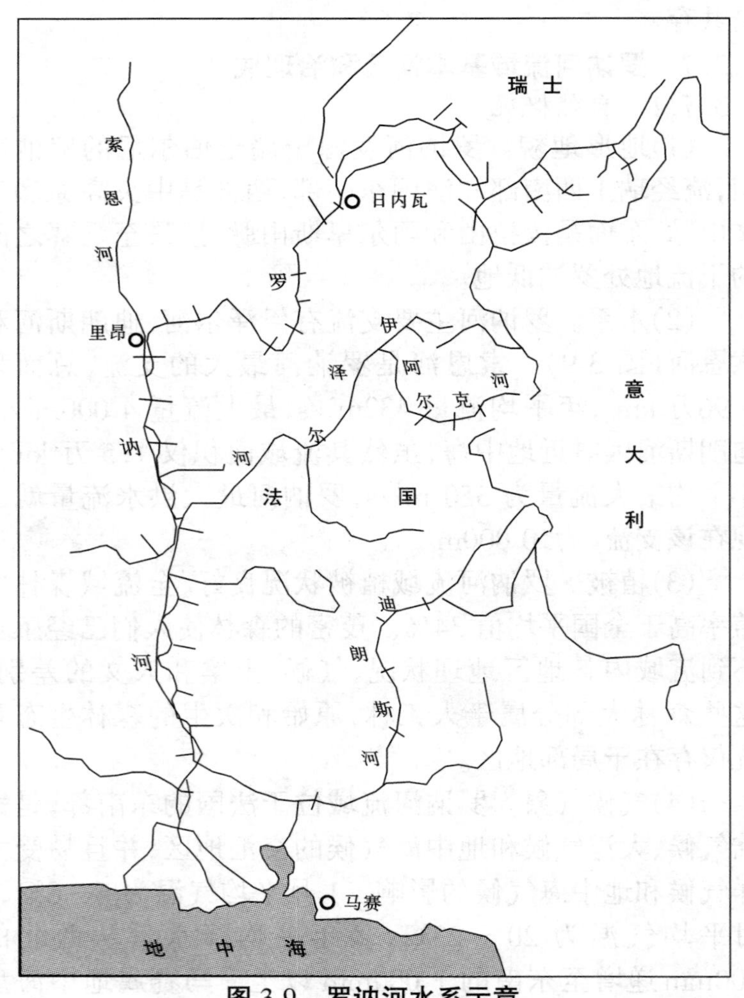

图 3-9　罗讷河水系示意

害，公元 1856 年洪水流量达到 12 000m^3/s。上罗讷河属阿尔卑斯高山水文特征，从日内瓦湖到里昂，7 月水位最高,1 月水位最低。支流索恩河属大西洋平原水文特征,2 月水位最高,8 月水位最低。迪朗斯河位于下罗讷河中段,春季水位较高。下罗讷河下段属明显的地中海水文特征。

(6)水资源与水能。就法国而言,罗讷河流域的水资源还算是丰富,水资源储量占全法国的 78%,其中 55 亿 m^3 储存在湖泊中。罗讷河地表水资源量为 539 亿 m^3,占全法国的 39%。

罗讷河流域水力资源开发规模大,已开发水力资源 931.3万 kW,年发电量 309.83 亿 kW·h,其中干流开发了 308 万 kW,年发电量为 167 亿 kW·h。

3.3.7.2 社会经济状况

罗讷河流域总人口 1 300 多万,占全法国的 23%,人口密度大约为 100 人/km^2,其中 75%为城市人口。

流域内农业生产占全法国的18%,其中粮食占23%,肉类占 12%。工业产值占全法国的21%,另外,流域内的农产品加工业非常发达,且多样化(如肉类加工、乳制品加工、粮食加工、饮料和酒类加工等),有 2/3 的农产品用于深加工,其产值占全法国工业产值的 17%。

罗讷河流域在交通运输上占据着重要位置,罗讷河—索恩河谷是铁路、公路、江河运输的大动脉。另外,流域内所兴起的绿色旅游有力地推动了当地旅游业的发展,带动了区域经济。

3.3.7.3 治理开发历程与主要成就

一个多世纪以前,罗讷河流域的人们对河流就有了深刻的认识,这也奠定了罗讷河流域一贯的治理思想。

他们认为，江河既不是一条简单的引水渠道，也不是一条简单的航道，江河既包括它的支流、小岛、岸边的森林，也包括冲积平原的沼泽地。所有这些周围的环境和环境中的动、植物都是江河的重要内容，都直接或间接地依赖于江河而存在。这就构成了一个活的系统，十分注重人与自然的和谐相处。

罗讷河的治理自 19 世纪中叶开始，主要任务就是水土保持、防洪、水资源的开发利用和保护以及流域生态环境保护等。

(1)水土保持。18 中世纪初，人们发现由于山区植被的破坏造成土壤侵蚀和更大洪水泛滥，于是公元 1729 年皇家建设公司在皮尔蒙—萨戴涅国王管辖范围内将萨瓦的一些河流连通，目的是为了更彻底地禁止河岸边的乱砍乱伐现象。

公元 1882 年国家通过法律规定进行治理，其核心内容就是植树造林。所采取的措施与我国现行水土保持措施相当，即工程措施与植物措施相结合。工程措施包括大小堤坝、支护、排水系统等，在坡度较大的山地，包括一系列的整地工程：水平梯田、枝条栅、带有铁丝网的隘口。在山区植被恢复的同时还通过农田水利工程和耕作措施来保护耕地免遭侵蚀。除此之外，滨海的侵蚀控制是一项非常重要的工作，并通过沙滩防护工程、建立人工沙滩和恢复沿海沙丘等措施来保护沿海环境。

(2)防洪。修筑堤防是生活在洪泛区人民预防洪水灾害最常见的办法，罗讷河谷第一批堤防建设始于 13 世纪，由乡村政府负责实施，到了19世纪初，堤防工程建设由行政管理部门监督实施。到现在，流域内受到堤防保护的区域面积有41 220hm^2。

19世纪中叶，人们发现修筑堤防会增加决堤的危险，因此，公元1858年颁布的法律就禁止在大城市上游平原地区实施筑堤工程。受到湖泊对洪水调节的启示，人们便寻求在山区修建水库拦蓄洪水，同时更好地利用水资源。

(3)水资源开发利用。水资源利用涉及灌溉，工业、城镇和渔业用水，水力发电，航运和娱乐等多方面。罗讷河的水电开发颇具特色，干流上共建坝25座，其中22座为活动坝；设泄水闸门193个；建电站20座，其中低水头电站19座，总装机308万kW。支流上共建10万kW以上的电站22座，总装机623.3万kW。目前，流域内年发电能力为460亿kW·h。据统计，罗讷河流域共有各类水库78个，总库容50亿m^3，其中塞尔朋松水库库容最大，占全流域总库容的1/4。

通过治理，罗讷河流域大面积洪水泛滥已基本控制，与此同时，流域内灌溉面积有了较大的发展，现流域内共有灌溉面积40万hm^2，大部分采取了节水灌溉措施，喷灌面积最大，还装备了现代化的水利设施，推行了现代化管理，特别是考虑到地下水的补给，采用了现代化的漫灌技术，取得很好的综合效益。

航运方面，下罗讷河310km的河道得到渠化，枯水期水深一般超过5m，各梯级都设有船闸，可通过1 500t欧洲式拖轮和3 000～5 000t顶推船队。

3.3.8 海河流域基本情况及治理成就

3.3.8.1 自然概况

(1) 地形地貌。流域西部和北部为山地和高原,东部和南部属华北平原。各河流的上游直接与下游相接,几乎没有中游段。流域内冲积平原微地形相当复杂,呈岗、坡、洼相间分布的条带状地形,洼地坡度为0.1‰～1.0‰。沿海岸带为滨海冲积三角洲平原,地面坡度为1‰～1.2‰,面积约占平原面积的10%。流域西部分布着黄土丘陵,约占山区面积的30%。

(2)水系。海河流域包括滦河、海河、徒骇马颊河水系(图3-10)。流域平均长度450km,平均宽度700km,宽度为长度的1.6倍,是典型的扇形流域。

滦河水系主要有滦河和冀东沿海诸河,流域面积5.44万km^2。海河水系由北三河、永定河、大清河、子牙河、漳卫南运河五大河组成,流域面积23.46万km^2。北三河又包括蓟运河、潮白河、北运河。北三河与永定河合称海河北系;大清河、子牙河、漳卫南运河合称海河南系。徒骇马颊河水系位于黄河与漳卫南运河之间,有马颊河、徒骇河、德惠新河等平原排涝河道以及其他若干条独流入海的小河,流域面积2.88万km^2。

在各河中,漳河、滹沱河、永定河、潮白河、滦河等河均发源于背风山区,源远流长,山区汇水面积大,水系集中,河道泥沙较多。卫河、滏阳河、大清河、北运河、蓟运河等大都发源于太行山、燕山迎风坡,支流分散,源短流急,洪水多经洼地滞蓄后下泄,泥沙较少。

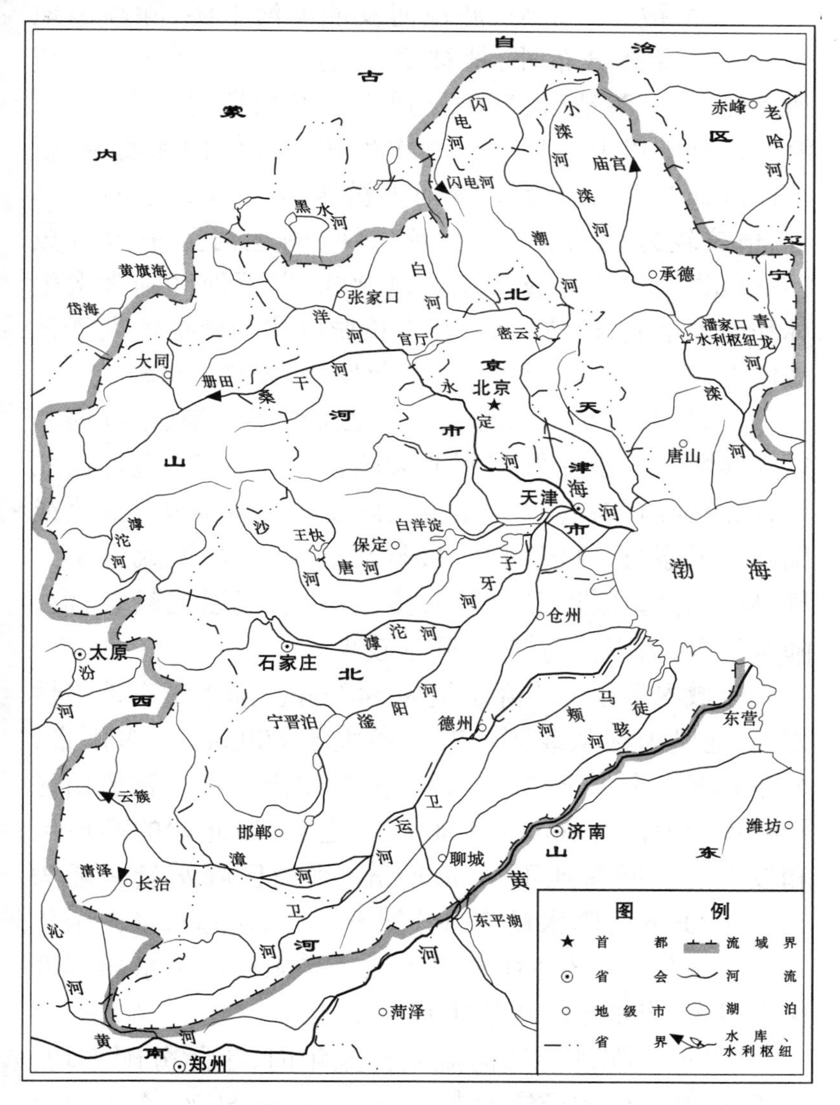

图 3-10　海河流域水系示意

(3)植被。永定河、滹沱河及浊漳河上游,除高山地区有零星森林分布外,植被很差,水土流失严重。大清河、滏阳河上游地区,新中国成立后经长期封山育林,使海拔1 000m以上山地的天然次生林得以保护和发展,新植林区面积逐年扩大。滦河上游为内蒙古高原的一部分,植被较好;滦河中游及潮白河、蓟运河上中游海拔1 000m以上山地有成片森林,1 000m以下地区则为次生林和灌木草坡,植被较好,其中长城以北的植被度大于长城以南;三河下游河谷开阔,农业发达,天然植被较差。

(4)气候气象。海河流域地处温带半干旱、半湿润季风气候区。冬季受西伯利亚大陆性气团控制,盛行偏北风,寒冷少雨雪;春季受蒙古大陆变性气团影响,偏北或偏西北风盛行,气温回升快,蒸发量大,往往形成干旱天气;夏季受海洋性气团影响,多东南风,气温比较暖、湿,降水量多;秋季秋高气爽,降水较少。

流域内多年平均降水量为548mm。降水量有地带性差异,迎风山区从北到南有一条大于600mm的多雨带,分布着五六个大于700~800mm的多雨中心。背风山区年降水量大部分在400~500mm之间,最北端的高原区和较大的山间盆地不足400mm。平原区降水量一般为500~600mm。降水量年内分配不均,汛期降水量占全年的75%~85%,又往往集中于几场暴雨中。降水年际变化也很大,丰枯年降水量相差2.23倍。

(5)水文泥沙。海河流域径流年内、年际分配不均,一般6~9月份的径流量占全年的70%~80%,个别河流达到 90%，调节性能好的河流 6～9 月份的径流量占全年的50%～60%，丰枯比为 4.83。这个特点表明，海河流域的枯水年洪水可能很小，而丰水年的洪水可能很大。流域洪水与暴雨的发生相应，最大 30 日洪量一般占汛期洪量的 50%～90%，最大 5～7 日洪量占最大 30 日洪量的 60%～90%，洪水过程多是尖瘦形，洪峰模数达到了中国大陆的最大值。1963 年滏阳河支流泜河西台水文站实测洪峰流量 3 900m^3/s，洪峰模数达到 31.4$m^3/(s·km^2)$。据历史记载，公元1470～1989 年的 520 年中，流域内共发生大水年 116 次。

(6)水资源与水能。海河流域多年平均河川径流量 264 亿 m^3，地下水资源 256.37 亿 m^3，水资源总量为 419.43亿 m^3。河川径流中，滦河及冀东沿海诸河为 55.1 亿 m^3，海河子水系北区为 61.5 亿 m^3、南区为 132 亿 m^3，徒骇马颊河 15.2 亿 m^3。海河水量在逐渐减少，已经出现多年断流。

流域内水力资源贫乏，理论蕴藏量 315 万 kW，可开发装机容量 213 万 kW。

3.3.8.2　社会经济状况

全流域共有 2 个直辖市，5 个省，1 个自治区，下辖 65 个地区级行政区划单位，235 个县级行政区划单位。1998 年全流域总人口为 12 524 万，其中农村人口 9 004 万，占全流域总人口的 71.9%，城镇人口 3 520 万，占全流域总人口的28.1%。

流域内共有耕地 1 107.9 万 hm^2，约占全国的 11%，有效灌溉面积 669.2 万 hm^2，人均占有耕地 0.12hm^2。

全流域 1998 年粮食总产量为 5 404.3 万 t。工业总产值 1 794.4 亿元。

流域内矿产资源丰富，种类繁多，煤、石油、天然气、铁、铝、石膏、石墨、海盐等蕴藏量在全国均名列前茅。特别是煤，据不完全统计，蕴藏量达 2 026 亿 t，约占全国的 30%，年开发量 2.8 亿 t，约占全国的 20%。流域内拥有华北、大港、胜利油田的全部和中原油田的一部分，蕴藏量约 15 亿 t，年开采量 3 600 万 t。

海河流域拥有京广、京九、京哈、京沪、京包、京原等国家骨干铁路。流域内公路四通八达，客、货运量相当可观。沿渤海岸有秦皇岛、塘沽、黄骅等港口，泊位 109 个，吞吐能力 1.4 亿 t。北京也是全国的空运中心，天津、石家庄、秦皇岛、邢台、长治等均有机场。

3.3.8.3 治理开发历程与主要成就

海河流域从 1958 年开始了大规模的水利建设，建设重点放在水库工程上，先后兴建了岳城、岗南、黄壁庄、密云等 18 座大型水库和一大批中型水库。同时还兴建了共产主义渠、大功红旗渠，位山、簸箕李等大型引黄灌渠。在河道整治和水土保持方面也有了新进展。

目前，流域内共建成大中小型水库 1 900 座，总库容 265 亿 m^3，其中大型水库 33 座，总库容 221.8 亿 m^3，控制了山区面积的 85%，这些水库以防洪为主，兼有灌溉、供水、发电等作用。在各河中下游地区，共开辟滞洪区 32 处，设计滞洪总容积约 191 亿 m^3。扩挖、疏浚骨干行洪、排涝河道50余条，使海河水系设计洪水入海能力达24 680m³/s，相当于新中国成立初期的10倍。

据估算，1949～1989年的40年间，海河流域防洪骨干工程的防洪经济效益价值量为500多亿元（当年价格）。1996年8月，海河流域发生了1963年以来的最大洪水（约30年一遇）。在这次大洪水中，流域防洪工程发挥了巨大的作用，共减少淹没耕地233万hm²，减少淹没人口3 900万，避免粮食减产180亿～200亿kg，防洪除涝经济效益约900亿元（1996年价格）。

新建堤防约4 000km，使流域内堤防总长达20 000km，相当于全国堤防总长的1/10，加上开挖疏浚河道等措施，使主要河流的设计行洪能力达到20～50年一遇。

流域内有效灌溉面积669.2万hm²。1998年实灌面积650.28hm²，用水量293.7亿m³。

流域内已建水电站约200座，总装机容量66万kW，平均年发电量约18亿kW·h。

流域内累计治理水土流失面积5.4万km²，水土保持工作的持续深入开展，是防洪减灾的治本“良方”，对减少水库淤积、改善生态环境效果十分显著。据典型调查推算，永定河上游地区，在重点治理的小流域内，土壤蓄水效率为60%～75%，减沙效率为70%～80%，削峰效率为50%～70%，植被覆盖率在70%以上。

3.3.9 黄河流域的基本特点及治理开发成就

黄河是中华民族的“母亲河”，“母亲河”的健康牵动着炎黄子孙的心。黄河水利不仅是中国水利的象征,也是中华民族安危的象征。黄河在中国占有重要的地位,在世界水利宝库中也是重要的典范。经过半个多世纪的艰辛工作,黄河治理开发取得了举世瞩目的成就。

3.3.9.1 黄河的特点及地位

黄河发源于青藏高原巴颜喀拉山北麓海拔 4 500m 的约古宗列盆地,流经 9 省(区),注入渤海,干流河道全长5 464km,流域面积 79.5 万 km^2,是中国第二条大河,是世界上著名的多泥沙河流,干流多年平均输沙量约 16 亿 t,平均含沙量 $35kg/m^3$。流域年径流总量为 580 亿 m^3。黄河上游为峡谷地段,中游为黄土高原水土流失区,下游为“地上悬河”。

黄河的主要特点是水少沙多,水沙异源,时空分布不均,水沙年际变化大,年内分配不均匀,最大相差8 倍。

黄河流域水旱灾害严重,流域内大部分地区属干旱、半干旱地区,降水量偏小,变率大,干旱频繁。据统计,从公元前 1766 年至公元 1945 年的 3 711 年中,有大旱成灾记载的达 1 070 余次。

黄河下游的水患历来为世人所瞩目。黄河一年中有“桃、伏、秋、凌”四汛,都可使黄河决口。从公元前 602 年到 1938 年 2 540 年中,有记载的决口泛滥年份有 543 年,决堤次数达 1 590 余次,经历了五次大改道和迁徙。洪水波及范围北达天津,南抵江淮,包括冀、鲁、豫、皖、苏五省的黄淮海平原,纵横 25 万 km^2,造成了巨大的灾难。

黄河流域早在 100 万年前就有人类居住,流域内发掘出人类不同时期大量的文化遗存，黄河流域被人们誉为中华民族的摇篮，在很长的历史时期内，一直是中国政治、经济、文化的中心。在中华5 000年的文明史中，在黄河流域建都的时间长达3 300多年。中国历史上的古都多在黄河流域。

黄河下游防洪保护范围为以郑州为轴心，北至海河，南至江淮，总面积为12万km^2的区域。

对黄河的治理，早在夏、商、周时期，就已设水行政专门官员，行使水行政管理。秦、汉以来，从中央到沿河各级地方官府，都设有治河部门。黄河水利委员会是水利部在黄河流域和新疆、青海、甘肃、内蒙古内陆河区域内的派出机构，代表水利部行使所在流域内的水行政主管职能。

3.3.9.2 黄河治理开发成就及重大实践

(1)黄河治理的主要成就。黄河治理开发与国民经济发展紧密相连，中国政府对黄河治理开发历来高度重视，国务院分别在1954年、2002年批准了《黄河综合利用规划技术经济报告》及《黄河近期重点治理开发规划》，为黄河治理开发奠定了基础。

黄河综合治理规划，包括黄河下游防洪减淤规划、上中游河道及三门峡库区治理规划、水土保持规划、水资源开发利用规划、灌溉规划及干流工程布局和控制性工程规划等。这些规划都充分征求了沿黄各省(区)的意见，得到国家的批复，并在黄河网站(www. yellowriver. gov. cn)全面公布和宣传，得到各级政府、社团和民众的广泛支持。

标志黄河管理现代化的“数字黄河”工程规划编制完成，“数字黄河”第一期工程“黄河小花间暴雨洪水预警预报系统总体设计”已完成，黄河干流水量调度系统已投入使用，这是目前世界上最先进的远程监控水量调度系统。

标志黄河防洪建设的标准化河防示范工程全面开工。黄河下游将在未来 10 年内建成以防洪保障线、抢险交通线和生态景观线为目标的标准化堤防。

在党和政府的大力支持下，经过半个多世纪几代黄河人的艰苦工作，黄河治理取得了巨大成就。主要表现在：

第一，防洪工程及非工程体系建设。为保证黄河安澜，黄河下游在“宽河固堤”方针指导下，逐步形成了“上拦下排，两岸分滞”的防洪工程体系。包括上拦工程、下排工程、堤防工程、险工及控导工程、黄河下游滩区建设及分滞洪工程（包括东平湖水库、北金堤滞洪区、齐河展宽区、垦利展宽区、大功分洪区）。黄河下游现已形成 1 700 多公里的黄河堤防，黄河花园口可防御千年一遇的洪水。

为促进黄河管理的现代化，黄河下游完成了非工程措施建设，主要包括防汛组织体系建设、防汛通信系统建设、水文测报预报系统建设、防汛调度指挥决策支持系统建设、滩区分滞洪区管理等。非工程措施的形成为黄河防汛决策提供了有效的决策服务。

黄河下游自 1946 年回归故道后，全线 4 次培修加固堤防、石化险工、开辟滞洪区、组织军民联防，大大提高了防洪能力，战胜了1958年特大洪水，包括历史上视为人力不可抗拒的6次严重凌汛，取得了连续57年伏秋大汛不决口的重大胜利，防洪减灾总效益可达4 000亿元。

第二，水资源开发利用。黄河是中国西北、华北地区的重要水源，不仅要满足流域内经济和社会发展对水资源的需求，同时还要向流域外邻近地区供水，而保持必要的输沙入海水量，对于维持河流的生态需水量，从而达到维持河流的生命的目的尤为重要。

目前黄河干流上已建、在建的龙羊峡、三门峡和小浪底等15座水利枢纽和水电站，总库容达566亿m^3，发电装机容量1 113万kW，每年可为国家提供401亿kW·h的电能。黄河干流工程的建设，不仅开发了黄河的水电资源，而且在防洪、防凌、减淤、灌溉、供水等方面，都发挥了巨大的综合效益，对促进国民经济的发展和治理黄河起到了很好的作用。

第三，流域水污染监测评价及保护。黄河流域水资源保护机构于1975年成立，水资源保护工作在水质监测、科学研究、水环境管理与规划方面，做了大量工作。2000年底，全流域水质监测站点已达340个，水质分析室30个，监测项目达40多项。取得水质数据120多万个，刊布了3 300多站年的水质资料和70多站年监测资料，并建立了黄河水质数据库，基本上掌握了黄河水系的水质状况。

第四，环境及生态保护。黄土高原是中国水土流失最严重的地区，水土流失面积45.4万km^2。50多年来，经过综合治理，兴建各类基本农田647万hm^2，营造林草11.5万km^2，造经济林与果园74.2万hm^2。建设治沟骨干工程1 390万座，各种小型蓄水保土工程400多万处。共治理水土流失面积18万km^2，占流域水土流失面积的40%，取得了显著的经济效益、社会效益和生态效益。现在的基本农田每年可增产粮食50多亿kg，流域内1 000多万农民的温饱问题和饮水困难问题得到了解决。黄河流域的水利水保措施平均每年减少入黄泥沙3亿t，是黄河多年平均年输沙量16亿t的19%。

(2)黄河治理的重大实践及创新。黄河是世界上最复杂、最难治理的河流，人民治黄50多年来，取得了举世瞩目的巨大成就，但黄河存在的三大问题依然十分突出，许多自然规律仍未被人们认识和掌握，洪水威胁依然是国家的心腹之患，水资源供需矛盾日益尖锐，水土流失和生态环境恶化尚未得到有效遏制，特别是进入20世纪90年代以来，黄河断流和污染问题非常突出，制约着黄河流域及其相关地区的经济社会发展。因此，寻求黄河治理的大计和长治久安的措施是保持中国经济社会可持续发展的重大课题。

黄河来水量和可调节水量大大减少，水资源供需矛盾尖锐，防断流形势异常严峻，引起了社会各界乃至全世界炎黄子孙的广泛关注和强烈不安。由于黄河多泥沙的特性，使其比任何一条清水河流断流所造成的危害都大，不仅给工农业生产、城市居民生活带来巨大损失，而且造成沙漠化，给周边的生态环境带来灾难性后果，同时造成主河槽的严重淤积、萎缩，造成河口地区生态系统恶化，生物多样性受到威胁。对洪涝灾害都可同时发生的黄河来说，这种形势变得异常的严峻。

正像黄委会李国英主任所指出的那样"要从维持河流生命的高度，千方百计确保黄河不断流"。维持河流的生命也就是维护人类自己的生命。维持健康的河流与人类的生存联系在一起，体现了一种人与自然和谐相处的价值理念。下面是近年来为维持黄河河流的生命及谋求黄河长治久安所实施的科学实践与探索。

第一，"三条黄河"建设治黄策略。为实现黄河"堤防不决口、河道不断流、水质不超标、河床不抬高"（简称"四个不"）目标，谋求长治久安，黄委会提出了建设"三条黄河"（即"原型黄河"、"数字黄河"、"模型黄河"）的现代治河战略。

"原型黄河"，是自然界中的黄河，是我们治理开发和管理的对象，治理的目标是实现"四个不"，最终实现黄河的长治久安。

"数字黄河"是"原型黄河"的虚拟对照体。就是利用现代化手段及传统手段采集基础数据，对全流域及相关地区的自然、经济、社会等要素构建一体化的数字集成平台和虚拟环境，以功能强大的系统软件和数学模型对黄河治理开发与管理的各种方案进行模拟、分析和研究，并在可视化的条件下提供决策支持，增强决策的科学性和预见性。

“模型黄河”,是通过实体模型对“原型黄河”所反映的自然现象进行反演、模拟和试验,从而揭示“原型黄河”的内在规律。“模型黄河”主要包括黄土高原模型、水库模型、河道模型及河口模型。其作用在于,一方面直接为“原型黄河”提供治理开发方案,另一方面为“数字黄河”工程建设提供物理参数。同时,“模型黄河”还应成为“数字黄河”通过模拟分析提出“原型黄河”治理开发方案的中试环节。

在实际应用中,通过对“原型黄河”的研究,提出黄河治理开发与管理的各种需求;利用“数字黄河”对黄河治理开发方案进行计算机模拟,提出若干可能方案或预案;利用“模型黄河”对“数字黄河”提出的可能方案或预案进行试验,提出可行方案或预案;最后,“模型黄河”提出的可行方案或预案在“原型黄河”布置或实施,经过“原型黄河”实践,逐步调整、稳定,确保各种方案达到技术先进、经济合理、安全有效的目标,从而使黄河的治理开发走向科学的轨道。

第二,“数字黄河”工程建设及黄河水资源综合调度。作为“三条黄河”建设及21世纪治河方略实施的重要内容,数字水调、数字水文的顺利启动,标志着“数字黄河”工程正式拉开帷幕:①黄河水量总调度中心正式启用;②引黄涵闸远程监控系统和水资源调度监控指挥系统在黄河下游得到成功运用;③全国第一座数字化水文站——花园口水文站投入运用;④花园口水质监测站及第一座建在省界断面的潼关水质自动监测站正常运行,为

“健康黄河”提供了有力的保障措施。特别是实施黄河水量调度,使有限的水资源在时空分配上得到调整,协调了生活、生产和生态的用水关系,提高了水资源的利用效率,取得了明显的效果。

众所周知,黄河断流始于1972年,到1998年累计断流1 050天,平均每年断流50天,1997年断流达226天。自1999年实施水量统一调度,尽管2000～2002年来水持续偏枯,流域大旱,仍然实现了黄河全年不断流,保证了沿黄省(区)的生活、生产按计划合理用水。

黄河水量调度在大旱之年保证了黄河不断流,使黄河有机生命体得到康复和生命的延续,不仅保护的是河流生命,也是保护人类自己的生命,受到全国乃至全世界的高度评价,这是一曲“绿色颂歌”和生命的赞歌。水量调度,缓解了黄河下游持续10年之久断流的局面,并使黄河三角洲地区的生态系统明显得到恢复和改善。“珍稀刀鱼十年又洄游,奇异鸟兽数载再回头”,通过调水,生物多样性得到恢复,各种鸟类和生物由187种增加到269种。同时,防止了海水入侵,减少了河道淤积,维持了入海流路,改善了生态环境。

黄河水量调度是世界水利史上的创举。据有关资料报道,世界上没有哪一条河流能像黄河这样,在如此艰难的情况下在跨度长达数千公里的河流上实现统一调水,以维持河流生命,保证社会可持续发展。这只能在黄河上实现,这就是黄河。

第三,实施黄河调水调沙试验,探索根治黄河的新思路。黄河首次调水调沙试验是迄今为止世界水利史上最大规模的原型试验，被称为治黄史上的里程碑。这次试验主要目的是寻求解决黄河下游淤积和河道萎缩、维持河流生命、提高防洪能力的方略和未来黄河治理的战略。经过周密策划、精心组织和实施，黄河首次调水调沙试验达到了预期的目的。

因为，黄河在今后相当长的时期内，泥沙问题难以根本解决，黄河依然是一条多泥沙河流。由于黄河来水量的减少，而上、中游工农业用水量日益增长，黄河下游汛期水少沙多和水沙不平衡的矛盾更趋严重。长远而言，大力开展水土保持，进行综合治理，是减少入黄泥沙的根本措施，但需要经过几代人长期不懈的艰苦奋斗才能取得显著效果，在达此目的之前，黄河下游河床仍将继续淤积抬高，防洪形势将更加严峻。实施调水调沙试验是实现治黄手段转折的标志，是在水库实时调度中形成的合理的水沙过程，有利于下游河道减淤甚至全线冲刷，有利于长期开展旨在防洪减淤、延长下游河道寿命的运用，逐步探索黄河干支流水库联合调度的运用方式，在较长的时期内稳定黄河的现行流路，维持河流的健康生命。

经对试验原型观测资料的分析研究，表明黄河首次调水调沙试验取得了以下效果：①调水调沙是减淤的有效措施，达到了黄河下游河道减淤的目标。黄河下游河道净冲刷量为 0.362 亿 t。调水调沙期间入海泥沙共计0.664亿 t。②为验证和改善实体模型和数学模型提供了基础参数。在原型黄河调水调沙试验中，分别在“数字黄河”与“模型黄河”中进行了数学模拟和物理模拟，使现实中的黄河与计算机中的“黄河”和实验厅里的“黄河”第一次紧密地结合起来，实现了联动。③检验了黄河下游河道整治工程的作用，为今后河道整治提供了科学的基础。④在对三门峡和小浪底水库的水沙联合调度中，进行了异重流联合调度尝试，为今后调水调沙中通过水库调度实现设计的出库水沙过程积累了宝贵的经验。⑤可提供一系列的试验来确定黄河下游不淤积的临界流量和临界时间问题，为河水的运用提供科学依据。我们更为关注的是试验本身所蕴含的科学价值和通过试验对黄河水沙规律的认识、深化，特别是对今后黄河治理开发的指导和启示。与此同时，黄河首次调水调沙试验也为国内外多沙河流的治理提供了治理经验。

3.3.10 江苏江水北调工程及其新技术应用

江水北调工程经过 30 多年建设，已初步形成一个江、淮、沂沭泗水资源互调互济网络。江水北调以江都站为龙头，京杭运河为输水骨干河道，全长 400 多公里，已建成江都、淮安、淮阴、泗阳、刘老涧、皂河、刘山、解台、郑集等 9 级抽水站，装机 15 万 kW。现在抽江水能力 $510m^3/s$，进洪泽湖 200 m^3/s，进骆马湖 100 m^3/s，进微山湖 50 m^3/s。1999 年 9 月建成的泰州引江河一期工程，可以抽引江水 300 m^3/s，经泰东河、通榆河东引北送，进一步扩大江水北调能力，为苏北经济发展、建设海上苏东提供充足的水源。

为了有效、科学、合理、实时地进行水量调度，已经建成了大运河调度监测系统。调度监测系统依靠计算机网络技术、遥测技术、自动控制技术和现代通讯技术，将沿大运河的水位站、电力排灌站、水闸的水情信息和闸门工况信息实时反馈给主控系统，为防汛抗旱指挥调度决策提供依据。

技术系统由三部分组成：计算机网络系统、水情监测与集群移动通信系统、传输干线工程。其中水情监测是系统的核心，监测数据通过传输干线逐级传送给主控单元，并由计算机网络进行管理和数据交换。

管理系统包括一个中心和四个分中心，分别建有各自的内部局域网，并通过微波和专线连接成一个广域网。这样，就形成了一个既相对独立又互相联系的庞大系统，中心可以随时从分中心获取现场数据，经过计算机分析处理，随时向分中心发出调度指令。各分中心也可以通过网络互相查看现场数据。

江苏江水北调工程现代化调度监测网络的建设运行，为我们提供了有益的借鉴，这也是水利管理现代化的必然要求，它不仅能够节省人力，而且可以大大提高调度效率和决策的准确性。

4 国内外典型河流治理开发经验及管理运行模式分析

一般言之,世界各国在流域(河流)治理的过程中,很大程度上都是根据本国的经济条件和流域的基本情况进行开发治理工作,形成了各具特色的河流开发和管理模式。尽管他们的经济所有制形式和政治体制不尽相同,但在河流的治理过程中吸取和借鉴其他先进国家的治理经验、引进和应用先进技术却是相似的。虽然各国的河流治理、开发、利用程度不同,但是都不同程度地推动了当地经济的发展和人民生活的改善,维护了社会的稳定,显示出人类在认识自然、改造自然、利用自然过程中取得的巨大成就。在河流治理过程中,各国根据本国的国情积累了丰富经验。现就国内外流域(河流)治理的经验及模式进行分析总结。

4.1 国内外典型河流治理开发模式与经验分析

4.1.1 国外典型河流治理开发模式分析

通过对国外典型河流治理情况的分析可以看出,世界上发达国家在流域(河流)开发治理过程中,都形成了以梯级为基本构架的开发体系、以堤防为重点保障的防护体系、以生态保护为目标的环境保障体系。研究表明,国际上典型河流的开发治理可归纳为3种治理模式,即防洪中心型、水资源利用型和生态保护型。

4.1.1.1 防洪中心型治理模式

防洪中心型治理模式的形成主要取决于流域的自然因素和人类经济活动对环境的要求。一般情况下,此类流域内经济发展比较早,人口相对密集,经济活动区主要位于河流滩地和洪泛平原,流域经济在国家经济中占据重要地位,频繁的洪水灾害直接威胁人民生命财产安全和社会稳定,往往造成重大的经济损失和人员伤亡。此类河流的治理与开发始终将防洪减灾放在首位,然后才是航运、灌溉、发电等其他的兴利目标。其特点是大量修建大型拦蓄工程和堤防工程,同时开辟分滞洪区,形成从上至下节节拦蓄、中下游两岸堤防耸立的措施布局。这种模式的代表河流是美国的密西西比河及其支流,虽然密西西比河还没有形成全流域的防洪体系,但是其主要支流的工程防洪体系已基本形成,特别是田纳西河流域和密苏里河流域,河流的开发治理已经完成,流域的整体洪水防御标准达到了百年一遇,是目前全世界河流治理防御体系最完备、防御标准最高的流域。中国的黄河和长江的治理也属于这种模式,主要是针对洪水的问题,但随着自然环境、人类活动、流域生态环境和经济结构发展变化,这一矛盾又向另一方面转化。

4.1.1.2 水资源利用型治理模式

水资源利用型治理模式的形成主要取决于流域内经济发展对水资源的需求,此类流域水资源相对贫乏或洪水威胁不是主要矛盾,流域开发的主要目标是在最大限度开发利用流域水资源的基础上,实施引水或跨流域调水,采取的主要措施是兴建蓄水工程调节水量,修建引水工程解决流域内区域性缺水，修建跨流域调水工程补充流域内水资源不足。这种模式的代表流域有科罗拉多河、阿姆河、墨累—达令河和伏尔加河。在所选择的典型河流中除伏尔加河外，其他三条河流的治理开发模式基本相似，只是水资源利用程度和利用效率不同而已。科罗拉多河流域的水资源利用最为典型，除了修建梯级调节水库外，全美13个调水工程中，有10个就分布在科罗拉多河流域，其水资源利用程度可以说达到了顶峰。科罗拉多河目前已经没有入海水量，美国已将天然水量全部用完，留给墨西哥的水是农田回归水和处理过的污水，墨西哥人把从美国境内下泄的水量全部拦蓄使用。

4.1.1.3 生态保护型治理模式

生态保护型治理模式的形成主要依据人类对河流演变规律、流域陆地生态系统的全面认识以及流域生态环境对于人类生存和经济发展的要求。该模式是以流域内自然、经济和社会系统的整体效益最佳为规划目标，以不严重损害陆地生态系统为原则来确定河流治理开发措施的配置模式和工程规模。典型流域生态发展的经验表明，生态保护型治理模式的流域工程布局基本构架为：山区河段兴建大中型水利枢纽，平原河段修建低水头闸坝、丁坝和堤防，开辟分滞洪区，充分利用天然湖泊、沼泽调蓄洪水，修建引、调水工程解决地区性水资源不足问题。在处理生态环境影响方面的问题时，把森林植被建设和保护作为流域的生命线，严格控制森林砍伐、过度放牧和污水排放，保护湿地生态环境，维护流域生态平衡。其特点是在开发过程中统筹考虑了经济发展与流域生态环境的关系，流域内整体恢复弹性高，人与自然和谐相处，社会经济持续、稳定。

生态保护型治理模式的代表流域是法国的卢瓦尔河、罗讷河和美国的田纳西河，还有欧洲的其他河流，如流经欧洲7国的莱茵河和英国的泰晤士河。图4-1给出了罗讷河流域的治理模式，这种模式正是人类所期望的。罗讷河在开发的初期就考虑到了生态环境的保护问题，

图4-1 罗讷河流域治理模式示意

就是在这种理念的主导下,使得罗讷河的开发治理成为世界上最成功的典范。美国田纳西河流域治理是一个实例,最初的采矿、火电产生严重污染,后经治理,将该流域发展成旅游胜地,使该流域成为全美最适合人类居住的地区之一。

4.1.2 国外典型河流治理开发经验分析

对国外典型河流治理情况的分析研究表明,世界上发达国家在流域(河流)开发治理过程中所形成的经验,主要包括以下内容。

4.1.2.1 搞好流域综合治理开发规划

所选国外典型河流在治理开发的过程中,除了密西西比河、墨累—达令河没有全流域性的综合治理规划外,其余几条典型河流都制定了河流的开发治理规划,并且由政府以法律和法规的形式批准实施。同时,为全面开发和保护流域资源,除了全流域的规划外,还制定了专项规划(如防洪规划、水资源利用规划、盐碱防治计划等),这些规划都很好地指导了流域的综合治理开发向可持续方向发展。有的河流虽然没有全流域的总体规划,但其支流有相对独立的和完整的治理开发规划,并在流域治理中也发挥着同样的重要作用,如田纳西河是密西西比河的一个支流,由于支流的完善开发,促进了整个流域的开发和治理,全流域也逐步开发完善。这是一个特例,其前提是支流的治理是在联邦和州政府的治理标准下进行的,立法和渊源是一致的,形成的整体结果是和谐的。这也是一个“局部支持整体”的范例。

4.1.2.2 做好河流梯级开发,提高水资源利用效率

梯级开发是河流治理及其水资源综合利用的一种较好模式,田纳西河、科罗拉多河、罗讷河、卢瓦尔河等的开发实践充分证明了其有效性和合理性。它不仅促进了水资源的综合利用,而且在很大程度上解决了下游的防洪问题,减轻了下游的防洪压力。通过对河流水资源的调节,重新对水资源进行时间分配,保证干旱季节或干旱年份水的供给,同时,梯级开发充分地利用了水能资源,改善了航运条件,为农业灌溉提供了可靠水源,带动了旅游业的发展,这一切都有力地促进了经济的发展。

4.1.2.3 搞好堤防建设与河道整治,保障防洪安全和航道通畅

堤防建设是世界上各河流为防洪所普遍采用的一项措施,对于有通航要求的河流,河道整治则是必不可少的。许多河流在中下游重点河段都修建了堤防工程,以保证城市等人口密集区、工业区的安全,最突出的是密西西比河中下游的堤防建设与河道整治。如密西西比河实施河道整治工程,自18世纪开始修建堤防以来,堤防的规模不断扩大,标准不断提高。仅陆军工程师团就在密西西比河干流及其支流上共修建堤防228段,设计防洪标准分别为50年、100年、200年、500年一遇洪水。地方共修建堤防1 305段,设计防洪标准为30年、50年一遇洪水,这些堤防在抵御洪水中发挥了很大作用。至今,下游堤防的保护面积占整个洪泛平原的93%,完善的防御系统保障了“洪泛区”的安全。

4.1.2.4 兴修调水工程，解决地区水资源缺乏

水资源的时空分布往往与国民经济建设不协调，经济发达、人类活动最频繁的区域常常储量不多，供需矛盾大。为了解决地区性水资源缺乏，实施引水和调水工程已经成为一项重要措施。对于本专题研究的几条流域，都有不同规模的引水、调水工程，如墨累河的雪山调水工程、科罗拉多河的大汤普逊工程等。

4.1.2.5 保护生态环境，促进流域经济可持续发展

水资源的开发利用和各种矿产资源的开采，一方面促进了区域经济的迅速发展，提高了人民生活水平，另一方面又带来了许多生态和环境问题，从而限制了经济的发展，给人民的生命安全也造成了威胁。诸如森林植被减少造成水土流失加剧，洪水泛滥频繁、水库淤积严重；水环境污染造成可利用水相对减少，水生动植物减少，人类疾病流行等。这些问题的出现迫使人们采取各种手段、措施，对已经造成的后果进行治理，同时实施了保护行动。如墨累—达令河流域委员会为了使流域保持良好的生态环境，规定在流域内大型取水枢纽两岸 3km 范围内禁止一切生产活动，对一些易造成植被破坏和水源污染的野生动物也采取了限制措施。为了减少水土流失，20 世纪 30 年代中期，密西西比河成立水土保持委员会，禁止砍伐森林，并大力植树造林，恢复植被，与此同时，在下游滩区调整农作物结构，以减少水土流失。这些都是从流域生态环境的观点出发进行防治的，从而使流域的开发治理走上了可持续发展的道路。

4.1.3 国内典型河流治理经验与模式分析

把海河作为国内河流研究典型，主要是因为海河的水系复杂，兼有水资源、防洪和生态问题等方面的特点，同时受中国政治和经济中心的影响较大。分析研究的主要目的是与黄河问题进行对比研究，因为它与黄河相似之处甚多，皆流经著名的黄土高原、华北平原，注入渤海湾，河流构成复杂，流域防洪、水资源和生态环境等重大问题犹如孪生姐妹，河口淤积严重等。现以海河和江苏大运河为例对国内河流治理特点进行总结分析。

海河流域穿越京畿要塞，流域的开发治理历来受到党和政府的高度重视，经过新中国成立以来的大规模治理开发，取得了前所未有的成就，积累了丰富的经验。但是，由于水资源日益短缺、水环境严重污染，更加剧了海河流域生态环境的脆弱性与治理难度。其主要治理经验和模式如下。

4.1.3.1 全面规划，综合治理

海河流域综合规划以“全面规划，统筹兼顾，综合利用，讲究效益”作为规划指导方针。根据海河流域防洪体系存在的工程标准低、隐患多、防洪体系不完善，流域水资源紧缺、水污染日益严重，流域生态环境恶化等问题，治理重点放在了现有工程的除险、加固、恢复、配套和经营管理上，以充分发挥其防洪、供水等综合效益；同时，在全面节水的前提下，适当开辟新的水源，解决越来越严重的水资源紧缺问题；保护和改善生态环境，防治水土流失。

(1)巩固、完善防洪体系，增强防洪能力。贯彻“上

蓄、中疏、下排、适当地滞”的防洪治理方针,重点安排各河系的防洪规划,采取了工程措施与非工程措施结合的方法完善防洪体系:对现有病、险库分期分批进行加固;各主要河道逐步恢复原设计行洪能力,并对未治理河道进行整治工作;做好洼淀、洪泛区的整治工作;加强预报、预警系统。

(2)切实解决水资源严重紧缺问题。贯彻“全面节流,适当开源,加强保护,强化管理”的方针,在挖掘工农业节水潜力的基础上,分析流域内工农业发展所需水量和各项工程的可供水量,提出解决缺水问题的途径和措施。

(3)加强平原地区旱涝碱综合治理,促进农业高产稳产。除涝治碱以排为基础,主要加强了除涝工程的配套与恢复河道排涝排碱能力。以节水灌溉为目标,搞好灌区改造、挖潜。对水资源严重短缺地区,在用好当地水的同时,积极开发新水源。

(4)搞好水土保持,防治水体污染,改善生态环境。结合山区建设,提出了不同类型地区的治理方案和措施,针对流域环境质量及水污染方面存在的问题提出了保护水资源、治理水污染的规划。

(5)结合蓄水、供水工程,适当安排水能开发,发展水产和航运。

4.1.3.2 突出防洪,建立工程防洪体系

海河流域的治水问题,在我国具有其特殊性、复杂性和艰巨性。流域内有作为国家政治、经济、文化中心及交通枢纽的首都北京和华北地区最大商贸中心及港口城市

的天津，一旦发生重大洪涝灾害，将直接影响国家政治稳定和经济发展，所以流域的中心任务就是防洪。目前，流域内的大、中、小型水库已经控制了山区83%的面积。海河流域现有堤防约2万km，以土堤为主，城市和重要河段设有部分板桩护岸、砌石堤及其他类型的堤防。堤防工程防洪标准为20～50年一遇。

4.1.3.3 狠抓水资源管理，积极治理水污染，保护水环境

长期以来，全流域过于注重满足用水需求，没有慎重考虑水资源的可支持能力，造成了严重的水环境问题。因此，海河流域狠抓了水资源的统一管理，并把水环境的保护、防治水污染作为重点治理对象，通过治理，水污染有逐年好转的趋势。

4.1.3.4 兴建调水工程，解决水资源缺乏问题

海河流域的水资源属于资源型严重缺水，稀少的水资源状况与其密集的人口和重要的政治、经济地位极不协调，突出的水资源供需矛盾愈发加剧。为了解决缺水问题，兴建了引滦入津工程、引滦入唐工程和引黄入津工程，在很大程度上缓解了水资源供需矛盾，为地区经济的发展、社会的稳定提供了保障。

江苏大运河是京杭大运河的一部分，其治理开发特点是河道的整治及对水资源实施现代化监测，结构相对简单，特点比较突出，代表河流水资源监控的发展趋势。

黄河在治理开发中取得的巨大成就，是世人瞩目的，为国际多沙河流治理开发总结了一套可资借鉴的模式“上拦下排，两岸分滞，拦、排、放、调、挖综合治理”，是有

中国特色的治黄方略,也是切实可行的战略战术,这里不再赘述。

4.2 国内外典型河流管理经验及运行模式分析

管理经验是人们在流域的开发、治理、经营活动中所积累的宝贵财富,是流域活动最重要的组成部分,它涉及到社会、政治、经济、人文、自然等全方位的内容,影响因素和受制因素多而复杂,往往比具体的技术手段实施还艰难。良好的管理体制的形成取决于政治体制和经济体制形式,也受到人类对自然规律的认识程度的制约,不同的政治和经济体制下的管理体制是不同的,它既遵循一般的管理原则,在不同的领域和行业,又具有不同的特点。一个良好的管理体制的形成需要经过很长时间不断总结、完善和接受实践的检验。从某种程度上说,一个能够产生巨大效益的管理体制,甚至可以引起一场体制上的革命。现根据管理科学的一般原则,结合流域治理开发的特殊性,对国内外典型河流在治理开发过程中积累的经验进行综合分析。

4.2.1 国外典型河流管理经验及运行模式分析

国外流域管理经验表明,一个完善和高效的水资源管理系统往往要有:①一个有权威的、得力的管理机构;②一个可行的水资源法规及制度;③一个相对完善和可实施的水资源治理开发规划;④一定水平的水资源工程设计和施工;⑤一个具有现代化水平的自动化设备配置和完善的水资源监控系统;⑥一定规模的人才队伍和有责任心的运营与维护的管理专业人员;⑦一定数量的系统运营和维护资金保证等。

这是流域管理经验和模式的一般原则，在具体实施中有丰富的内容和相应的保证措施，现结合国内外的流域管理情况进行详尽分析和说明，尽管研究分析的深度和广度不尽全面和深刻，但也是国内外流域管理的精华所在，其主要包括以下几个方面。

4.2.1.1 完善的管理机构是流域治理活动健康发展的重要保证

不管流域管理的模式和机构设置如何，对流域的管理需要一个专门的机构。综观世界流域管理机构的设置和模式，可谓千差万别，管理的思路和技术方法也不尽相同，但均能达到管理的目的，并取得较好的结果。如美国科罗拉多河流域属于“多龙”管水，管理机构较多，涉及到国家及州的各个部门，像垦务局、科罗拉多河上游委员会、林业部、国防部、贸易部、内务部、环境保护部、劳动部、交通部、能源部和保健部等都参与流域管理。但责任和目标很明确，科罗拉多河流域规划主要由垦务局负责，隶属于联邦政府内务部，其任务是解决美国西部 17 个州的干旱缺水问题，也承担水力发电、城镇工业用水、防洪、渔业、保护野生生态环境、防治盐碱化和发展旅游等任务。其他各部门管理与之相关的专业部门。科罗拉多河这种“多龙”管理的形式源于最初的规划和治理，在河流开发初期，美国制定科罗拉多河上游平原地区综合研究规划时，除亚利桑那、犹他、科罗拉多、新墨西哥和怀俄明州政府参与规划的制定和合作外，科罗拉多河上游委员会以及林业部、国防部、贸易部、内务部、环境保护部、劳动部、交通部、能源部和保健部也参与了制定和合作，这就奠定了科罗拉多河管理模式的基础，构成了“多龙管水”的基本构架。

墨累—达令河流域组织管理机构则不同，其管理的范围不仅是水资源，还延伸到对流域内其他自然资源的管理，涉及到流域自然、社会、经济各个方面。流域组织机构由流域部长会议、流域委员会和委员会办公室三级组成，部长会议还特设了社区顾问委员会。部长会议是流域管理的最高决策机构，成员由联邦政府和流域内 4 个州负责土地、水利及环境的部长组成。主要职能是制定指导性的政策，包括环境保护政策、水质政策、水管理政策和流域地区经济发展政策等。

社区顾问委员会是部长会议的咨询协调机构，由有关地区和部门人员组成，如全国农民联合会、澳大利亚自然保护基金会、澳大利亚地方政府协会、澳大利亚工会理事会等。其主要职责是负责广泛收集各方面的意见，进行调查研究，并就一些重大问题进行协调咨询，及时发布最新研究成果。

流域委员会是部长会议的执行机构。委员会成员由流域内各州政府负责土地、水资源和环境的官员组成，主任由部长会议指派。委员会是一个独立机构，职能包括行政管理职能和水利工程设施的管理职能，具有指导性的权力，负责分配水资源，配合签约州和部长会议实施各方都认可的政策和战略，制定流域管理预算方案，负责协调各州的关系。委员会下设办公室,负责处理日常事务。

罗讷河的组织机构别具一格,由罗讷河国家治理公司负责流域治理开发和管理,而罗讷河流域综合协调和政策机构是罗讷河流域管理局,代表国家行使流域管理职能,并协调各方的关系。罗讷河国家治理公司是一家股份公司,现有 6 家股东。公司不但承担了罗讷河的电力、航运、灌溉治理工程,而且增加环境保护、旅游开发工程,在法国工业部、交通部、环境部的领导下,与电力公司、航运部门、各地方政府共同管理已建的电站、航运渠道、船闸、码头、农业灌溉设施、补水渠等。

由此可见,不同国家、不同流域的流域管理机构成立的历史背景不同,其组织形式也不尽相同,管理权限也同样受到严格限制。但这些流域有一个共同的特点,流域管理不但承担水资源管理和河道管理的任务,而且对流域的自然环境等进行广泛管理。美国的流域管理虽然是"多龙管理",但是,在联邦政府的统一领导下,各部门职责明确,既分工又协作,既相互配合又相互制约,形成了"多龙管水,配合默契"的管理体制。而法国的流域管理体制,则更符合市场经济体制下的流域管理形式,并且更有利于流域的治理开发和流域资源、环境和经济的可持续发展。

4.2.1.2 水资源一体化管理的前提下,多级管理运行机制和运作模式体现了高效、有序和全社会参与的原则

一个相对健全的流域管理机构和科学合理的运作机

制是保证流域内社会经济和生态环境健康发展的重要保证。本项研究共涉及到4种流域管理组织形式，即法国的国家公司制、澳大利亚的部长会议制、中美俄的“多头”管理制以及田纳西河的流域集权制。这4种形式各有特色，在其本国的流域管理中均发挥了重要作用，但机制相对比较好、运作灵活的模式是前两种形式，因为它们在法律的保护下，实现了真正意义上的流域综合管理。

流域管理委员会是流域治理的决策机构，代表国家进行流域管理。管理的主要运作过程为，董事会、国家部委、地方政府和用户代表共同参与管理，遵循共同参与、相互尊重、相互制约、充分协商的原则。在职能分工上，流域管理委员会负责编制流域开发和管理的总体规划及专项规划，并充分吸取地方政府和用户的意见，报国家有关部门批准执行。流域内区域规划的起草及监督执行由地方水委员会负责。地方水委员会由地方政府和地方国有公司代表、水用户、专业组织代表及国家部委和中央国有公司代表组成。区域规划经流域委员会审查后公布供公众讨论，由地方行政机构负责组织实施。

世界上经济发达国家由于受经济所有制形式和政治体制的影响，流域管理方式各不相同，主要表现在组织机构的运作上。综观这几条国外典型流域的管理机构，除了阿姆河、伏尔加河的组织形式与中国的相似外，其余流域各具特色。美国的密西西比河和科罗拉多河在管理机构上也不相同，公元1879年密西西比河成立了委员会负责流域的管理，而流域治理由工程师团负责，并制定防洪规划。自1994年,委员会的注意力已经扩大到了整个流域,工程师团管辖区的管理机构也受到委员会主席的领导。

4.2.1.3 完善的法律体系是进行水资源管理的依据,依法管理是水资源管理的根本保障

水资源管理以立法为先导,实行依法管水。“管理未实施,立法行在先”是水资源管理取得成功的最主要的因素,法律首先限定水资源的权利,规定机构设置和流域机构的职能、流域管理机构与地方水管理机构的职责分工、行政程序、职责等。

在法国,针对水法律实施过程中出现的新问题,及时进行修订、补充完善,同时注重水法律与其他法律如市政法、农村法、公共健康法、矿业法的关系协调等,森林法也被纳入了水法律体系,使水法律体系更加完善,依法办事已成为人们的共同认识和行动准则。

美国、法国在水管理方面的立法有着悠久的历史和完善的法律体系,虽然都属于依法办事,但立法还是有所不同。法国主要由国会颁布法令来规范流域治理的行为,而美国各州都有相当大的立法权,其水资源管理体制是以州为基本单位,州际间以协议形式进行管理,遇到矛盾则由联邦政府的有关机构出面协调,若协调不成,则通过司法程序予以解决,水资源开发、利用是在政府调控下有序进行。墨累—达令河流域的水资源管理属于水议会管理模式,由河流流经地区的有关州政府通过签订协议建立河流协调组织。流域管理侧重于宏观政策指导,各签约州的行为受协议的约束。

水权制度的建立促进了水资源的合理分配。水权制度在墨累—达令河、密西西比河、科罗拉多河等流域已经广泛存在,并且得到了很好的执行,取得了显著的管理成就。在美国的两条河流中,水权制度已成为水资源管理和开发利用的基础,它建立在私有制的基础上,有三种类型:在中西部地区是按开发利用的先后来确定水权,即对同一水源的不同用户,按谁先用,谁拥有较大的用水权;在东部地区,则按土地离水源的远近来确定水权大小。水权作为私有财产可以自由转让。近年来,为了更合理有效地利用水资源,西部地区出现了水银行的水权交易体系,以股份制形式对水权进行管理,简化了水权交易程序。

澳大利亚的水权制度不同于美国的水权制度,因为联邦政府通过立法,明确了水资源是公共资源,归州政府所有,由州政府调整和分配水权。就维多利亚州的水权制度来说,有三种类型:一是授予具有灌溉和供水职能的管理机构、电力公司的水权,称为批发水权;二是授予个人从河道、地下或从管理机构的工程中直接取水以及河道内用水权的许可证;三是灌区内的农户具有用水权,灌溉管理机构必须确保向农户提供生活、灌溉和畜牧用水。水权可以通过交易或转让取得,其转让和交易的价格由市场决定,可以采取拍卖、招标或其他可行的方式,但必须遵守州议会通过的法定规则。

4.2.1.4 水资源管理体制的改革和完善,是经济和环境发展的要求,是科学管理水资源的保证

水资源管理体制是进行水资源有效管理的前提,水资

源管理体制与社会政治经济制度、经济发展水平密切相关，并随着社会经济发展的变化而变化，在不断的改革和发展中得到完善。各流域的管理体制和运作方式虽然不尽相同，但是都不同程度地保证了水资源管理的有效性。

流域内经济活动所造成的水环境污染和环境破坏促使了流域综合统一管理的进程，使水资源利用向高附加值流动，同时保证环境和生态用水。如法国的流域管理委员会除了原有的水管理权限外，还具有审批开发利用和治污计划的权力，基本实现了对流域的统一、高效管理。而在墨累—达令河流域，联邦政府和各州政府已经采取措施把水权从土地权中分离出来，将政府所属的服务性水利工程的管理与行政管理分离，建立水交易系统，允许水权转让，利用经济杠杆调节对水的使用，并采用股份制和托管制，使水资源的管理专业化，使用水户对自己的用水风险承担责任。

4.2.1.5 流域水资源实行统一管理，保证水资源的持续利用，使人类与水和平共处

地表水和地下水联合调度、水量与水质统一管理是水资源管理的重要方式，是合理利用水资源、有效遏制水污染、改善水质量的有力措施。这是国外流域所普遍采用的一种水资源优化调度与管理方式，法国的罗讷河、卢瓦尔河，澳大利亚的墨累—达令河采用这种管理方式，基本上保证了河流水质处于良好状态，比较合理地分配了水量。究其原因，除了经济实力外，其一是由某一个部门对流域的水量和水质实行统一的管理；其二是实行水资

源有偿使用和水资源污染补偿原则,即谁用水谁交费和谁污染谁交税,由流域管理部门征收水费和污染税;同时,把大部分资金又返还于开发利用工程和治污工程。这种建立在水法律基础上的管理方式既可做到统筹水量调配和排污控制,又可使排污者所交纳的排污税真正用到污水处理上。这是现代水资源管理的主流和方向。将流域自然系统和社会经济发展统一考虑,制定社会经济发展政策和自然资源的管理政策,这一点已经从田纳西河、罗讷河等河流的治理得到了充分证明。

4.2.1.6 水质和水生态环境标准的制定保证了水资源可持续利用和流域环境的可持续发展

获得安全的淡水是人类同自然和谐相处的一个重要标志。为满足水质目标,各国都制定了水质标准,规定了河流生态需水量及环境保护所需要的水资源,虽然各自的指标不尽一致,但对水资源和生态环境的保护提供了量化的依据,而且对水质和环境的改善起到了积极的促进作用。无论是水体的开发、管理还是利用,都必须遵循环保第一、合理开发的原则。国外典型河流在开发的过程中都十分重视对水资源的合理利用和保护,并制定有关法律,对一切损害、污染水资源的行为依法处罚。为了控制点源污染,流域内的政府部门加大了对污水的处理和再利用,严格控制污水排放。对于面源污染,如农业排水,一方面控制化肥和农药的使用,另一方面,采取节水灌溉措施,减少农田水回归河流。法国的罗讷河就是一个相对完美的实例。

4.2.1.7 河流防汛管理是一项长期的任务，非工程防洪措施越来越受到人们的重视

洪水威胁被认为是各条河流最为严重的问题。早期主要是采用修筑堤防和修建水库抵御和拦蓄洪水。随着经济的发展和环境保护的要求，兴修水工程遇到的环保问题越来越大，修建堤防的造价也越来越高。因此，进行水的整治越来越强调水与环境的协调发展，考虑防洪措施时更重视非工程措施，即不再以兴修水库、堤防等工程措施为主。

非工程措施包括制定相应的防洪法规和政策，公布洪水风险区，保护天然滞洪区，限制在该区域内的开发活动，采用相应的防洪对策，加强洪患意识教育，推行洪水保险制度，强化洪水预警系统，遇大洪水时组织临时疏散，进行灾后补偿和救济等。这些措施在澳大利亚、法国和美国都有不同程度的实施，美国做得最好。

流域防洪管理是流域一体化管理的一个非常重要的方面。防洪工作、防洪工程建设以及洪泛区进行规范管理是通过立法的形式实现的，是防洪管理的最重要的手段。世界各国都制定了有关防洪方面的法律法规，但所涉及的内容不是完全相同。如美国的《洪水灾害防御法》、《全国洪水保险法》、法国的《自然灾害损失赔偿法》、《农业灾害保险法》等。法国早在公元 1858 年就颁布了关于修建堤防和保护城镇的法律，以后又补充和完善了各项法律法规。与其他各国不同，法国还把《森林法》作为防洪法律，将保护森林与防洪减灾紧密结合起来，这实

际上体现了法国在流域管理中的远见卓识。

中国在河流防洪方面的法规建设也做得比较完善，中国有《中华人民共和国水法》(以下简称《水法》、《中华人民共和国防洪法》(以下简称《防洪法》)、《中华人民共和国河道管理条例》等有关水管理的法规，保证了河流防洪工作的顺利实施。

洪水保险是加强洪泛区管理的重要手段。在各国的洪水保险制度中，美国的洪水保险历史是比较长的。自1956年颁布《联邦灾害保险法》，便创设了联邦洪水保险制度，这项制度最终成为一条强制性的法律条款，促进了对洪泛区的管理。法国的洪灾损失赔偿制度，实际上也是通过推行洪水保险对洪泛区进行管理。

4.2.1.8 相对完善的水价体系和投资机制保证了工程建设与管理

水价的制定是一个复杂的问题，水价和水市场密切相关。在法国，制定水价考虑的因素从水源、供水、用水到污水处理各个环节，但各因素所占比例各地不一，水费收入主要用于水资源开发利用和工程建设。墨累—达令河和罗讷河、卢瓦尔河都属于此种情况。

根据对罗讷河和卢瓦尔河的投资分析可知，罗讷河和卢瓦尔河流域管理局每年水费收入的90%以上用于开发及工程建设，保证了水利工程的顺利实施。堤防建设和维护一般是由当地政府或沿岸土地主修建，国家给予相应财政补贴。农村灌溉工程及治污工程的立项由当地政府负责，资金则由有关各方共同负担。农业污染治理费用由流域管理局、地方政府和农业用户平均分摊。城市生活供水和相应治污工程的立项由流域水管理局提出计划,经流域管理委员会商定后报国家环保部批准,并由国家装备部或地方政府组织实施。水管理单位为非盈利公共管理机构,管理资金由地方政府负责。

4.2.1.9 高新技术的广泛应用使水资源的管理更规范、更有效,使水资源的优化配置得以实现

在美国、法国、澳大利亚和俄罗斯,河流(流域)管理、河道整治、水文气象预报、防洪技术手段及水资源监测和利用,都十分重视高科技投入,利用遥感、遥测、自动传输和控制并辅以计算机技术等高科技手段,进行地形、地物的勘查和测绘,实时监控水资源利用动态,根据实时气象、水文、径流资料,正确进行水量调度或发出水污染警报。所选典型流域都采用了各种先进的现代技术手段,提高洪水测报的准确性。如阿姆河流域的洪水预报,除了水文气象测报系统外,还有地理信息系统和水利设施电子监控系统,主要是利用人造卫星遥控系统和地面各水利设施上的传感器,通过电话线网络发送各种信息的电子自动监控系统,经过计算机数学模型处理,提出流域的水量分配和洪水调度方案,极大地提高了洪水预报的准确性和实时性,对洪水调度决策提供了可靠的依据。美国的密西西比河、田纳西河及法国的卢瓦尔河都采用了先进的洪水测报系统。在发达国家流域管理的每一个角落都留下了新技术应用的烙印,如为了高效利用有限的水资源,普遍采用喷灌、滴灌、渗灌等节水灌溉技术,在

很大程度上实现了水资源管理的现代化。

4.2.2 国内典型河流管理运行模式分析

中国的河流治理与开发经历了 4 000 多年的历史,伴随着流域的开发,管理的概念也相继引入。我国古代的河流管理思想中起主导作用的是"天人合一"的思维方式,强调事物的整体性和人对环境的适应和促进,如都江堰在总体布置、堤坝建筑、水道疏浚、就地取材、灌溉与防洪兼顾等方面的管理,都取得了成功。

新中国成立后,我国的流域管理进入了一个新的历史阶段,逐步完善了流域管理机构,全民所有制的计划经济,也决定了流域管理机构的职责与任务。流域机构的职责主要是统一管理流域内水资源和河道,负责流域的综合治理,开发管理具有控制性的重要水工程,搞好规划、管理、协调、监督、服务,促进江河治理和水资源综合开发、利用和保护。实际上,在大部分情况下,流域机构行使的是水资源和河道管理的任务,并把防洪和大型水利工程建设作为主要任务,直到《水法》的颁布实施,我国的水资源管理才进入了依法管理阶段。改革开放以来,我国的经济建设迅速发展,流域内的开发活动日趋频繁,诸如开矿、修路、城镇建设、企业的迅速崛起等等,水资源需求越来越大,华北平原地下水严重超采,水质严重污染,造成了流域环境不断恶化,对我们本不完善的流域管理来说,提出了更高的要求。

现在,我国的流域管理开始进入全方位、法制化、规范化、现代化管理阶段。从流域生态建设的高度出发,引进现代化的管理技术,制定完善的流域综合发展规划和专项规划,依法进行流域管理,从以往单一的河流管理中走了出来,更加强调流域经济、社会和环境的协调发展。尽管《水法》、《水土保持法》、《水污染防治法》、《环境保护法》、《森林法》等一系列法律法规为我们进行流域管理提供了法律依据,但是,由于执法权限等一系列问题,使得流域机构无法对流域内有潜在威胁的开发活动进行管理。

4.3 国内外典型河流治理开发中的主要问题

综观国内外河流的治理开发过程,过去人类把追求经济利益作为惟一的开发目标,对河流开发的社会和自然环境的影响估计不足,由此而引发了许多环境和社会问题,反而制约了流域经济的健康发展,甚至在有些地方造成了灾难性的后果,其主要问题表现在以下几个方面。

4.3.1 河川径流量大幅度减少

在天然状态下,流域内的多年平均水资源量应该是一个相对稳定的数值。社会经济发展对水的需求的日益增长和大规模的水资源开发利用,势必造成河川径流量不断减少,甚至枯竭。阿姆河流域由于大量引用河川径流用于农业灌溉,致使河川径流量逐年减少,直至从过去流入咸海的总水量 600 亿 m^3,减少到目前的 10 亿～50 亿 m^3,导致咸海水位下降了 16m。科罗拉多河流域对水资源枯竭式的开发利用,使墨西哥境内的入海河段长期成为干河状态。严重缺水的海河流域,由于对水资源的过度利用等一系列因素的影响,近年来也经常出现断流。

黄河也是这样,20 世纪 90 年代以来频繁出现的断流，严重影响到黄河下游地区人民的生活、生产用水和生态用水，并造成一定的影响。这一被动局面，只是在实施黄河水量统一调度以来才得以改观，在黄河水利委员会强有力的管理下，实现了黄河不断流，奏响了水量调度的一曲颂歌。

4.3.2 地下水位下降，地下水衰竭

大量开采地下水，使地下水严重超采，造成地面沉降，土地荒漠化和土壤盐碱化。阿姆河流域水资源的减少，使咸海滨海区大片土地沙化，海底生物大量死亡，大片芦苇枯死，海底沉积的大量盐粒，在大风刮起时就会形成盐尘暴，破坏农田，危害庄稼，盐尘暴也殃及到居民区，使沿海居民 350 万人生病，出现呼吸道疾病及其他各种疾病。科罗拉多河流域下游，由于过量开采地下水造成大面积的地下漏斗。我国华北平原的地下水也严重超采，形成大面积的地下水漏斗，漏斗中心最大埋深已达 105m，一般也在 30～70m，造成泉水枯竭、地面沉陷、海水入侵、建筑物遭到破坏等。

4.3.3 造成严重的生态灾难

干流的梯级开发改变了自由流动的天然河流系统，水中的养分和水的化学性质发生了变化，同时改变了河流的水文特性和河流的生态系统动力学特性，对原水生生态系统和原物种造成了巨大的压力。大坝的建设，截断了洄游鱼类的洄游通道，使洄游鱼类的天然产卵场减少，严重地破坏了水生动植物的生长环境，使原生鱼类种群数量大大减少。这种情况在伏尔加河、尼罗河及科罗

拉多河等河流比较严重。

4.3.4 水污染严重，水质恶化

其一是表现在河川径流量的减少，导致河水含盐量增加，主要发生在科罗拉多河流域。其二是随着经济的发展、排污量的增大而造成的水质污染。几乎在各条流域都有不同程度的发生，而以海河流域最为严重，1998 年在 9 890km 的评价河长中，75％的河流受到不同程度的污染，供水水源水质下降。早期的泰晤士河及莱茵河也是这样。

4.3.5 湿地缩小或消失，生态环境严重破坏

流域内湿地面积大幅度减少，特别是河流下游地区，使野生生物失去了生存条件，不少生物濒临灭绝。密西西比河流域虽然采取了措施在下游重建了 $25km^2$ 的湿地，为湿地动植物营造了栖息地，但流域内湿地总面积还是比开发前减少了 60％以上。海河流域人类活动对湿地的侵占，不仅造成湿地大面积萎缩，甚至有的湿地已经成了人类的聚居地，永远失去了再生的可能。

4.3.6 土地荒漠化和水土流失依然严重

在流域内，人类不合理的土地及水资源的利用方式造成土地荒漠化和水土流失，国内外的研究都有力地证明了这一结论。在发达国家，由于其经济实力比较雄厚以及体制上的原因，虽然不能完全控制土地荒漠化和水土流失的过程，仍使其得到了及时、有效的遏制，诸如密西西比河等。而在有的流域，如阿姆河和海河流域，大有扩大的趋势，黄河流域也有类似的情况。随着黄河上中游地区的水土保持工作力度和投资规模的加大，水土流失得到有效的控制，生态环境状况有了明显的改善。

5 国内外典型流域(河流)开发治理发展趋势分析

根据对以上所选择的典型江河开发治理和管理模式的分析,可以比较清晰地认识到,在不同的国度、不同的社会背景、不同的经济和环境等条件下,不同河流具有不同特色的治理开发和管理模式,但流域(河流)开发治理的模式、水利发展进程有诸多相似之处,现进行分析总结。

5.1 流域(河流)开发治理发展阶段分析

人类社会的发展是一个从低级到高级的逐渐演进过程,自然界则是一个逐渐演替的过程。通过对国内外河流(流域)治理开发历程、成功经验、治理开发手段、治理开发目标和主要问题的综合分析,发现各河流在治理开发结果和治理开发手段方面也存在相应的阶段性,根据分析研究结果,其阶段划分如表 5-1 所示。

表 5-1 河流的治理开发与水利发展阶段划分

阶段划分	河流(流域)治理	水利发展
第一阶段	原始水利用和低级防御阶段	原始水利阶段
第二阶段	河流初级开发与治理阶段	初级水利阶段
第三阶段	工程建设与经济增长影响阶段	工程水利阶段
第四阶段	环境保护和综合治理阶段	资源水利阶段
第五阶段	流域生态环境恢复和可持续发展阶段	生态水利阶段

对河流治理和水利发展阶段的划分可能有多种不同的划分结果，本研究报告主要从流域治理和水利发展的进程来划分。尽管是从两个不同的角度进行划分，但其结果并不矛盾，前者是按照河流（流域）治理的发展结果与进程进行划分，而后者则是按照水利发展的一般概念进行划分，前者注重过程，后者注重手段，划分的阶段彼此相互对应。

5.1.1 第一阶段

即“原始水利用和低级防御阶段”与“原始水利阶段”。此阶段人口数量极少，人类与水、自然处于原始的和谐相处状态，防御自然灾害的能力很弱，人类过着日出而作、日落而归的田园生活，对水的概念只是降雨、河流、湖泊和洪水灾害等，逐渐地对水产生了萌芽认识，对洪水灾害采取的是逃避或“壅堵”的方法来保护自身的安全。此阶段大约从远古时代至公元前2 000多年以前。

5.1.2 第二阶段

“河流初级开发与治理”与“初级水利”共生于同一阶段，只是从不同的侧面反映了人类对水的利用和对灾害的防御，两个方面是一致的。此阶段社会生产力水平有了较大的提高，人类对水有了进一步的认识，在一定程度上对洪水的产生过程有了感性认识，并开始对水害进行治理，与此同时，认识到了水在农业生产中的重要性，从而开始对水进行研究，并由被动地适应自然走向主动地向自然挑战，从此拉开了河流治理开发的序幕。在此阶段，形成了许多水利理论，诸如中国的《水经注》、《山海经》等，古代遗留下来的著名水利工程有大运河、都江堰、郑国渠等,水车的使用也标志着人类开始对水能资源进行开发利用。此阶段从公元前2 000多年前到18世纪中叶。

5.1.3 第三阶段

即“工程建设和经济增长影响”与“工程水利”阶段。此阶段是人类大规模地修建水利工程、兴利除害、开展水利研究的高峰,也是人类对水利认识、研究和开发的主要阶段,水利及其相关学科有了很大的发展,为深层次的水资源开发利用提供了理论依据。

水资源是工农业生产和工农业经济的支柱之一,没有水就没有工农业生产,缺乏水就缺乏经济发展速度,这是大家的共识,也是时代的口号。人口的增长、动力工业的发展、新耗水部门的兴建和农业灌溉面积的扩大,使对水资源的需求迅猛增长,这些都极大地推动了水利工程建设,水资源开发也从单一目标发展到多目标。水利工程建设不仅为工农业生产和人民生活提供了水源,而且促进了水电工业的发展,并有效地遏制了洪水对人类的威胁。农业灌溉面积的扩大,进一步稳固了农业基础产业的地位。由于本阶段各国的国情和社会发展阶段不同,水利发展所处的阶段也就不尽相同。欧美等发达国家大约从18世纪中叶到20世纪中叶就放慢了水利工程建设速度,缩小了工程建设规模,有些地区甚至走完了这个阶段,而发展中国家目前大部分还处在这个阶段,也许还要持续相当长的一段时期。

水利工程的兴建使人类在尽享其利的同时,也受到了大自然的无情报复——流域生态环境不断恶化。生态环境恶化主要有以下几个方面的原因:高坝大库的兴建,使水库水出现温度分层现象,破坏水库生态,淹没大片土地,库岸坍塌等;工农业及生活污水排放造成水污染;破坏洄游鱼类产卵场,使洄游鱼类产量下降。水资源过度利用造成河道断流、地下水位下降;地表植被破坏引起水土流失、造成水质污染。这个阶段,欧美发达国家大约在20世纪初至50年代。中国现在正处于这个阶段,即从20世纪80年代至今,本阶段还未完成,估计将延长至21世纪20年代,或更久远。

5.1.4 第四阶段

即“环境保护和综合治理阶段”与“资源水利阶段”。此阶段主要是对水利工程观念的新的认识,从工程水利向资源水利发展,这是水资源开发利用的必然结果。这个阶段既强调水资源工程的数量,更强调水资源的配置,最终发展成为一个效益型、科技型、优化型、节约型的综合经济社会发展体系。人类从水利工程的收效只是局部的,人类对自然和资源的需求是多方面的,水是生存资源,是经济资源,它的价值是多方面的。通过资源的优化配置和措施的优化组合,实现水资源的高效利用。此阶段在欧美发达国家已经完成,主要是从20世纪中叶到80年代,英国在70年代基本完成,法国更早一些,在60年代后期基本完成,美国也基本在这个时段完成。中国现在还没有发展到这个阶段,但已经开始对这方面的问题进行研究,准备进入。由于第三阶段对水资源的过量开采,出现了许多环境问题，中国已开始考虑水资源的价值和水价、水市场的问题，以及资源水利和工程水利的问题。

5.1.5 第五阶段

即“生态环境恢复和可持续发展阶段”与“生态水利阶段”。这是人类开发利用水资源的最高阶段，是人类合理利用水资源、与水和平共处的阶段。流域内生态环境良性循环，植被茂盛，水土流失得到有效控制，水污染被有效防治，森林生态系统肩负起了水资源调节的重任，流域内人口、资源、社会经济、环境协调发展。此阶段与原始水利用阶段不同，是人类主动控制利用水资源，使水既按照人类的要求也按照水资源自身的规律运行。欧美发达的资本主义国家经济实力雄厚，起步早，流域保护意识强，基本达到了生态水利的条件。法国、德国和英国均进入生态水利阶段。

5.2 国内外水利发展理论分析

水资源的开发利用由单一目标走向多目标的协同发展，是由水资源本身的特性、水资源开发利用产生的社会生态环境问题、社会经济环境对水的需求及人类对水资源的认识程度共同决定的。综观世界典型河流的治理开发历史，人类已经饱尝了水资源不合理开发利用所带来的灾难性的恶果，在无情的大自然面前开始变得温和，从原来的以经济效益最大为目标的水资源开发利用，转向了以水资源的可持续利用，实现社会、经济和环境协调发展为目标上来，从而转向资源水利和生态水利。

通过对水利发展阶段的研究分析发现，水利发展是建立在科学技术进步的基础之上，需要有强大的专业技术理论支撑。传统科学技术使水利有了产生和存在的基础，新学科的兴起、新技术的诞生和应用，都有力地促进了水利事业的发展，保证了水利工程建设在理论上的可行性和技术上的可靠性。如水文学、水力学、土力学、结构力学、工程学、地学、农业科学、林业科学等学科的进展在流域发展进程的每个阶段，对流域和经济发展都起到了巨大的推动作用，特别是近年计算机网络、信息和航天技术的发展，加速了流域的治理开发进程。在这个大前提下，水利的发展经历了从经济理论、系统理论、可持续发展理论、资源核算理论到生态经济理论的发展过程，现根据每一阶段理论的特点进行分析。

5.2.1 经济理论

我们都知道，水利与国民经济和社会发展息息相关，水利就是兴利除害，就是通过各种手段和措施，对流域内的水资源进行调节和控制，达到利用的目的。所以兴建水利工程就成为必然结果，搞建设，当然要涉及到经济问题，就要考虑如何花最少的钱去办最多的事，达到最好的效果，取得最佳的经济效益。过去修建工程讲效益时，往往把评价经济效益放在首位，并以经济效益为决策目标，忽视了对社会效益和环境效益进行全面的评价，使得经济效益、社会效益和环境效益得不到足够重视。随着社会经济的发展，水资源的压力越来越大，迫使大量的水利工程上马，经济活动也更加频繁。

水利与经济是相互统一的整体，兴建水利工程可以产生巨大的经济效益，促进国民经济各行各业的发展，而国民经济的发展，又将进一步推动水利事业向前迈进，从而产生更大的经济效益。在以水利工程建设为主的发展阶段，经济对水利起着决定性的作用，有什么样的经济基础，就有与之相应的水利建设，可以说水利过程本身就是一种经济活动，这样，水利经济就应运而生，也从而形成了水利经济理论。到如今，水利经济的概念始终伴随着水利事业的全过程，并且延伸到了以水为载体的所有经济活动，可见，把经济理论作为水利发展的基础理论有其存在的根源。

5.2.2 自然生态和资源系统理论

系统是由相互联系、相互依赖、相互制约、相互作用的事物和过程组成的具有整体功能和综合行为的统一体。从总的情况来看，水资源不仅具有自然属性，还具有经济属性和社会属性，所以，从系统理论来考察水资源开发利用效果，不能仅仅局限于水资源本身或者解决某一具体问题，而且应该着眼于更大的社会经济背景。也就是说，水资源开发利用管理应该采取一体化方略。

所谓的水资源开发利用管理一体化，是指将水资源放在社会—经济—环境所组成的复合系统中，以系统理论作为指南，用综合的系统的方法对水资源进行深度开发和高效管理。其主要思想是，水资源不仅是自然资源，而且是对环境有相当制约的环境资源，它对国民经济的发展、人民生活水平的提高以及人类社会的可持续发展都有重要的影响，在此背景条件下，水资源开发利用管理不能采用“头痛医头，脚痛医脚”的方式，而必须采取全面的系统方略。

水资源开发利用管理一体化在客观实施时具有多层次性。如区域水量与水质管理的协调统一，水资源管、供、用和治理协调，水资源利用和湿地保护统一，地表水资源与地下水和降雨联调，水资源开发利用与森林保护相统一，区域产业结构的调整和布局充分考虑水资源承受能力等(如罗讷河流域)。从效益上来看，水资源开发利用管理一体化最终目标是水资源开发利用必须达到经济效益、社会效益和生态效益的协调统一，其效益衡量的时空尺度必须大。如充分利用当地的降雨资源，从局部上来看，可能提高了水的利用效率，具有较好的社会效益和经济效益，但从整个流域的角度来认识，假设流域的各个区域皆以留住当地水资源为己任，流域水资源中的地表径流会发生很大的改变，甚至导致大江大河的断流，引起更大的生态环境问题(如阿姆河流域)。所以，充分利用当地水资源是以流域可承受能力为极限，是有先决条件的。

从资源水利和生态水利的内涵来看，它不仅包含了水利工作的各个方面，而且将水资源放在生态系统、国民经济和社会发展大视野下进行综合开发管理，这是系统理论在水利工作中的具体实践与应用。

5.2.3 水资源利用优化和可持续发展理论

人类面对着人口、资源和环境等世界性难题，谋求人与自然和谐相处、协调发展的新的发展模式，成为可持续发展理论形成的现实推动力。自 1980 年国际自然资源保护联合会明确提出了持续发展的概念后,传播速度之快,影响之大,大大超出人们的意料。

持续发展被定义为“是既满足于当代人的需要,又不对后代满足其需要的能力构成危害的发展”。“只有一个地球”、“人与自然平衡”、代际之间具有“平等发展权利”成为持续发展理论的主要理念,该理论要求我们:树立持续发展的资源利用观,对于地表水资源等可更新的资源开发利用,要限制在其再生产的承载力限度内,同时采取有效措施促进可更新资源的再生产;对于深层地下水等不可更新资源要减少其消耗,提高它的利用效率,积极开辟新的资源途径,并尽可能用可更新资源和其他相对丰富的资源来代替;在开发利用水资源等自然资源时,不仅仅考虑当代人的利益,还必须兼顾后代人的需求,这不仅仅是一个伦理问题,而且关系到人类社会是否永续发展下去的大问题。当代人不应该以牺牲后代人的利益换取自己的舒适,应该主动采取“财富转移”的政策,为后代人留下宽松的生存空间,让他们同我们一样拥有均等的发展机会。

可持续发展理论具有层次性,包括资源层次、环境层次、社会层次、技术支撑层次等多方面,它站在全球或者全社会的高度衡量社会的发展程度,经济指标、社会指标和环境指标是可持续发展评价中的重要组成部分,它们之间的高效耦合才可能达到社会可持续发展层次。尽管资源水利和生态水利包括多方面的内容,但其核心是水资源的优化配置、水资源的利用与环境的协调发展，其目标是水资源在整体上发挥最大的经济效益、社会效益和环境效益，如果结合大空间和大时间跨度，其目标与可持续发展的目标是一致的。

5.2.4 水资源(自然)资源核算理论

资源核算理论是对传统的国民经济核算体系的完善，其主要思想是：资源是国民财富的不可分割的组成部分，它对国民经济发展具有重要影响，一个国家经济社会的发展，与资源的丰富程度和保护利用水平密切相关，可持续发展条件下的国民经济核算体系，必须将资源环境纳入到核算体系，以消除因不计资源消耗或环境污染而形成的国民经济虚假成分，使管理者更加全面、客观地评价经济发展的过程、效果和潜力，推动资源资产产权的界定、资源有偿使用制度的实施，加强资源高效管理。

水资源是自然资源的重要组成部分，目前，水资源问题严重地制约了国民经济的发展，成为 21 世纪世界范围内经济社会发展首要的资源环境问题。由于水资源本身所具有的特性，牵涉面非常广泛，对其进行核算，进而将其纳入到国民经济核算体系之中，成为管理开发利用水资源的重要途径。

水资源污染，不仅造成水资源财富本身价值的折损，使水资源贬值，而且造成一系列生态环境及社会问题。对其进行治理的过程，也涉及到各个方面，由于国家或地方政府(包括企业)每年的投资额度有限，环境治理投资增加可能减少其他方面的投入，进而影响相应的建设；如果不进行投资治理，所带来的问题包括潜在的威胁也可能严重地影响社会发展甚至人类的生存，投资者常常处于两难选择之中。水资源开发利用，给开发者带来一定的经济效益，同时所带来的一系列环境、社会问题，如地面沉陷、生物多样性的消失、河岸的变化、土地的荒漠化、污染物迁移转化规律的改变、水资源时空分布的演变、淹没土地所带来的大量移民等，其损失可能超过经济效益，如果将论证的目光仅局限在水利工程的本身，水资源开发利用所带来的外部经济性或外部不经济性就会被掩蔽，很难全面准确地估算水利工程效益。水资源的配置更是一个复杂的问题，由于水资源用途的多样性和可多次利用的性质存在，为水资源合理配置增添了许多障碍。从更宏观的角度来说，在特定的水资源量情况下，工业用水、农业用水、生活用水、生态环境用水如何分配牵涉到诸多方面，即便是工业用水内部的分配也复杂多样，如何将有限的水资源合理配置使其发挥最佳效益，是水资源合理配置最终目标，配置是否合理的衡量手段极其重要。节约水资源是全社会的工作，如何选择投资少、见效快、效益明显的节水方法，是节水面临的重大问题。以农业节水为例，节水技术很多，既有传统的技术，也有喷灌、滴灌等新技术，甚至有分子生物学等高新技术，如何结合我国的国情进行选择，是我们必须认真对待的。

5.2.5 水资源生态经济理论

生态经济系统就是生态系统与经济系统相互联系、相互作用、相互交织构成的具有一定结构和功能的复杂系统，它是一切经济活动的载体，任何经济活动都是在一定的生态经济系统中进行的。水资源生态经济系统就是水资源系统与生态环境、社会经济相耦合。现行的水资源系统，由于自然生态及其环境容量受到人口、经济剧增的严峻挑战，世界性的生态环境问题层出不穷，且已日益危害人类的生存与发展，所以，水资源的利用必须纳入环境系统中去考虑，特别是要纳入陆地生态系统中考虑。

水资源与其他自然资源、水资源与经济活动、地区水资源与流域水系等相互间存在着内在联系，水资源状况的重大改变将引起生物和非生物资源因子的相应变化，水资源的综合开发利用，将大大地促进社会经济的相应发展，流域内不同区域的水事活动，对河流的干支流将产生一定的影响。

众所周知，水资源是一种具有多用途、且其他资源不可替代的一种资源。它既是自然资源，又是商品，具有价值和使用价值，因此它又是经济资源。水资源的开发利用必须遵循自然规律和经济规律，这两种规律共同运转于生态经济系统中。水资源的开发利用像其他自然资源一样，既是在生态系统中进行，又是以水量、水质和生产条件等形式，作为经济要素参与经济系统的生产和消费全过程。

人口的剧增、经济的发展，资源日益耗竭，人类赖以生存的生态环境日趋恶化，所以建立水资源生态经济复合系统，将其作为水资源可持续利用的基础，是有足够的实践、理论依据的。面对可持续发展战略的水资源开发利用,也只有把水资源生态经济系统作为一个整体对待,并以生态经济理论为指导,才能实现水资源可持续利用的目标。

这些理论代表了一个时代的特征,从水资源开发经济理论,以追求最大经济收益为最优目标,到水资源一体化管理的认识,最后发展到水资源核算理论和生态经济理论,以系统功能最佳为最优目标,体现了人类认识的进步。

5.3 国内外流域(河流)治理开发趋势分析

综观国内外流域的开发治理过程,可以发现对流域水资源和生态环境相互作用的认识是流域开发治理的关键,它决定着流域经济发展及河流治理开发的方向与进程,更新观念、强化认识将大大促进流域的开发和治理,也将对流域管理产生深远的影响。

我们对流域管理的认识可以归纳为:“流域管理一体化,管理方式法制化,运作过程规范化,监控手段现代化,资源开发可持续化。”现在根据流域发展的进程和模式,对流域管理的认识、管理发展的大趋势进行分析如下。

5.3.1 完整的流域生态体系是河流开发治理的基础,更新对流域水资源认识的观念是人类对水资源认识的大趋势

通过对国际流域开发治理的过程、经验教训的分析可知:流域生态环境是一个相对完整的系统,其对社会、经济、资源的承载力是有限的。河流的开发治理必须建立在流域生态环境的基础上,决不可背离和破坏这个基础。

现在我们认识到流域是一个自然意义上的陆地生态环境系统,流域内有丰富的森林资源、土地资源、矿产资源、水资源、动物资源等自然资源。人类为了自身的经济利益,通过各种手段开发利用流域内大自然的赏赐,随着流域内人口的增长和经济的不断发展,人类追求经济利益和舒适生活的欲望也越来越高,对流域的水资源、森林资源和矿产资源进行进一步开发利用,这种掠夺式的开发行为造成的后果是相当严重的,流域内森林面积不断减少、水土流失加剧、生态环境恶化、洪水灾害频繁。面对这些危害,人们曾采取各种措施进行预防和治理,但大多数是筑堤修坝,对河流加以约束,这些代价昂贵的治理措施,并未考虑到可能会出现的环境问题,结果是问题不但没有得到解决,而且造成了植被一再被破坏、水资源短缺、地下水水位下降、土地荒漠化、耕地盐渍化、物种多样性减少等问题,这些已经严重地威胁着人类的生存环境,制约着流域经济的发展。像阿姆河流域的生态恶化问题,更是引起了全球的关注。特别是在苏联解体以后,阿姆河流经 4 个国家,如果不合理地解决好这个国际性河流的水资源分配问题,阿姆河流域的人民必将遭受背井离乡之灾。中国的黄河流域、英国的泰晤士河流域、德国的莱茵河流域的治理开发历程也是这样。

5.3.2 流域一体化管理是未来河流治理开发应当遵循的主要原则,是流域治理开发的方向

对河流的开发治理而言,其主要意义已不是河流治理开发的本身,而是对整个流域的统一管理与保护。我

们现在所谈到的流域,已经完全背离了自然生态环境系统,而被经济和行政两把“大刀”砍得支离破碎、遍体鳞伤。流域、经济和行政,这三者在流域管理中本应该是高度的统一体,也就是说要做到“流域圈、经济圈和行政圈”的有机统一和完美结合,然而,它们却错了位。正像科学技术对人类生存是一把“双刃剑”一样,经济发展对流域生态环境而言也好似一把“双刃剑”,一方面严重地毁坏了流域的生态环境,另一方面又使被毁的流域生态环境逐渐修复或恢复。怎样用好这把“双刃剑”是未来流域管理的关键。事实上,只有使两者高度地协调统一,流域的治理与开发才能与环境相协调,也就是说流域、经济、社会才能持续发展。这种管理模式在罗讷河流域和田纳西河流域都有所体现,特别是罗讷河流域,几乎真正做到了这一点。

国际流域治理与水资源利用的经验告诉我们,流域治理的基本原则和模式应当是:人口、资源、环境协调发展是时代的潮流,也是人类的迫切愿望。这就要求我们在总结以往河流治理开发经验教训时,摆脱陈旧观念的束缚,从工程水利模式中挣脱出来,树立新的治水观念。新的治水观念的根本目标是减少无效水,增加有效水,而不是立足于疏导洪水或兴建排涝灌溉工程。有效水就是在自然界水循环工程中可以被人们直接用于生产和生活的水资源。

从这个意义上看,现代治水工作不仅是修筑大坝、加固河堤、保障洪水安全入海,而是让大范围的降水尽可能地涵蓄于陆地生态系统之中,让潜在的洪水变为缓缓流出的涓涓清流,供工农业生产、航运、发电和生活之用。所以,我们既要治理洪水,也要治理干旱;既要治理下游,也要治理上游;既要治河,也要治山;既要治水,也要治土;既要筑堤打坝,又要涵养水源;既要推行工程措施,也要大搞植物措施;既要保水量,又要保水质。新形势下的治水不是单一的治理河流,而是一个要坚持综合治理的复杂的系统工程。

5.3.3 流域开发治理可持续发展是人类与水资源和谐共处的前提,是流域治理开发的最高目标

流域开发治理可持续发展主要是在流域和河流的治理开发过程中,治源与治流相结合,以治源为主;上、中、下游治理相结合,点面治理互相协调。21 世纪流域治理的重点是发展森林,特别是在山区营造森林环境,全流域注重工程措施与植物措施相结合,种植水源涵养林和水土保持林,改善流域的生态环境,为流域内的经济活动创造良好的外部环境,为流域内的人们提供舒适、秀美的生活空间。这种所谓现代的治水观念,早在 19 世纪中叶就已出现,法国、德国及美国等对河流的治理就体现了这种治水思想。法国人对河流开发的认识代表了国际流域发展的潮流:第一,认为水利系统是环境的物质特性,对水资源的开发要在分析历史和预测未来的基础上尽可能地留一些发展变化的余地;第二,认为河流及其两岸应首先形成一个自然区域,并形成一个相对独立的生态系统,这个系统是未来发展的基础,也是工程建设与生态和谐的

统一目标;第三,认为社会、经济环境是流域的一个组成部分,河流的治理开发是水资源经济投资预算与不同用户集团协调一致的结果。

具体内容包括以下方面:

(1)对河流动态变化监测实时化,即实现横向侵蚀和纵断面变化过程的“非线性”有效监测。

(2)采取工程和植物措施使流水条件得到改善,包括对河床及河岸进行工程清理和生态维护,采取措施保护流域植被。

(3)改善水质条件,恢复养鱼环境,同时合理进行附属地区的生态恢复,附属地区包括弃置区、湿地、滞洪区等;进行敏感区自然环境及河岸保护;开发治理河流周围环境,修建人行道、休闲通道和环境林地。

(4)整治、修缮休闲设施,例如整治独木舟—帆船运行的通道、游憩区,修缮人行小桥、浴场区等。

以上诸项法国人已在整个罗讷河流域开发治理过程中采用。罗讷河干流上没有高坝、大坝,只有一些低坝和水闸,经过 20 多年的观测,罗讷河的开发未产生严重的不利环境影响,流域内生态环境基本处于良性循环状态,所产生的负面影响与开发效益相比简直微不足道。在 20 世纪 80 年代末,罗讷河流域的治理基本完成,工作重点已经转入流域保护和防御自然灾害,并把流域管理放在了首要位置,这代表了世界水利的发展方向。

从水资源可持续利用、流域经济可持续发展的角度看,罗讷河的治理思想和模式值得在今后的流域治理中推广，但绝不是生搬硬套，必须根据不同流域的实际情况具体确定河流治理方针。

总之，针对河流及其周围环境现状，保护生态系统的正常循环是绝对必要的，这是压倒一切的首要目标。这一保护措施并不影响水资源的开发利用，对保持水资源的质量和数量会起到重大的保障作用。

6 国外河流现代管理发展状况分析及经验借鉴

综观国际现代化河流(流域)管理,其历史并不久远,远可追溯到计算机技术普及应用的20世纪80年代初期,近则到90年代中期。一些发达国家(包括军事应用)的流域现代化管理从数字化、建模、系统仿真,到虚拟现实还不到30年时间。在这个不长的历史阶段,现代科学技术在水利上的应用发生了突飞猛进的变化,河流(流域)管理的观念发生了根本的改变,尽管世界各国河流的自然条件千差万别,但实现河流(流域)的现代化管理,是世界各国发展和追求的共同目标。

河流(流域)现代化的管理,从某种意义上讲则是“数字化管理”,是应用遥感(RS)、数据收集系统(DCS)、全球定位系统(GPS)、地理信息系统(GIS)、计算机网络和多媒体技术、现代通信等高科技手段,对河流(流域)资源、环境、社会、经济等各个复杂系统的数字化、数字整合、仿真等信息集成的应用系统,在可视化的条件下提供决策支持和服务。

6.1 美国现代流域管理概况及仿真模拟系统

6.1.1 美国现代流域管理模式

美国的流域管理模式可以说代表了当今国际发展的方向,其河流(流域)管理已达到国际水平,流域水资源及相关方面的管理是联邦政府资源的一个组成部分。美国地质调查局(USGS)是美国资源管理和信息整合的国家机构,同时收集整理全美几乎所有江河、湖泊、水文、水质信息等资料,全球相关资源的信息,从国际互联网上可以看到他们的数据管理状况。图 6-1 是美国地质调查局(USGS)的网站主页界面及信息构成。

对美国每一条河流(流域)而言,流域内资源的管理是相对独立的。从美国流域管理分析可知,防洪是美国河流管理的首要任务。为了减少洪灾损失,美国采取了两个方面的措施:其一,防洪工程体系建设,即修建水库、堤坝、分洪区等;其二,防洪非工程体系建设,现已建立了完善的水情自动测报网络系统、防洪自动预警系统及实时监测系统。

河流(流域)水文数据采集及传输所采用的主要手段为:遥测遥感技术,采集数据信息主要包括:雨量、水位、水质、水温等;信息传输主要采用:微波、超短波、光缆、卫星等技术。在河流(流域)洪水预报、调度方面广泛采用计算机模拟技术进行多目标优化,提高了整个水资源系统的综合利用水平,大大提高了工作效率和经济效益。在决策支持方面,根据河流(流域)的特点建立了各自的决策支持和模拟仿真系统。

新技术的应用大大提高了数据采集的速度和预报预警时效,例如:田纳西河流域管理委员会建立的 TERRA 决策支持系统,当预报洪水到达相应水位时,可在 5 分钟内发布流域洪水预警。

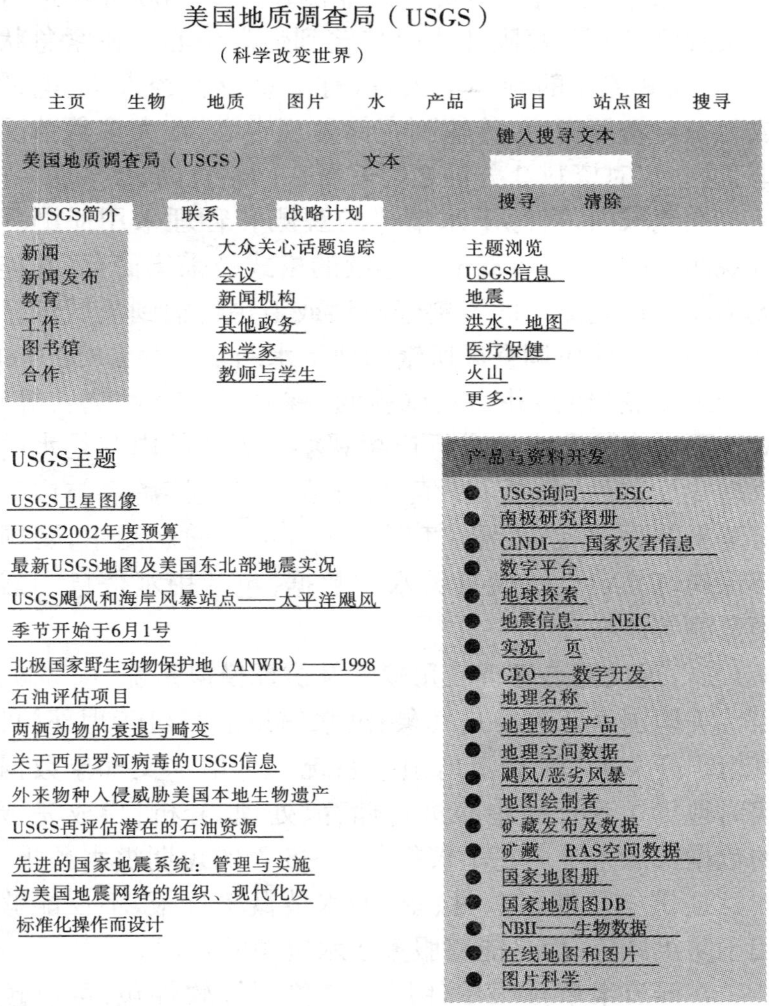

美国地质调查局（USGS）

（科学改变世界）

主页　生物　地质　图片　水　产品　词目　站点图　搜寻

美国地质调查局（USGS）　文本　键入搜寻文本

搜寻　清除

USGS简介　联系　战略计划

新闻
新闻发布
教育
工作
图书馆
合作

大众关心话题追踪
会议
新闻机构
其他政务
科学家
教师与学生

主题浏览
USGS信息
地震
洪水，地图
医疗保健
火山
更多…

USGS主题

USGS卫星图像
USGS2002年度预算
最新USGS地图及美国东北部地震实况
USGS飓风和海岸风暴站点——太平洋飓风季节开始于6月1号
北极国家野生动物保护地（ANWR）——1998石油评估项目
两栖动物的衰退与畸变
关于西尼罗河病毒的USGS信息
外来物种入侵威胁美国本地生物遗产
USGS再评估潜在的石油资源
先进的国家地震系统：管理与实施为美国地震网络的组织、现代化及标准化操作而设计

产品与资料开发

- USGS询问——ESIC
- 南极研究图册
- CINDI——国家灾害信息
- 数字平台
- 地球探索
- 地震信息——NEIC
- 实况　页
- GEO——数字开发
- 地理名称
- 地理物理产品
- 地理空间数据
- 飓风/恶劣风暴
- 地图绘制者
- 矿藏发布及数据
- 矿藏　RAS空间数据
- 国家地图册
- 国家地质图DB
- NBII——生物数据
- 在线地图和图片
- 图片科学

图 6-1　美国地质调查局(USGS)网站界面

通常情况下，实时资料的监测每隔5～60分钟进行一次观测、储存，每隔4小时传输到信息中心。在紧急状态下，观测传输的频率加大，所有信息资料经人工、电话或卫星自动处理后，传输到存储处理中心，在大多数情况下，这些实时资料3分钟之内就可在网站查阅。

在流域内，对地下水情况的观测和管理采用遥测井点观测，这些资料以离散或连续的格式被采集储存，并连续不断地把观测站的资料经电话或卫星传输到流域信息处理中心。地质调查局所辖的地下水网站储存有850 000多个观测点（包括井、泉、试验洞、隧道、排水沟、坑穴等）对地下水水位和水质进行连续观察。观测的内容是水的物理化学特性，包括pH值、传导度、温度、溶解氧与饱和溶解氧的百分比、气温、气压。在对水质的观测中，美国环保局（EPA）也提供有关水质数据，包括用水信息和酸雨监测等。

6.1.2 现代流域管理应用软件及仿真模拟系统

美国国家气象局是气象、洪水信息的归口管理部门，其组织开发的“河流水情预报系统”，可把水文气象数据实时地传送到预报中心进行储存、处理、分析，形成完善的数据信息系统。它不仅提供1～5天的短期洪水预报，而且提供中长期（旬、月、季）的水情概率预报，不仅能够用于防洪减灾，而且能够服务于水资源的管理。

在河流水情预报中使用的气象预报软件包，可以预报降雨量、降雨类型、风、气温等，软件包括12小时的“快捷更新循环模型”（RUC）、预报期长达60小时的ETA模型、预报期超过 10 天的中期模型(MRF)等。

降雨—径流模型:美国国家气象局的 13 个河流水情预报中心使用 6 个不同的降雨—径流模型,应用最广泛的是萨克门托模型(Sacramento)和前期降雨指数模型(API)。如密西西比河下游水情预报中心使用萨克门托模型,其上游的密苏里河水情预报中心使用前期降雨指数模型。

河流水流演算模型:密西西比河下游水情预报中心使用一维不稳定水流水动力模型(Dwoper)进行河流水位、流量演算。在科罗拉多河流域所采用的现代管理系统与密西西比河流域相同的技术手段。

通过对美国地质调查局、气象局及各个流域内使用的主要应用软件分析,现代流域管理软件包括如表 6-1 所示的应用系统。

表 6-1　　美国流域资源管理使用的软件系统

仿真项目	模型系统	软件系统	主要应用范围
(一) 流域模拟	1. 分布性降雨径流模型	DR3M	降雨产流计算
	2. 小城市水文、水质模型	DR3MQUAL	城镇水质计算
	3. 适于大流域的水文、水质模型	HSPF	流域水质计算
	4. 小流域的降雨径流模型	PRMS	流域产流计算
	5. 模块模拟系统	MMS	
	6. 实体模型的输入输出软件	Weasel	

续表 6-1

仿真项目	模型系统	软件系统	主要应用范围
（二）洪水频率模拟	1.洪水频率分析模拟	PEAKFQ	洪水分析计算
	2.地表水统计模拟	SWSTAT	
	3.流域资料管理的输入输出模拟	IOWDM	流域数据库建设及分类处理
	4.水文回归和网络分析系统	GLSNET	基于概化最小二乘法的网络分析系统
（三）水文干旱/枯水频率	1.水文回归和网络分析模型	GLSNET	基于概化最小二乘法的模型
	2.地表水统计模型	SWSTAT	
	3.流域资料管理中地表水统计的输入输出模型		
（四）气候与水文的相互关系	1.水—气候资料网络数据库模型	HCDN	水文气象通用计算软件
（五）水流模拟	1.一维非恒定流网络模型	Branch	基于完全水动力方程的一维非恒定流网络模型
	2.断面的水力因子计算模型	CGAP	过流断面的水力因子计算模拟
	3.扩散方程的一维非恒定流网络模型	DaFlow	基于扩散方程的一维非恒定流网络模型，进行水流扩散
	4.三维有限差分水流和物质输移模型	Ecom－si	三维有限差分水流和物质输移模型，进行流体分析计算
	5.完全水动力方程的一维非恒定流网络模型	FEQ	基于完全水动力方程的一维非恒定流网络模型，计算非恒定流

续表 6-1

仿真项目	模型系统	软件系统	主要应用范围
(五)水流模拟	6.断面水力因子计算模型	FEQUTL	进行过流断面水力因子计算及模拟
	7.二维均深有限元水流边界拟合模型	FESWMS-2DH	二维均深有限元水流边界拟合模型
	8.基于完全水动力方程的一维非恒定流网络模型	FOURPT	基于完全水动力方程的一维非恒定流网络模型进行非恒定流计算
	9.断面水力因子计算	HYDIE	
	10.地表水模型和地下水联合模型	MODBRANCH Branch & MODFLOW	进行地下水和地表水联合计算和模拟仿真
	11.二维均深有限差分水流模型	Swift2D	河流流场分析计算
	12.有限元水流和物质输移模型	Tide2d/3d	河流输送能力分析计算
	13.有限元模型的输入输出	TRIGRID	标志输入输出模型
	14.有限差分水流和物质输移模型	Trim2d/3d	河流输送能力及水质分析计算
	15.水面线模拟模型	WSPRO	
(六)物质输移	1.分汊河流拉格朗日物质输移模型	BLTM	河流输送能力及水质分析计算
	2.水文模拟程序(Fortran)	HSPF	水力学输送能力计算
	3.完全水动力方程水流模型	FEQ	水力学输送能力计算
	4.一维不稳定明渠模型	FourPt	水力学输送能力计算

续表 6-1

仿真项目	模型系统	软件系统	主要应用范围
(七)间接测量	1.涵洞分析模型	CAP	
	2.比降—面积计算模型	SAC	
	3.水面线计算模型	WSPRO	
	4.曼宁系数计算程序	NCALC	
(八)泥沙计算	1.逐日悬沙输沙率计算模型	SEDCALC	泥沙计算
	2.爱因斯坦修正方法计算全沙输沙率计算模型	MODEIN	泥沙计算
	3.河流输沙率计算模型	SEDDISCH	泥沙计算
	4.河流泥沙级配计算	SEDSIZE	泥沙计算
(九)桥墩冲刷计算	1.桥墩冲刷资料管理系统	BSDMS	冲刷计算
	2.水平滩地二维有限元地表水水流模型	FESWMS-2DH	
	3.水面线程序	WSPRO	阻力计算
(十)其他相关模型	1.可生物降解的多种溶解物输移模型	BIOMOC	水质计算
	2.分汊河流拉格朗日物质输移模型	BLTM	冲刷计算
	3.溶解氧饱和度模拟	DOTABLES	冲刷计算
	4.模型模拟的建模和分析	GenScn	用于应用模型调试和系统仿真等
	5.水文模拟模型的专家率定系统	HSPEXP	用于水文应用模型调试和系统仿真等
	6.生物模拟模型	SWPROD	使用昼夜观测到的氧气数据决定河流湖泊主体生物的繁殖率以及群体生物的新陈代谢

以上所列举的数学模型和计算方法，是美国在流域现代管理中所使用的主要软件和模拟仿真模型，并在其他国家也得到了广泛的应用。同时，现代技术设备及高新技术手段在流域管理中都可以找到足迹（表6-2），体现了现代管理的水平。

表6-2　美国流域资源管理使用的现代技术手段

项目	内容	应用系统	应用
（一）数据采集	数据采集系统	SCADA	数据采集和收集、处理和传输、记录等
（二）信息传输	数据传输	专用光缆、卫星微波和公共网及电话	数据快速传输
（三）图像信息	卫星影像等	法国SPOT卫星；加拿大RADARSAT/美国LANDSAT、日本JSAT、ERS卫星	获取高质量的影像，配合GIS、GPS、RS平台进行立体管理
（四）其他相关高新技术设备	1.气象预报	测雨雷达	监测和测量降雨等
	2.监控系统		实时遥控监测和分析自动控制

6.2　欧洲的卢瓦尔河及莱茵河流域现代管理

欧洲流域现代管理主要体现在监测、数据采集与传输、数据库的建立和决策支持应用软件的开发应用。

在法国由法国国家安全署（CNES）和法国科技部领导组成的“帕可特”（PACTES）一体化遥感和现代防洪管理及风险分析工程项目，在法国进行了应用，此项目2000

年开始，集法国先进技术于一体，有十几家科研机构和专业公司参加研究，包括法国科学院（ASTRIUM）、爱尔卡特通信公司（ALCATEL）、法国 SPOT 卫星影像中心等，其采用的现代技术代表了当今洪水风险管理的水平，在工程应用方面主要包括：洪水预警、预报；风险预防、风险管理及风险评估等。

6.2.1 欧洲河流（流域）现代管理

随着欧洲一体化的实现，欧洲各国对河流（流域）的管理也逐步趋向一致，图 6-2 是莱茵河流域现代管理示意图。

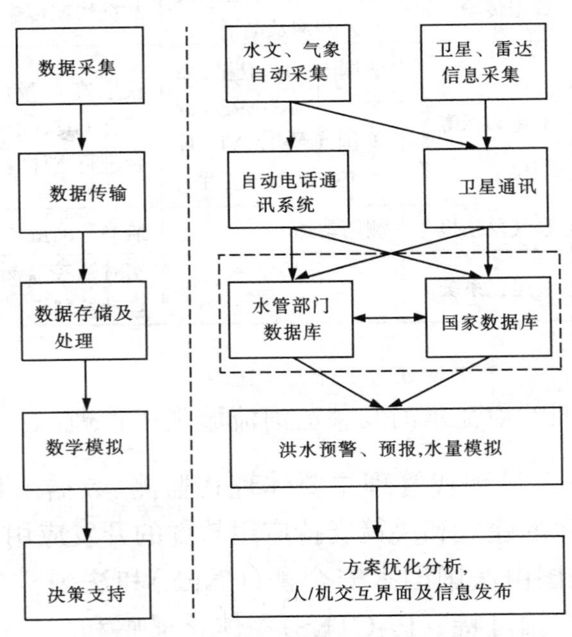

图 6-2 莱茵河流域现代管理流程

欧洲发达国家的河流(流域)现代化管理主要体现在以下几个方面。

6.2.1.1 监测及数据采集、传输

目前欧洲发达国家河流监测的自动化、半自动化监测网络已基本完善,其监测网络主要由国家或区域固定观测站、地面雷达网、遥感卫星等组成。主要包括水质监测网、水文监测网、气象监测网、大地测量站网、遥感和航测及其他监测站网。如莱茵河流域管理的基础数据分别来自于SPOT、TM、SAR、ERS图像信息、DEM和水文、气象站点的实测资料。主要卫星有IRS-P2、ALMAZ-1B、METEOSAT、LANDSAT和SPOT卫星等,应用于资料收集的雷达主要有ERS-1、ERS-2。对水文、气象站点数据的采集主要采用水位自动记录仪、超声波、雨量自动记录仪、温度自动记录仪等自动化仪器,水文(含水质)、气象数据采集基本上实现了由手工作业向自动化测量的过渡。监测内容如表6-3所示。

6.2.1.2 流域管理数据库

欧洲用于流域管理的数据库主要包括水文资料数据库、气象资料数据库、水质资料数据库、地理数据库、水质水量评估结果数据库等。如法国用于卢瓦尔河流域管理的数据库分别由HYDRO(水)数据库、PLUVIO(雨量分布学)数据库和GEOBANQUE(地理学数据库)等组成。

流域管理数据库的主要任务是收集实时数据(原始数据、未校验数据),并进行数据资料的检验、整编、存档、处理。其功能是检验数据的可靠性、维护数据的完整性、

数据资料利用的有效性，为水资源利用、防洪、水污染治理等方面提供数据。

表 6-3　　河流（流域）管理及主要监测内容

监测项目	监测内容	监测方法	使用设备
水质监测	水流量、基本参数、水生生物状况、细菌、水生青苔或沉积物中的金属含量	采用物理化学法、生物学方法和生物试验法进行水质的精确监测	CEMAGREF 简易的粗放式自动跟踪仪器，量测 BOD、COD 等主要水质指标，已用于布尔日湖和 Aiguebette 湖及其他水域的水质跟踪监测
水文、气象监测	包括流量、水位、冰情、蒸发、降水、温度、地下水位、光热等	卢瓦尔河流域已基本实现了水文、气象资料采集监测的自动化	(1)水位自动记录仪；(2)超声波；(3)雨量自动记录仪；(4)温度自动记录仪；(5)自动液压地下水位监测仪；(6)自动溶度测量仪器（如圣阿诺德）；(7)气象雷达等
地形、地貌	大地测量	人工和自动测量	GIS 技术进行空间数据处理，如法国对湿地面积的量测主要采用遥感信息
数据传输及储存	中远距离数据传输		自动电话系统、无线电台、卫星通讯系统和互联网卢瓦尔河流域主要采用 ARGOS卫星系统和 RNIS 型或 X25 型有线通讯网系统进行数据的传输
	数据的存储		主要在 CD 上或磁盘上记录数值，监测数据分别储存在国家和地方水管部门的数据库

6.2.2 应用系统软件的开发及其他现代先进技术的应用

6.2.2.1 应用系统软件的开发

为方便流域管理,建立生态系统模拟模型、水质模拟模型、地表水管理模型、地下水运作及管理模型、洪水预警预报模型等,并开发了相应的系统软件。如目前仅在德国市场上就有 64 个不同的 N－A－水利管理模型,30 个地下水管理模型,15 个波传播过程模型和 25 个地表水管理模型。CRISTAL 洪水预警、预报系统是欧洲用于洪水预报较为成功的典范,在卢瓦尔等河流上进行了广泛应用;NASIM 降水径流模型在欧洲枯水期水管理方面应用也较为广泛。

6.2.2.2 现代先进技术的应用

现代先进技术在欧洲流域管理中的应用主要体现在:地理信息系统(GIS)的应用、遥测技术的应用、微波数据应用、卫星摄影应用及现代量测技术的应用。

6.2.2.3 应用软件及模型

欧洲发达国家主要应用软件模型的数据源是:地形数据、水力学数据及河流形态数据,所使用的模型如表6-4。

如法国 HYDRATEC 伊塔德克公司建造在卢瓦尔河中游的模型,真实再现洪水过程,其模拟任何洪水时其绝对精度可达 25cm。具有以下功能:①可以反映卢瓦尔河中游 450 km 河段的情况,每公里都有一个横剖面,使用它可以评估卢瓦尔河洪水推进及河床演变情况,找出治理和改进的办法; ②水利模型中包括了河堤的高程,因此

表 6-4　欧洲流域资源管理使用软件系统

仿真项目	模型系统	软件系统	主要应用范围
(一) 水量及洪水频率模拟	1. 洪水预报、预测仿真模型	CRISTAL	洪水预报、预测仿真演示及再现
	2. 水量调配过程模拟	PIK 模型、ATLANTIS 模型	主要应用于环境变化情势下的水量模拟
	3. 洪水过程及水流模拟	DUFLOW 模型	主要应用于洪水实时预报
	4. 洪水过程及水流模拟	BFG 模型	主要应用于洪水实时预报
	5. 水文回归和网络分析系统	RIZA 模型、IWS 模型	主要应用于洪水实时预报
(二) 卫星影像处理	1. 水文回归和网络分析模型	GLSNET	基于概化最小二乘法的模型
		Global 模型	使空间分辨率达到每像素 1km，重复周期为 3 天
(三) 水质水环境模拟	1. 河流中物质的扩散运移模型	PCRASTER 模型	模拟氮及其他污染物的扩散及输移
	2. 河流中物质的扩散运移模型	CARMEN 模型	模拟氮及其他污染物的扩散及输移
	3. 模拟、预测河流水质	WAPRO 模型	模拟、预测河流水质状况变化
	4. 模拟、预测河流水质	PCLAKE 等模型	模拟、预测河流水质状况变化
(四) 地下水模拟	地下水水流测试模型		计算水量的平衡
(五) 生态模拟	生态模型		

可以精确地判定洪水到来的时间、溃堤的地点,确定和评估将要实施的工程,在洪水到来时加强对有可能出现隐患的河堤的监视和抢护;③水利模型还向我们展示河堤根部的管涌,透视出和低水位河床接触的河堤根部的不稳定性。代表性的模型有:CRISTAL洪水测报及管理系统及 ANFAS 系统模型。该系统在法国防洪管理方面得到应用,收到较为满意的效果。同时,配合完善的网络体系,实现水质、水文等资料的网络化,达到为决策管理服务的目的。

6.3 澳大利亚的墨累—达令河流域现代管理

澳大利亚大部分地区属干旱和半干旱地区,墨累—达令河是澳大利亚最大的河流。墨累—达令河流域面积比黄河还大,径流量不足黄河的一半,相对于广大的流域面积、快速发展的经济以及保持必要的生态水量(包括必要的入海水量)来说,流域水资源显得比较贫乏。水资源供需矛盾突出是流域面临的主要问题,如何实施分水是流域水事问题的焦点。在此基础上为解决水资源分配中的水权、水价及水市场问题,建立了较完善的监控系统,实现了流域管理和配水的现代化。流域现代管理的主要特征是:水质监控、水量分配、水权交易、水资源的实时调配等方面实现了自动化。

在墨累—达令河流域建立了十几个用来分析气候、环境变化对水资源及生态环境影响的模型。其中,应用比较广泛的有:主要用来模拟水资源动态变化的 HEC-HMS、LEACHM、SWIM、SPAC 和 TOPG-IRM 模型,用来模拟流域的物理、化学和生物过程的 WAVES 模型,用来模拟水环境变化的 SEESAW 模型。同时,在澳大利亚各州对州内河流(流域)管理也与联邦政府同步,实现了流域水资源的现代化管理。如昆士兰州内的河流(流域)的管理与墨累—达令河流域现代化管理很相似,对州内的河流资源进行了合理的配置,由州政府和私人公司管理,实现了河流开发和水资源的现代化管理。

6.3.1 水资源实时监控系统

澳大利亚对河流的管理,所采用的现代化管理手段主要体现在水资源的合理配置管理系统及水资源的远程监控系统。

6.3.1.1 配水流量监测和控制

配水流量的监测和控制主要是通过大、中型闸门的流量测量实现的。

在闸门系统装有高精度的 ACCUSONIC 超声波明渠测量技术,测量误差小于 ±1.0%。闸门的操作采用了新一代智能型 IQ 操作机构,使闸门的操作系统大为简化,可靠性提高,无需常规设计中的 PLC 控制单元。在小流量的控制方面采用小型闸门的一体化技术,澳大利亚瑞康公司发明的专利产品水渠闸门(FLUME GATE),将上下游水位、流量测量与闸门的控制和开度的测量结合为一整体,采用轻型复合材料制作门体,由太阳能驱动闸门的开/停,无需专门的电源供应(闸门宽度可达2 000mm)。为保证操作的准确性,采用了先进的视频监控技术,应用 VRU(视频终端单元),将摄像头摄录的图像信号与现场的 RTU 连接，通过安装在现场 RTU 插槽中的 RIX（无线电图像传输系统），借助于灌区的 SCADA/数据通讯网络传送图像到中央控制室，无需专门的信号传输网络。图像采集可任意查看任一现场摄像头的图像，通过软件，自动扫描现场不同位置摄像头的图像，设置报警系统，自动触发监控报警现场状况。

6.3.1.2　自动遥控和遥测系统

在水资源配置的监控中，实现了数据和控制指令的实时传输自动化。在运作的过程中，所使用的不同通讯方式之间能够相互兼容，实现数据和资源共享，利用现有的通讯网络，以及考虑网络发展和更新的需求。在用户界面采用 MDLC 协议，与 OSI 的 7 层协议相适应，支持多种工业操作系统，如 UNIX、Microsoft Windows NT、Windows 95/98、Ethernet/TCP－IP 网络、SQL 兼容的关系数据库管理系统及 Java GUI。

6.3.2　主要应用软件

在实时监控中使用的主要软件大都进行了软件模块化，同时配备友好的用户界面，监测的主要内容如表 6-5 所示。

表 6-5　　河流（流域）管理及主要监测内容

主要内容	应用软件模块
灌区配水系统	灌区管理系统数据库模块
水力计算	水力模拟模块
数据采集	SCADA 数据采集模块
数据管理	信息管理模块
用户信息管理	水预定模块 数据记录模块 农作物用水量模块

续表 6-5

主要内容	应用软件模块
用户信息管理	水费及账单模块 客户 WEB 订单模块
水需求预测	需求预测模块
水市场管理	水权交易模块
网络信息管理	WEB Java 程序库
网络信息更新	网络编辑器及 IVR 接口 IVR 数据读数输入模块

6.4 日本及加拿大流域现代管理

6.4.1 日本政府建设省(部)河川局及日本河川情报中心

日本自 1975 年建立第一个河流信息系统至今,已经开发建立了三代河流信息系统。

1975 年日本建立了在木曾川水系第一个河流信息系统。1978 年,建设省建成能处理全国数据的河流信息系统。为满足信息的多样化需求,建设省约从 1994 年开发第二代河流信息系统,即“综合河流信息系统”。信息收集的周期缩短了,监测的数据扩大了。除监测以前的雨量、水位、水库等数据外,增加了对水质、积雪、气象、水土流失、堤坝安全等方面数据的监测。但第二代系统的缺点是信息处理时间仍需要几十分钟,使得信息提供的周期仍无法缩短。为完善第二代管理系统,1997 年开发了第三代系统,1999 年 12 月底系统正式启用。

雨量的监测同时采用雨量计和雷达。堤防安全的监测采用光缆变形的方法,其基本原理是堤防发生渗水、沉陷等变形后通过系在光缆上的重球带动光缆变形,变形后的光缆起到传感器的作用，进而监测出堤防的变化。

为促进管理的信息化和信息的公开化，建设省将其拥有的“一级”水系的水文地质数据做成数据库，并在国际互联网公开数据库。

6.4.2 加拿大的弗瑞瑟(Fraser River Basin)流域现代管理

加拿大弗瑞瑟流域位于加拿大西海岸，是跨越大不列颠(British)省和哥伦比亚(Columbia)省的流域，在流域治理和现代化的管理方面也取得较好的成就。负责管理该流域的是弗瑞瑟河流委员会，河流的管理原则是“流域的管理应满足现状社会、经济、环境及组织机构等方面的平衡及未来子孙后代道德生存的要求”。“Bchydro”是国际上知名的国际咨询公司，也是在弗瑞瑟流域管理的基础上发展起来的国际水利工程咨询集团公司。

加拿大对流域的监测与美国的体系很相似，只是流域洪水的问题没有美国突出。流域现代管理系统主要是由“Bchydro”公司开发的应用系统。

6.5 国外河流现代化发展趋势分析及经验借鉴

6.5.1 国外现代河流(流域)发展趋势分析

根据以上对所选择的典型河流(流域)现代管理发展分析可知，河流(流域)管理与社会进步相适应，河流的管理从利用现代科学技术管理方面，可分为 4 个阶段，如表 6-6 所示。

表 6-6 是对国际河流管理发展的简单归纳，各国对河流管理的发展也不平衡，所处的阶段也不尽相同。如美国、日本、法国及澳大利亚等国家，已从第三阶段跨越到

表 6-6　**河流现代管理发展阶段分析**

阶段划分	河流(流域)管理	主要特点
第一阶段	传统管理阶段	利用传统的技术手段,结合人工方法对流域进行管理,其信息管理的形式是机械的、具体的和分散的。其表现特点:机械+人工操作
第二阶段	设备开发及新技术应用	利用传统的测试和监控设备,结合电子技术和计算机技术,对传统收集信息的手段进行改造、开发,以适应河流监测的需要。其表现特点:机械+人工操作+电子技术
第三阶段	计算机管理模拟阶段	随着计算机技术的发展,在河流(流域)管理所涉及的有关方面进行计算机编程和管理,开发应用软件和模拟、仿真尝试。其表现特点:机械+人工干预+电子技术+计算机技术+分散的独立的应用
第四阶段	网络技术及仿真技术阶段	随着计算机技术及网络技术的发展,在河流(流域)管理所涉及的有关方面进行计算机数据整合、编程计算、模拟仿真,开发应用软件和模拟、仿真尝试。其表现特点:机械+人工干预+电子技术+计算机技术+通讯技术+仿真+网络整合+系统应用

第四阶段,并达到相当高的水平,已从单一的流域(河流)管理上升到国家级的管理,而澳大利亚除墨累—达令河流域属于联邦政府管理外,州内河流(流域)的管理在州内进行,所实现的是州内的资源管理一体化。美国和日本则达到国家级资源的管理,并实现了数据平台和软件

的统一共享。黄河流域管理目前处在第三阶段，正向第四阶段过渡。

6.5.2 国外流域现代化管理经验的借鉴

通过对国际上发达国家河流(流域)现代管理模式及经验的分析，发现国内与国外的流域管理各有特点，各有所长。

(1)国际上发达国家的流域管理现代化基础较好，设备性能及系统配置比较全面，体现现代管理的水平，高新技术应用较为广泛，流域管理中市场经济作用表现较为明显。

(2)国内流域管理处在中级向高级发展阶段，管理模式较为粗放，技术手段、设备和所采取措施、办法等也相应滞后，很多物质资源在浪费，人力资源没有有效发挥，同时市场经济原则在流域管理中体现得还不够充分。

(3)国内的流域管理与发达国家流域管理的主要差别表现在三个方面:第一，流域管理缺乏宏观设想和全面规划思路;第二，基础技术设备、有效数据的获取及采用的技术手段落后;第三，数据库规范建设及相应的方法模型和仿真模型开发不足等。

(4)国内外水资源管理对比，中国所采取的管理模式也有独到之处，事实证明，行政、工程、法律、技术、经济等综合措施是行之有效的。黄河水资源调度与黄河不断流的成功实践、黑河和塔里木河调水的“绿色颂歌”的奏响，形成了中国流域水资源管理的特色和经验，是值得借鉴和推广的。

7　中国江河治理开发展望及黄河治理研究

7.1　中国江河管理发展趋势分析及黄河流域治理开发展望

7.1.1　中国江河管理发展趋势分析

中国江河治理是一个漫长的及艰难的过程,它与中国的地理位置、气候变化及地理条件紧密联系在一起,正像有关部门所表述的那样:水少、水多、水脏、水廉(价)"水少"即中国水资源紧缺及大面积干旱,特别是中国西北地区是典型的水少代表;"水多"即在中国经常发生大面积洪涝灾害,特别是长江流域和南方地区,中国"98"大水就是典型的水多的例证;"水脏"即在水质方面存在的问题,主要是水污染严重,中国七大江河都受到不同程度的污染;"水廉"(价)即水价格低,不能维护水管理的正常运行,主要是价格机制不合理,如100立方米黄河水不能换来一瓶矿泉水。

中国江河的管理主要是国家级河流的管理,其管理是通过水利部下设流域机构进行实施。省(区)内的河流由各个省(区)水行政主管部门管理。但流域管理,是一种复杂的过程和综合的运作,需要多个部门协作才能完成。在很多方面流域机构实施的是政府的职能,代表国家的利益。按照国际流域管理的发展趋势,“流域一体化管理”是流域管理的发展方向。

长期以来,对流域的管理主要是对江河的整治,主要集中在防洪减灾和水电资源的开发利用方面。对流域的整体管理(一体化管理)只是近年来才为业界所关注,这决定了中国未来流域管理的发展方向。

中国传统的河流治理往往是粗放的,是经验的河流治理,而传统的河流治理和管理同时也是不精确的。相反,现代河流治理要求各种参数的表述必须是精确的,河流治理则是用数学模型来描述的。特别是信息时代和计算机的普及应用,把河流(流域)治理推向一个新的起点,要求在传统经验的基础上重新认识河流治理的理念和方法。

以“数字黄河”工程为代表的“数字流域”管理就是现代技术与传统河流治理的有机结合,“数字黄河”一期工程的实施充分证明了现代流域管理的巨大威力和卓越的成效。但在传统经验的基础上进行现代河流治理思路的更新和转变,需要巨大的推动力量,也会遇到巨大阻力和来自不同方面的干扰。但最有说服力的仍然是已经发生和正在发生的事实。

“数字黄河”工程建设就是一个很好的例证。其中数字水调的建设,充分显示了现代科学的功效。众所周知,2002 年以来黄河流域来水持续偏枯,水量调度形势极为严峻。黄河水调打破常规,将多种先进的科技手段运用于调度工作,利用现代化技术手段,以快速反应、科学管理、精细调度为目标，完成了非常情况下的黄河水资源的配置任务。

黄河水量总调度中心于2002年建成，并在当年首次投入运用，是迄今世界上最先进的水量调度中心。黄河水量调度中心的建成，为黄河水量调度，特别是枯水期的水资源精细调度构建了一个有效的技术平台。它既是进行水量调度的总控制中心，可以实时监视全河的水情、雨情、引水、水库蓄泄量、水量调度指标等实况信息，同时可以对主要水文站进行实时图像监视、引黄涵闸实时远程自动监控。具体调度中可根据情况及时远程关闭或开启有关的引黄涵闸，当主要控制断面水情或水质信息达到预警值时，报警系统会自动报警，提示工作人员及时采取应对措施。黄河水量总调度中心还具有信息查询和发布、方案生成和虚拟仿真等功能。高科技手段的实施，大大提高了黄河水资源调度和优化配置的水平，充分显示了“数字黄河工程”的先进性和优越性，提高了工作效率和调度的科学水平。这些高难度水量调度利用传统的方法是无法完成的。

为保证黄河水量正确调度、突发事件及时处理（如实时调度过程中可能发生的控制断面流量严重偏小或水污染事故等），在“数字水调”基础上建立了黄河水量调度快速反应机制。这些机制的建立进一步提高了黄委会应对紧急情况和突发事件的能力，维护了正常的黄河水量调度工作秩序，为黄河不断流提供了有力的保障。在水调工作中运用各种现代化、高科技手段提高调度水平和精度，保证了水调工作的顺利进行。实践证明，科技将为黄河水量统一调度与管理走上可持续发展提供强有力的支撑。

现代化流域管理即流域一体化管理，是国际流域管理的发展趋势，也是中国河流治理和管理未来发展的方向，时间和实践充分证明了这些。现代流域管理的特点表现在以下几个方面。

7.1.1.1 在河流和流域管理方面，制定合理的目标是实现江河治理的前提和基础

国外现代河流（流域）管理先进是其代表性特点，设备的选型都是依据既定的目标进行的。“数字黄河”工程建设的目标是“实用和先进”。

7.1.1.2 搞好总体规划和制定总体实施框架是河流治理的关键

实践经验表明，一个好的成果的前提是一个好的设计，一个好的设计必须有一个好的规划，一个好的规划必须要有一个科学的指导思想。搞好总体规划和制定总体实施框架是河流治理的关键。

7.1.1.3 规范统一标准是江河治理和工程建设的准则

对各类数据库建设采取统一标准、统一格式，打破条条框框，制定信息共享政策和法规，是现代流域管理的前提和必要条件。

7.1.1.4 现代数据采集手段是保证现代流域管理的关键技术

现代数据采集设备和技术手段是实现现代流域管理

的关键技术，如洪水预警、预报、水文、气象信息数据的获取手段（包括测雨雷达、卫星云图、水文自动测报等）是重要的基础性工作，要保证水文信息的准确无误。

7.1.1.5　建立快速、安全、稳定的现代通信网络是现代流域管理的中枢

信息的传输是实现流域现代管理的途径，高效可靠的传输系统（包括卫星、微波、专业光缆和公共通信网络等）需要统筹兼顾。在澳大利亚及美国已建设成的信息通信系统中，上述信息传输方法是相互补充和互为保证的。现代流域管理需要建立相对独立可靠的通信网络，保证信息的高效、准确的传输。

7.1.1.6　选择合理的可扩充的数据平台和界面是河流现代管理的关键

选配合理的可扩充的数据开发平台和界面是现代流域管理成果应用的关键，世界各国针对地域不同所选取的“方法模型”和“专业仿真模型”差异较大。美国在水资源、洪水预报、地下水等方面与欧洲不同，有其自身的特色。“4S”技术的应用平台只是基础平台，中国现代江河（流域）管理的特点决定具有本国特色的模型和运用方式，必须在吸取国外先进的河流管理经验的基础上，自行研制开发。

7.1.1.7　开发和研制“方法模型”和“模拟仿真模型”是保证现代流域管理工程高效运行的前提

现代流域管理能否实现和高效地运行，必须选择合适得当的“方法模型”和“模拟仿真模型”，进行对数据库

的管理、分类、使用、处理和储存等。“方法模型”即各种参数的配合和关系运作模式,“模拟仿真模型”是专业的模拟应用系统。两者合理的配置和协调是进行仿真研究和现代管理的核心。

7.1.2 黄河流域治理开发展望

作为中国江河治理的典型,黄河的治理开发经历了规划、发展、再规划和再发展的过程,按照流域治理发展过程分析,目前黄河的治理开发正以水资源开发为主线朝着可持续发展的方向发展,由于黄河流域的特性,这一发展阶段是一个相对漫长的阶段,在发展的过程中可能会遇到这样或那样问题,有些是必然的,有些是偶然的。分析预测黄河未来可能出现的问题、发展趋势和借鉴国际上发达国家的经验,对黄河水资源的可持续利用至关重要。

7.1.2.1 黄河治理开发阶段认识

从国际流域(河流)开发管理的发展趋势和发展阶段分析可知,黄河流域治理开发目前所处的阶段为流域发展的第三阶段,即工程建设与经济增长阶段。从水利发展理论而言所处的阶段为工程水利阶段,对资源水利刚刚认识。但是由于黄河流域横跨 9 省(区),所处的地域差别较大,地区之间的发展也不平衡,因此对整个流域而言,横跨第二和第三两个阶段。国际上先进国家的河流和流域治理的经验表明,黄河在经历了开发和治理的过程后,将向一个更高层次的水资源平衡方向发展,向水资源的综合利用和高效利用的方向发展。

通过对国际典型河流(流域)管理发展规律的分析,我们认为,黄河流域的治理开发将面临更大、更艰难的问题,包括流域地位、流域管理机构设置及职能的配置、管理模式等都要随着流域治理的发展变化而改变。在新的流域自然、人文和环境条件下,需要充分考虑现状条件,用新的手段、思维和技术去思考和认识。一方面按照流域发展的规律充分考虑其必然性,另一方面充分发挥人类利用现代技术手段改造自然的能力,加速流域开发治理的进程,使流域向资源与人类在较高层次的和谐方面发展,这是流域治理的发展规律,是流域治理的必经之路。

7.1.2.2 黄河治理开发展望

21 世纪的黄河流域将是什么模样及黄河的治理开发将达到怎样的程度,这不仅是国内人们所关注的问题,也是全世界所关心的问题。为展示未来黄河流域的情况,我们不妨对完善的流域和水资源开发进行设想,尽管流域开发每一个阶段的特点和目标不同,对流域的管理要求也不同,但按照流域可持续发展的进程和流域治理最高阶段的目标,黄河流域在 21 世纪将达到生态恢复和可持续发展阶段即生态水利的阶段。黄河未来应具备一般流域管理的特征,即"规划严谨、决策科学、管理到位、行政有力、执行有序、监督有据、信息准确、实施可信、措施得当、水质达标、生态良好、环境优美、防洪安全、人水和谐"。这是流域发展的一般模式和特点,黄河的管理也有自身独到的特点。从自然特点分析,黄河上游生态植被恢复,可谓是:山川秀美会有期,羚驼成群惹人迷,千山万水丰水电，可控工程入画卷。黄河中游水土流失得到有效控制，可谓是：万山黄土已成荫，生态坝系米粮川，峡谷倒映太平湖，一泓巨流咆壶口。黄河下游建设成相对完善的河防和可控生态工程体系，可谓是：黄河潺潺流“清水”，悬河危机不再现，资源调配人可控，林茂粮丰绿两岸。这是诗情画意的描绘，这需要几代人的不懈努力，才能完成。

21 世纪的黄河将是以流域综合开发和流域生态恢复和重建为基础的，重点是从流域的角度考虑，治理的思路和主要方略归纳为：“上修工程配置资源，中保水土修复生态，下固河防保障安澜，综合治理，建设人控生态系统。”

(1)上修工程配置资源。在黄河的上游主要是按照流域资源可持续利用和未来经济可持续发展的思路，修建水利枢纽和生态水利工程，包括西线南水北调工程，对西部水资源及其他资源进行合理配置，建设可持续发展的流域生态体系。

(2)中保水土修复生态。在黄河中游主要是根据流域的特点加大水土流失的治理力度，同时加大黄河支流的治理力度，尽快恢复黄河中游的环境生态和水土生态系统，“再造西北秀美的山川”。

(3)下固河防保障安澜。在黄河下游主要是建设以河防生态体系(包括黄河滞洪区的安全建设、生态建设及未来河口水库、平原水库、湿地等建设)，按照生活、生态和工程需要实现水资源的可控调配(包括地表水、地下水、生活和生态等水资源的联合调度),建设黄河两岸的粮、棉、林、果灌区,保障两岸安全。

(4)综合治理,建设人控生态系统。这是黄河治理的最高目标,主要是在对黄河综合治理的基础上,实现黄河流域可控制的工程、环境、生态和社会、经济的协调一致发展,人与自然和谐相处。

7.2 黄河可能出现的主要问题分析及国外经验借鉴

7.2.1 黄河可能出现的主要问题分析

黄河的问题是复杂的,特别是黄河流域是缺水、多沙的流域,要认识和预测 21 世纪的问题需要一个过程,需要做长期的研究工作,现根据国际典型流域治理开发的经验和流域发展的过程和水利发展的理论,对黄河未来的问题进行初步研究。

审视国际主要发达国家在流域和河流治理开发方面的经验和水利发展理论,未来黄河可能出现的主要问题表现在以下几个方面。

7.2.1.1 通过跨流域调水等手段对现状水资源重新配置,是经济发展的要求

黄河断流在所难免,水资源紧缺是面临的主要问题。国民经济发展和市场经济的建立和完善、国家整体经济布局和发展战略对黄河水资源提出了新的要求,如何通过跨流域调水等手段进行水资源再分配和高效配置,是未来黄河治理的必答之题。

7.2.1.2 黄河下游和河口治理是一项长期的任务，黄河改道是一个难以回答的问题

地球环境变化，黄土高原水土保持及生态工程建设滞后，在 21 世纪小浪底水利枢纽投入运用后，黄河下游河道还将继续抬高，黄河主河道和河口三角洲地区的摆动周期还将继续，黄河下游河道减淤和黄河三角洲治理的问题仍然是面临的主要难题。

7.2.1.3 黄河未来防洪是一项艰巨的任务，下游洪水仍然存在发生大洪水的可能

黄河防洪问题仍然是中华民族的心腹之患，黄河下游淤积及地上悬河的局面必然长期存在，小浪底枢纽工程的应用及未来上中游地区水利枢纽的兴建及沁河支流水利枢纽的建设，将进一步提高黄河下游的防洪能力。但由于未来仍存在发生特大洪水的可能，所以黄河下游决溢的风险不能完全排除。

7.2.1.4 流域水生态环境的改变是水资源开发的一个必然结果，经济发展与环境要求相矛盾

生态环境的建设和保护，是流域水资源开发在一定发展阶段的必然要求，必须抓住转折点，把好关，使发展和保护相平衡。水资源的紧缺、水污染及水质监测问题是黄河流域水资源开发和经济发展的结果，是需要重点解决的主要问题。目前“排污许可”制度和“污染物入河总量”控制不是同一个概念。“污染物入河总量”控制是一个“不清楚的概念”，“河流水质和点源排污的控制和治理”才是河流和流域监测的基础。

7.2.1.5 新的水资源危机，必然引起新的水资源配置和《水法》、未来的《黄河法》及相关法规的修订

随着社会经济的发展变化，对流域生态和经济建设的认识的改变，经济发展、人类生存和生活以及环境和生态需求的变化，新的水资源危机和水资源的再配置必然出现。这些趋势对政策法规包括环境方面的法规：《水资源保护法》、《水法》、未来的《黄河法》及相关法规提出了更高的要求，需要重新修订。

7.2.1.6 黄河流域一体化管理、加强水资源监控是黄河流域管理的特征，建设人控生态工程体系是面临的社会问题

黄河是资源性缺水的流域，黄河既有突出的洪水问题，也有水资源紧缺的问题，在未来解决黄河水资源的问题时，要考虑到黄河也有变成内陆性河流的可能，在流域和河流管理的工程中需解决防洪和水资源利用的有机统一问题。黄河流域在未来新的条件下将逐步完善水资源、生态和工程体系，建设人控工程生态体系，这是不可回避的问题。在黄河流域生态保护区（包括下游滞洪区、生态保护区、湿地等）新条件下实施“移民建镇”是流域生态发展的需要，是面临的社会和环境发展问题。

7.2.1.7 黄河流域管理模式的改变将引起流域机构设置和流域职能的改变，主要是流域与地方的矛盾、工程建设与环境、生态及人类和谐相处的矛盾将会出现

这些都是未来黄河治理开发或流域一体化管理不可

回避的问题，在处理经济发展与环境、生态及人类生存的矛盾中，既要处理具体工程技术问题，又要处理管理问题，这是必经之路。

7.2.2 黄河治理开发中对于国内外经验的借鉴

在分析黄河在中国水利发展及国际水利中的地位的基础上，根据对国内外典型江河的治理开发模式和经验构成的研究，对未来黄河治理开发有借鉴意义的经验和教训主要包括以下几个方面。

7.2.2.1 提高和改变对水资源的认识是未来水资源改革的基础

水资源总体平衡和发展是国民经济发展的要求。水是有限的，是人类生存和发展的重要条件，达到人类与水和谐相处是未来水资源工作发展的总方向，这其中包括工程水利向资源水利过渡，最终进入生态水利的最高阶段。

7.2.2.2 法律和法规建设是黄河流域治理与开发的基础和主要依据与手段

法规建设是水资源和流域管理的基础和改革的依据与前提。《黄河法》的制定和规范化建设是黄河水资源开发和管理的主要依据，规范和相对完善的《黄河法》是协调和管理黄河流域水资源和未来黄河治理开发的主要措施和手段。

7.2.2.3 流域水资源统一规划和一体化管理是未来黄河流域发展的方向

以流域为单元的水资源统一开发管理，是高效开发和利用的有效途径。水量平衡、水质控制及水资源的合理调配与监控、优化配置是流域社会经济发展的"最基础的"需要。

7.2.2.4 现代化的流域水资源和流域环境的监控手段是流域水资源管理的有效途径

流域水资源开发、水资源统一管理的有效监控手段是现代高科技的应用。现代化的监测和调控设备是实现和保证水资源一体化管理的重要措施。

现代技术的应用和水资源的现代化监测、调度和环境的监测是流域综合管理的基础和有效途径。法国、德国、美国、澳大利亚等发达国家对流域和河流实现了现代化监控,达到了高效管理的目的。我国江苏大运河的现代技术的初步应用收到较好的效果,为我国河流和流域管理的现代化起到了示范作用。

7.2.2.5 解决水资源供需矛盾和提高水资源的利用效率是未来水资源管理改革的发展方向

对缺水性流域,水资源的供需矛盾是不可避免的。特别是黄河流域,黄河流经9省(区),水资源供需和水资源分配的矛盾是必然的。在立法的基础上建立黄河水价、水市场和交易体系,利用经济杠杆调节黄河上下游、黄河两岸的矛盾是提高水资源利用效率的有效途径。水资源的高效开发利用是未来资源水利和生态水利发展的方向。

7.2.2.6 保护和充分利用水资源是保证我国国民经济发展和可持续发展的需要

黄河水资源的紧缺和黄河流域社会经济的发展是造

成水资源污染的主要原因。黄河流域在中国经济的总体布局中具有重要的地位,特别是我国实施西部开发的战略,对黄河水资源提出了更高的要求,合理的开发、利用和保护水资源是未来黄河流域经济可持续发展的必然条件。

7.2.2.7 水资源管理的优化是流域管理体制和发展的必然要求

水资源一体化管理是黄河未来水资源开发和管理的发展目标和主要的管理模式。国际流域水资源的管理充分说明了这一点。法国、澳大利亚、英国、德国、美国等先进的流域管理经验,充分说明了一体化管理模式的优越性。新西兰的省区划分是按照流域进行的,充分说明和肯定了以流域为单元的管理模式。

7.2.2.8 水资源管理的现代企业制度是未来黄河水资源管理的主要运作模式之一,具有巨大的发展潜力

水资源管理的现代化制度是市场经济发展的方向,水资源管理的股份制等多种形式的公司化管理是保证水资源管理可持续发展的主要运作模式,是水资源管理可持续发展的重要途径。澳大利亚联邦政府对供水逐步推行企业化和私有化,减少了政府的干预,增加了核算职能,使澳大利亚的供水、灌溉公司高效运作,产生了较好的效果,改善了供水设施,提高了服务质量。这一个案对黄河流域水利工程管理向企业化管理转变将提供有益的借鉴,是未来水利工程发展的方向。

7.2.2.9 工程水利、资源水利及生态水利的新概念，将对流域和河流的治理开发规划带来观念的更新

流域一体化管理的新概念改变了传统的水利工程管理的观念。在经济不发达的阶段，工程水利的概念是满足人类同自然灾害抗争而建立的以工程建设为核心的兴利除害水利工程体系。资源水利是人类对水利工程概念的新认识，是水资源、防洪及工程的统一，是水价值的体现；生态水利是人类与水资源在高阶段的和谐统一。水利发展是由低级阶段向高级阶段发展的，水利发展理论表明在不同阶段有不同的认识和重点，生态水利是流域管理和水利发展的高级阶段。

7.2.2.10 进行黄河水资源管理体制的改革和建立现代化管理模式是水资源管理的发展方向

黄河流域水资源管理制度的改革是流域发展的必然要求，现代化的管理模式和流域管理现代化是未来的发展方向。管理模式、职能配置、运作方式现代化将实现流域的高效管理。

7.2.2.11 提高对黄河水资源的认识是全流域和全社会的义务

黄河是中华民族的母亲河，应当受到全社会的高度重视。黄河水资源是最可贵的水资源，应当充分认识黄河水资源的重要意义和作用，加大高效开发和保护黄河水资源的力度，充分认识黄河水资源的价值、作用和影响，提高对黄河水资源的认识水平。

7.2.2.12 建设未来黄河流域的人控生态体系是黄河流域治理开发的最高目标,标志着黄河治理发展的方向

黄河流域是资源性缺水的流域,在高效利用水资源条件下把黄河变成“相对”的内陆性河流,并建设与之相对应的黄河流域人控工程生态体系,研究实现黄河流域防洪、生态、地下水资源和地表水资源合理调控的目标,使有限的水资源充分合理地得到利用。

7.2.2.13 国际水利工程特例分析及经验教训,将为黄河未来治理的重大决策提供前车之鉴

美国的调水工程、英国的泰晤士河流域的污染及治理、尼罗河的阿斯旺大坝对环境的影响等都为黄河未来的治理提供了很好的经验和教训。

7.3 未来黄河流域治理开发的探索

根据国际上发达国家流域(河流)管理的经验,可以推测 21 世纪的黄河将是以流域综合开发和流域生态恢复与重建为基础的治理开发模式或发展趋势,重点是从流域的角度考虑和认识问题,正像以上对黄河未来的治理所描述的那样,黄河流域的治理模式简单地概括为:“上修工程配置资源,中保水土修复生态,下固河防保障安澜,综合治理,建设人控生态系统。”这是从宏观的概念而言,具体的战略措施及构想应当是相对可行的、具体的和可操作的方案。以下几个方面是对未来黄河治理的探索及设想。

7.3.1 解决西线南水北调的经济、技术和政策法规问题，运用西线南水北调重新配置黄河流域水资源，探索工程建设新路子

黄河天然径流量为580亿m^3，仅占全国河川径流总量的2%，且水少沙多，但流域内及引用黄河水的人口占全国总人口的12%，耕地面积占全国总量的15%。黄河流域水资源紧缺已是定局，最终解决黄河水资源的配置问题将是南水北调工程建设。解决西线南水北调中存在的问题，需要探索新路子，采用新的技术手段和新的融资方法。

(1)在市场经济条件下运用市场理论配置黄河流域水资源，是黄河流域水资源未来配置的有力措施。

(2)高科技手段的运用，是开发和配置黄河水电资源的主要手段，将大大提高黄河上中游的水电资源配置和工程建设的水平。

(3)黄河流域的法规建设将是加强水资源管理与协调的重要依据和手段，特别是利用法规和经济的模式，是解决未来“受水区”的问题、西线调水的水资源使用权问题的重要手段。

(4)西线南水北调不仅是补充黄河流域水资源的有效途径，也是协调经济发展与生态关系的重要举措，也是修复流域生态的国家行为。

7.3.2 加大黄河供水区的节水力度，特别是对黄河上游灌区（宁蒙灌区等）的节水及技术改造，充分利用黄河现有水资源，提高水资源利用效率和土地生产能力

节水是世界性的问题，是当今世界水资源利用的发展方向，节水的效益是有目共睹的，需要唤起全民和全流域的节水和保护水资源的意识。

(1)加强对灌区的改造，改变农业种植模式，提高灌溉效率，提高灌溉耕作水平，是节水和高效利用水资源的有力措施。特别是黄河上中游及下游大型灌区的改造，对提高黄河水资源利用率具有重要的作用。

(2)开发和引进先进的节水技术、设备，提高经济、环境和水资源保护的意识，加大技术投入，提高土地生产率，提高全流域的节水意识。

7.3.3 加大黄河中游水土流失的治理力度

重点治理多沙粗沙区，重新确立水土保持理念，建立相对"封闭"的小流域，遏制中游水土流失；建立稳定的坝系工程，恢复生态环境，达到"土不下山，清水出川"，减少入黄泥沙，降低潼关高程。

(1)重新评价黄土高原的水资源及维持可持续发展的基本条件，充分高效利用黄河水资源，满足中游地区的生活、生产和生态的需求。

(2)分析黄河中游多沙及粗沙支流的地形、地貌，建设完整的支流拦沙大坝体系，形成稳定的坝系，使"土不下山，清水出川"，把泥沙固定在流域内，有效控制中游水

土流失。

(3)利用现代新材料和技术,提高坝系农业的产量,“封坡、植树、禁牧”,恢复自然边坡植被,维持西北地区的生态平衡。

7.3.4 兴建黄河干流水库(多功能水利枢纽)拦蓄泥沙、发电灌溉,合理调节黄河干流水沙资源,建立多库联合调度系统,配置水电资源,实现“洪水资源化”,变洪水为宝贵水资源

洪水资源化是当今缺水地区水资源开发所倡导的,但实现洪水资源化的前提是有一定调蓄能力的水利枢纽工程和与之相配套的工程做保证,即要有足够的水库调蓄库容用来储存和拦蓄洪水。建设水利枢纽是合理配置黄河水资源的核心。

(1)兴建中游干流大型水库(古贤、龙门水利枢纽),拦蓄洪水调节水资源,一则可以作为洪水资源化的工程,同时也可拦蓄和调控泥沙,为黄河下游治理争取时间。

(2)联合优化调度水利枢纽,有效调节水资源,合理配置水电资源,充分合理配置西线南水北调水资源和黄河水资源,达到最佳经济效益、社会效益及环境效益。

7.3.5 重新配置黄河下游供水系统

建设完善的供水系统,保证下游沿岸城市的生产和生活用水,有效利用新的黄河水资源,恢复和保持黄河下游生态体系,满足生物多样性对水资源的需求。

(1)建立相对完备的黄河下游水资源配置体系,有效利用黄河水资源,按照市场经济规律分配西线调入水资

源，为黄河供水区提供清洁的水源。

（2）加强供水管理机构的能力建设，保持黄河水资源的可持续利用，在满足生活用水的前提下，提供足够水资源以保证生态用水，维持生物多样性。

7.3.6 增建小浪底枢纽的减淤及排淤工程设施

在技术上可以采用库区水利设施和吸泥船的结构造成高含沙水流，重新配置黄河水沙关系，建设下游大型输送高含沙管道，使黄河高含沙水流直接输送入海，形成黄河下游“一河一管网”格局，使清浑分流，解除泥沙在黄河下游河道的淤积。即把现实黄河变成“清水黄河”输送清水维持河流生命，大型管道输送高含沙水流直接入渤海，保持河口生态系统。

（1）建设黄河下游输沙管道，增设小浪底排沙设施，现代技术的应用，保证了技术上的可行性，这将是一项有效的措施。输沙初步估算：利用小浪底水库的有压水流可形成小浪底至河口落差 220m，水力比降约为 1/4 000 的输沙管道。若输送 $100m^3/s$ 的 $300\sim400kg/m^3$ 的高含沙水流，可用两条直径为 4～5m 的管道，每天可输送 250 万～350 万 t 的泥沙，每年工作 200 天可输送 5 亿～7 亿 t 的泥沙。若使含沙量提高到 $700\sim900kg/m^3$，用 10 亿 t 水可以送 7 亿～9 亿 t 泥沙，管道也可以缩小。

（2）从技术上分析，利用小浪底水库形成的压力差输送高含沙水流 $300\sim400kg/m^3$ 是可行的，只是有些工程布局和具体的工程技术问题需要解决。在输沙管道中间环节可以增设加压泵站，满足高浓度输送的需求。

(3)利用管道排沙可以有效延长小浪底水利枢纽的使用寿命,同时清水冲刷下游河道可以实现河床不抬高的目标,黄河下游“二级悬河”的问题可以有效得到解决,甚至下游的一级悬河的问题也可以得到逐步缓解。

7.3.7 建立或配置黄河下游大型管道输沙系统

结合淤筑相对地下河与标准化堤防工程建设,利用大型输沙管道及分支管道辅助淤筑相对地下河。

(1)在输沙干管可布设辅助的支管(网),利用支管可把有压高含沙水流输送到黄河大堤淤筑区,为淤筑工程及标准化堤防建设节省大量的投资,同时还可以提高淤筑效率和堤防质量。

(2)利用管道输沙,形成封闭的输沙系统,可有效地改善黄河下游两岸的生态环境,促进工农业生产及黄河下游生态环境的改善。

7.3.8 充分利用小浪底水库的水力“沉沙、选沙”特性,有效实现泥沙的管道输送,淤筑堤防,改善黄河下游堤防和环境,使泥沙变害为利,实现黄河泥沙的资源化

从泥沙资源的角度分析,小浪底水利枢纽不仅是一个“水库”,充当了黄河下游“水银行”的角色,同时也是个大型“选沙池”和“建筑材料库”,可根据需要选取不同粒径的泥沙,用于不同的目的。

(1)修筑堤防改善黄河下游的地理环境。利用管道输送泥沙可高效实现标准化堤防建设,可逐步实现淤筑相对地下河的设想。根据实际需求,利用管道可实现多

功能“自流放淤”加固堤防,即利用小浪底水库淤积泥沙的“选沙池”的功能,把不同粒径的泥沙淤积到不同的位置,有效实现黄河下游标准化堤防的淤筑,改变黄河下游防洪的形势和改善洪水的威胁。

(2)利用小浪底水库的选沙特性,根据不同用途在小浪底库区可提取不同级配的泥沙。可把小浪底库区的细颗粒泥沙进行控制输送,实现黄河下游部分地段盐碱化改良和土壤沙化的放淤覆盖,变荒漠为良田。同时,也可把小浪底库区的粗沙,进行控制输送,变泥沙为建筑材料,实现泥沙资源化。

7.3.9 整治黄河下游现有河道,并保持稳定的主河道

在洪水期下游河道可通过一定标准的洪水,在非汛期保证清水顺利通过,维持黄河滩区生态环境及恢复河流生命。

(1)维持现行河道,按照清水河流的整治方案进行河道治理,可以长期稳定现行河道与河口入海流路,改善河口的生态环境。

(2)把黄河高含沙水流初步变成清水河流,可以有效地改善黄河下游的灌溉生态环境,彻底改变灌溉渠系的淤积问题、环境沙尘和生态恶化问题。

7.3.10 加大河口治理,有计划、有步骤地将黄河泥沙输送入海

通过河流输沙“再造陆地”,扩大疆土面积,保持黄河现行入海流路,稳定胜利油田,恢复河口生态系统,建立可控制的河口生态体系。

(1)维持河口流路是可行的,通过河口治理可以有效地控制入海通道。

(2)可控制的管道系统可以任意改变和调节泥沙入海的方向,有效控制入海流路和黄河河口的造陆方位。

7.3.11 利用经济杠杆调节省、区用水机制

制定"建设西线南水北调工程"的融资政策和运行管理模式,充分利用各种资金加快西线调水工程的建设,合理、充分、有效地利用"西线调水资源"。

(1)中国市场经济体系发展完善,为投资建设西线南水北调工程,奠定了融资的基础和市场配置资源的保证,在西线南水北调工程建设中可利用市场经济的杠杆作用有效地推动西线工程建设。

(2)在新的建设管理模式的基础上,按照市场经济政策重新配置水资源,在合理高效利用黄河水资源的基础上,配置西线调入水资源,包括水量及水质的配置。

7.3.12 加大流域一体化管理力度,合理开发利用水资源,保护黄河流域有限的水资源,充分利用西线调水资源

(1)流域一体化管理是国际流域管理发展的方向,发达国家的流域管理已充分证明了这一点。流域一体化管理也是中国未来流域管理的必经之路。

(2)利用国家有关水资源保护法规保护黄河流域有限的水资源,充分利用流域水资源及西线调入水资源,为人类生存及环境提供清洁的水资源。

(3)建立完善的黄河流域水资源监测网,使水资源开

发可持续化，恢复流域和河流生态环境。

总之，通过对国外流域管理的分析，结合黄河流域的特点，冷静分析黄河的过去、现状和未来，借鉴国内外河流治理的成就，对未来黄河流域治理开发的预测和构想归结如下。

(1)西线调水，重新配置黄河流域水资源。

(2)改造灌区，节约用水，提高土地及农业产出效益。

(3)兴建干流水利枢纽，蓄洪拦沙，使洪水资源化，调节水电资源。

(4)治理中游，建设高坝大库，保持稳定坝系，恢复生态，实现“土不下山，清水出川”。

(5)增设小浪底排沙建筑物，兴建下游排沙干管及管网淤筑相对地下河，用管道输送高含沙水流入海再造疆土。

(6)整治现有黄河河道，保证黄河清水输送，恢复下游灌溉及河口生态环境。

(7)加强水资源保护，保持黄河水流清洁，满足生活、生产和生态需求。

(8)实现流域一体化管理，恢复流域生态，维持河流和生命。

通过以上分目标的实施，最后达到“堤防不决口，河道不断流，水质不超标，河床不抬高”的治理总目标。

附件

附件 1　阿姆河治理开发基本情况

1　流域基本情况

1.1　自然地理概况

阿姆河是一条国际河流，流经阿富汗、塔吉克斯坦、土库曼斯坦、乌兹别克斯坦等国。发源于阿富汗与克什米尔地区交界处的兴都库什山脉北坡的维略夫斯基冰川，海拔高程约 4 900m。源头叫瓦赫基尔河，与帕米尔河汇合后叫喷赤河，在塔吉克斯坦境内与瓦赫什河汇合后向西北流，进入土库曼斯坦后始称阿姆河。干流继续向西北流经阿富汗、土库曼斯坦、乌兹别克斯坦等国，最后汇入咸海。全长 2 540km，流域面积 46.5 万 km^2。

1.1.1　地形地貌特性

阿姆河流域位于北纬 34°30′～43°45′，东经 58°15′～75°07′之间，南北延伸 1 230km，东西延伸 1 470km。其上游有 22.68 万 km^2 位于帕米尔高原的崇山峻岭之中，山脉高度平均达 5 000～5 500m，个别山峰甚至达到 6 000～7 000m。上游山区支流众多，主要的为瓦赫什河、喷赤河等(详见正文图3-2)。河谷深切，且多湖泊沼泽。阿姆河流出山区进入平原后即为中、下游，长约 1 437km，流域面积 23.82 万 km^2，没有任何支流注入，是穿越干旱荒漠的过境河流。从努库斯以下，直到河口，河道分汊较多，自古多洪水泛滥，河道游荡多变，是阿姆河重点整治河段。

按阿姆河地貌，可以将全河分成下列各段：①从源头到喷赤、瓦赫什河汇流处，长 1 103km，几乎全程穿越于深山峡谷之中，落差大，流量大，水能蕴藏量丰富，是水力发电的重点开发区；②从喷赤、瓦赫什汇流口到克尔基，长 401km，河谷呈弧形扩展，河漫滩覆盖着茂密的芦苇丛，并有众多湖泊和沼泽；③从克尔基到伊尔奇克峡谷(以下为中游)，长 295km，河谷宽度达 4～25km，河谷比降平缓；④从伊尔奇克峡谷到土雅姆峡谷，长 314km，河流主要在砂层和第三纪松脆砂岩层中穿行，两岸有高达 10～20m 的陡坡；⑤从土雅姆到塔希阿塔什(以下为下游)，长 267km，河谷扩展到几十公里，直到塔希阿峡谷，是重点修防河段；⑥从塔希阿塔什到咸海河口，长 160km，是阿姆河的河口三角洲,地形缓斜,河汊纵横交错,自古多洪水泛滥,河道多变,也是重点修防河段。

1.1.2 水文气象特性

阿姆河年径流量达679亿m^3,其中从喷赤河和瓦赫什河流入的水量为642.5亿m^3,从南侧阿富汗的昆都士河流入的水量为36.5亿m^3。按克尔基水文站测定,在阿姆河流出山口处的最大流量为8 000~9 000m^3/s,多出现在7月或8月上旬,河口处年平均流量为2 000m^3/s,枯水流量400~900m^3/s。由于阿姆河中、下游灌溉引水量的逐年增加,如1980年已达500亿m^3,加上蒸发损失,所以在少水年份,其下游就会断流。不同水量年份阿姆河克尔基站及各支流的平均流量见附表1-1。

附表1-1 不同水量年份阿姆河克尔基站及各支流的平均流量

(m^3/s)

流域	年径流保证率(%)			
	25	50	75	95
瓦赫什河	690	635	572	510
喷赤河	1 170	1 080	990	875
卡菲尔尼干河	196	172	147	128
苏尔汗河	129	110	96	78
舍拉巴德河	8.7	7.2	5.8	3.8
克尔基站(不包括昆都士河)	2 195	2 015	1 830	1 615

阿姆河位于中亚细亚大陆腹地,离大洋很远,夏季干燥酷热,冬季凛冽寒冷,7月份平均气温26~30℃,1月份气温可降到-30℃或更低。本区山脉几乎都由东向西延伸,而且东高西低,所以当水汽团与高山相遇时,往往造成降水,因此,山地年降水量可达1 000~2 000mm,而平原降水量只有100~200mm。

阿姆河主要补给是雪水,雨水补给作用不大。地下水补给也起重要作用,往往超过年径流量的30%。阿姆河流域径流的年内分配特征是多峰式的(包括流量、水位、含沙量),通常在汛期可出现16~17次大、小洪峰,历时

3～4 天到 10～12 天。水位的变幅为 1.75～3.05m,其最大变幅发生在大水年。水位和流量在一天之内变化也是很大的,流量的变化一天内可差一倍,绝对值达 2 500m^3/s,水位变差为 1.1m,占最大年水位变幅的 25%～30%。春汛从 3 月开始,延续到 6 月底,径流量占全年的 20%～30%,夏汛在 7 月、8 月,一直延续到 10 月,冬季为平水期。

径流的年内分配不均匀,汛期约占 80%,平水期占 20%。大水通常出现在 7 月(冰川融化),最小流量出现在 1～2 月(地下水补给)。

沙质河床的比降较大,达 2‰～4.5‰,泥沙粒径为 0.3～0.1mm,一昼夜的冲淤量可达30 000m^3。

阿姆河的冰情是:每年封冻最长达 100～110 天,最短为 60～70 天,最早封冻始于 11 月,最晚是 2 月;解冻最早在 12 月底,最晚在 3 月份。出现冰坝、冰塞时,常壅高河水位,但可刷深河底,查尔朱附近曾实测壅高的水位比夏季洪水位还高 80cm,常常淹没邻近滩地。

阿姆河的中游从克尔基站开始,下游从土雅姆站开始,其水沙及河道边界特性如附表 1-2。

附表 1-2　阿姆河中游克尔基站和下游土雅姆站水沙及河道边界特性

项目	克尔基站			土雅姆站		
	平均	最大	最小	平均	最大	最小
年径流量(亿 m^3)	640	990	413	540	810	340
流量(m^3/s)	2 030	9 060	406	1 710	9 480	110
年输沙量(亿 t)	2.70	6.98	1.53	2.40		1.10
含沙量(kg/ m^3)	4.22	15.6	0.15	4.44	15.6	0.15
流速(m/s)	0.3～2.5	5.0		0.5～2.5	4.0	
水深(m)	1.0～5.0	12.0		1.25～2.9	18.0	
河宽(m)		2 000	150		1 300	350
水位变幅(m)		2.86	2.26		3.10	2.20
水面比降(‰)		3.2	1.8		3.0	0.65

大致有 45%的泥沙沉积于河口三角洲上,克尔基站输沙量的 11%输入

咸海，每年约 2 700 万 t。由于阿姆河河道整治和引水的结果，使下游塔希阿塔什站的输沙量减少了。

各站推移质泥沙颗粒的平均值为：克尔基 0.25mm，伊尔奇克 0.21mm，土雅姆 0.19mm。阿姆河床沙质泥沙粒径大于 0.01mm，粒径小于 0.01mm 的为冲泻质泥沙。阿姆河克尔基、伊尔奇克和土雅姆站的悬移质泥沙颗粒组成见附表 1-3，推移质泥沙颗粒组成见附表 1-4。

附表 1-3　阿姆河悬移质泥沙颗粒组成　(%)

站名	粒径 (mm)			
	>0.2	0.2～0.05	0.05～0.01	<0.01
克尔基	4.7	26.6	41.3	27.4
伊尔奇克	3.6	23.9	31.5	41.0
土雅姆	6.4	29.8	29.3	34.5

附表 1-4　阿姆河推移质泥沙颗粒组成　(%)

站名	粒径 (mm)				
	1～0.5	0.5～0.25	0.25～0.1	0.1～0.05	<0.05
克尔基	2.4	53.5	27.6	9.1	7.4
伊尔奇克	-	45.0	33.0	12.0	8
土雅姆	0.3	31.6	44.0	15.8	8.3

1.2　社会经济情况

阿姆河流经阿富汗、塔吉克斯坦、土库曼斯坦和乌兹别克斯坦 4 国，人口约 2 500 万(包括引阿灌溉区)。土地资源丰富，气候温和但干旱，矿产资源丰富。特别在上游山区，水能资源潜能巨大，是中亚地区重要的能源基地。中、下游则是图兰平原，阿姆河流经广大平原，西侧是卡拉库姆沙漠，东侧是克齐尔库姆沙漠，由于两侧的土壤都是灰钙土，一经灌溉，即可成为肥沃土壤，为此阿姆河在此大显身手，把大片荒漠变成数百万公顷良田，建成了卡拉库姆灌区、阿姆布哈拉灌区、卡尔申灌区，浇地 261 万 hm^2，号称“白金之国”著名的长绒棉即产于此。此外，当地盛产的水果、葡萄饱含糖分，农作物一年两熟。中亚地区是世界闻名的棉花产区和水果之乡。

塔吉克斯坦、土库曼斯坦和乌兹别克斯坦均位于当年苏联的中亚经济区，主要的中心城市有塔什干、杜尚别、阿什哈巴德、撒马尔罕等。当地盛产棉花、水果，棉花产量超过 800 万 t，占当年全苏产量的 90% 以上。植棉业也促进了本区棉花加工工业的发展，使本区的棉纺织工业、轧棉业、棉纺织机械制造业及棉花摘收机械制造业得到很大的发展。中亚蚕桑业发达，生丝产量曾占苏联的 70%。阿姆河下游盛产水稻，瓦赫什河下游的吉萨尔盆地也是著名的产粮区。本区也是重要的养羊基地，所产的卡拉库尔黑羊羔皮闻名于世，因此制革和地毯织造业也比较发达。本地区矿产资源丰富，从 20 世纪 50 年代以来，随着有色金属矿石的开采，冶炼工业发展迅速，主要分布在东部山区，但在西部，则以石油、天然气的开采闻名于世，土库曼斯坦和乌兹别克斯坦的天然气储量达 101 750 亿 m^3，每年的开采量已达 700 多亿 m^3，占苏联全国产量的 1/4 以上。阿姆河水能资源理论蕴藏量为 4 060 亿 kW·h，技术上可开发的为 2 090 亿 kW·h。目前已建成的水电站发电量为 159 亿 kW·h。最大的水电站是瓦赫什河上的努列克水电站，装机容量达 270 万 kW。此外，由于中亚区是苏联的三线地区，所以军工厂，包括与制造飞机、坦克配套的一些电机厂、内燃机厂、推土机厂、挖掘机厂等较多，努库斯等地也有鱼罐头等食品加工工厂。

2 阿姆河治理开发情况及主要成就

从 1950 年开始，阿姆河治理进入规划及计划用水阶段，也就是制定阿姆河水利资源综合利用规划、制定瓦赫什—阿姆河梯级开发规划、阿姆河全流域水量平衡规划和沿河各大灌区计划引水、用水规划及河道整治规划等。

50 年来，已经完成了瓦赫什河—阿姆河的梯级开发规划，并开始规划修建梯级水库（大坝），在瓦赫什河上（塔吉克斯坦境内）首先修建了高拉夫水电站，接着修建努力克水库，拦河坝为 300m 高的世界第一高土石坝，总库容 105 亿 m^3，有效库容 45 亿 m^3，装机容量 270 万 kW，年发电量 112 亿 kW·h，是一座多年调节水库，可提高中、下游各灌区的灌溉用水保证率，并进行防汛调度。但是努列克水库距阿姆河下游的距离太远，为了提高阿姆河下游各灌区的用水效率，又在距河口 427km 处修建了土雅姆水库，坝高 13m，总库容 73.4 亿 m^3，有效库容 50 亿 m^3，是一座下游用水的补偿调节水库。

2.1 治理开发概况

阿姆河自古多洪水灾害，河道游荡多变，“阿姆河”意即“疯狂的河流”，主要由于阿姆河流速高、比降大(1.6‱~2.6‱)，流速3~4m/s，床沙质细而易冲，往往造成滩地、河岸的强烈冲刷，当地称之为“崩岸”，河道游荡不定，两岸间河宽3~5km。由于河流的泥沙挟带量大(年平均含沙量3.8kg/m^3)，因此造成下游河床不断淤高。阿姆河下游河床每年抬高10mm，因此在汛期涨水时，河水水面往往高出两岸地面而造成洪水漫溢泛滥，1932年的一次大洪水，竟将卡拉卡尔巴克自治共和国的首都吐尔特库尔完全冲毁，以致不得不迁都到努库斯(现在的首都)。为了防洪兴利，乌兹别克斯坦水利部从20世纪50年代开始已经做了大量工作。

2.1.1 修建和完善堤防系统

在阿姆河两岸修筑堤防。现在，在阿姆河的中、下游已普遍修筑了堤防，特别是下游土雅姆水库以下直至塔希阿塔什之间的河段及河口三角洲段，沿河两岸都已全部得到堤防保护。堤防主要修筑在左岸，因左岸有许多地方地势低于河床高程。有些地方大堤已形成了二、三道连续的保护线，堤防之间还修筑了横向隔堤，当河中出现冲刷水流时(如横河、大溜顶冲时)，这种横向土堤系统形成一个缓冲带，使主流不能直冲河岸。在中游，如查尔朱市及附近地区，特别是无坝引水口上、下，为了保护城市和居民区及铁路大桥、灌区进水口等工程，也修了堤防系统进行防洪。从1967年开始，已进入堤防施工、管理的现代化阶段，即施工机械化、管理自动化。

2.1.2 整治河道，提高河道排洪和供水能力

提高河流的过水泄流能力，以便在汛期排泄更多的流量，为此进行了多年的大量的河道整治工作，其规划、研究工作由中亚灌溉研究所承担(以C.T. 阿尔图宁教授为首)，主要整治阿姆河中、下游的游荡性河道。通过几十年的实践经验和实验室的河道模型试验，决定采用修筑上挑式两岸同时修筑的对口丁坝，缩窄河道，刷深河道，加大泄量，稳定河势，以保证中、下游灌区的大型无坝引水口能顺利引水，汛期能安全度汛，保护城(镇)居民区及铁路、工厂等的安全。

阿姆河河道整治的特点是防洪与保证灌溉引水相结合。阿姆河中、下游是有宽广滩地的游荡性河道，河道的忽东忽西，一方面造成严重的坍岸、坍

滩、坍堤，引起洪水决口泛滥；另一方面又会使主溜外移或大溜顶冲，影响大灌渠引水口的正常运行。为了解决这一问题，乌兹别克斯坦水利部委托中亚灌溉研究所以阿尔图宁教授为首的专家组，经过几十年的研究和实践，提出了一套独特的比较完善的防洪及河道整治堤防工程系统，这就是横向土堤系统。其实质就是在主槽和河岸之间修筑一个与水流成一定角度的横向丁坝系统，横向丁坝长 150～2 570m，横堤间距 800～2 150m，根据中亚灌溉所研究结果及原型观测结果，提出横堤的修筑角度为 $\varphi=115°\sim120°$，即逆水上挑 60°～65°，并要求从两岸对口修筑以缩窄河道，横堤间距的确定要考虑水流不冲向河岸并形成促进淤积的堤间滞水区为条件。这样，在被缩窄的部分发生冲刷，在两条丁坝之间的滩地上汛期进水，形成一个滞水静水区，泥沙会大量回淤，可一直淤到汛期最高水位的高程上，淤滩刷槽，形成较大的滩槽高差，规顺了流路，稳定了河槽，是游荡型河道整治的一个好办法。在阿姆河下游，土雅姆水库以下 220km 河段的整治工作中，共规划修筑 255 条横向丁坝，总长度 250km，总土方是 2 300 万 m^3，总抛石量 260 万 m^3/s，缩窄后河道宽度为 600m。原型观测表明，堤间带经过 2 年运用可淤厚 2～2.5m，顺直河段上流量达到 3 500m^3/s 时，河床可刷深 2.0m。在弯曲河段，则是凸岸淤，凹岸冲，最大冲刷深度为 3.5m。按上挑式布置的丁坝，在其迎水面会形成一个漩涡，但其流速较小，从而促进该区的泥沙淤积。这种布置方式的优点在于其背水面和迎水面的大部分坝坡不经受水流的直接作用，水力冲击的主要部位在坝头，坝头部位冲刷及漩涡区冲刷较深，因此，需对坝头及迎水坡采取护坡措施。在阿姆河上广泛采用的丁坝坝头裹头是大块块石堆(或大型混凝土块及钢筋混凝土构件)，其上游迎水坡也用堆石护坡。块石护坡裹头长度为 50～100m，预期最大冲刷深度为 15～18m，这样，每道丁坝横堤需抛石 1 万 m^3，两岸横堤裹头对称布置，横堤堤身就用当地材料堆筑，整个施工过程可全部机械化，护坡抗冲工程修复较易，用料也相对较少。

汛期崩岸严重处，冲刷深度达 15～18m，汛期洪水对两岸威胁很大，为此，在阿姆河下游两岸已全线修筑了堤防，有些地方甚至修了三道防线，分Ⅰ、Ⅱ、Ⅲ线修筑，纵向堤防间还修筑了横堤。总长度已达 1 390km(附表 1-5)，堤高 3～4m，顶宽 5～6m，筑堤材料为沙壤土、沙土和黏壤土，堤顶以上还有 1m 高的超高，堤防按千年一遇洪水设计。有些地方按最高凌汛水位设计。

附表 1-5　　　　阿姆河下游防洪堤防长度

堤 防	长 度 (km)		总 计(km)
	花拉子模州	卡拉卡尔巴克自治共和国	
大堤			
Ⅰ线	140	594	734
Ⅱ线	124	200	324
Ⅲ线	90	61	151
局部分段堤防	64	117	181
总 计	418	972	1 390

阿姆河的河道整治工作已经有了统一规划,其主要目的就是要保证中、下游大型灌区的无坝引水工作顺利进行,使河道稳定,不致大水冲,小水淤,河道游荡,使主河道脱离引水口而引不上水。从目前看,已完成的河道整治工程已经能够保证中、下游三大灌区(卡拉库姆、阿姆布哈拉、卡尔申灌区)的引水工作。但是规划中的河道整治工程还没有全部完成,主要是苏联解体后,机构、人事变动大,资金不到位等原因,阿姆河的河道整治工作还有待今后努力完成。

2.1.3 修建洪水滞蓄工程

修筑大型多年调节水库或分洪区,如努力克水库、土雅姆水库等,用于调节水流,削减洪峰,减轻洪水中、下游河道泄洪负担。阿姆河流域已建水库总容量达 380 亿 m^3,其中在阿姆河产流区为 130 亿 m^3,位于内陆河流区的为 250 亿 m^3。

2.1.4 大力发展农业灌溉

除了瓦赫什—阿姆河梯级开发工作和中、下游河道整治工作之外,就是建立中、下游规模巨大的灌区。阿姆河流域属干旱荒漠地带,没有水就没有农业。从阿姆河引水灌溉自古有之,只是以前受技术及财力的限制,只能小规模地进行。但到了 20 世纪的 50 年代以后的苏维埃时代,技术和财经力量都已经达到现代化施工的水平。因此,从 1954 年开始修筑卡拉库姆灌渠,1963 年修建阿姆布哈拉渠,1964 年修建卡尔申灌渠,目前渠首引水流量分别达到 560m^3/s、350 m^3/s 和 240m^3/s 的规模,浇地约 300 万 hm^2,从而使土库曼斯坦和乌兹别克斯坦及塔吉克斯坦均成为有名的粮食、棉花、水果生产基地,可以说，土库曼斯坦和乌兹别克斯坦的农业完全是依靠阿姆河发展起来的。

综上所述，50 年来，在苏联体制下，阿姆河已经得到一定的治理，进行了梯级开发和河道整治，在阿姆河上游修建了瓦赫什河水力发电梯级电站，在中、下游开辟了数百万公顷引阿灌区，为发展沿岸国家塔吉克斯坦、土库曼斯坦、乌兹别克斯坦的农业做出了贡献，成绩巨大。但问题也不少，一是苏联留下来的工程、设施都已运用多年，本应及时更新设备，修补破损工程，但均因资金不足而停顿，河道整治规划中原应修建的丁坝工程，也因资金不足而停建，再加上沿河各国分而治之后，缺乏统一调度，引水过度造成河水断流，咸海水位下降等，都是阿姆河治理工作中有待进一步解决的问题。

2.2 防洪工程管理体系建设

正如上述，阿姆河汛期的洪水危害严重，由于比降大，流速高，床沙质细易冲，滩地广宽，河道游荡不定，从而危害沿河城镇居民点及工农业生产和交通设施等的安全，为此，在阿姆河中、下游已修筑了大量堤防及河道整治工程。目前，负责阿姆河流域治理工作的是阿姆河流域水利管理委员会。规划、设计、科研工作分别由农业水利部委托中亚灌溉研究所、乌兹别克科学院水问题研究所、水利部水利设计院等单位进行。堤防施工及修防则由各州、区河务局负责，各州、区有自己的机械化施工队。各堤段有专人负责修防，并配备交通工具及修防器材设备，大修则由专业工程局负责。大型的水利工程(如大型水库、大型渠道进水闸及渠道开挖等)施工则由水利部工程总局、机械化施工局等负责施工。防汛通信由各地电讯部门负责，由于苏联的电话通讯比较普遍，所以已经形成电话通讯网络。水文测报及水文预报工作由国家水文气象局负责，全国各条大江大河、水库、湖泊等均已设立水文气象测站网。但水利部门，如中亚灌溉研究所内，也有水文测报研究室，进行水文测报、预报研究工作。防汛调度则由水利部及阿姆河流域水利委员会负责。苏联解体后，阿姆河已经成为一条国际河流，其多年调节水库位于上游的塔吉克斯坦境内，大量的灌溉引水又位于中、下游的土库曼斯坦和乌兹别克斯坦境内，因此在水量调度工作方面(包括防洪)，必须成立一个国际的水量调度协调机构，为此又组成了“国际水利协调委员会”来负责中亚五国水资源利用及保护工作，考虑中亚各国当地的生态和经济特点完善水资源的管理工作，制定解决咸海问题的战略等。在防汛调度指挥工作中采用地区、行政、流域三统一的原则，其指挥决策支持系统除水文气象测报、预报系统外，还有国际水利协调委员会的地理信息系统和乌兹别克科学院水问题研究所的“水利设施电子监控系统”。这两个系统作为决策支持系统是将人造卫星遥控系统与地面各种水利设施上安装的各种传感器结合,通过四通八达的电话线网络发送各种信息的电子自动监控系统,经过电子计算机数学模型处理,提出流域水量分配、洪水调度方案。

2.3 水资源开发利用

阿姆河流域面积有两种不同概念的算法,一种是只算产流区面积,一种是产流区加引阿灌溉区,因为阿姆河中、下游有一些产流但不流入阿姆河的内陆河流,如塞拉夫森河(乌兹别克斯坦)、莫尔加布河(土库曼斯坦)、捷詹河等,但是这些内陆河流域都从阿姆河引水灌溉,成为沿阿灌区。因此,又可把这些区域计入阿姆河流域内。如果把这些引阿灌区计入阿姆河流域,阿姆河的流域面积为132.7万km^2,其中土库曼斯坦48.81万km^2,乌兹别克斯坦38.82万km^2,塔吉克斯坦13.1万km^2,吉尔吉斯斯坦1.13万km^2。在土地资源方面,根据1972年编写的《阿姆河水资源综合利用总规划》,流域内适于灌溉的土地共计2 500万hm^2,其中最有发展前途的有1 300万hm^2。

2.3.1 水资源总量

阿姆河流域径流量占咸海入流量的70%,其水资源总量815亿m^3。各条支流来水量如附表1-6。

附表1-6　阿姆河各支流年径流量

河 流 名 称	年径流量(亿m^3)
瓦赫什	201.4
喷 赤	349.2
卡菲尔尼干	55.7
苏尔汗	36.1
昆都士	36.5
其他支流	45.7
塞拉夫森河(以下为内陆河)	51.7
莫尔加布河	15.7
卡什卡河	13.2
捷詹河	9.8
总 计	815

阿姆河的水量主要来自喷赤河及瓦赫什河,塞拉夫森河、莫尔加布河等是内陆河流,为了满足流域内灌溉及其他用水需要,只靠其本流域内的径流是不够的,还需从阿姆河引水,如从卡拉库姆运河引水到莫尔加布河及捷詹河流域,从卡尔申干渠及阿姆布哈拉干渠引水到塞拉夫森河流域等。根据公元1887~1975年水文实测资料,1969年的年径流量最大,达987.2亿m^3,最大流量9 180m^3/s,1974年水量最小,最小流量为428.4m^3/s,1930年实测最小流量为465m^3/s。据1963年乌兹别克水文地质局调查,阿姆河流域的地下水出水量为630m^3/s。

2.3.2 农业灌溉

流域内主要发展棉花种植业,棉田灌溉面积增长迅速,从1951年到1965年,平均每一个五年计划期间要增加13.3万hm^2,第8个5年计划期间又增加30万hm^2,第9个5年计划期间增加36.4万hm^2。棉花产量1972年为372.3万t,1975年为422.5万t。2000年远景计划产量达715万t。在阿姆河流域,水果种植、葡萄种植、养蚕业也很发达。在下游地区,还有一定面积的水稻种植。在灌区还发展肉、奶畜牧养殖业,广大的沙漠草地牧场则发展养羊业,主要是卡拉库尔品种羊。农业是阿姆河主要用水大户,流域内各国灌溉面积见附表1-7。

附表1-7　　阿姆河流域各国灌溉面积　　(万hm^2)

国家	1975年	1980年	1990年	2000年(计划)
乌兹别克斯坦	146.8	180.5	214.1	291.5
土库曼斯坦	85.5	98.6	114.8	156.0
塔吉克斯坦	36.5	40.5	47.4	61.4
吉尔吉斯斯坦	1.6	2.1	4.5	6.0
总计	270.4	321.7	380.8	519.4

流域的主要灌区有:①上游有瓦赫什干渠,引水流量190m^3/s,1932年建成,浇地10万hm^2;牙万—奥比基克灌渠,引水70m^3/s;哈扎尔巴克灌渠,引水45m^3/s;谢拉巴特干渠,引水110m^3/s;扎恩克干渠,引水86m^3/s;②中、下游有卡拉库姆干渠,渠首引水560m^3/s,浇地105万hm^2,全长1 100km;卡尔申干渠,全长177km,引水240m^3/s,中间有调节水库,库容15亿m^3,提水灌

溉共6级，总扬程132.2m，抽水机总容量45万kW，灌地70万hm^2，1974年投入运用；阿姆布哈拉干渠（引水口上距卡尔申干渠12km），全长200km，渠道引水$350m^3/s$，浇地35万hm^2；③土雅姆水库以上河段，尚有20条引水渠道，其中主要的有库尔阿雷克渠（引水$43m^3/s$）、别尔津渠（引水$33m^3/s$）、萨雅特纳乌哈娜渠（引水$38m^3/s$）；④土雅姆水库以下河段两岸引水渠有塔什沙卡渠（引水$276m^3/s$）、帕赫塔阿尔娜渠（引水$70m^3/s$）、克雷奇尼雅巴依渠（引水$81m^3/s$）、萨维奇雅帕渠（引水$120m^3/s$）、列宁雅帕渠（引水$100m^3/s$）、克斯盖特肯渠（引水$180m^3/s$）。

全流域灌溉网长度达10.4万km，其中在乌兹别克斯坦境内有6.66万km。有衬砌的渠道长度为2 782km，其中1 383km在乌兹别克斯坦。

阿姆河流域各灌区面积如附表1-8。正常情况下年引水（各种水源）灌溉总量达460亿～480亿m^3，其中引阿姆河水为390亿～400亿m^3，其水量平衡（1972年）情况如附表1-9。阿姆河下游历年灌溉引水量及灌溉面积、主要灌区历年引水量及灌溉面积列入附表1-10、附表1-11。

附表1-8　　阿姆河流域各灌区面积　　（万hm^2）

灌区名称	1990年	2000年
上游：各灌区	77.7	95.2
中游：卡拉库姆	58.2	87.0
卡尔申	35.1	74.5
沿河两岸	16.0	18.0
阿姆布哈拉	23.0	35～40
下游：土雅姆	47.7	55.7
塔希阿塔什	53.0	65.4
总计	310.7	435.8

附表1-9　　阿姆河水量平衡　　（亿m^3）

来水量	
克尔基站以上	521
排水弃水的回归	17
雨水径流	2
总计	540

续附表 1-9

用水量	
灌区引水	306
卡拉库姆	83
库尔阿雷克	7
阿姆布哈拉	19
塔什沙克	36
帕赫塔阿尔娜	10
克雷奇尼雅斯巴依	13
克斯盖特肯	28
列宁雅帕	13
其　他	97
蒸发损耗	32
渗漏损失	3
总　计	647
下泄入三角洲(恰特雷站)	234
误 差	35

附表 1-10　　阿姆河流域下游历年灌溉引水量及灌溉面积

年份	克尔基站径流量(亿 m^3)	灌溉面积(万 hm^2)	引水量	
			渠首引水量(亿 m^3)	每公顷用水量(万 m^3)
1960	627	47.4	98	2.06
1963	564	49.3	114	2.32
1964	639	48.9	119	2.43
1965	512	47.1	120	2.55
1966	655	46.9	132	2.81
1968	667	47.8	152	3.18
1969	1 011	48.0	147	3.06
1970	538	49.2	151	3.07
1975	546	—	—	—

附表 1-11　　阿姆河流域历年引水量及灌溉面积

灌区	1970年	1980年	2000年(计划)
中游			
卡拉库姆	$\frac{33}{103}$	$\frac{58}{151}$	$\frac{105}{180}$
卡尔申	—	$\frac{20}{30}$	$\frac{70}{63}$
阿姆布哈拉	$\frac{12}{16}$	$\frac{22}{37}$	$\frac{35}{42}$
中游总计	$\frac{45}{119}$	$\frac{100}{218}$	$\frac{210}{285}$
下游	$\frac{51}{151}$	$\frac{80}{156}$	$\frac{120}{167}$
中、下游总计	$\frac{96}{270}$	$\frac{180}{374}$	$\frac{330}{452}$
下泄入咸海水量(亿 m^3)	300	74	32

注:表中数字的分子为灌溉面积,万 hm^2;分母为引水量,亿 m^3。

随着灌溉的发展,阿姆河流域的农业产量有了明显提高(附表 1-12),取得了巨大效益。

附表 1-12　　阿姆河流域农业产量　　(万 t)

农产品	1975年		1980年		1990年		2000年	
	总量	乌兹别克产量	总量	乌兹别克产量	总量	乌兹别克产量	总量	乌兹别克产量
棉花	422.5	251.5	502.5	314.5	528.1	307.8	715.0	408.5
粮食	37.0	28.7	89.3	46.2	111.5	62.6	161.6	88.1
水稻	27.9	24.2	39.7	22.5	54.6	42.9	71.0	55.6
蔬菜	175.3	83.3	272.0	177.4	316.1	207.9	430.2	286.2
水果	74.2	44.1	113.2	60.1	143.6	67.8	243.2	108.6
肉	25.4	14.3	30.3	19.3	36.7	24.2	40.0	25.7
奶	129.1	84.4	169.8	101.4	216.3	135.8	237.0	147.1
蚕丝	1.3	1.1	1.67	1.31	2.18	1.65	—	—

阿姆河流域的农业灌溉用水量在上游地区需 9 亿 m^3。全流域灌溉面积如达到 320 万 hm^2，需水量为 511 亿 m^3，如发展到 430 万 hm^2，则需水量为 620 亿 m^3，而克尔基站的年平均径流量为 640 亿 m^3。

为了调节阿姆河的径流，曾规划由罗贡水库及努列克水库进行多年调节，由土雅姆水库承担季调节，多年调节需库容 170 亿 m^3，季调节需库容 90 亿 m^3。为了解决灌溉与发电用水的矛盾，仍需修建反调节水库。

2.3.3 水力发电

阿姆河水能蕴藏量丰富(附表 1-13)，但其正式开发始于“十月革命”后的国家电气化计划。1935 年在塔吉克的杜尚别修建了第一座水电站，容量为 7 200kW，在其建设初期，主要是发展小水电，以解决当时的燃眉之急。如 1945～1961 年，仅在塔吉克南部就修建了 80 座小水电站，装机 2 万 kW。从 1958 年开始按瓦赫什—阿姆河梯级开发规划修建水电站，已建成最大水电站为努列克水电站，位于杜尚别东北的瓦赫什河上，装机 270 万 kW，年发电量 112 亿 kW·h 。在努列克上游，从 1976 年开始修建另一个大型水电站——罗贡水电站，规划装机容量为 360 万 kW，但由于苏联解体，资金缺乏，电站工程被迫中止。阿姆河上已建水电站见附表 1-14。

附表 1-13　　阿姆河各支流水能蕴藏量

河　流	水力发电电能总蕴藏量 (亿 kW·h)	技术上可开发电能 (亿 kW·h)
喷赤河	1 190	850
瓦赫什河	450	390
阿姆河(干流)	360	79
苏尔霍河	320	120
奥皮新高河	243	108
卡菲尔尼干河	96	37
塞拉夫森河	151	108
其　他	1 250	398
全流域总计	4 060	2 090

附表 1-14　　　　　　　　阿姆河梯级电站

水电站名称	设计流量(m^3/s)	装机容量(万 kW)	年发电量(亿 kW·h)	坝高(m)	库容(亿 m^3)	施工时间
罗　贡	1 100	360	128	335	133	1976～
舒罗布		50				
努列克	1 400	270	112	300	105	1961～1979
拜帕金	950	60	27.4	75	1.25	1980～1985
桑格图丁		100	46.2			1985～
高拉夫	1 055	21	11.2			1956～1963
跌水电站Ⅰ	93	2.96	2.15			1954～1960
跌水电站Ⅱ	100	1.8				1950～1954
土雅姆		15	4.7	13	78	1970～1978

另外,在喷赤河上已规划修建水电站 9 座,装机容量 1 620 万 kW,年发电量 776 亿 kW·h,但由于该河是一条与阿富汗交界的国际河流,所以至今未能实施。

此外,在一些内陆河流上也有一些良好坝址可以修建水电站,如塞拉夫森河上规划修 4 座水电站,总容量 140 万 kW,也因苏联解体而暂时搁置。

2.3.4　航运

为了通航,阿姆河流域于 1956 年开始修建卡拉库姆运河,1962 年修建阿姆—布哈拉运河,1974 年修建卡尔希运河等。

2.4　流域生态环境情况

阿姆河流域的生态环境保护及水质控制工作始于苏联第十个五年计划期间(1976～1980 年)。1979 年 6 月颁布了关于苏联水资源和保护的国家监察条例。行政上由土壤改良及水利部负责,技术监测由苏联水文气象总局负责。为此,1978 年把水文气象总局改为国家水文气象和自然环境监察委员会,负责环境污染的监测、服务和科学研究工作。在土壤改良和水利部中,则由其水源保护总局和水资源综合利用总局负责,阿姆河流域各国则由该国水利部下属的管理总局及流域管理机构负责实施。由水文气象和自然环境委员会所属的机构研究地表水的化学组成及其在人类活动影响下的变化,为此在各地设置水质观测常设站,协调监测工作、资料汇总、编制水源污染状况报告及负责水质调查及环境污染控制等工作。到1980年全苏共有6 800个监测站,并按监测的水体对国民经济具有的重要性分成4级(一级站设在最重要的水体上)。监测项目有:水温、悬浮颗粒、可溶性固体、颜色、混浊度、CO_2、pH值、氧化—还原电位、溶解氧、COD、BOD、气味、营养成分,以及多种污染物,如石油产品、合成洗涤剂、酚类化合物、杀虫剂、重金属等。为适应各种特殊情况,还可增加监测项目,如江河湖泊中的水生生物监测等。有些水质监测站已建成自动测试系统,每30分钟自动测试水位、水温、pH值等11项指标,由实验室分析BOD等指标,所有数据均输入电脑的数据库,经处理后作为领导决策依据。有些重要测站已应用航天遥感技术,研究和保护水资源,通过卫星观测,确定洪水和泥石流的传播、到达时间,监测水库污染情况。测试数据均输入电脑数据库处理。

在水资源保护及水质控制措施方面,主要措施有以下几个。

(1)修建污(废)水净化处理工程:采用机械净化法、化学净化法、物理化学法、热处理及生物净化法等。通过生物净化,一般污废水可达到以下指标:pH值为6.5 ~8.5;悬浮物为14~70mg/L;化学耗氧量为20~150mg/L;5天生化需氧量10~40mg/L;氨氮为6~70mg/L;溶解氧为4~8mg/L;总固体为100~4 700mg/L。净化后的水可用于灌溉及循环供水。

(2)推广循环供水系统和重复用水系统,节约用水,减少排污。

(3)发展污灌,减少排入水体的污水量。

(4)实行水费制度,促进节约用水。

(5)跨流域调水。已制定北水南调规划,以改善缺水地区生态环境,稳定湖泊和内海水位,增加河流水量,改善水质,以满足城乡用水、引水需要。如咸海流域已急需调水解决缺水问题。

(6)人工补给地下水。

阿姆河流域生态环境建设及措施完全是按苏联当时的体制建立的,几十年来在水资源保护和防治水污染方面也做了大量工作,如利用生物净化法处理城镇生活用水,用机械法、物理—机械法或生物净化法等处理工业污水;在集水区采取水土保持措施,在盐渍化灌区,开展水利土壤改良工作,在坡地上采取种植果树、葡萄及建造林带等农业技术措施等。

但是由于种种原因,阿姆河流域的生态环境情况一直不尽人意。在河流两侧灌区内土壤盐渍化、沼泽化、水质污染、降低产量等问题一直没有彻底解决，最主要的是其入流的咸海发生了严重的生态环境恶化问题。加之1971～1979年是连续少水年，从阿姆河、锡尔河流入的水量却因河流两侧灌区的灌溉引水量剧增而使排入咸海的水量大减。例如阿姆河流域灌溉面积达到320万 hm^2 时，其引水量将达到511亿 m^3，而灌溉面积达到430万 hm^2 时，则其引水量便会增加到620亿 m^3，通过克尔基站的径流量通常为640亿 m^3，这时，流入咸海的水量除去蒸发，就剩下不多了，甚至断流。所以在1960～1978年期间，咸海水位从53.42m下降到47.12m，即下降了6.3m。1988年水位降到40m，2005年预测要降到33m，咸海面积已经从6.6万 km^2 缩小到3万 km^2，海水容积（10 600亿 m^3）已经减少3/4。过去每年流入咸海的水量为600亿 m^3 左右，而现在只有10亿～50亿 m^3，实际上从阿姆河下泄的只有20亿～30亿 m^3。这样就使咸海发生了严重的生态失衡和环境危害问题。根据专家的研究，这完全是由于两河灌溉面积增长和灌溉引水量失控的人类活动造成的。现在，咸海滨海区大片土地沙漠化，海底干枯，生物大量死亡，大片芦苇枯死，海底沉积的大量盐粒，在大风刮起时就会形成盐尘暴，吹到庄稼地里严重危害庄稼，吹到居民区，使沿海350万居民生病，并引起呼吸道疾病和各种疾病的传播，渔民无鱼可捕，海水水面下降引起地下水位下降，盐分滞留在植物根系层及营养层，使土地盐渍度提高，庄稼减产甚至绝收，大片土地荒芜。由此可见，流域生态环境变化对社会经济发展关系很大。现在，在阿姆河流域集水区和引水区情况尚好，利用阿姆河水进行灌溉，棉花、粮食产量增加，提高了国家经济收入，解决了老百姓的吃饭、穿衣问题，水利部、阿姆河流域管理委员会及水文气象自然环境监测委员会下属各测站做了大量监测工作，采取了一些防治措施，中亚灌溉研究所及乌兹别克科学院水问题研究所也做了大量研究工作，所以，流域水环境保护工作及生态环境尚处于正常范围内。当然，在资金扶持、设备更新、人才培养、体制改革（适应市场经济需要）等各方面，还有不少问题。流域内也修了大型多年调节水库，如库容195亿 m^3 的锡尔河托克托古尔水库，瓦赫什河上的努列克水电站等。但是苏联解体后，托克托古尔在哈萨克斯坦境内，努列克在塔吉克境内，谁也管不了谁，早先还有从俄罗斯的北方河流调水入咸海的方案，现在大家都独立了，方案实施无期，所以咸海生态危机已引起中亚各国的重视，也引起联合国的重视。世界银行计划在2000年前提供3.8亿美元资金，帮助中亚地区各国治理因咸海逐渐缩小引起的生态危机。此前，世界银行已经为拯救咸海提供了 4 100 万美元的政府间特别基金，中亚各国政府也保证要从预算资金中拨出 0.3%，帮助遭受咸海生态灾难破坏的社区。但是咸海生态危机的根本解决办法是要增加入海的径流量，每年如能流入 350 亿 m^3 的河水，咸海水位才能免于继续下降。这只有通过本流域内大型多年调节水库的径流调节和跨流域的北水南调，从鄂毕河调水入咸海，每年调水量要达 200 亿～250 亿 m^3 时，才能从根本上解决咸海生态危机问题。

3 阿姆河开发治理的经验总结及存在的主要问题分析

3.1 梯级开发的模式及其存在问题

梯级开发是河流治理及其水资源综合利用的一种较好模式，俄罗斯的经验如此（伏尔加—卡马河梯级开发、叶尼塞—安加拉梯级开发等），美国、加拿大的经验也是如此（田纳西河、科罗拉多河、哥伦比亚河的梯级开发等）。事实证明，水资源的综合利用和梯级开发模式也给阿姆河两岸的防洪、抗旱、发展经济（发电、航运、灌溉、旅游等）带来了很大好处。利用水电站发出的电力，使当地可以修建很多新的工厂，发展了当地经济；在沿河两岸修建引水闸和修建提灌站，解决了几百万公顷农田的灌溉问题，提高了农业产量；免除或减轻了洪水、内涝、旱灾的灾情，也给人们带来很大利益。总之，阿姆河的梯级开发给沿河两岸人们带来的好处是很明显的。但是，随着时间的推进，一系列新的问题又出现了，首先是生态环境问题，如阿姆河两岸的过度引水灌溉，造成咸海入流量急剧减少，近年来甚至断流，致咸海水位急剧下降，造成咸海及滨咸海区一系列严重生态环境恶化问题；如农药、化肥残留物的污染危害，土壤盐碱化，土地沼泽化，水质污染造成的农业减产及危害当地居民健康等。另一个问题是管理体制问题，如苏联解体前，本来是一个国家，管理上有问题比较好解决，现在分成几个国家，上游的塔吉克斯坦要求发电第一，下游的乌兹别克斯坦和土库曼斯坦是灌溉第一，上、下游就有矛盾；再就是计划经济废除了，按市场经济要求又如何去管理水利经济及水利土壤改良工程等，也是一个新问题。如何收水费，如何协调各部门及上、中、下游的利益，如何立法等，都有待解决。

目前，阿姆河流域各国水利部门都已认识到原先的阿姆河流域治理规划及管理模式是有问题的，必须进行管理体制的改革，必须提出流域规划的新思路，必须适应市场经济提出的要求。首先是要提出流域治理规划的新思路，完善大江大河梯级开发的旧模式，然后按新的管理体制及市场经济关系进行管理，才能改变旧模式、旧体制、旧关系造成的水利建设的一些负效应。回顾50年来阿姆河治理规划的发展过程，可以看出在最初是提出保证下游航深及防洪要求，以后又提出了两岸的灌溉要求和上游的水力发电要求，最后提出了梯级开发及水资源综合利用的要求，但是始终未提及人类经济活动对阿姆河全流域的生态环境产生的影响问题。现在提出的水利规划的新思路，就是要把河流及水库定位为一个“生物—地球系统”，大江大河的开发，不仅只考虑水资源的开发，还要结合流域中土地资源、生物资源、矿物资源、旅游资源、动能资源及人类经济活动对自然环境的作用和整个流域的生态系统相互之间的作用和关系。例如，一个水库的运行，包括径流调节，应该不破坏有正常功能的流域生态系统。阿姆河中、下游近年来的过量引水造成下游断流及咸海水位的急剧下降，破坏了流域生态系统的正常功能，这是明显的没有把阿姆河水资源利用定位到“生物—地球系统”的一个实例。因此，在进行阿姆河流域规划的修订工作时，必须考虑这一新思路，即“人类应找到一个与流域生物界保持平衡的方法才能生存，要把整个流域定位于一个生物—地球系统整体”。按规划修筑的水库梯级的运行应考虑在生态系统、社会、生产和动力等各方面利益的协调，要考虑水库中沉积的无机物及生物状况与正常生态环境的适应性，经水库调节下泄的水应该是符合标准水质的水，以形成一个高产、优质的环境等。这个新思路对于修订黄河流域水利规划也是值得考虑的。

3.2 河道整治的经验总结

阿姆河河道整治的目的是防洪及保证中、下游无坝引水的广大灌区的灌溉，也就是防止汛期出现坍岸（滩）水流的危害、造成大堤决口、洪水泛滥或河滩地大规模的坍塌的危害，以及因滩地太宽，游荡性河道左右摆动，造成河道主流或远离灌区引水口，或大溜直接顶冲进水口威胁工程安全。河道整治的重点河段是中游无坝引水灌区及下游土雅姆水库以下河段的游荡性河道。主要措施就是从两岸修建对口丁坝，缩窄河道，淤滩刷槽，既稳定河势，又加大泄洪能力，经中亚灌溉研究所50年来在野外及室内进行研究及模型试验，制定了阿姆河下游游荡性河道的整治规划，并陆续在阿姆河中、下游按规划修建了堤防及横堤（丁坝）工程。整治工程虽至今还没有全部完成，但我们考察阿姆河游荡性河道整治工程时,看到河势已基本得到控制,无坝引水区可以保证引水,下游游荡性河道也已基本稳定。汛期仍有坍滩现象,但是不像过去那样严重了。从整体来看,河道整治是有效果的。根据阿姆河已经进行的河道整治工作,结合黄河的开发治理,我们对阿姆河的河道整治经验进行了总结,提出了一些看法。

3.2.1 阿姆河河道整治值得借鉴的经验

(1)充分利用洪水期窄深河槽泄洪能力大、输沙能力强、洪水期主槽产生强烈冲刷的特性,使整治河宽缩窄到 600～800m,增加洪水期对主槽的冲刷能力。

(2)充分利用游荡性河道洪水期大水趋直,主流走中弘的河势变化特点,因势利导地布置整治工程,使对口丁坝的间距达到 800～1 000m,甚至更大,为工程节省投资提供了可能。

(3)利用上挑丁坝壅水的特性,在丁坝的上游区形成回流(水垫),促使洪水期泥沙落淤,不断地抬高滩面,增大滩槽高差,形成高滩深槽,目前阿姆河整治稳定段滩槽差在 3m 左右。

(4)利用与黄河抢险几乎相同的材料与施工方法(均靠洪水冲刷、坝体坍塌形成抗冲基础),设计出汛期不抢险坝,确保了流路的稳定。

(5)由于高滩深槽的形成,从而规顺了流路,使小水不出槽,即使坐湾也不会对堤坝的安全产生危害,只会造成滩岸局部坍塌。

(6)由对口丁坝及横堤组成的整治工程,坝头经常靠河,提高了防洪工程的利用率。

(7)阿姆河河道整治需对要整治河段的一次性投资大,且两岸的工程应同时进行,并最好由上游向下游逐步展开,以便稳定入流方向,为下游工程兴建创造条件。

总之阿姆河的整治实践为我们提供进一步整治游荡性河道的技术措施,当然应用于黄河时应根据实际情况作出相应的调整。

3.2.2 黄河下游游荡性河道进一步整治要解决的问题

黄河下游游荡性河道整治已经取得了很大的成绩。目前的游荡范围缩窄到 3～5km,确保了黄河下游几十年不决口,为华北平原的经济发展创造了稳定的条件。治理第一阶段减少游荡范围的任务已基本完成。随着小浪底水库的投入运用,现在进行进一步整治的条件已基本具备。

根据阿姆河治理经验,对黄河下游游荡性河道进一步整治需要解决的主要问题提出如下几点看法。

(1)整治工程设计要能有效地控导河势。不要因为入流方向和位置的不确定,从而使着流的位置也无法确定,造成控导工程不断地下延上接。

(2)控制滩地坍塌。防止小浪底水库投入运用清水下泄后,下游河道重复出现三门峡水库20世纪60年代下泄清水时,塌掉高滩淤出低滩,河道在摆动中下切,河道虽冲深了,水位也会有所降低,但不能形成高滩深槽,因而无法有效地控导流路,形成稳定的河道。

(3)要提高河道的输沙能力。小浪底水库调水调沙运用,虽然可以使洪水挟带更多的泥沙,若河道输沙能力不能提高,无法充分利用下游河道在洪水期的输沙潜力多输沙入海。

(4)本着利于防洪排洪、保安全的原则规划流路、布置整治工程。防止因河道整治造成的流路过分弯曲,不利于排洪输沙的情况发生。

(5)黄河下游游荡性河道需要进一步整治。在游荡河段比降陡、河床组成松散、抗冲能力极差、河道极不稳定的情况下,必须两岸同时整治才能使河道的稳定性增加,确保防洪引水安全。

3.2.3 关于进行试点和进一步开展研究的建议

随着小浪底水库的投入运用,初期在淤积205m以下17亿m^3堆沙库容的3~4年内,水库下泄清水,会造成高村以上河段的强烈冲刷,当清水流量较大时会造成塌滩使河槽展宽;在水库正常调水调沙运用期将利用洪水排沙,从而可以控制小水挟沙过多造成河槽严重淤积,使更多的泥沙由洪水挟带输送,为游荡性河道的整治创造了有利的水沙条件。目前黄河下游的情况与20世纪80年代初阿姆河土雅姆水库投入运用初期很相似。从防洪防止河道游荡,多输沙入海减淤,改善引水条件等多方面考虑都希望把游荡性河道治理成窄槽宽滩,利用河槽输水输沙,宽滩在大洪水时滞洪滞沙削峰,确保防洪安全。阿姆河的整治实践为我们提供了实施的可能。

目前在黄河下游游荡河段的整治上存在着分歧,在相当长的时段内很难统一认识,应该承认这个客观事实。不同学术观点的争论是科学发展的动力。同样对下游河道整治问题上的不同认识,也会促使我们尽可能地把工作做深入,使国家有限的资金用得更好些,黄河下游游荡性河道治理得更好些。

为此我们建议在下游目前无法布置工程的河段，或难以控制的河段，布置对口丁坝，进行试点，取得经验后再扩大推广，这样做有利于加快黄河下游河道的治理速度，既稳妥又安全。为此我们建议进一步开展以下研究。

(1)研究河段可选择在至今尚未布置整治工程的府君寺、曹岗至东坝头河段；伊洛河口至孤柏嘴河段等。

(2)在难治的河段进行重点试验研究，如赵口以下开封河段，修建一些丁坝使水流尽量规顺，防洪工程靠溜。

(3)研究高村以上的游荡性河段进一步整治的可行性及对艾山以下窄河段冲淤的影响。

(4)研究坝头新的工程结构型式，降低工程造价，节省投资。

3.3 咸海及滨海区的生态环境和北水南调问题

咸海是世界第4大湖，面积6.6万km^2，水体容量10 600亿m^3，有渔、盐、航运、调节气候之利。1960年之前，海水位一直在53m±10cm的高程上，变化不大，但此后随着流域内灌溉面积和引水量逐年增加，流入咸海的水量则年年减少，目前是每年10亿～50亿m^3的水平，而1960年以前则为500亿m^3。从阿姆河引出的水量则从1960年的230.6亿m^3增加到目前的452亿m^3，加上蒸发损失、下渗损失，所以在少水年就几乎没有多少水流入咸海了。很多专家对阿姆河水量平衡进行的研究结果表明，造成咸海目前这种生态危机的原因是阿姆河两岸国家的灌溉面积增加和从阿姆河引水失控，也就是人类不合理的经济活动造成的直接后果。阿姆河流域各国地处中亚干旱区，没有灌溉就没有农业。随着各国人口的增加，为了解决吃饭问题和发展经济(如增加棉花产量)，各个国家都想扩大自己的耕地面积。扩大耕地面积就要增加引水量，很多专家早就看到了这一趋向，并向当时的苏联政府提出建议，说咸海迟早要出问题，要解决咸海缺水问题，必须从多水的苏联北方河流调水到南方缺水地区来，如中亚及咸海地区。这就是苏联的北水南调计划。苏联政府接受了这一建议，并于1975年第25次党代表大会决议中提出了具体意见："要着手进行这样一些重大问题的研究，如引调北方、西伯利亚河流的径流到伏尔加河流域、哈萨克和中亚地区。"随后，全苏水利设计院和其他50多个单位共同设计和研究从西伯利亚河流调水到中亚地区的第一期工程，按这个计划，第一期工程将调水250亿m^3水量，在2000年之前实行第二期工程，调水量将达到600亿m^3。其中调入阿姆河的水量分别为140

亿 m^3 和 300 亿 m^3。正是在这样的决议下，阿姆河流域各国才大力扩大自己的灌溉面积和大量从阿姆河引水，但是谁能想到以后不久苏联解体，各国独立，北水南调工程搁浅中止，西伯利亚的水调不过来，流入咸海的水量又不足，从而引起咸海水位急剧降低，水面缩小，地下水位降低，滨海地区土地由湿相转变为半湿相，再转变为干旱相，大片土地开始沙漠化，一系列生态危机由此产生。从西伯利亚鄂毕河调水到中亚的第一期工程只是修建了额尔齐斯卡拉干达运河，长 458km，年引水量 23 亿 m^3，1975 年建成。第二期拟延伸该河到杰兹卡兹甘，往南调水到锡尔河，再朝西流入阿姆河，全长约 2 500km。由此可见，要将西伯利亚鄂毕河水调入阿姆河还有大量工程要做，苏联解体后，一没有资金，二没有人拍板，这项工程就显得遥遥无期了。虽然从技术上来说，修建这样一条调水渠道是完全可能的，但是如果政治条件不成熟，这件事也办不成。此外，要解决咸海缺水问题，还可动用阿姆河、锡尔河上几座总库容达 350 亿 m^3 的多年调节大型水库进行径流调节。但也由于努列克、罗贡水库位于塔吉克斯坦，托克托吉尔水库位于哈萨克，无法进行统一调度而调不了水。只能眼看着咸海年复一年的降低水位，生态环境严重恶化。而黄河上前几年也曾断流，但 2000 年却由于上游多年调节水库的合理放水，使黄河免于断流，这是我们能够统一调度的结果。借鉴咸海生态环境方面存在的问题，解决黄河缺水及改善生态环境的问题，看来也需坚持这几条：①南水北调，引南方大江大河多余的水解决北方缺水问题；②实行全流域梯级水库的统一调度，进行最优化的径流调节；③大力推行节水措施，要靠自己的力量保护、节省宝贵的水资源，如农业要执行严格控制的用水定额和收费制度；④从保证全流域良性生态循环着手论证南水北调工程，并采取严格的水资源保护措施，建立南水北调沿线的森林水源涵养区（林带）；⑤健全水资源保护方面的立法，加强水资源保护的管理和水质监测，避免水体污染。

4 未来发展方向、发展规划及主要措施

从阿姆河治理经验和模式的分析、研究可以看出，阿姆河的开发治理可以总结为两句话：一是成绩很大，二是问题不少。为了解决问题，乌兹别克斯坦等中亚国家（咸海流域各国）已经意识到这些问题的严重性和迫切性，因此，随着苏联解体后各国改革开放的潮流，阿姆河流域各国也已着手采取改

革措施,提出发展方向和措施、方略,包括防洪和河道整治、水资源、环境、工程管理、工程建设、机构改革、政策法规、国际条约等。主要包括流域规划新思路和管理体制改革、新技术—高科技的应用和按市场经济规律的要求治河三个方面。

4.1 流域规划新思路及管理体制改革

根据近百年来国内外流域规划的经验,无论是美国的"多目标开发"或苏联的"综合利用",都可以看出实际上并非"多目标"或"综合利用"。不是偏于发电,就是偏于防洪,不是偏于灌溉,就是偏于航运,而最早的治河目标就是单纯保证航深。"考虑片面不计后果"是大家对流域规划普遍不满的原因。现在,阿姆河流域治理出现了一系列新的问题,也给阿姆河流域各国政府及水利界提出了新的课题。首先应该考虑的是:阿姆河是一条国际河流,不可能采用过去的由中央政府统一规划、调度的管理体制了。无论从阿姆河水资源利用的统一规划上,还是从工程修建的资金上,都要阿姆河流域各国共同协商解决,特别是在其水量分配上,更需要大家商量决定。因此,必须建立一些国际组织,具体地说就是建立中亚五国水资源管理的国际组织,并采用地区行政及全流域的水资源整体管理原则。为了完善阿姆河的水资源管理体制,目前已成立了"国际水利协调委员会"、"国际救助咸海基金会"、"阿姆河流域水利集团"及其咨询机构"阿姆河流域水利理事会"和执行机构"流域水利管理局"。

国际机构的任务是:①完善中亚地区水资源共同利用和保护的国际分配定额和权益法规;②结合中亚地区的生态和经济特点,完善中亚地区水资源的管理工作;③制定解决咸海问题、河口三角洲地区的水利建设和滨海区生态卫生问题的政策;④按市场经济要求,逐步建立水利土壤改良系统的运行机制,建立用水户协会及流域管理系统;⑤进行灌区土地的综合性改造,建立流域及渠系的各级管理、监控自动化系统。

阿姆河流域水利集团,也可叫做"阿姆河流域水利委员会",它的成员由地区行政领导和土地、水资源、环境保护等各主管部门领导组成,其主要任务是作出流域内水土资源管理决策,如实现全流域水资源的统一管理(地面水、地下水、回归水);各灌区又按灌溉系统分级管理,与当地行政领导脱钩;水资源管理又包括合理用水、灌溉地的土壤改良、环境保护和水质监测等。流域管理机构确定之后,还要随着时间的推移,在出现新问题时,不断地完善其管理职能，使之更合理、更完善。

流域规划思路问题，在西方国家，包括苏联在内已争论了很长时间。如何正确对待修建梯级水库、综合利用水资源？如果不修水库就不会出现目前那样生态环境遭到破坏危害人类的情况吗？赞成派、反对派都发表各自意见。但总的看来，破除各个梯级水库大坝是不现实的，破了大坝，放了水就能解决问题吗？主要的问题在于端正流域规划思想，提出能够防止破坏生态环境、保证正常的生态循环的流域规划新思路。这个新思路就是编制流域规划时一定要把流域定位于生物—地球系统的一部分，要把规划中的每一个水库看做是生物—地球系统的一部分，应考虑流域中水资源、土地资源、生物资源、矿业资源、旅游资源及动力资源的利用要与水利环境和生态系统协调一致。要有一个与生物界保持平衡的方法，使流域中各种资源得到合理利用，一个水库的规划、设计、运行也是如此。由此可见，无论是河流水库中的水质污染，或是河流水库中有毒物的沉积，都是流域中人类活动（引水灌溉、废污水排泄、农田中化肥与农药的使用等）对流域中生物（包括人类自己）的生态环境影响缺乏论证所致，以往的流域规划中片面地考虑灌溉、航运、发电、防洪等单方面利益的缺陷就很明显了。

根据阿姆河流域规划的经验与教训，特别是黄河流域自然特性与阿姆河有很多相似之处，阿姆河的流域规划实在是可以作为黄河规划的借鉴。如果引入其“把流域作为生物—地球系统一部分”的新思路，那就需要修订原先的黄河流域规划，并且要做大量的有关方面的工作，使黄河流域规划成为一个更加完善的规划，使南水北调工程能得出更好、更多的效益。

还要补充的是：乌兹别克斯坦为了协调用水户与水利部门的关系以及适应市场经济体制，已经制定并通过了很多新的法规。以法律来保证流域规划的顺利实施。

4.2 新技术、高科技的应用

阿姆河流域的管理工作基础较好。例如在监测、预报、水资源管理上早已采用了各种数学模型、自动化监测系统、航天监测相片判读等现代高科技手段，现在面临的任务是要进一步完善在流域管理工作中采用的数学模型，更新观测、监控的自动测报手段和改进预报方法。我们在参观瓦赫什河上的努列克水电站时已有所感觉，像这样 300m 高的土石坝，105 亿 m^3 的库容，270 万 kW 装机容量的水电站，其规模均比我国的三门峡水电站大得多，但是我们在参观时，没有看到多少人。除在水电站主控室有两个值班人员，在大坝上有几个警卫人员及操作人员外，没有多少管理人员。在水库水体的测量、监控、电站运行、分水闸、进水闸等管理工作中均已采用自动化技术。

4.2.1 数学模型及电子计算机应用

数学模型及电子计算机应用比较广泛，如在阿姆河水资源监测和分配方面，负责中亚五国水资源分配工作的国际水利协调委员会拥有咸海流域水土资源信息系统。该系统由各种数据库、地理信息系统、专用程序组合及各种数学模型构成，由中亚5个国家派出的专家组在1996年建立。经数学模型处理的成果可提供给委员会领导作为阿姆河—咸海流域的水质、环境监控、预报和水量分配的决策依据。乌兹别克农业水利部中亚灌溉研究所也有这样的数学模型，对水库、河段及水工建筑物系统进行水量分配及运行的优化管理。

4.2.2 利用航天技术观测、监控水土资源状况

咸海及阿姆河流域的生态环境问题目前是重点关心的问题，乌兹别克科学院水问题研究所及中亚灌溉研究所均已提出将航天测量信息和地面电子信息系统结合起来，监控水土资源现状及农业生产现状。在地面上各测点安装的信息传感器通过四通八达的电话线网络与地面电子监控系统连接，可以及时测报土壤盐渍化程度，河水、灌区退排水的矿化程度，地下水位高程，植被及生态平衡状况，进行水土资源及农业生产的管理。

4.2.3 建立地理信息系统

由国际水利协调委员会科学研究中心建立的地理信息系统，收集现有有关水文地理、经济地理、农业地理等信息数据，经电子计算机处理后的数据可用图、表形式显示在屏幕上，很方便地应用于国际、国家、各州甚至各区、各行业间的水量分配，分析和预报各河流的来水量(上游的、区间的)，进行水文预报，分析和预报人类活动对环境的不良影响及其可能后果，作出中亚地区各国经济的稳定发展预测。

4.2.4 建立水资源自动化管理系统

根据阿姆河流域缺水及信息和管理系统的现代发展水平，采用加拿大生产的SCADA自动化系统，实现乌兹别克(各条河流、水库等)水利系统及灌区渠首建筑物管理自动化系统的现代化。

4.3 按市场经济的要求治河

苏联解体后，中亚国家均已独立，总的发展方向就是改革和实行市场经济机制，为此，阿姆河及咸海流域各国水利部门也提出了这个课题，具体做法就是成立用水户协会，这样在各国水利部、各州水利局与各地用水户协会之间就建立了供水户与用水户之间的供求关系，并用法律形式规定其义务和责任，实行供水有偿服务，同时提出对水质的要求及对化肥、农药等的各种限制、限定，超量用水或污染水质均要罚款。国家也用这种办法建立国家水体生态状况总体监测系统，以水、土资源的良好环境保证水、土生态系统的良性循环，防止污染。

综观阿姆河流域治理经验及其目前存在的问题，结合其未来的发展方向、发展规划及采取的主要措施，可以看出，阿姆河水利资源的利用主要在于上游发电，中、下游灌溉，因为中亚地区是干旱地区，没有灌溉就没有农业，所以一定要把灌溉用水放在第一位。阿姆河流域目前存在的问题是缺水和咸海水位下降引起的严重生态环境问题，要解决这个问题，第一是要节水(包括规定灌溉定额，提出节水灌溉方法，如根灌、滴灌等)，第二是全流域合理调度(利用多年调节水库等)，第三是北水南调。至于阿姆河的水污染及水资源保护问题，以及由于中亚地区缺水，入流咸海的水量大减引起的咸海生态危机问题，已经引起中亚五国及联合国的重视，而且提供 3.8 亿美元来治理咸海的生态灾难。目前已经成立了解决中亚五国合理分配水量的国际组织，并提出了一些加强阿姆河水质测量、监控的措施，确定了如下一些有关水资源保护、免除污染的科研课题。

(1)全面研究水体的污染和自净过程；研究污水进入水体，经过紊流扩散作用下污水的混合，水体复氧过程等，以确定这些现象和基本规律，以及对水质、生物、鱼类的作用和影响。

(2)研究灌区农田径流和畜牧场排出的污水中生物物质和化学杀虫剂、除莠剂等的动态和影响，研究防止其不良影响的方法。

(3)研究水体沉积物对河水等水体水质的影响及其自净过程。

(4)根据水情和人为影响，研究水质预报。

(5)研究水体污染物质的极限允许浓度，以及水体环境容量。

(6)水体水质的数学模型研究。

(7)水质的自动化监测系统及其仪器的研制。

几十年来在阿姆河中、下游进行的大量河道整治工程，包括堤防及横堤丁坝系统，目前已基本上可以控制洪水泛滥及保证大灌区无坝引水口的正常引水，但仍需继续完成中、下游河道整治的横堤——堤防修筑规划。

考虑到中亚五国有较好的技术基础，有较多的技术干部，加上高新技术在阿姆河治理中的应用，流域规划的修订和完善，其未来发展方向是好的，阿姆河的水利资源在新世纪将更好地为其两岸人民服务。

附件 2 伏尔加河治理开发基本情况

伏尔加河是俄罗斯欧洲境内的第一大河，其流域面积约占俄罗斯欧洲部分国土面积的1/3，流域内居住有5 900万人，约占俄罗斯总人口的40%，其工业产值约占全国的一半，农业产值超过全国的40%。伏尔加河及其支流航运发达，年货运量曾超过3亿t，占全国内河货运总量的70%以上。俄罗斯淡水鱼总产量的5%、鲟鱼的90%，都来自伏尔加河流域。因而，伏尔加河被称为俄罗斯的母亲河。20世纪30年代开始进行大规模梯级开发，至20世纪80年代已基本完成，积累了丰富的治理开发经验。

1 流域基本情况

1.1 自然地理概况

1.1.1 概述

伏尔加河全长3 688km，流域面积138万 km^2（详见正文图3-3），发源于海拔228m的瓦尔代丘陵的沃尔加韦尔霍维耶村附近，河源只是一条宽1～2m的小溪，但是它从一个湖流经另一个湖而逐渐扩大。伏尔加河在接纳谢利扎罗夫卡河之后，已由溪成河。流经上沃洛克冰碛垅急流段后，进入伏尔加河上游低洼地，在特维尔市附近河宽已接近200m，多年平均流量176 m^3/s。伏尔加河在伊万柯夫以下，河谷收缩变窄，跨越乌格利奇—丹尼洛夫、加利奇—丘赫洛马等冰碛垅峡谷，由于接纳了左岸的莫洛加河、舍克斯纳河、科斯特罗马河和温扎河的河水后，到戈罗杰茨，流量已接近1 500 m^3/s。往下游，至下诺夫哥罗德市奥卡河口进入中游，伏尔加河上游全长约1 327km。中游由于奥卡河入汇，伏尔加河水量提高了近一倍，年均流量达2 870 m^3/s，河宽也增大了一倍。奥卡河口以下左岸长达30km的地带为草甸河漫滩，满布旧河床、牛轭湖、汊河。再往下是一片河漫滩阶地，高出河面10～50m。伏尔加河从奥卡河河口以下，右岸高陡，有的地方多森林。伏尔加河流域在喀山市以上，流域为森林地带，从喀山往下穿过森林草原带，而从日古里山以南通过草甸带。

伏尔加河接纳卡马河后，流量剧增（卡马河多年平均流量为

4 100m³/s)，在萨马拉市流量已接近 8 000m³/s。从伏尔加格勒往下，水量不再增加，由于没有支流汇入，加上蒸发与渗漏，水量有所减少，天然情况下，减少量为 2%。卡马河口以下进入下游。伏尔加河中游长约 511km，下游长约 1 850km。

伏尔加河在萨马拉形成急转的河曲，绕过日古里山进入下游，此时伏尔加河的水面很快便处于世界海洋水位之下，因为当今里海的水位是 -28m。

伏尔加格勒以下，伏尔加河流向东南，很快分成许多汊流，其中最早分出来的是伏尔加河最长的一条汊流阿赫图巴河，长达 520km。

阿赫图巴河汊以下的伏尔加河河谷称为伏尔加—阿赫图宾斯克滩地。伏尔加河三角洲洲头至洲尾这段长度约为 450km。滩地宽度变化范围在 15～45km之间，滩地面积约为 7 500km²，河漫滩上汊河与老河床很多。

伏尔加—阿赫图宾斯克滩地和伏尔加河三角洲并为一区即是一个独立的自然地理区域，其自然条件与周围的地区迥然不同。伏尔加—阿赫图宾斯克滩地上部横贯半荒漠带，而下部穿越荒漠带。

伏尔加—阿赫图宾斯克滩地是一块独特的绿洲，自伏尔加格勒延伸到阿斯特拉罕近郊一带。该滩地和伏尔加河三角洲上河汊纵横交错，总数达 279 条，长度累计在 4 800km 以上，其中有 12 条汊河长在 50～100km 之间，有 3 条在 100km 以上。

从伏尔加河分流的布赞汊河公认是伏尔加河三角洲的洲头，距伏尔加河河口为 150km。三角洲面积约 12 000km²，这一数字随着里海水位的多年变化而不断变化。伏尔加河三角洲的区划见附表 2-1。

附表 2-1　　伏尔加河三角洲区划

三角洲区	地带
水上三角洲冲积平原	上带 中带 下带
水上水下三角洲的过渡区	海湾带
水下区	前三角洲沙洲带
前河口地域、前河口海滨、河口海滨	临前三角洲近海带

上带指阿赫图宾斯克滩地与三角洲之间的过渡带。此处旧河床甚多，河汊却很少，没有贝尔小丘。沙洲高出枯水位3～4m。植被以禾本科植物和杂草为主，河汊两岸有走廊式的柳林带，宽为40～50km。

中带内贝尔小丘多，苇塘不少，河汊纵横交错。这些河汊可分割成或大或小、不稳定、时而渐渐展宽、时而消失的支汊。沙洲高为1.5～3m。山间、海湾和草原边缘遍地是苇塘。海湾苇塘深度不超过1m。其面积为若干公顷至几平方公里不等，带宽为30～50km。丘陵区段的植被多半是杂草，低洼区段丛生芦苇和香蒲。

下带的特点是河汊分流更为强烈，海湾苇塘遍布，贝尔小丘很少。沙洲高几十厘米至2m不等。古冲积水上平原为赫瓦伦斯克沉积。该带的上界大半遍生杂草，也广布柳林，往下有一宽大的芦苇丛带，低地香蒲丛生。该带宽为6～20km，随着三角洲向外延伸和河汊部分消失，该带界限顺流而下移。

水上水下三角洲过渡带同时也是海湾带。该带始于三角洲河汊的河口下游。这里泥沙沉积量最大，形成新的沙洲和未来的苇塘。水体面积比沙洲面积大。

在水量最大的河汊入海处的三角洲区段，沿河汊边缘沙嘴发育，三角洲向里海推进较快。相反，在河汊消失的三角洲区段前面，形成缓流淡水湾，人们称之为海湾。汛期海湾水深为0.8～1.3m，而在枯水期水较浅，甚至干涸。

三角洲的水下区域可分为前三角洲沙洲区和前三角洲本区。前三角洲诸沙洲一般为海相沉积，可是在海湾带以冲积土沙洲为多。沙洲区的下界线沿海上沙洲南端通过。该带宽度为20～40km。

前三角洲本区宽为20～45km，位于沙洲带和2m等深线带之间。多为水深不到1m的区段。此带沙洲很少，水下沙嘴极多。

属于三角洲下缘的上述各带分界线，随水位变化而有很大变化。若水位下降快，海湾带宽阔，就出露许多新沙洲。若水位稍有大幅度上涨，海湾带和沙洲将自行缩小。通称为“近三角洲海区”的浅水海带，以2m等深线外为起端。

伏尔加河流域绝大部分位于俄罗斯平原，只有10%的流域面积位于乌拉尔山区。伏尔加河总落差为256m(河源高程228m，河口为-28m)，平均比降0.7‰，为典型的平原河流，其上游段平均比降为1.16‰，中游为0.65‰，下游为0.29‰(附图2-1)。

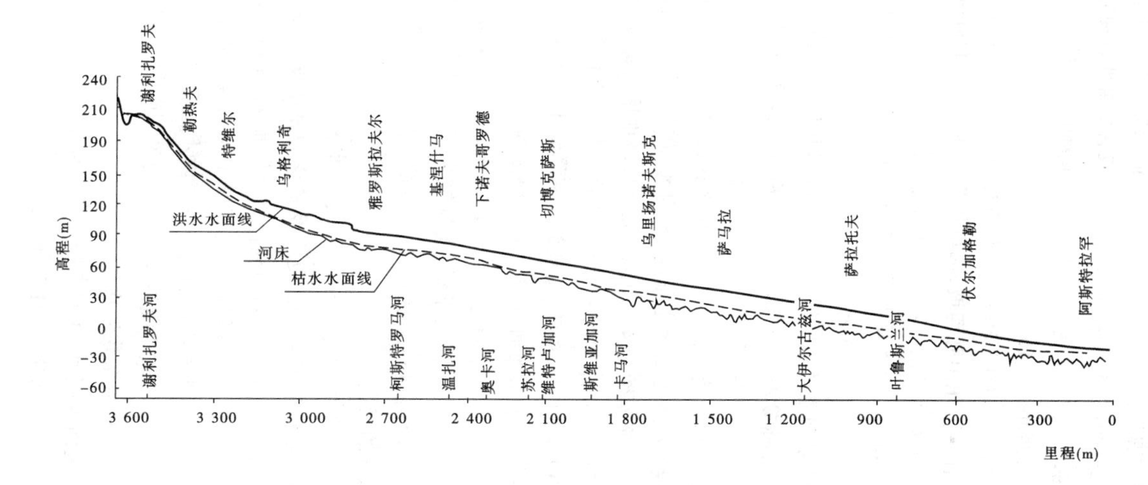

附图 2-1　伏尔加河纵剖面

伏尔加河流域位于温带，由于其流域面积大，不同纬度的气候带差异明显，东南部具有大陆性气候的特征，而乌拉尔山区的气候垂直地带性表现突出。

伏尔加河7月平均气温下游为24～25℃，北部为17～18℃，1月平均气温西南部－7～－8℃，西北为－16～－17℃。伏尔加河下游地区年降水量为200～250mm，中游地区为400～600mm，上游地区及支流卡马河为600～780mm，最大降水量在乌拉尔山脉西坡，那里年降水量可到1 000mm，甚至更多一些。夏季雨量占年降水量的60%～75%，冬季全流域均为雪所覆盖，下游地区积雪日为50～60天，中游及上游为140～160天，在支流卡马河上游及乌拉尔山区积雪日为180～200天。

伏尔加河流域的景观条件差别很大，左岸喀山和白河以北地区及乌拉尔地区是原始森林带，森林覆盖率平均为75%～90%，只是在南部边缘地带降低到50%～70%。该地区气候湿润，年平均径流模数为4～5L/(s·km^2)到8～9L/(s·km^2)。在乌拉尔山区甚至超过10L/(s·km^2)。伏尔加河与奥卡河河间地区为混合林带，森林覆盖率也很高，平均为60%左右，耕种面积不大，湖泊与沼泽地很多，径流模数为4～8L/(s·km^2)，该地区与原始森林带是伏尔加河径流主要来源区。伏尔加河中游及奥卡河右岸为森林草原带，该地区耕地已增加到总面积的50%～80%，植被覆盖率降到15%左右，径流模数很小，为2～4L/(s·km^2)。伏尔加河下游大部分地区为草原带及半沙漠带，该地区河网很不发达，径流模数不超过1.5～2L/(s·km^2)。在草原带耕作率很高，为60%～80%。由于气候极其干燥，支流极少，致使伏尔加河的径流沿下游有所减少。伏尔加河河口地区位于沙漠带，靠过境水量形成了长约600km，宽40～50km的绿洲。

伏尔加河的水量补给中融雪水占60%，地下水占30%，雨水只占10%。因此，天然条件下伏尔加河的春汛大，夏季及冬季为枯水期。经水库群调节后春汛期的径流量减少了，而枯水期的径流量有所加大，相应年内水位变幅明显减少。建库前伏尔加河上游年内水位变幅平均为4～8m，中游为10～11m，下游为5m，建库后即使在伏尔加河中游年内水位变幅也小于5～6m。

伏尔加河的水量平衡反映了温带湿润区的特性，年平均降水量662mm，年平均径流深179mm，径流系数为0.27。

伏尔加河冬季全河封冻，封冻的次序是自上而下(由北向南)，而解冻的方向则相反。天然条件下每年11月封河，封河期约10天；修建水库后封河期提前了3～5天，封冻期有所延长，每年120～140天。

伏尔加河每年输送泥沙2 600万t及溶解质4 500万t入里海，相应输沙模数为19t/(km²·a)，溶解质模数为33t/(km²·a)。建库后由于水库淤积，入海沙量每年降为800万t，而溶解质由于水质污染现已增加到每年6 500万～7 000万t。泥沙主要来自耕种率大的森林草原带及草原带，这些地区产沙模数达到100～200t/(km²·a)或更大一些，而流域平均产沙模数只有20～40t/(km²·a)，在森林带一般不超过5～10t/(km²·a)。溶解质主要来自奥卡河、伏尔加河中游及卡马河左岸硫酸盐与碳酸盐岩层地区，这些地区溶解质模数为150～300t/(km²·a)，而伏尔加河流域其他地区一般只有10～20t/(km²·a)。

1.1.2 水系组成

伏尔加河支流众多，河网密布，约有15 000条河长在10km以上的大小河流。有200余条主要支流，最大的支流有奥卡河和卡马河。伏尔加河干支流河道总长约8万km(附表2-2)。

附表2-2　伏尔加河流域各部分的长度及面积

河流名称	长度(km)	流域面积(万km²)	占流域总面积的百分比(%)
上伏尔加河	1 327	23.37	17
奥卡河	1 478	24.50	18
中伏尔加河	511	17.24	12
卡马河	2 032	52.17	38
下伏尔加河	1 850	20.72	15

伏尔加河出源头后经过一连串彼此沟通的低洼湖泊，下行穿过维什涅伏洛茨基冰碛山岭，形成石滩和急流。在斯塔利茨城以下，伏尔加河进入广阔而微有起伏的低地。在维尔察河与谢克斯纳河之间，伏尔加河接受了许多支流，其中右岸大的支流有：绍沙河、杜布纳河、涅瓦河；左岸有：梅德韦季察河、莫洛加河及谢克斯纳河。从谢克斯纳河河口到奥卡河河口，伏尔加河接受的最大支流是科斯特罗马河及温扎河。从源头至奥卡河口为伏尔加河上游，此段河长1 327km。

从奥卡河口至卡马河口为伏尔加河中游，长511km。中游河段接纳近40条支流，以右岸的苏拉河和斯维亚加河、左岸的维特卢加河为最大。较大的河流尚有克尔仁涅茨河、鲁特卡河、大科克沙河、小科克沙河、伊列季河、卡赞河、库德马河、松多维克河及齐维利河等。

卡马河口以下为伏尔加河下游,河段长 1 850km。伏尔加河接受卡马河以后,就变成一条浩浩荡荡的大河,卡马河口附近河谷宽达 21km,至捷秋希城与乌里扬诺夫斯克城之间宽达 29km。伏尔加河在察列夫库尔干附近绕过索科尔山形成长约 200km 的萨马拉河湾,古比雪夫水电站即兴建在此。伏尔加河在伏尔加格勒附近进入里海低地。在此分出一条左岸支汊——阿赫图巴河。此后,再无支流汇入。伏尔加河下游河段汇入的较大支流只有契列姆尚河、萨马拉河、大伊尔吉兹河及小伊尔吉兹河、耶鲁斯兰河等,各主要支流面积见附表 2-3。伏尔加河与阿赫图巴汊河之间的陆地叫阿赫图巴河漫滩。河漫滩总面积 7 500km^2;平水期面积为 900km^2。

附表 2-3　　伏尔加河主要支流

河　　名	注入方向	自河口到支流注入处的距离(km)	河长(km)	流域面积(km^2)	河口多年平均流量(m^3/s)
特维尔察河	左	3 252	190	6 760	
杜布纳河	右	3 159	165	5 831	
梅德韦季察河	左	3 079	259	5 850	
莫洛加河	左	2 895	592	37 210	
谢克斯纳河	左	2 862	425	47 000	
科斯特罗马河	左	2 655	389	19 240	
温扎河	左	2 507	550	27 250	
奥卡河	右	2 361	1 478	245 000	1 230
苏拉河	右	2 181	864	67 691	260
维特卢加河	左	2 144	800	40 313	
斯维亚加河	右	1 951	395	17 920	
卡马河	左	1 850	2 032	521 700	3 760
大契列姆珊河	左	1 615	407	14 200	
索克河	左	1 492	345	11 280	
萨马拉河	左	1 463	580	46 460	
小伊尔吉兹河	左	1 215	194	3 860	
大伊尔吉兹河	左	1 161	660	23 980	
耶鲁斯兰河	左	842	380	11 480	

伏尔加河在里海出口处形成广阔的三角洲，有80余条汊河，其中可以通航的只有巴赫捷米罗夫斯基河、老伏尔加河、布赞河及阿赫图巴河。

(1) 奥卡河。奥卡河是伏尔加河右岸最大和水量最多的支流，发源于中俄罗斯丘陵，地处奥寥尔以南，河源海拔226m，在高尔基城附近注入伏尔加河。奥卡河河口断面的多年平均流量1 230m^3/s，实测最大流量20 000m^3/s。

从河源至乌格拉河汇口为上游。奥卡河在此段穿行于曲折的峡谷中，河宽很少超过1km，接纳的较大支流有：乌帕河、日兹德拉河、乌格拉河。从乌格拉河到莫克沙河口为中游，此段接纳的较大河流右岸有：奥塞特尔河、普罗尼亚河、帕拉河、莫克沙河；左岸有：莫斯科河、古斯河。莫克沙河口以下为下游，此段最大的支流为右岸的莫克沙河和左岸的克利亚兹马河(附表2-4)。

附表 2-4 **奥卡河主要支流**

支流名称	流域面积(km^2)	河长(km)	河口年平均流量(m^3/s)	含沙量(g/m^3)
乌帕河(右)	9 740	338	–	–
日兹德拉河(左)	9 170	248	–	–
乌格拉河(左)	15 700	447	–	–
莫斯科河(左)	17 640	502	109	118
普罗尼亚河(右)	10 810	312	–	–
莫克沙河(右)	50 980	698	195	100
克利亚兹马河(左)	42 500	721	238	36～65

奥卡河上游含沙量为0.5kg/m^3，中游卡卢加附近为0.29kg/m^3，下游为0.1～0.06kg/m^3。大部分悬移质输沙量发生在春季，在中游约占年输沙量的97%。

(2) 卡马河。卡马河发源于乌德摩尔梯自治共和国喀尔普什基诺村附近，是伏尔加河左岸最大的支流。其左岸支流有维舍拉河、楚索瓦亚河、别拉亚河和伊克河，右岸有维亚特卡河等支流汇入(附表2-5)。

卡马河上游在低洼的沼泽中流过，河道极为弯曲。左岸支流维舍拉河注入后，卡马河变成右岸高、左岸低的宽阔的多水河流。在楚索瓦亚河汇口以

附表 2-5 **卡马河主要支流**

河　　名	注入方向	河长(km)	流域面积(km^2)
维舍拉河	左	453	31 270
楚索瓦亚河	左	802	47 600
别拉亚河	左	1 420	141 900
伊克拉	左	513	17 950
维亚特卡河	右	1 367	129 200

上 80km 的一段距离中,两岸变高,河床收缩,流速增大。卡马河在楚索瓦亚河口到别拉雅河口这一地段,河漫滩变宽,河床中出现心滩和岛屿。注入伏尔加河前,卡马河右岸高出水面 80m 以上,该河段河漫滩宽达 5km 以上。

卡马河流域冬季大量积雪,因而春汛水量很大,持续约 1 个半月至 2 个月。水位变幅在邦久戈村附近达到 7.5m。卡马河平均封冻期为 5～5.5 个月,即从 11 月末到翌年 4 月中。

卡马河的水量主要补给来源是融雪,在彼尔姆,融雪占年径流量的比重为 57%,地下水占 25%,雨水补给仅占 18%。卡马河径流的季节分配相当稳定,各季中春季最大,其次为秋季。

卡马河河口年平均流量 3 760m^3/s,平均年径流深 227mm,径流模数 7.2 $L/(s\cdot km^2)$。

卡马河总落差为 263m,平均坡降 1.3‱。

1.1.3 气候

伏尔加河流域位于温带气候带内,流域大部分地处俄罗斯平原,属于大西洋大陆性气候区。同时由西向东延伸,距与大西洋愈远,大陆性气候就愈明显。流域东部在乌拉尔山区,垂直气候带特征突出。流域气候特征是冬季西部比同一纬度的东部暖和一些,而夏季则较冷。

伏尔加河流域气候以纬向环流为主,但经常遇到以北极和地中海气团互相侵袭为特征的经向环流盛行的年份。这些年份的特征是大多数气象要素偏离正常季节变化过程。流域西部春季盛行不稳定风向,夏季以西风为主,秋季西北风和北风的天数有所增加。

伏尔加河流域西部 7 月气温最高,降水量最大,秋季降水量减少,但降雨天数却增加。秋冬两季空气相对湿度大,平均为 80%～85%,几乎经常是阴天。

东经 40°以东的流域东部,大陆性气候甚强,来自大西洋气团影响较弱。相反,冬季西伯利亚反气旋影响由西向东增强。森林地带内集水区东部冬季各月平均气温比西部地区低得多,而夏季气温则较高。在高尔基 1 月平均气温为 -11.6℃,基洛夫为 -14.2℃,乌法为 -14.6℃,彼尔姆为 -15.1℃,切尔登为 -16.4℃。入春后东部转暖较快,但常被回冷天气所中断(5 月底 6 月初)。这种回冷现象是由来自喀拉海北极气团侵袭所造成。仲春和春末经常盛行东南风。

仲夏降水量自下诺夫哥罗德向东移,变化甚微。7 月降水量约 70mm。集水区东部年降总水量比西部明显减少。例如在彼尔姆全年平均为 570mm,基洛夫为 694mm,而上沃洛切克为 726mm,加里宁为 783mm。

东部地区秋季气温下降比西部剧烈。此地 9 月平均气温比 5 月低。秋季月降水量比夏季几乎少二分之一。

草原气候区(其中包括下伏尔加河流域)的气候条件与伏尔加河流域西部和东北部差异很大。在集水区东南部多为东风和东南风,深入大陆形成气团,其频度超过 50%。该风冬季使气温下降,春夏两季使空气相对湿度大大降低。

冬季气温虽低,但比森林区东部高。1 月在古比雪夫平均气温为 -13℃,伏尔加格勒为 -9.6℃。相反,夏季在下伏尔加河流域甚热,如 7 月在古比雪夫气温为 20.6℃,伏尔加格勒为 24.2℃。白天气温经常持续保持在 30℃以上,有时竟达 35℃。

降水量向南急剧递减。在伏尔加河下游流域北部,古比雪夫年降水量为 345mm,再往南,伏尔加格勒地区仅有 250mm。春末和夏季经常出现干燥的东南风——热风。在南部,旱灾频度约 30%,经常出现夏季 3 个月降水量最多 50mm 的年份。

春季下游地区一个月(3～4 月)平均气温上升 10℃,某些年份达 15℃。秋季降温也快。10 月气温在零度以下的天数较多。在古比雪夫地区 10 月初降雪,而在伏尔加格勒约在 11 月 20 日前后。

伏尔加河流域东南边界地区包括阿赫图宾巴滩地下部、伏尔加河三角洲和里海低地相毗连的土地都位于荒漠气候区内。这些地区气候的特征是很强的大陆性气候,里海的影响甚微。北里海水浅,夏季水体升温快,冬季海域结冰。在阿斯特拉罕1月平均气温为－6.9℃，接近圣彼得堡1月份的气温。圣彼得堡位于北纬54°以北。7月平均气温为25.1℃。白天里海低地气温超过35℃的天数较多。在伏尔加河三角洲，炎夏从6月下半月持续到9月中旬。阿斯特拉罕年降总水量为216mm，阿斯特拉罕州的某些地区甚至只有175mm。

1.1.4 地质构造及地形

俄罗斯平原基部是前寒武纪古结晶岩。位于俄罗斯平原那一部分流域范围内，结晶岩基底全被沉积岩层所覆盖。在莫斯科地台向斜范围内，沉积岩基厚超过3 000m。在格拉佐夫(乌拉尔)地台向斜内，这一岩层厚度增至8 000m，而在里海地台向斜内，则在10 000m以上。

海拔低于200m的低地约占伏尔加河集水区的65%，而丘陵则占35%。俄罗斯平原平均高度为170m。低地间有丘陵，其高度略超过200～250m。达300～320m者少见，只有为数不多的山顶高达350～400m。丘陵就是伏尔加河流域与邻近流域的分水岭，也是伏尔加河个别支流流域的分水岭。

在流入威什涅沃洛茨水库的茨纳河的河源处，瓦尔代丘陵最高点达364m。瓦尔代丘陵的景观颇具特色，并有后期冰川作用的印记，而这一冰川作用早在公元15 000年前已经结束。在这里分布于岗垄间洼地的湖泊星罗棋布。地表森林覆盖率在60%以上，垦种利用程度不高。瓦尔代自然地理区域多属于针叶大阔叶森林亚带，只有北部属于南方原始森林亚带。土壤多石并有大块石。这是瓦尔代冰川作用边缘冰碛残积地理景观的典型特征。

伏尔加丘陵是俄罗斯平原最辽阔、海拔较高、地形各异的丘陵之一。在某些地段地形切割比较严重，颇像现在的山地。

俄罗斯地台褶皱中最大的一条沿伏尔加河自北向南延伸。有的地方出现褶曲，形成伏尔加坳褶，有时被称为俄罗斯地台的“节理”。狭长的伏尔加坳陷向南延伸，从喀山到伏尔加格勒扩展，在辽阔的里海低地消失。现在下伏尔加河沿此坳陷流过，而在以前的地质时期，先成的古伏尔加河也流过此地。

伏尔加丘陵各部山形孤立，各具特色。日古利山脉即有这种最独特的构造和景观。该山山脉总长为75km，位于萨马—卢加河湾中，伏尔加河从三面环绕。最高点是博加特尔山(高程370m)。该山与伏尔加河相距为4km，两者高差为320m。山坡深谷形如山峡。

在地质上日古利山脉是断层隆起的边翼。早在新生代初，这里已有古第三纪海。伏尔加丘陵这一部分隆起可视为阿尔卑斯山造山运动远移的反映。日古利山脉山坡被大阔叶林和松林覆盖。南坡的森林区段与森林草原景观交替相映。

伏尔加河及其主要支流都穿越低地，低地系在俄罗斯地台古坳陷处形成。伏尔加河沿瓦尔代丘陵进入上伏尔加洼地内。往下穿行于莫洛加—舍克斯纳低洼地南部，流经若干彼此相连的洼地，即雅罗斯拉夫—科斯特罗马、翁日阿、巴拉赫纳、马里、伏尔加中下游左岸和里海等。只有为数不多之地，例如在普廖斯和萨马拉—卢加附近，伏尔加河才穿过从两岸紧锁河槽的丘陵。

1.1.5 径流

伏尔加河水量很大。在上游加里宁站公元1896～1936年间多年平均径流量为57亿m^3，多年平均流量为182m^3/s。年平均流量变化在枯水年(1921年)的74m^3/s至丰水年(1908年)的303m^3/s之间。在高尔基站伏尔加中游水资源取平水年为507亿m^3，公元1876～1940年间多年平均流量为2 870m^3/s，下伏尔加河多年平均径流量在伏尔加格勒站为2 440亿m^3。伏尔加河在流入里海处径流量减少到2 430亿m^3。在伏尔加河水量最大的伏尔加格勒地区，公元1879～1962年间多年平均流量为8 380m^3/s。年平均流量变幅在枯水年(1921年)的5 180m^3/s至丰水年的(1926年)12 400m^3/s之间。1926年汛期伏尔加格勒站实测最大流量为51 900m^3/s，而在以伏龙芝命名的波利亚纳地区，同年实测流量为60 900m^3/s。

积雪在伏尔加河流域河水补给中起着主要作用。在雅罗斯拉夫站伏尔加河年径流量中，雪水补给占53%，地下水补给占30%，雨水补给占17%。就伏尔加河全河而言，雪水补给占其年径流量的60%，地下水补给占30%，雨水补给占10%。在自然条件下，伏尔加河径流量大部来自春汛(一般4～6月)。全河在该时期的径流超过年径流总量的50%。在帖提尤施站实测最大值为径流总量的66%。该站下游春汛径流在年径流总量中略有减少，而夏汛径流则有所增加。夏冬两季枯水径流占年径流总量的35%～50%。

1.1.6 水资源

水资源是流域社会与经济发展的决定性因素。伏尔加河流域的水资源包括河流、湖泊及水库的水、地下水、土壤水与大气中的水汽。伏尔加河地表水多年平均水量为2 510亿～2 540亿m^3，地下水资源量为400亿m^3，其中与地表径流不重叠部分为201亿m^3。

伏尔加河及卡马河不同保证率的年径流量如附表2-6。

附表2-6　　伏尔加河及卡马河主要控制站年径流量

河流	站名	不同保证率(%)的年径流量(亿m^3)					丰水年(亿m^3)	枯水年(亿m^3)	最大洪峰流量(m^3/s)
		50	75	90	95	97			
伏尔加河	雷宾斯克	332	278	237	214	200	559	156	11 600
	高尔基	507	434	372	341	320	818	255	17 800
	切博克萨雷	1 120	969	845	789	665	1 650	632	39 900
	古比雪夫	2 400	2 110	1 860	1 770	1 670	3 710	1 470	63 900
	萨拉托夫	2 450	2 180	1 960	1 840	1 760	3 780	1 490	
	伏尔加格勒	2 500	2 230	2 000	1 870	1 800	3 850	1 590	59 000
卡马河	卡马斯克	516	453	396	370	354	757	300	18 000
	沃特金斯克	557	490	428	400	383	824	320	10 500
	下卡马斯克	899	772	627	672	590	1 530	561	36 000

相对而言，伏尔加河年径流量变幅较小，但连续枯水年、连续丰水年与多年均值的差别还是很显著的，如1933～1940年为连续8年枯水段，年均径流量为1 900亿m^3，比多年均值少630亿m^3，而1978年开始的连续丰水段，年均径流量大大超过多年均值。

卡马河流入古比雪夫水库的多年平均流量为3 770m^3/s，多年平均年径流量约1 200亿m^3，奥卡河河口多年平均流量为1 300m^3/s，多年平均年径流量为410亿m^3。

伏尔加河流域每平方公里面积的水资源量为185 000m^3，人均水资源量4 500m^3，大大低于全俄罗斯相应的平均水资源量214 200m^3及29 000m^3。

总的来看，伏尔加河沿岸地区城乡发展用水是有保证的，但局部地区由于工业及人口过于集中，随着工业与人口的增长，水资源供给日趋紧张。

伏尔加河流域天然湖泊水资源量不大，90%的湖泊都是面积为0.01～1 km^2、水深小于1.5m的浅水湖泊，这些湖泊对于调节径流，滞蓄洪水有一定作用，伏尔加河流域最大的天然湖泊是白湖，该湖水面面积为1 290km^2，控制流域面积为 14 000 km^2，平均水深 4.5m，最大水深 20m，容积为 52 亿 m^3。

伏尔加河年可开采地下水资源量为 78.6 亿 m^3/a，目前年开采量为 51.7 亿 m^3。

1.2 社会经济概况

伏尔加河流域是俄罗斯民族兴起的核心地区，几百年来俄国和苏联首都的政治作用和优越的地理位置与交通条件，有力地促进了这一地区经济与社会的发展，俄罗斯首都莫斯科位于伏尔加河上游支流奥卡河的支流莫斯科河畔。现在伏尔加河流域是俄罗斯政治、经济和科学文化的中心地带，是全俄经济技术力量最集中、生产工艺水平最高和对俄罗斯贡献最大的地区，按工农业总产值居全俄第一位。伏尔加河流域按行政区划，共有 37 个直辖市、州及自治共和国，按经济区划，可分为中央经济区（包括莫斯科亚区与伏尔加上游亚区）、伏尔加—维亚特卡经济区及伏尔加河下游经济区。

1.2.1 中央经济区

该区地处东欧平原中央及许多河流的源地与分水岭处，绝大部分在伏尔加河流域，面积为 48.51 万 km^2，人口 2 930 万（1982 年），平均人口密度为 60 人/km^2，城市化水平较高，城镇人口占总人口的 80%以上。

中央经济区是苏联最重要的加工工业基地，工业总产值占全区工农业总产值的 90%以上，居于全苏之首，工业职工人数、生产规模及工业产值（占全苏的 1/5）均居全苏第一位。机械、化工、纺织是中央区的三大专业化部门。机械工业产值占全苏的 27%，以汽车、飞机、精密机床、工具仪表、电子计算机以及耐用消费品等部门最发达。中央区生产全苏 1/3 的金属加工工具、汽车、电视机、发电机、照明设备和仪器设备，1/5 的金属切削机床和1/2的铁路客运车辆。中央区也是一个多部门的综合性化工基地，主要部门是有机合成化工。其中化纤产量占全苏的 40%，化肥占全苏的 13%，合成橡胶、塑料也占重要地位。中央区又是最重要的综合性纺织工业基地，棉纺织产量占全苏的 70%，亚麻织品占 65%，毛织品和丝织品的产量各占 45%和 46%。中央区生产的机械产品的 4/5、纺织品的 3/4 和化工产品的 1/2 供应外区。本区所需要的全部石油、天然气、硬煤、有色金属、棉花及 90%的钢铁，以及绝大部分化工原料及 30%～50%的农副产品则来自外区。

中央区约有耕地 1 500 万 hm^2，其中谷物占全区农作物总播种面积的

50%，马铃薯与蔬菜占10%、经济作物占5%、饲料作物占30%以上。

在发达的工业和莫斯科城市群的影响下，中央区的农业以亚麻与马铃薯种植业、乳用养畜业和城郊农业为主要专门化部门。其中亚麻种植面积占全苏的1/3，麻纤维产量占全苏的24.4%（1975年）。马铃薯产量占全苏的20%，鲜奶占10%，蔬菜占10%，肉类占7%，谷物产量占全苏的5.6%（主要为黑麦和燕麦）。由于区内城市化程度高，大、中城市数量多，养畜业发达，农畜产品尚不能自给。20世纪70年代中期，区内主要农畜产品的自给程度为：谷物47%，肉类56%，奶类74%，蛋类70%，蔬菜和马铃薯85%。不足的部分靠中央黑土区和外区调入。在农业地域分工方面，亚麻种植业和乳用养畜业主要分布在该区的北部和西部，南部主要种植麦类和马铃薯，莫斯科城市群和各州中心的城郊农业发达。

中央区拥有稠密的交通运输网，全区铁路总长12 800km（1975年），平均路网密度为0.026 4km/km²，高出全苏路网密度的3.4倍。以莫斯科为枢纽的11条放射状及环形铁路共长4 500km。其中电气化铁路约占一半。区内公路总长10.6万km，内含硬面公路3.1万km。发达的交通运输网为本区经济发展提供了有利的条件。

根据工业发展水平、生产专门化与部门组合特点的地域差异，可将中央区划分为两个经济地域类型亚区。

(1) 莫斯科亚区。包括莫斯科市及莫斯科州，全亚区面积为4.7万km²，人口1 479万（1982年），分别占中央区面积的9.7%和人口的50.5%，城镇人口比重高达89.2%。莫斯科城市群、发达的城郊型农业和稠密的交通运输网是莫斯科地区地域结构的基本特点；以莫斯科为核心向外呈同心圆状的生产分布特点是莫斯科地区生产地域分布的基本特征。

莫斯科市是莫斯科地区的核心，位于伏尔加—奥卡河河间地的西部、莫斯科河及其支流雅乌扎河的交汇处。城市面积约1 000km²，人口约900万。莫斯科市是俄罗斯机械工业基地，汽车、飞机、精密机床、量具刃具、滚珠轴承、电工和仪表制造等工业部门齐全，化学工业和纺织工业也很发达，新兴的电子信息产业、数控机床、自动化、新材料工业发展很快。莫斯科是全俄最大的交通枢纽，有11条铁路从全国各地汇集于此。市内有3个河港，经莫斯科运河可与南北五海相通。莫斯科也是全国公路中心与航空枢纽，交通十分方便。莫斯科也是全俄的科学文化中心，这里有近80所高等院校及几千所科研院所。莫斯科与其周围地区(包括近郊城市群及郊区农业地区)已经形成了相互联系、互为制约的地域生产综合体。莫斯科周围地区的发展对于分散莫斯科的人口和工业、文教科研等职能,控制莫斯科市的城市规模,以及对莫斯科市经济的补充等,均起着十分重要的作用。

(2) 伏尔加上游亚区。该区包括弗拉基米尔、伊万诺沃、雅罗斯拉夫尔及科斯特罗马 4 个州,面积 15 万 km^2,人口约 507 万。城市人口占总人口的 76%,人口密度平均为 34.5 人/km^2,但城乡分布不平衡。北部林区人口密度低、城镇分布也很少,而南部的弗拉基米尔和伊万诺沃两州人口密度均为 55 人/km^2,城镇居民点数为全区的 63%。

伏尔加上游亚区为平原地区,大部分地域位于伏尔加河—奥卡河的河间地带,水陆交通十分方便。在历史上,这一地区处在俄国首都莫斯科和商业贸易中心下诺夫戈罗德的中间部位,又有方便的水路交通进行联系,因而这里开发很早,许多城市于 12 世纪已经出现。

伏尔加上游亚区以亚麻种植业和亚麻纺织手工业为发端,逐渐发展成为以综合性纺织工业为特色的地区。按纺织品的产量已超过莫斯科亚区,伊万诺沃州的棉织品及人造丝织品的产量,已占全俄的 30%。

弗拉基米尔和伊万诺沃两州以纺织工业为主导部门,机械工业和化学工业紧密为纺织工业服务。纺织工业主要分布于莫斯科以东和莫斯科东北的两条铁路沿线一带。伊万诺沃和弗拉基米尔两城市的周围分布许多以纺织工业为主导部门的城市和城镇居民点。伊万诺沃是这一地区的中心,人口 47.2 万(1982 年),棉纺织工业是主要工业部门,还有纺织机械、化工染料、泥炭挖掘机等部门,并设有纺织学院等多所高等院校。弗拉基米尔是历史古城,建于 13 世纪,有人口 30.8 万(1982 年),市内除纺织工业外,还有拖拉机制造、汽车工业、仪表及电机等工业部门,与莫斯科的生产联系密切。

科斯特罗马州及雅罗斯拉夫尔州的北半部森林加工工业和亚麻种植业比较发达,北部的铁路沿线分布有许多以森林采伐与木材加工工业为主的工业城镇。科斯特罗马是这一地区的主要中心,人口 26.2 万(1982 年),占该州人口的 1/3,是俄罗斯中央区的木材加工和亚麻纺织工业中心,附近建有俄罗斯最大的热电站。

雅罗斯拉夫尔是伏尔加河上游区的最大城市,有人口 61.4 万(1982 年)。它地处莫斯科的北大门,位于多条铁路与伏尔加河的交叉点上,是水陆交通要冲。城市形成于12世纪。1917年以前，纺织和食品工业已比较发达，现在它已发展成为一座综合性的工业城市。该市的工业与莫斯科的生产联系十分紧密，多为莫斯科的汽车工业服务，主要生产部门有石油加工、合成橡胶、汽车发动机制造和纺织等部门，其产品多供应莫斯科的汽车工业。

伏尔加上游区蔬菜与果树栽培业和乳用养畜业较发达，尤其河间地带的农业发展水平较高。

1.2.2 伏尔加—维亚特卡经济区

伏尔加—维亚特卡经济区是俄罗斯较小的基本经济区，面积26.33万km^2，人口835万，人口密度为31.7人/km^2，居于全俄的中等水平。人口分布很不平衡，全区2/3以上的人口和城市分布在南部的伏尔加河沿岸，而北半部的森林带人口较稀少。

地理位置与交通条件对伏尔加—维亚特卡区的经济发展及生产专门化有着决定影响。该区地处俄罗斯欧洲部分中部，伏尔加河横贯全区，是俄罗斯东部地区同西部地区联系的重要通道和“东能西运”的必经之地。区内有3条东西向的铁路干线穿过，将主要的冶金基地——乌拉尔与全俄最大的机械工业区——中央区联结在一起，不仅能就近取得乌拉尔的钢铁与有色金属，以及西伯利亚的石油、天然气和煤炭等多种能源资源，并且还可得到以莫斯科为中心的中央工业区的物资、科技力量等方面的支援；同时，通过伏尔加河以及纵贯全区的铁路线，将该区同北方经济区的伯朝拉煤田以及伏尔加河流域、北高加索、南乌克兰联结在一起，这对促进该区经济发展十分有利。

伏尔加—维亚特卡区资源较贫乏，较重要的有森林资源（木材蓄积量占全苏的1.8%）、泥炭和磷钙土等。区内发展工业所需要的燃料、原料绝大部分来自外区，加工的产品也大部分供应外区，区内多数农畜产品尚不能自给，因此可以认为该区属于加工工业区类型。交通运输机械（汽车、内河船舶、飞机）、电工机械（电缆、照明设备、电灯、电工仪表）、化工（塑料、合成树脂、化肥）及森工（木材采伐，木材加工与制浆、造纸）等是该经济区的主要专门化部门。其中机械工业为该区工业的主导部门，约占全区工业总产值的40%。20世纪70年代中期，该区木材年采伐量约3 000万m^3。森林工业主要分布在基洛夫州和高尔基州。

1980年，伏尔加—维亚特卡区有农业用地1 060万hm^2（占苏联的1.9%），其中耕地占3/4，草地和牧场占1/4。在全区700万hm^2耕地中，谷物种植面积占 60%，饲料作物占 30%，马铃薯、蔬菜和经济作物占 10%。乳—肉用养畜业、谷物和长纤维亚麻为该区农业的主要专门化部门。

伏尔加—维亚特卡经济区各地的经济发展水平及部门组合特点很不相同，全区大体可分为以下 3 个亚区。

(1) 下诺夫哥罗德亚区。该亚区位于下诺夫哥罗德州的南半部，它是依靠其优越的地理位置、方便的水陆交通条件，以及 19 世纪初作为全俄的马卡耶夫斯基贸易的基础上，由许多工厂手工业的村镇逐步发展起来的。十月革命后，通过多年的大规模建设，形成了以汽车和造船为主体的机械工业、石油加工与化工、制浆—造纸等为主要部门的综合性工业区。

下诺夫哥罗德不仅是该亚区的核心，而且也是伏尔加—维亚特卡经济区最大的经济中心和水陆交通枢纽。1982 年人口为 137.3 万。按工业产值和城市人口在俄罗斯联邦仅次于莫斯科和列宁格勒，均居第 3 位。

机械、石油加工与石油化工是下诺夫哥罗德市工业的主导部门。其中机械工业最发达，占全市工业总产值和职工总数的 60% 以上。下诺夫哥罗德市的机械工业中，以运输机械制造最发达，为苏联生产汽车、内河航船、飞机的主要中心之一。其中汽车产量约占全苏的 15%。此外，动力机械、机床及工具、无线电及仪表、造纸机械、林业机械和化工设备制造等也较重要。石油加工和石油化工是 20 世纪 50 年代后期新兴的工业部门，原油来自第二巴库和西西伯利亚(有复线大口径输油管相通)，20 世纪 70 年代末年加工原油能力达1 800 万 t。在此基础上，发展了基本有机合成工业(生产烯烃和芳香烃等有机化工产品)。

城市位于伏尔加河及其支流奥卡河的汇合处。市区坐落在伏尔加河右岸(西岸)，并被奥卡河分为东西两部分。东岸即奥卡河右岸是该市的行政、文教中心。奥卡河左岸(西岸)集中了全市 2/3 的人口。

下诺夫哥罗德市周围 50～60km 范围内形成了一个城市群，其中捷尔任斯克是下诺夫哥罗德城市群中第二大城市。位于下诺夫哥罗德经西通往莫斯科的铁路线上，奥卡河下游河港，人口 26.6 万(1982 年)，是苏联著名的化学工业中心之一，主要生产化肥(氮肥)、塑料合成树脂等。其原料来自高尔基炼油厂(石油产品)、科拉半岛(磷炭石)及莫斯科煤田(褐煤)。该市的化工机械制造业也较发达。

下诺夫哥罗德城市群中的其他主要城镇有：西南部的巴甫洛沃，西部的沃洛达尔斯克，北部的博尔、巴拉赫纳、扎沃尔日耶、戈罗杰茨，东南部的克斯托沃。

上述各城市除有其专业化生产方向外，同下诺夫哥罗德市工业有着紧密的联系。如巴拉赫纳和扎沃尔日耶为下诺夫哥罗德提供电力，扎沃尔日耶、巴甫洛沃和博尔为下诺夫哥罗德市汽车工业提供发动机、工具和玻璃等，克斯托沃从下诺夫哥罗德炼油厂取得石油化工原料等。

(2) 北部亚区。包括下诺夫哥罗德州的北半部和基洛夫州，面积 15 万 km^2，人口约 200 万，平均人口密度约 13 人/km^2，是中部区人口较稀少的地区。本区地处森林带，森林覆盖率达 50% 以上。这里不仅是伏尔加—维亚特卡区，也是整个中部区的主要木材生产基地，木材年产量 550 万 m^3 以上，占俄罗斯联邦的 7%。区内亚麻种植业和乳—肉用养畜业较发达。

区内的工业除森林采伐、木材加工工业外，都集中于东北部的基洛夫地区。基洛夫市(1982 年人口 40 万)是这一地区最大的经济中心，主要生产各种机床、农业机械、林业机械、汽车轮胎等，并有木材加工、化工及皮革工业。

(3) 南部亚区。包括马里、楚瓦什和莫尔多瓦 3 个自治共和国，面积占伏尔加—维亚特卡经济区的 1/4，人口约占 1/3，是该经济区内农业自然条件比较优越的地区。

该亚区内的工业原有基础薄弱，卫国战争后才着手发展需要劳动力较多和耗费原材料较少的一些工业部门。3 个自治共和国的工业主要集中在各自的首府，并各具特色。

马里自治共和国以森林工业(森林采伐、木材加工与林产化工)和电工机械为主，其首府约什卡尔奥拉(1982 年人口 21.9 万)是电动机、电工仪表和冷冻机械的生产中心。莫尔多瓦自治共和国的首府萨兰斯克(1982 年人口 28.6 万)则以工业照明和民用照明设备、自卸载重汽车、电工设备(电缆、整流器)和大麻加工为主要工业部门。楚瓦什自治共和国的首府切博克萨雷(1982 年人口 35.3 万)是南部亚区最大的经济中心。城市位于伏尔加河南岸，它同邻近的新切博克萨雷等构成一个新兴的工业枢纽。这是 20 世纪 70 年代以来苏联西部地区重点建设的工业枢纽之一，主要包括 80 年代初建成的切博克萨雷水电站(装机容量 143 万 kW)、拖拉机厂(生产工业用的重型履带式拖拉机)，以及电机和电气设备、纺织、木材加工与食品工业等部门。

该亚区畜牧业和种植业较发达，养牛业、养羊业及谷类作物、麻类、蔬菜种植业在伏尔加—维亚特卡经济区都占有一定的地位。

1.2.3 伏尔加河中下游流域经济区

伏尔加河中下游流域经济区是俄罗斯经济发展较快的一个基本经济区，包括2个自治共和国及6个州，面积53.64万km²，人口1 600.5万(1982年)，平均人口密度为29.8人/km²。虽然人口密度高出于全俄平均数的1.5倍，但是，在人口较密集的俄罗斯欧洲部分地区仍属于人口密度较小的经济区。区内人口分布很不平衡，北部森林草原带工业发达，人口较稠密，古比雪夫州平均有58.8人/km²，而南部草原、荒漠地带的卡尔梅茨自治共和国平均仅4人/km²。

伏尔加河中下游流域经济区是作为俄国的商品粮基地而发展起来的。卫国战争以前，伏尔加河沿岸的一些城镇，农产品加工、食品工业、木材加工与金属加工工业就有所发展。20世纪60年代后期陶里亚蒂汽车厂和下卡马工业枢纽的组建，有力地促进了本区经济的迅速发展。

伏尔加河中下游流域经济区是俄罗斯新兴的工业区和发达的农业区，拥有全俄著名的伏尔加—乌拉尔油田区的大部分油田。由于经过长期开采，该区石油资源渐趋枯竭，原油产量从1975年的1.47亿t减至1982年的8 900万t，在全俄原油总产量中所占比重也相应地由30%降至14.5%。该区还是全俄新兴的汽车工业基地，20世纪70年代末，汽车产量占全俄的50%，其中小汽车产量占全俄的70%。汽车产量居全俄第一位。这里又是全俄重要的石油加工和石油化工基地，70年代末石油加工能力占全俄的1/3；有机合成工业、合成橡胶、轮胎及化纤产量均居全国首位。该区机械工业中，除汽车工业外，滚珠轴承产量占全俄的50%、石油机械产量占全俄的40%，均属于具有全俄意义的专门化部门。

伏尔加河流域经济区是俄罗斯重要的农业基地之一，其农业用地和耕地的比重都比较高，生产的潜力还很大。随着草原和半荒漠地带农田水利事业的发展，本区的农业基地作用还将得到进一步加强。

该区缺少钢铁、煤炭和森林资源。所需的钢铁来自乌克兰和乌拉尔区，煤炭来自北高加索的东顿巴斯煤田，木材来自乌拉尔和北方地区。

根据本区自然、经济条件和生产地域组合特点，可分为两个亚区。

(1) 伏尔加河中游亚区。位于伏尔加河流域经济区的北半部。包括乌里扬诺夫斯克、奔萨、古比雪夫3个州和鞑靼自治共和国，面积20.21万

km^2，占该经济区总面积的37.7%，人口为938.9万(1982年)，占该经济区总人口的59.8%。平均人口密度(46.5人/km^2)和城镇人口比重(69.5%)均高于全区平均水平。

该亚区地处森林草原带，卡马河流经该区。水热条件配合较好，全年≥10℃的活动积温在2 000～2 500℃之间。

随着伏尔加—乌拉尔油田的大规模开发和伏尔加河的综合治理，该亚区逐渐发展成为目前以工业占优势、经济发达的工业—农业区。石油开采与加工、石油化工、机械制造和谷物种植业是该亚区的主要部门。二次大战后，区内机械工业发展很快，着重发展耗费钢铁较少而区内又急需的石油机械、化工及运输机械等。石油、汽车、有机合成工业原料、合成橡胶、氮肥、机床、石油机械、仪表及滚珠轴承等产品是本区的主要工业产品，并都具有区际意义。在就近利用该区丰富的石油和水力资源的基础上，形成了强大的电力工业，现有20多个大中型水、火电厂，其中装机容量100万kW以上的有5个，即扎英斯无火电厂、古比雪夫水电站、下卡马水电站和热电厂、卡马热电厂。

该亚区的工业，多以工业枢纽或工业区的形式呈串珠状分布于伏尔加河两岸以及油田区。

古比雪夫工业枢纽。该枢纽为伏尔加河流域经济区最大的工业枢纽。位于伏尔加河中游的河湾处，包括古比雪夫、陶里亚蒂、塞兹兰及其周围的一些中小工业城市。该工业枢纽是卫国战争期间开始形成的。古比雪夫油田的开发和列宁伏尔加电站的建成，推动了这一枢纽的形成。60年代中期，位于陶里亚蒂的伏尔加汽车厂的兴建，使得该工业枢纽的建设进入了一个新的阶段。目前，古比雪夫工业枢纽由石油开采与加工、石油化工和机械制造两大部门组成。石油开采与加工、石油化工和汽车、飞机、轴承、精密仪表制造等为主要部门。

古比雪夫(1935年以前叫"萨马拉")是该工业枢纽的核心，也是伏尔加河流域经济区的最大经济中心和重要的铁路、水路、输油及输气管道的运输枢纽。十月革命前，萨马拉是一个以商业贸易、食品、轻工为主的城市。革命后尤其是二次大战后工业发展很快，现在是一座以机械制造、石油加工和石油化工为主的现代化城市。城市位于伏尔加河左岸，市区介于伏尔加河与大基涅利河之间，人口124.3万(1982年)。近年城市向东延伸，几乎与基涅利市连成一片。

陶里亚蒂(1964年前叫“斯塔夫罗波利”)是古比雪夫工业枢纽内新兴的第二大城市,位于古比雪夫西北,伏尔加河北岸。是苏联最大的汽车城,20世纪70年代末年产小汽车70万辆。该市又是全苏重要的石油化工中心,以生产化肥及合成橡胶为主。1979年建成了由该市通向黑海沿岸的敖德萨和伊里切夫斯克、全长2 200km的液氨管线,用于向国外出口液氨。

此外,该工业枢纽中的其他工业中心尚有:新古比雪夫斯克(1982年人口11万),建有新古比雪夫炼油厂(年加工原油能力2 000万t)和石油化工厂;恰帕耶夫斯克(又名“夏伯阳城”,1982年8.6万人),建有烧碱等大型化工厂和化肥厂。

喀山工业枢纽。该枢纽位于伏尔加河中游左岸(东岸)。主要包括喀山及其附近的泽廖诺多利斯克市。喀山为鞑靼自治共和国的首府,位于伏尔加河及其支流卡赞卡河的汇合处,是重要的铁路及水路运输枢纽。1917年以前,在铁路尚未修建和轮船尚未通航前,喀山一度是俄国莫斯科以东最大的工商业和文化中心。十月革命后,发展成为以机械、化工为主的现代工业城市,人口102.3万(1982年)。飞机及航空发动机、仪表、石油化工、合成橡胶及毛皮工业为该市主要的工业部门,其中石油化工厂、合成橡胶厂、飞机厂、热工仪表厂和压缩机厂为其骨干企业。该市文化教育事业发达,有11所高等学校和许多科研机构。

泽廖诺多利斯克(1982年8.6万人)以木材加工工业为主,建有大型胶合板—家具联合企业和造船厂等。

下卡姆斯克工业枢纽。该枢纽位于卡马河下游注入伏尔加河的入口处,包括勃列日涅夫城、下卡姆斯克等,是20世纪70年代以来俄罗斯西部地区新组建的工业枢纽(或称“下卡马地域生产综合体”)。其主导部门为石油开采—石油化工、汽车制造和电力工业。

勃列日涅夫城(1982年前叫“纳别列日内—切尔内”)于20世纪70年代初因建卡马汽车厂而迅速发展,人口37.4万(1982年)。1983年卡马汽车厂达到设计能力,年产载重8～16t的大型载重汽车15万辆,柴油发动机25万台。80年代初,在该市附近兴建下卡马水电站。

下卡姆斯克(1982年人口15万)为俄重要的石油化工中心,建有大型石油化工联合企业和轮胎厂。1976～1980年期间,该市化工产值增加了两倍。合成橡胶、轮胎、乙烯等有机合成工业原料生产在全俄占有重要地位。

该枢纽的其他工业中心尚有：扎英斯克（大型火电厂）、耶拉布加（石油开采及鱼产品加工）、缅杰列耶夫斯克（矿山化工）等。

此外，乌里扬诺夫斯克（1924 年前叫“辛比尔斯克”）为伏尔加河中游主要的工业中心和水陆运输枢纽，1982 年人口 49.7 万，工业以汽车制造（生产小型载重汽车）、重型机床、电机、农用发动机制造为主。奔萨位于伏尔加河右支流苏拉河上游，人口 50.8 万（1982 年），机械工业为该市工业的主导部门，并以门类多为特色，主要生产化工机械、纺织机械、压缩机、发动机、电子计算机、钟表等，化工、木材加工及造纸业也是重要部门。

(2) 伏尔加河下游亚区。该亚区包括萨拉托夫、伏尔加格勒、阿斯特拉罕 3 州和卡尔梅茨自治共和国，面积 33.43 万 km^2，人口 661.6 万（1982 年），分别占该经济区总面积的 62.3% 和总人口的 40.2%。平均人口密度约 20 人/km^2，城镇人口比重为 67.3%，均低于伏尔加河中游亚区。

种植业、石油和天然气工业以及人口居民点主要分布于北部草原地带和南部伏尔加河下游三角洲地区，南部广阔的干草原和半荒漠地带人烟稀少，以养羊业为主。

亚区为全俄特种钢生产基地之一，机械工业较发达，并且也是具有全俄意义的瓜菜、水果产区，以细毛羊为主要养羊业，在畜牧业中占有重要的地位。

该亚区主要包括伏尔加格勒和萨拉托夫两个工业枢纽。

伏尔加格勒工业枢纽。该枢纽位于伏尔加河下游的河湾处，由伏尔加格勒、伏尔加斯基及卡拉奇（顿河）等工业中心组成。该枢纽位于俄罗斯欧洲地区通向中亚、哈萨克和西伯利亚的重要通道上，并且是沟通南北联系的交通要冲，水陆运输便捷，地理位置十分重要。十月革命后，随着伏尔加河下游农业和航运业的发展以及水力资源的开发，伏尔加格勒及其周围地区迅速发展成为以拖拉机、石油化工、冶金、电力及食品工业为主体的工业枢纽。

伏尔加格勒（1925 年以前称“察里津”）与斯大林格勒（1925～1961 年）是伏尔加河下游亚区最大的经济中心与伏尔加格勒工业枢纽的核心。历史上它曾是俄国重要的水陆交通枢纽和商业、贸易中心。20 世纪 30 年代初期，以机械、冶金、化工为主体的重工业得到迅速发展。机械工业占该市工业总产值的一半左右，其中以拖拉机制造（生产重型履带式拖拉机）、造船、石油机械为主要部门。50 年代初，随着伏尔加河上最大的伏尔加格勒水电站的兴建，一些大耗电的工业部门得到迅速发展。

城市主体部分位于伏尔加河右岸，沿河延伸达 70km，宽 2～3km。工业区位于城市北部，这里建有拖拉机厂、“红十月”钢厂、炼铝厂和伏尔加格勒水电站等大型工业企业。

位于伏尔加格勒对岸的伏尔加斯基是 20 世纪 50 年代初因修水电站而兴起的，1982 年人口 22.6 万，主要工业部门有化工（生产合成橡胶、轮胎、合成纤维、橡胶和石棉制品）、机械（生产滚珠轴承、磨料）和炼钢（生产石油、天然气用的大口径管道）等。该市化学工业所需的原料主要由伏尔加格勒炼油厂供应。

萨拉托夫工业枢纽。该枢纽地处伏尔加河中、下游两岸，包括萨拉托夫、恩格斯城、沃利斯克及巴拉科沃等工业城市。该枢纽周围有广大的农业腹地，油、气管道和铁路、水运线路在此纵横交错。萨拉托夫油、气田位于该枢纽的周围。石油开采、加工、石油化工、机械、食品等是其主要的工业部门。

萨拉托夫是伏尔加河下游重要的工业城市，位于伏尔加河右岸丘陵和阶地，有公路桥与对岸的恩格斯城相通，人口 88.1 万（1982 年）。十月革命前为农产品集散和加工中心，十月革命后机械、化工和食品工业发展很快。机械工业为该市工业的主导部门，主要产品有：飞机、机床、滚珠轴承、拖拉机零件、动力机械、石油及化工机械、轻工机械等。石油加工及石油化工行业包括炼油厂、石油化工厂（以区外输入的天然气为原料生产合成酒精、人造毛以及硫铵等）。此外，食品、轻工及建材工业也较发达。

恩格斯城位于伏尔加河左岸低阶地，人口 17 万（1982 年），主要生产化学纤维、无轨电车等，肉类、制革及面粉工业发达。

此外，萨拉托夫西北的巴拉科沃（1982 年人口 16.5 万）建有萨拉托夫水电站，并有化纤、化肥及橡胶制品厂，现正在此建设大型核电厂。沃利斯克（1982 年人口 6.5 万）建有大型水泥厂，制革工业发达。

伏尔加河及其支流卡马河流域西北部地区地处俄罗斯的中心部位，是俄罗斯民族的发祥地，中下游广大地区原为少数民族居住处，但 16 世纪开始逐渐被俄罗斯所兼并，成为以俄罗斯民族为主体、多民族杂居的地区。现除俄罗斯、乌克兰民族外，分布有 8 个少数民族：莫尔多瓦人（102 万）、马里人（62 万）、科米人（48 万）、乌德穆尔特人（72 万）、鞑靼人（632 万）、楚瓦什人（175 万）、巴什基尔人（137 万）和卡尔梅克人（15 万），均组成了相应的自治共和国。

1.3 伏尔加河开发治理历史沿革

早在公元8世纪,伏尔加河就作为连接东方的贸易通道开始利用,由中亚地区运来的纺织品、金属制品交换俄罗斯的皮毛、蜂蜡与蜂蜜。9世纪、10世纪伏尔加河沿岸出现了一批贸易城镇。13世纪由于蒙古鞑靼人入侵,贸易被中断,直到14世纪才开始逐渐恢复东西方之间的贸易,并形成了喀山、下诺夫哥罗德及阿斯特拉罕等贸易中心城市。16世纪中叶,沙俄开始向外扩张,首先占领了伏尔加河中游的喀山(1559年)及下游的阿斯特拉罕(1556年),将其领域推进到伏尔加河右岸。此后,又陆续建立了萨马拉(1586年)、萨拉托夫(1590年)及察里津(1859年,今伏尔加格勒)3个军事城堡,以保证境内移民垦殖,并作为进一步对外扩张的军事据点。18世纪中叶,沙俄向东已推进到伏尔加河左岸,并在右岸大量移民垦殖,而在左岸经营里海低地一些盐湖的盐业。19世纪,俄罗斯大量移民涌向伏尔加河左岸地区,并将伏尔加河下游变成沙皇进一步向东、向南扩张的前沿基地。伏尔加河逐渐成为水运通道,航运得到迅速发展。16世纪和17世纪,伏尔加河已经有500~600艘船只组成的商船队。18世纪初,沙皇通过战争,从瑞典手中夺取了从维堡到里加的波罗的海沿岸地区,1712年,俄国将首都从莫斯科迁到圣彼得堡,在直到1918年为止的200多年中,俄国首都一直在圣彼得堡。为了加强与伏尔加河流域及莫斯科等腹地地区的联系,1703~1731年开凿了连接涅瓦河与伏尔加河支流的运河,并兴修了环拉多加河运河。18世纪末至19世纪初,又建成了著名的季赫文水道和马林斯克水道。19世纪中叶以后,资本主义在俄国得到发展,伏尔加河沿岸商船经济发展较快,伏尔加河中下游以小麦为主的种植业发展很快,成为俄国的重要商品粮基地,仅萨马拉省1913年就输出粮食165万t。由于经济发展,伏尔加河航运快速发展,随着轮船的使用,对航道水深的要求愈来愈高,1854年伏尔加河上只有15艘轮船,到1890年已有1 000艘,1905年增加到3 700艘。非机动船只增加也很快,由1860年的14 000条增加到1905年的30 000条,伏尔加河的纤夫在19世纪中叶已达70万人之多,1917年以前,其货运量已占全俄内河货运量的一半左右。19世纪伏尔加河的货运量由每年100万~300万t,增加到每年1 500万t。

天然情况下伏尔加河自特维尔到阿斯特拉罕共有230多处浅滩碍航,上游特维尔到雷宾斯克最小通航水深为0.6m,雷宾斯克到下诺夫哥罗德最小航深为 0.7m,下诺夫哥罗德到卡马河口最小航深 1.5m,卡马河口以下最小航深 2m。航运的发展要求对伏尔加河进行河道浅滩疏浚及航道整治,仅 1800 年至 1907 年伏尔加河的通航建筑物就花费了 1 450 万卢布。

除航运外,伏尔加河的渔业资源也十分丰富,捕鱼量十分可观。

1881 年曾经开始修筑提水灌溉工程,但因缺乏电能,没有成功。

伏尔加河是地下河,城市与村镇均建在洪水位以上的高岸,因而防洪问题不突出。直到 20 世纪 30 年代,伏尔加河仅作为航道与渔场加以开发利用。

伏尔加河大规模的开发是在苏联时期进行的,早在 1918 年列宁提出全国电气化计划时,就开始着手伏尔加河的开发,1918 年列宁签署了在伏尔加河的斯维尔河兴建水电站,筹建伏尔加河—顿河和其他水利工程的法令。1931 年苏联国家计划委员会委托苏联科学院能源与电气化研究所对各方面提出的伏尔加河开发利用方案进行研究并制定以能源和水运为主要目标的伏尔加河综合利用规划。该所组织了 280 多个科研单位对伏尔加河的开发方案进行研究。在研究过程中明确提出了伏尔加河"综合利用"的原则,应最大限度地满足许多国民经济部门所提出的要求,河流的开发要满足水能利用(发电)、航运、灌溉、工业和居民供水、渔业、防洪、木材水运、卫生福利等各方面的要求。这些部门对于伏尔加河的控制和水量分配,各有各的要求,它们相应地要求在河流上建筑符合自己部门的各种水工建筑物。

经过两年紧张的工作,首先对水文资料进行了整编,开展测绘和地质普查工作,对水资源进行了调查,对地区、各部门的意见进行了汇总,1933 年提出了伏尔加河综合开发利用规划。在当时,这个规划是宏伟而且全面的,又将其称为"大伏尔加"规划,其特点有以下几个方面。

(1)这一规划的宗旨是:从综合的观点出发,在经济和技术上最合理地进行建筑物布局、制定电业的发展方针,全流域工农业和交通运输业及其他有关部门相互配合,规划目前和长远的发展方向,并对各工程项目的投资效益进行分析论证。规划制定所依据的主要原则是:①综合利用水资源,尽可能兼顾发电、航运、灌溉、供水、渔业和旅游业的多方面需求;②以建设大中型水电站为主进行梯级开发,最大限度地利用干、支流丰富的水能资源;③在尽可能减少淹没损失的情况下,兴建大型水库,有利于调节水量,做到综合利用。

(2)坚持综合开发和重点利用的原则对河流进行综合开发,最大限度地利用水资源,以取得最佳的经济效益。在伏尔加河的上游,开发重点主要是解决运输和动力问题,而中下游还要兼顾灌溉,关键是要建立综合性的水利枢纽,而水电站又是水利枢纽的最重要方面。因为它不仅发电,而且还涉及电力的输出和消耗,以及新的企业和工业枢纽的布局。

(3) 正确处理发电、航运和灌溉三者之间的关系及三者之间对河流的开发和水量的控制及使用具有不同的要求的矛盾。首先在自然条件(地质、水文、地形)和社会经济条件(人口迁移少、淹没损失较小)较为有利的情况下,尽可能兴建大型水利枢纽,有利于最大限度地解决发电、航运和灌溉之间的矛盾。利用水库的回水和在大型水利枢纽中设立船闸以解决航运问题;为保证农田灌溉将水利枢纽都建在流域灌区上游,使发电的水用于灌溉;采取建调节水库和小水电站的办法解决冬、夏用水矛盾,使伏尔加河沿岸,灌溉用水保证率达到70%以上,电站用水保证率达到95%以上。

(4) 充分发挥"母亲河"的作用,伏尔加河流域人口稠密,工农业和生活用水量很大,但年降水量不足,而蒸发量超过降水量一倍多,随着苏联欧洲地区国民经济各部门的发展,用水量与日俱增,为了保证南部地区用水、渔业生产及保护旅游资源和生态环境,后来苏联曾制定了北水南调计划,从苏联欧洲北部的河流和湖泊调水,通过伏尔加河向邻近其他水系补充水源,以其为纽带,充分发挥"母亲河"的作用,使本流域和其他流域的工农业生产共同高涨,生态环境得以保护。

1933年11月苏联科学院召开专门会议,研究"大伏尔加河"规划问题,会议上审查了科学院能源与电气化研究所提交的以水电开发与航运为主要目标的伏尔加河综合利用规划及其他资料,讨论了伏尔加河的灌溉、航运及水电开发问题。

"大伏尔加河"规划曾提出两个开发方案:

(1)全河梯级开发方案,即在伏尔加河干流与最大支流卡马河上布置一系列水利枢纽,使伏尔加河—卡马河水系变成一连串水库相接的阶梯。

(2)仅在伏尔加河上游及卡马河上中游修建水利枢纽,并开凿航运、发电两用的伏尔加河—顿河运河,伏尔加河中下游及卡马河下游保持天然水流。

尽管当时有一些著名的地理学家、鱼类学家、生物学家提出不能在伏尔加河下游修建水利枢纽,破坏珍贵鱼类生产,但没有引起重视。规划认为实施第一方案将符合各部门的最大利益,而第二方案将不可能充分利用伏尔加河中下游的水电水利资源，至于对伏尔加河渔业和里海渔场的影响，可以通过修建过鱼设施和利用水库人工饲养等途径来解决。“大伏尔加河”规划对伏尔加河、顿河未来鱼产量的预估认为总鱼产量将减少 1 万～3 万 t，里海、亚速海的渔场将会缩小，但伏尔加河干流水库的鱼产量和捕鱼量将增加到 5 万 t，即比伏尔加河调节前增加 1～2 倍。在预估鱼产量时，曾讨论水质污染对鱼产量的影响，以及应采取的防治措施。苏联国家计委专家委员会在有关伏尔加河改造问题的决议中，规定了几条章法，要求在建筑物、城镇、工业企业设计时，对排入水库体的污水保证净化处理。

会议最后通过了在全河梯级开发的“大伏尔加河”方案。随后由苏联水电勘测设计院与水利勘测设计院联合有关单位承担了伏尔加河综合利用枢纽工程的设计工作。伏尔加河水利枢纽设计中遇到的最大问题是水库淹没问题，为了建立巨大水库以达到河流高度综合利用的目的，在伏尔加这条平原河流上往往造成巨大淹没损失。为此，曾不断发生过争论，如在上游干流开发时，坝址是选在雅罗斯拉夫，不造成大水库、大淹没，还是选在雷宾斯克修水库造成大的淹没？就曾有激烈的争论。当时在“库容是淹没换来的”、“没有大水库就不能充分进行水量调节和开发水电”的思想支配下，苏联政府仍决策将水电站建在雷宾斯克，所造成的“雷宾斯克海”淹没土地约4 000km^2及 6 个城市和 600 多个村庄。后来在古比雪夫等水库设计上也因淹没损失过大，有过争论，但因苏联地大物博，人口稀少，土地资源多，移民安置比较容易，没有引起重视。

伏尔加河大规模开发始于 20 世纪 30 年代，1933 年开始建设莫斯科—伏尔加河运河及伊万柯夫、乌格里奇、雷宾斯克水利枢纽。莫斯科—伏尔加河运河长 128km，为深水航道，水深 4～5m，河宽 100m，每年从伏尔加河引水至莫斯科市约 20 亿 m^3，最大引水流量 $78m^3/s$，于 1937 年建成通航，该运河不仅解决了莫斯科与伏尔加河的通航问题，还利用伏尔加河丰富的水源，向莫斯科供水，现莫斯科市绝大部分用水取之于该运河。1937 年与莫斯科运河同期建成了伊万柯夫水利枢纽。1939 年乌格里奇水库开始蓄水，1940 年雷宾斯克水库开始蓄水。卫国战争开始后，伏尔加河建设工程中断。战后 1948 年开工建设高尔基水电站及伏尔加河—顿河运河。该运河 1952 年建成通航。1955 年高尔基水电站投入运行。1950 年开工建设伏尔加列宁水电站，1955 年总库容 580 亿 m^3 的古比雪夫水库开始蓄水，1957 年蓄满。1950

年伏尔加格勒水电站开工建设，1958 年开始蓄水发电，1960 年蓄满。1956 年开工建设萨拉托夫水电站，1967 年开始蓄水发电，1968 年蓄满。1971 年开工建设切博克萨雷水电站，1981 年蓄水发电。至此，伏尔加河干流规划的 9 级梯级水电站除下伏尔加水电站未建外，已全部建成。与此同时，在伏尔加河最大的支流卡马河上先后建成了卡马、沃特金和下卡马 3 座梯级水电站，使伏尔加河—卡马河水系变成了一连串水库相接的阶梯。伏尔加河及卡马河梯级水电站主要指标见附表 2-7、附表 2-8，纵剖面见正文图 3-4。已建成的 12 座水电站总库容 1 870 亿 m^3，有效库容 900 亿 m^3。此外，伏尔加河流域还修建了 300 多座中小型水库，总库容 125 亿 m^3，有效库容 50 亿 m^3，水面面积 2 600km^2。

附表 2-7　　伏尔加河大型水利枢纽基本情况

序号	水库名称	正常高水位(m)	水库面积(km^2)	库区平均水深(m)	库容(亿 m^3)	水头(m)	装机容量(万 kW)	建成年份
1	伊万科夫	123.9	327	3.4	11	14	3	1937
2	乌格里奇	112.8	249	5.0	12	11	11	1940
3	雷宾斯克	101.8	4 550	5.6	254	18	33	1941
4	高尔基	84.0	1 590	5.5	88	17	52	1955
5	切博克萨雷	68.0	2 170	6.0	139	15	140	1982
6	古比雪夫	53.0	6 450	8.9	580	29	230	1955
7	萨拉托夫	15.0	1 830	7.3	134	15	135	1965
8	伏尔加格勒	12.0	3 120	10.1	315	27.0	253	1959
9	下伏尔加							未建

附表 2-8　　卡马河大型水利枢纽基本情况

序号	水库名称	建成年份	水库面积(km^2)	库容(亿 m^3)	装机容量(万 kW)
1	卡马	1954	1 915	122	50
2	沃特金斯克	1961	1 120	94	100
3	下卡马	1978	2 650	129	125

1964年经过大规模扩建后的伏尔加—波罗的海运河投入运用。伏尔加河变成了“五海之河”:伏尔加—顿河运河把它同亚速海、黑海相连,伏尔加—波罗的海运河把它同波罗的海相连,北德维纳运河(从奥涅加湖又建成了白海—波罗的海运河)把它同白海相接通,第五个海就是伏尔加河流入的里海。

伏尔加河沿岸还修建了大批抽水站、灌溉渠道、防护堤、污水处理厂、河港、避风港、码头及旅游设施、疗养院等。

在伏尔加河河口三角洲顶点布赞河入口处修建了分水闸,以确保向布赞汉河分洪流量8 000～9 000m^3/s,使伏尔加河口三角洲东部地区能够普遍漫滩,有利于洄游性鱼类的繁殖。

2 伏尔加河开发利用的主要成就

2.1 主要效益

2.1.1 发电效益

俄罗斯的水电发电量占全国发电量的20%以上,伏尔加河—卡马河梯级水电站的总装机容量1 110万kW,年发电量400亿kW·h,是俄罗斯欧洲地区电网的核心电站,担负调峰、调频任务及事故检修备用任务,由于其位于俄罗斯工业及人口集中的中心地带,其作用更加突出。

2.1.2 航运效益

伏尔加河虽是一条水量丰沛的平原河流,但是,天然情况下,其通航条件并不好,从上游特维尔市(伊万科夫水库上游40km处)到河口的阿斯特拉罕市共有230多个浅滩。上游特维尔以上到谢札洛夫河段还有40多处浅滩,最小通航水深只有0.3m。特维尔至雷宾斯克最小通航水深为0.6m,雷宾斯克至下诺夫哥罗德为0.7m,下诺夫哥罗德到卡马河口最小通航水深为1.5m,卡马河口以下最小通航水深约2m。伏尔加河—卡马河梯级水库建成后航运条件得到根本改观,由于水库壅高水位及加大枯水期泄量,伏尔加河特维尔到里海入河口及卡马河的保证水深达到了4m,莫斯科作为运输中心纳入了统一的内河航运水网。由于修建水库取直航道使伏尔加的航线缩短了96km,卡马河的航线缩短了57km。伏尔加河航行船只的载重量由从前的600～1 000t提高到2 000～5 000t,载重量20 000t的船队也可以航行。沿岸的港口设施及修造船厂也得到很大发展。伏尔加河的年货运量由1930年的

2 740 万 t 增加到 1990 年的 3 亿 t，年客运量由 1 900 万人增加到 1.2 亿人。近些年苏联解体后俄罗斯经济大幅度下滑，伏尔加河的货运量及客运量急剧减少。

2.1.3 供水效益

伏尔加河和卡马梯级水库对于保证俄罗斯中心地区工业、城市、热电站用水增长起了重要作用，还满足了沿河村镇的用水需求，特别是伏尔加河上游伊万柯夫水库已成为首都莫斯科地区的主要水源地，2005 年该水库将为莫斯科提供 60% 以上的水资源。从高尔基水库修建了输水渠道，解决了伊万诺沃市的用水问题。

2.1.4 灌溉效益

伏尔加河水库对沿岸地区及里海低洼地带发展灌溉作用巨大，灌溉面积可发展到 400 万 hm^2，抗旱面积可达 1 000 万 hm^2，目前灌溉面积只有 210 万 hm^2。

2.1.5 防洪效益

伏尔加河—卡马河水库的主要任务不是防洪，但由于水库调节洪峰、削减洪水，仍有较大的防洪效益。1979 年伏尔加河发生了近 60 年来最大的洪水，最大洪峰为 53 000m^3/s，经过各级水库拦蓄调节，古比雪夫水库以下洪峰都有所削减，最高洪水位比天然情况下可能出现的洪水位均有所降低，古比雪夫水利枢纽下游的洪水位降低了 1.9m，伏尔加格勒水利枢纽下游的最大洪峰流量只有 34 000m^3/s。这样避免了伏尔加格勒和阿斯特拉罕两个州广大地区的洪灾损失。建库前 1926 年伏尔加河曾发生特大洪水，洪灾损失很大，1979 年洪水的洪峰虽略小于 1926 年的洪水，但在天然情况下的最高洪水位将接近 1926 年，若伏尔加河不建水库，其洪灾损失也是很大的。

2.1.6 文化娱乐效益

伏尔加河流域的水库是人们休息与运动的良好场所，仅在古比雪夫、萨拉托夫和伏尔加格勒三大水库周边就建立了 1 000 多个各种类型的疗养院，共有床位 10 万多张。

2.1.7 渔业效益

伏尔加河—卡马河水系是俄罗斯淡水鱼的主要产区，天然状态下的捕捞量曾占全俄的一半左右，鲟鱼产量约占 90%。建库后开展人工繁殖放流、发展水库养殖等措施，每年捕鱼量约为 30 万公担，如增加饲养设施，鱼产量可提高到年 50 万公担。

总之，伏尔加河—卡马河梯级开发提供的廉价电能和深水航道，伏尔加河沿岸鞑靼斯坦、巴什科尔托斯坦自治共和国及古比雪夫州、萨拉托夫州、伏尔加格勒州、阿斯特拉罕州等地丰富的石油、天然气资源和其他矿藏以及大量熟练的劳力，促进了伏尔加河沿岸地区经济的发展，建成了几百个大型工业企业，其中有机器制造、森林采伐、木材加工、纸浆及造纸业、化学工业、石油化工和有色金属冶炼工业及国防工业，对苏联及俄罗斯的发展起了极为重大的作用。

2.2 伏尔加河梯级水库工程体系情况

经过半个世纪的建设，伏尔加河—卡马河梯级开发已完成(下伏尔加格勒水库，因对生态环境影响而放弃)，形成了首尾相连的水库群。

2.2.1 *伊万科夫水库*

上伏尔加最后一段长 145km，全落入伊万科夫水库或称莫斯科海内。该水库已于 1937 年蓄水，伏尔加河—卡马河梯级是伏尔加主干第一级。伊万科夫水库位于森林地带针叶大阔叶森林亚带内。水库库岸地势低，只有少数地方稍高。集水面积为 41 000km^2，其中林地占 39%，沼泽地占 2.8%，湖泊占 2.2%。

水库面积为 327km^2，呈裂叶状。水库分成三条主深槽，即伊万科夫(临坝)深槽、朔沙河与拉马河漫滩的朔沙深槽和伏尔加深槽。伏尔加深槽起自索兹河河口，止于季马河汇合处上游回水尖灭段(附图 2-2)。

伏尔加河对伊万科夫水库所补给的水具有主要作用，其径流量占河水总来水量的 57%。特韦尔察河是左岸水量最大的支流，它在加里宁市附近从北面入库。特韦尔察河河水占总来水量的 25%。特韦尔察河不仅接纳来自伏尔加河天然集水区的径流，同时也接受来自威什涅沃洛茨水库的下泄水。

威什涅沃洛茨水库与位于其以西的什林斯克和韦利耶夫两水库同建于里海、波罗的海两流域的分水岭上。在威什涅沃洛茨水利系统建立以前，这个地区的诸河河水汇归波罗的海流域，但在此水利系统建立以后，这些河流的径流经特韦尔察河、伏尔加河流入里海。来自威什涅沃洛茨水库的总放水量约为伊万科夫水库来水量的 8%。

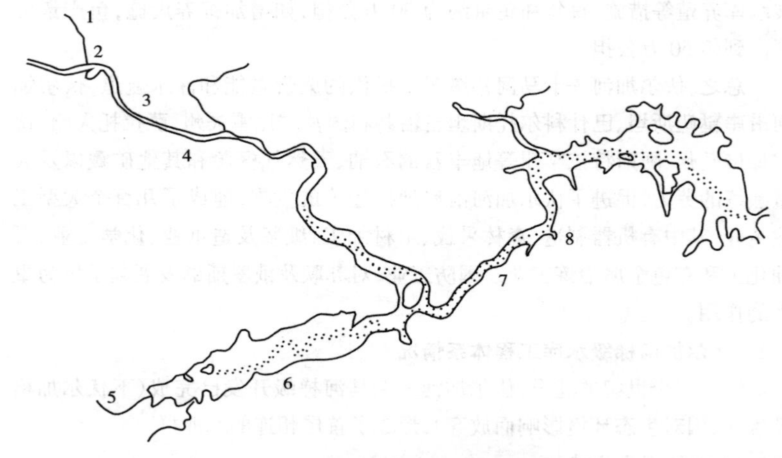

附图 2-2　伊万科夫水库库区位置示意

1—特韦尔察河;2—加里宁;3—伏尔加河;4—伏尔加深槽;

5—朔沙河;6—朔沙深槽;7—伊万科夫深槽;8—科纳科沃

伊万科夫水库左岸支流有奥尔沙河和索兹河。两河都发源于广阔的泥炭沼泽地域。右岸最大支流是朔沙河和拉马河。两河均发源于克林—德米特罗夫斯基山脉山坡。

伊万科夫水库总蓄水量中约 75%经伊万科夫大坝泄放入乌格利奇水库,约 25%引入莫斯科运河,再经莫斯科河进入奥卡河。

2.2.2　乌格利奇水库

在伊万科夫水利枢纽大坝的下游伏尔加河转向东北而行。在这一河段上伏尔加洼地自东南方被克林—德米特罗夫斯基山支脉、乌格利奇和博里索格列勃斯克两丘陵所环抱。在此地,1940 年乌格利奇水库已蓄水。这种典型河谷型水库的形态呈长带状,岸线不甚发育(附图 2-3)。水库长度为 136km,水库面积为 249km^2,总库容为 12.4 亿 m^3,有效库容为 8.3 亿 m^3。

水库位于森林地带,其大部分在针叶大阔叶混交林亚带,北部延伸到南方原始森林亚带边界,集水面积为 60 020km^2,其中林带占 42%,沼泽地占 11%,湖泊占 2%。区间来水量不大,平均为 33.6 亿 m^3,每年经乌格利奇水利枢纽下泄 110 亿 m^3。

2.2.3 雷宾斯克水库

乌格利奇和雷宾斯克两水利枢纽间的伏尔加河段正是雷宾斯克水库南部伏尔加深槽段。这段距离(111km)比乌格利奇大坝到舍克斯纳(切烈波韦茨)大坝在南北向上的水库长度(250km)减少60%。雷宾斯克水库是伏尔加梯级的第三级。在佩烈博尔处伏尔加河大坝和在雷宾斯克附近舍克斯纳大坝拦河截流之后,于1941～1947年蓄水。

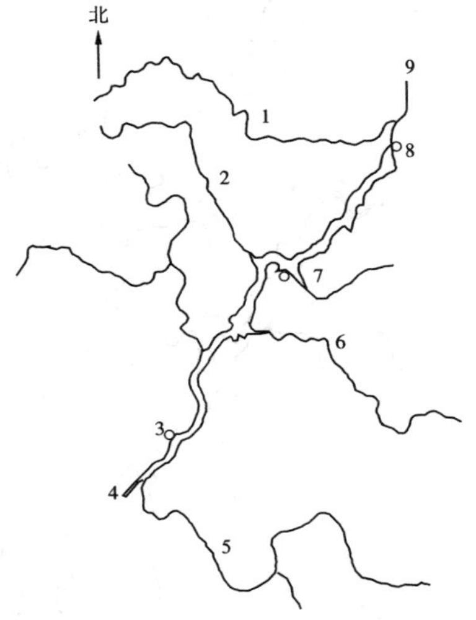

附图2-3 乌格利奇水库库区位置示意

1—科罗热奇纳河;2—卡申卡河;3—基姆雷;4—伊万科夫水库;5—杜勃纳河;6—涅尔利河;7—卡利亚津;8—乌格利奇;9—雷宾斯克水库

雷宾斯克水库(附图2-4)位于广阔的莫洛加—舍克斯纳洼地南方原始森林亚带的范围内。在瓦尔代冰川作用期及其冰融期洼地蓄水成大湖,其面积有时竟达1 100km²,即为水库面积的2.5倍(莫斯克维京,1947)。集水面积为150 000km²,其中林地占52%,沼泽地占9.5%,湖泊占5.5%,水库面积为4 550km²。库面形态复杂,有宽达56km的格拉夫内深槽,并为莫洛加深槽和舍克斯纳深槽、呈若干漏斗状开阔的支流河口、小岛、海峡、横越乌格利奇大坝和格拉夫内湖态深槽之间的狭长库段等所切割。

雷宾斯克水库不仅淹没原河槽河滩地和河漫滩阶地,而且也淹没莫洛加和舍克斯纳两河大片河地。水库平均水深为5.6m,水深为2m的库段占水库面积的21%。最大水深为30.4m(洪水时的测量值),在乌赫拉河汇入舍斯纳河河口处。水深在20m以上的库段占水库总面积的10%以下。

流入雷宾斯克水库的河流共有64条,其中除伏尔加河外,最大河流有莫洛加河、舍克斯纳河和苏达河。雷宾斯克大坝坝址处流域面积为15万km²,多年平均流量1 020m³/s。

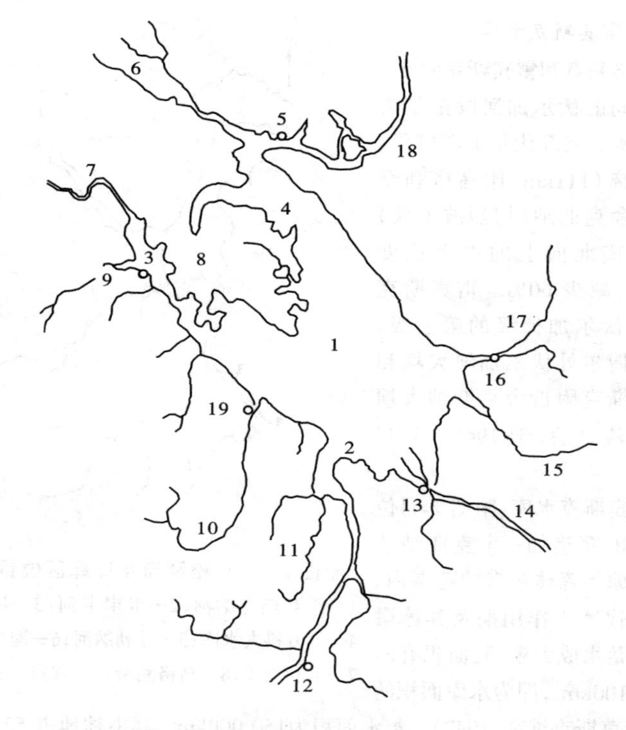

附图 2-4　雷宾斯克水库库区位置示意

1—格拉夫内深槽;2—伏尔加深槽;3—莫洛加深槽;4—舍克斯纳深槽;
5—切烈波韦茨;6—苏达河;7—莫洛加河;8—达尔文禁鱼区;
9—韦谢冈斯克;10—锡特河;11—苏特卡河;12—乌格利奇;13—雷宾斯克;
14—伏尔加河;15—乌赫拉河;16—波舍霍尼耶·沃洛达尔斯克;
17—索戈扎河;18—舍克斯纳河;19—勃烈伊托沃

在水库内区分为莫洛加、伏尔加、舍克斯纳和格拉夫内 4 条深槽(附图 2-4)。其中每条深槽都有开阔带,从狭义而言即为深槽,同时又是库湾,海峡和河流汇入直至回水尖灭边界的河槽段。

2.2.4 高尔基水库

在雷宾斯克和戈罗捷茨之间长度为 448km 的伏尔加河段落入于 1955～

1957 年蓄水的高尔基水库。该水库是梯级的第四级。水库两岸位于南方原始森林亚带的森林地带。水库面积为 1 591km^2,水库形态复杂(附图 2-5)。雷宾斯克与雅罗斯拉夫之间的上库段仅淹没河滩地和第一漫滩阶地。

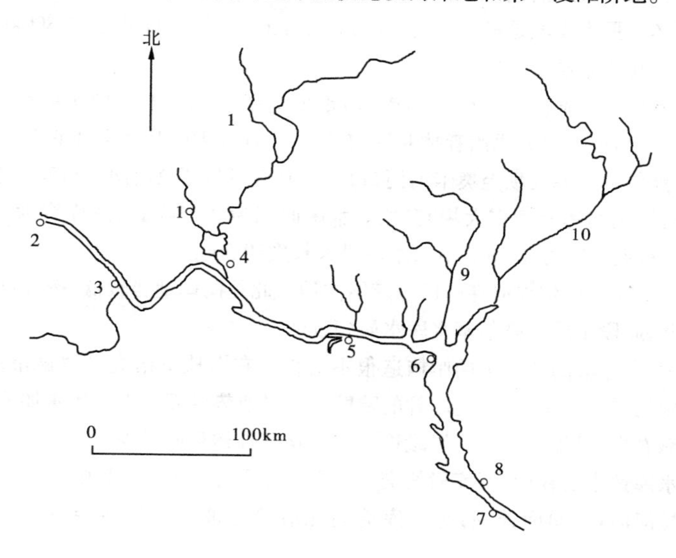

附图 2-5　高尔基水库库区位置示意

1—索提河;2—雷宾斯克;3—雅罗斯拉夫;4—科斯特罗马;5—基涅什马;6—尤尔耶韦茨;7—巴拉赫纳;8—戈罗杰茨;9—涅姆达河;10—翁日阿河

在科斯特罗马河汇入区的中库段淹没了一片洼地,称为科斯特罗马开阔地。科斯特罗马河与其支流索提河、奥布诺拉河及若干小溪流在此相汇。现在水库蓄水到正常高水位时,许多湖泊汇成科斯特罗马开阔地大片水域。科斯特罗马河源头位于北乌瓦尔丘陵西部。该河长为 354km,集水面积为 16 000km^2。

水库开阔部分始于尤里耶韦茨下游。两条较大河流(翁日阿河和尼奥达河)下游地区处于浸没状态,成为深切周围地带的库湾——河湾。

高尔基水库两岸地势大部比较高,但在科斯特罗和翁日阿两洼地区域内通常较低。高耸而风景如画的库岸位于普廖斯市区内。伏尔加河在此处穿过加利奇—楚赫洛马丘陵南支。

从北面流入高尔基水库的诸河流中，除科斯特罗马河外，还有尼奥达和翁日阿两河；从南面流入水库的有科托罗斯尔河。水库区间来水总流量为 580m³/s。最大支流是翁日阿河，其河长为 426km，集水面积为 27 800km²。

2.2.5 切博克萨雷水库

1981 年建成切博克萨雷水库，该水库是伏尔加—卡马梯级的第五级。左岸（北岸）位于南方原始森林亚带，右岸位于针叶大阔叶混交林亚带。水库分上（高尔基水库大坝至奥卡河河口）、中（奥卡河与苏拉河两河口间）、下（苏拉河河口至切博克萨雷大坝）三段。水库面积为 2 274km²，总库容为 138.5 亿 m³，有效库容为 51.8 亿 m³，水库最大长度约 300km。

在上库段伏尔加河穿越巴拉赫纳洼地。此处两岸地势较低，按各自来源和特性，此段水质与高尔基水库水质相近似。

中、下库段的特点是两岸构造很不对称。右岸从下诺夫哥罗德市起，往下游到切博克萨累，到处是高耸的陡壁。左岸地势低而平缓。伏尔加丘陵北支紧靠右岸，马里洼地与左岸毗连。左岸具有森林草原景观。

水库蓄水后在中、下库段的交界处形成了两个大库湾，其中一个库湾浸没苏拉河河谷，向南伸入；另一库湾向北沿着已被淹没的韦特卢加河河谷延伸。

在切博克萨雷水库蓄水淹没的地域内，有 28 条河汇入伏尔加河。右岸支流中最大的河流有奥卡河和苏拉河。左岸最大支流有克尔热涅茨河和韦特卢加河。

切博克萨雷水库上段和中段边界上，右岸支流苏拉河从南面汇入伏尔加河，该河河长为 864km，集水面积为 67 840km²。此河集水区大部位于森林草原区范围内，虽然在上游仍保留大片大阔叶林林地。

最大的左岸支流克尔热涅茨和韦特卢加两河是典型的森林河流，河水矿化度差。克尔热涅茨河长为 290km，韦特卢加河长为 889km，集水面积分别为 6 140km² 和 39 400km²。

2.2.6 古比雪夫水库

古比雪夫水库是梯级的第六级，于 1955～1957 年蓄水。切博克萨雷至列宁伏尔加大坝之间这一伏尔加河段长为 484km。坝址处集水面积为 121

万 km^2，水库面积为 6 448km^2，总库容为 580 亿 m^3，有效库容为 346 亿 m^3。

古比雪夫水库按面积在世界所有河谷水库中居第二位（阿瓦基扬，福尔图纳托夫，1972）。水库位于两个自然地带范围内：喀山上游为针叶大阔叶林亚带的森林地带，以南在森林草原带内。多山的右岸森林保护比较好，左岸森林砍伐严重。天然森林草原景观在人为因素影响下演变为草原景观。

古比雪夫水库库面形态复杂，开阔库段宽为 15～20km，其间有狭长的库湾交替；库湾宽度不超过 3～5km；水库最大宽度为 38km，直达蓄水前卡马河汇入伏尔加河的河区。位于纳别列日耶—切尔内市附近正在兴建的下卡马水库大坝，将成为沿卡马河支流上古比雪夫水库的边界。下卡马大坝位置距原卡马河口为 225km，在此坝址卡马河截流之后，古比雪夫水库的形态和水文地理特征应有很大的变化。例如，卡马河最大支流维亚特卡河不再汇入卡马河，而直接流入古比雪夫水库的卡马深槽内。

伏尔加河在喀山下游急转南下，沿伏尔加丘陵东坡流去。右岸全岸地势高而陡峭，左岸地势多半低而平缓，但在某些河段，例如在托尔亚季市附近两岸地势均较高。

在乌利扬诺夫斯克以北耸立温多尔山脉，以南为怀特山脉（海拔达 334m），再往南为日古利山脉（海拔为 370m）。

水库两岸被形态各异、大小不一的若干个库湾所切割。上库段最大的库湾称斯维亚加库湾，下库段为切烈姆珊库湾和由此湾分出的苏斯坎库湾。切烈姆珊库湾呈桨叶状，沿大切烈姆珊河向东岸延伸 50km。

按照 H.A. 久班 1960 年提出的水库区划，应把古比雪夫水库划分为 8 条深槽：伏尔加、卡马、伏尔加—卡马、贴提尤施、温多尔、乌利扬诺夫斯克、诺沃杰维琴和临坝区等深槽（附图 2-6）。

约有 100 条河流流入古比雪夫水库，其中卡马河占有特殊地位。

在纳别列日内耶—切尔内附近大坝建成和下卡马水库蓄水之后，卡马河长度从河源到纳别列日内耶—切尔内缩短到 1 723km，集水面积减少到 37 万 km^2。河长和集水面积如此锐减，首先是由于如上提到的卡马河最大支流维亚特卡河将来不再汇入卡马河，而流入古比雪夫水库的卡马深槽内所致。维亚特卡河的集水面积为 37 万 km^2。

汇入古比雪夫水库的诸河流中，除卡马河外，集水面积超过 5 000km^2 者为数不多。从左边流入古比雪夫水库的伏尔加深槽的有：大科克沙加河（河

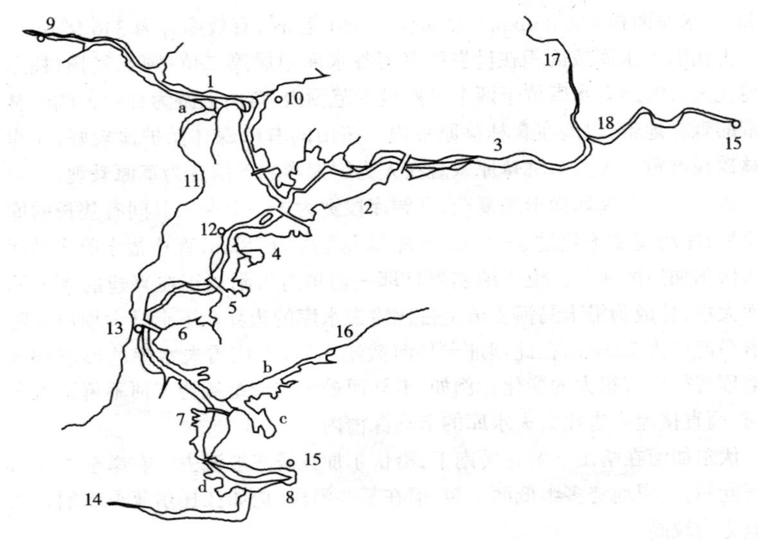

附图 2-6　古比雪夫水库库区位置示意(引自 H.A.久班,1960 年的区划)

1—伏尔加深槽;2—伏尔加—卡马深槽;3—卡马深槽;4—贴提尤施深槽;
5—温多尔深槽;6—乌利扬诺夫斯克深槽;7—诺沃杰维琴深槽;8—临坝深槽;
9—切博克萨累;10—喀山;11—斯维亚加河;12—贴提尤施;
13—乌利扬诺夫斯克;14—乌萨河;15—托尔亚季市;16—切烈姆珊河;
17—维亚特卡河;18—卡马河;19—纳别列日内耶—切尔内麻湾:
a—斯维亚加库湾;b—切烈姆珊库湾;c—苏斯坎库湾;d—乌萨库湾

长为 294km,集水面积为 6 330km^2)、小科克沙加河(河长为 194km,集水面积为 5 160km^2)和伊利特河(河长为 204km,集水面积为 6 450km^2)。从右边流入的有斯维亚加河。

流入卡马深槽的支流中,除卡马河本身外,有维亚特卡河。它是从北面流入水库的最大一条支流,又是一条典型的平原河流,春汛期丰水,夏季为枯水期。该河长为 1 314km,集水面积为 12.9 万 km^2。维亚特卡河上游位于中部和南方原始森林亚带,维亚特卡河下游位于针叶大阔叶混交林亚带。

从东南面汇入卡马深槽的还有宰河和舍什马河。两河都发源于布古尔明—别列别耶夫丘陵,先流经上扎沃尔日耶,后穿行于下扎沃尔日耶的森林草原平原。宰河长为 219km，集水面积为 5 020km^2；舍什马河长为 259km，集水面积为 6 040km^2。

在古比雪夫水库中，下库段的所有支流几乎都不长，集水面积较小。从东面汇入的最大支流是大切烈姆珊河。切烈姆珊河发源于布古尔明—别列别耶夫丘陵的西坡，流经已强化垦种的森林草原地区。区内土壤以淋溶的黑钙土为主。

2.2.7 萨拉托夫水库

萨拉托夫水库位于北起列宁伏尔加大坝南至巴拉科夫大坝之间的河段。是伏尔加河梯级的第七级。该河段长为 348km，水库面积为 1 831km^2，总库容为 134 亿 m^3，有效库容为 17.5 亿 m^3。

萨拉托夫水库整个右岸都位于森林草原带，左岸位于草原带。左岸草原带以萨马拉河为界。在日古利地区伏尔加河转一急弯，称为萨马拉—卢加湾。在此处伏尔加河绕过日古利，穿过两岸地势高而陡峭的“日古利大门”。在索克河口上游，索克深谷逼近左岸。索科利断崖横亘于索克河口下游。在司兹兰附近伏尔加河主流才取道西南方向。

伏尔加丘陵从萨马拉—卢加南沿右岸延伸，但有许多地方，其海拔达 300m，个别山顶达 365m。丘陵向右岸陡降，与此相反，左岸从古比雪夫市起地势比较低。在萨马拉—卢加区域内有一狭长滩地黑杨林带沿左岸延伸。在水库左岸不仅是滩地，而且靠近河滩阶地也全部被淹。左岸以南为草原带。

萨拉托夫水库与伏尔加河梯级其他水库有根本的区别。该库不长期蓄水。从库面全貌及其形态看，很像一条缓慢流动的河流(附图 2-7)。水库可作短期径流调节之用，库面形状与河湾相一致。

仅有一条较大的河流司兹兰卡河从右岸流入萨拉托夫水库，河长为 168km，集水面积为 5 650km^2。在“日古利大门”上游萨马拉—卢加河湾区域内，还有索克河自右岸从东北方流入水库，该河在水库左岸穿越森林草原带和草原带交界地。

在萨马拉—卢加河湾下游汇入的河流有恰帕耶夫卡河和恰格拉河，还有大量草原小溪。这些小溪只是在春汛期才有充足的水量。而在一年的其他时间里，水量极小或河槽完全干涸。小伊尔吉兹河从东面流入萨拉托夫水库下库段，该河同样仅在春季才有较多的水量。

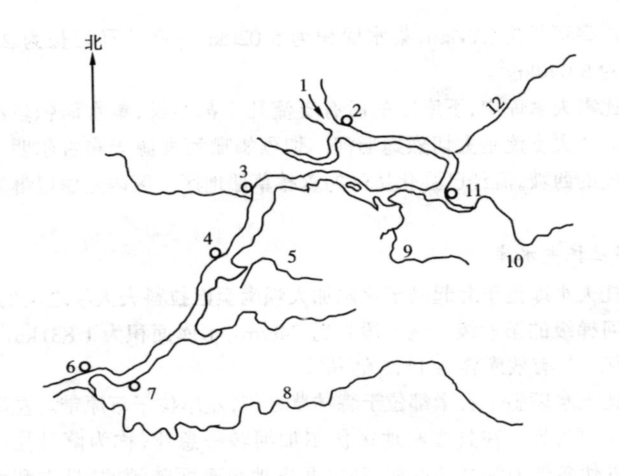

附图 2-7　萨拉托夫水库库区位置示意

1—古比雪夫水库;2—托尔亚季节市;3—司兹兰市;4—赫瓦伦斯克;
5—恰格拉河;6—沃尔斯克;7—巴拉科沃;8—大伊尔吉兹河;9—恰帕耶夫卡河;
10—萨马拉河;11—古比雪夫;12—索克河

2.2.8 伏尔加格勒水库

地处萨拉托夫水库巴拉科夫大坝与苏共22大命名的大坝(伏尔加格勒上游10km处)之间的伏尔加格勒水库是伏尔加河梯级的第八级。库区伏尔加河段长为546km,水库面积为3 117km²,总库容为314.5亿m³,有效库容为82.5亿m³。

水库沿河槽延伸(附图2-8)。其上段沿右岸延伸至兹梅耶夫山脉南端,在此有贴烈什卡河流入,该河长为273km,集水面积为9 680km²。这一库段水库宽度比伏尔加河调节前汛期河宽稍宽。在贴烈什卡河入口下游,水库扩宽到15～17km,水库沿岸一带只有一处大库湾。该库湾顺着被淹没的耶鲁斯兰河河谷向东直插入伏尔加河中下游左岸草原。

伏尔加格勒水库大部分在草原带。森林草原带和草原交界线在右岸从贴烈什卡河河口附近萨拉托夫以北通过,在左岸地处草原带的水库南至耶鲁斯兰河的上、中库段。半荒漠带开始于该河汇合处下游。

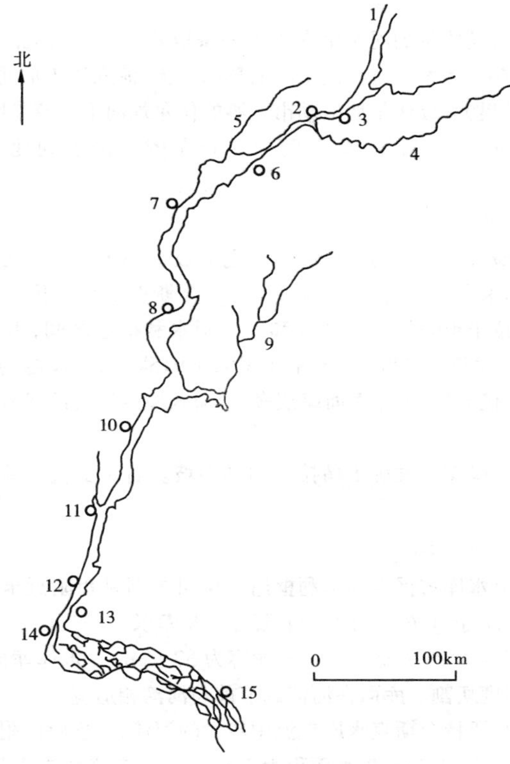

附图 2-8 伏尔加格勒水库库区位置示意

1—萨拉托夫水库;2—沃尔斯克;3—巴拉科沃;4—大伊尔吉兹河;
5—贴烈什卡河;6—马克斯;7—萨拉托夫;8—左洛托耶;9—耶鲁斯兰河;
10—卡梅申;11—巴雷克列伊;12—杜博夫卡;13—沃耳日斯基;
14—伏尔加格勒;15—阿赫图宾斯克

伏尔加格勒水库左岸各处地势都低,为冲积层。其南部大部为赫瓦伦斯克海沉积。

水库左岸支流有大伊尔吉兹河和耶鲁斯兰河。前者在距巴拉科夫大坝不远处流入上库段,后者从东南流入中库段。大伊尔吉兹河发源于奥勃施—司尔特丘陵山坡。这两条支流是典型的草原河流,仅在融雪期间其水量才较大。

耶鲁斯兰河是伏尔加河左岸支流中一条地处下游的河流。此河以下仅有为数不多的在一年大部时间内干涸的草原溪流,流入伏尔加河。由于来水量极小,蒸发量很大,故伏尔加格勒市下游的伏尔加河平均流量明显减少,由伏尔加格勒站的 8 380m^3/s 减至阿斯特拉罕附近的上列比亚日耶站的 7 300m^3/s。

2.2.9 卡马水库

伏尔加河最大支流卡马河也已按规划完成了梯级开发。在卡马河下游有 3 个水库,即卡马水库(彼尔姆水库)、沃特金斯克水库和下卡马水库。

卡马水库位于维舍拉河汇合处和彼尔姆水利枢纽之间,水库于 1954～1956 年蓄水,水库长约 300km,水库面积为 1 915km^2,总库容为 122 亿 m^3,有效库容为 92 亿 m^3。水库库面库汊多,汇流入库的河流河谷淹水后的库湾深入毗连地区。

卡马水库左岸支流发源于乌拉尔山脉山坡。右岸支流发源于上卡马丘陵区域内。

2.2.10 沃特金斯克水库

沃特金斯克水库占据卡马水利枢纽至柴可夫斯基市附近卡马拦河大坝间的河段。水库于 1962～1964 年蓄水,水库长为 370km,水库面积为 1 120km^2,总库容为 93.6 亿 m^3,有效库容为 37 亿 m^3。水库库面呈狭长、蜿蜒形,为库湾中度切割。库面在河流调节前与河湾相适应。

图尔瓦河是沃特金斯克水库支流中较大的河流,在奥萨市附近从左边流入水库。该河长为 118km,集水面积为 3 530km^2。支流总数计有 40 多条。

2.2.11 下卡马水库

下卡马水库 1978 年蓄水。卡马河在纳别列日内—切尔内市附近截流后,该水库则纳入梯级之内。水库呈严重切割形,其面积约为 2 650km^2,总库容为 129 亿 m^3,有效库容为 44 亿 m^3。在准备蓄水淹没的卡马河段内,下卡马水库接纳许多小河,其中只有两条较大的支流伊日河和别拉亚河。伊日河从右侧流入上库段(该河长为 259km,集水面积为 8 560km^2),别拉亚河从左侧流入下库段(该河长为 1 420km,集水面积为 14.2 万 km^2)。

2.3 河道整治工程措施

由于修建水库,伏尔加河中下游河面大大展宽,由此引起的明显问题是库岸变形和由于库区水位壅高，坝下游出现的局部河段的床面冲刷。为此，在主要城镇河段大多采取了护岸工程措施。

从现状看，只要有护岸措施，河岸或库岸变形是基本可以得到控制或减轻的。如在莫斯科运河，为防止航行波浪冲刷，两岸均进行了防护，在凹岸一般采用浆砌石草皮护岸或混凝土板护岸，凸岸护岸则为散抛石，护坡高度在平水期高出水面以上1～2m。

但在没有护坡的河段，仍有塌岸现象。进入伏尔加河以后，上游大部分河段两岸都是高地，高地距水面高度从上至下逐渐增加。滩面高差较小，如自杜布纳以下的上游段，其高差一般在1.5～3.0m。伏尔加河两岸的护岸工程措施类型主要是散抛石护岸和混凝土板护岸，没有见到坝、垛之类的整治工程。同时，即使有护岸工程，护岸坡度也较平缓，大多在1/3左右。在非城市河段，一般无护岸工程，有塌岸现象。

塌岸较为严重的主要河段为中下游库区。同时，塌岸也是这些河段河道变形的主要形式。修建水库后，由于水面变宽，如上游的高尔基库区平均水面宽达3.7km；下游的伏尔加格勒水库库区水面最宽处可达15km，因此，风浪引起的库岸侵蚀往往都比较明显。如古比雪夫水库最宽处约45km，夏季风速一般为3～5m/s，春季5～6m/s，最大可达15m/s，每年有10～20天。通常情况下浪高小于0.5m，3～4级风时，浪高可达0.75m，最大浪高2.5～3.0m，建库以来库岸塌宽累积达到40～160m。尤其水库刚建成的5年左右时间内，塌岸较为严重，其年速率为10～30m，其后每年平均在2m左右。萨拉托夫水库塌岸最宽达到300～400m。对于坝下局部河床冲刷问题，基本未采取任何整治工程措施。目前，对这些塌岸仍未见采取任何整治措施。

2.4 伏尔加河水库修建后的水文情势

2.4.1 径流

伏尔加河流域受人类活动影响非常大，特别是年径流量及其过程已发生明显变化。据И.А.希克洛马诺夫（1975年）的调查，在1956～1970年间，在伏尔加格勒站年径流量平均减少230亿m^3或相当于天然条件下年径流标准值的9%。在此期间春汛年水量平均减少500亿m^3，最大流量减少6 000m^3/s。

径流年内分配的急剧变化是由于水库影响引起的。汛期水量急剧减少，而枯水径流却大大增加(附图 2-9)。据 M.C. 帕霍莫夫(1976 年)资料,上伏尔加枯水径流在枯水年增加 90%,而丰水年则增加 20%~30%,在伏尔加格勒则分别增加 60%~70%和 15%~29%。

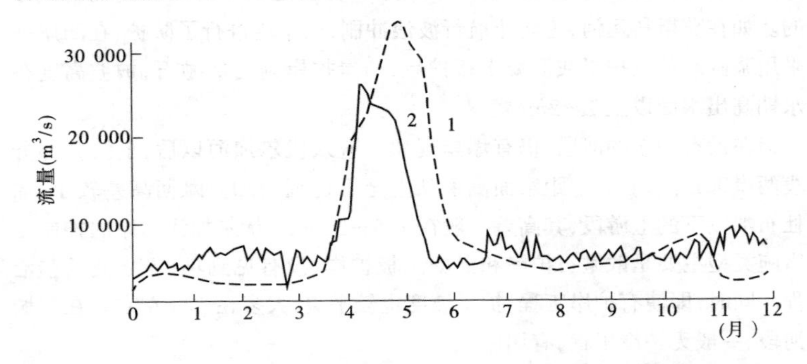

附图 2-9　伏尔加格勒附近伏尔加河年水文过程线

1—天然状态(1931 年);2—径流调节状态(1971 年)(引自帕霍莫夫的资料,1967 年)

年径流、春汛水量和最大流量在人为因素影响下所引起的变化,对水文情势各种因素有着重大影响,而且在伏尔加河个别河段也受到不同程度的影响。

2.4.2　水量平衡

所有水库在水量平衡中的收入主项是地表径流(附表 2-9),降水占第二位。在年水量平衡收入项内,湖泊型水库降水量达 10%,而河槽型水库仅占 2%。以上伏尔加河诸水库为例,湖泊型水库在水量平衡中,夏季降水量增加到 20%~25%,可是河槽型水库的夏季降水量只增加 5%~7%。

水量平衡支出主项是径流。河槽型水库在水量平衡中的径流量项占 98%~99%,而湖泊型水库则降至 85%~94%。

2.4.3　水位

在春汛期间蓄水的所有水库内,可观察到蓄水初期水位迅速上涨的情况。蓄水以后,夏秋期间的水位维持在接近正常蓄水位高程,或随库水量被利用而缓慢下降。水位急剧下降出现在春汛前放水情况下的封冰时期。

水位年变幅最大的有伊万科夫、乌格利奇和古比雪夫等水库(附图 2-10)。

附表 2-9 伏尔加河诸水库多年水量平衡

水库	收入项				收入项合计（亿 m^3）	支出项				支出项合计（亿 m^3）
	地表径流		降水			径流		蒸发		
	总量（亿 m^3）	占收入百分比（%）	总量（亿 m^3）	占收入百分比（%）		总量（亿 m^3）	占支出百分比（%）	总量（亿 m^3）	占支出百分比（%）	
上伏尔加	9.2	90.2	1.0	9.8	10.2	9.4	92.2	0.8	7.8	10.2
伊万科夫	101.2	98.3	1.7	1.7	102.9	101.3	98.4	1.6	1.6	102.9
乌格利奇	140.0	98.8	1.7	1.2	141.7	140.5	99.1	1.2	0.9	141.7
舍克斯纳	44.9	80.0	11.2	20.0	56.1	47.8	85.2	8.3	14.8	56.1
雷宾斯克	332.0	92.6	28.0	7.4	360.0	341.0	94.2	19.0	5.8	360.0
高 尔 基	530.0	98.1	11.0	1.9	541.0	532.0	98.2	9.0	1.8	541.0
古比雪夫	2 380.0	98.8	30.0	1.2	2 410.0	2 370.0	98.4	40.0	1.6	2 410.0
萨拉托夫	2 463.0	99.7	7.0	0.3	2 470.0	2 392.0	98.8	29.0	1.2	2 421.0
伏尔加格勒	2 380.0	99.2	20.0	0.8	2 400.0	2 370.0	98.8	30.0	1.2	2 400.0

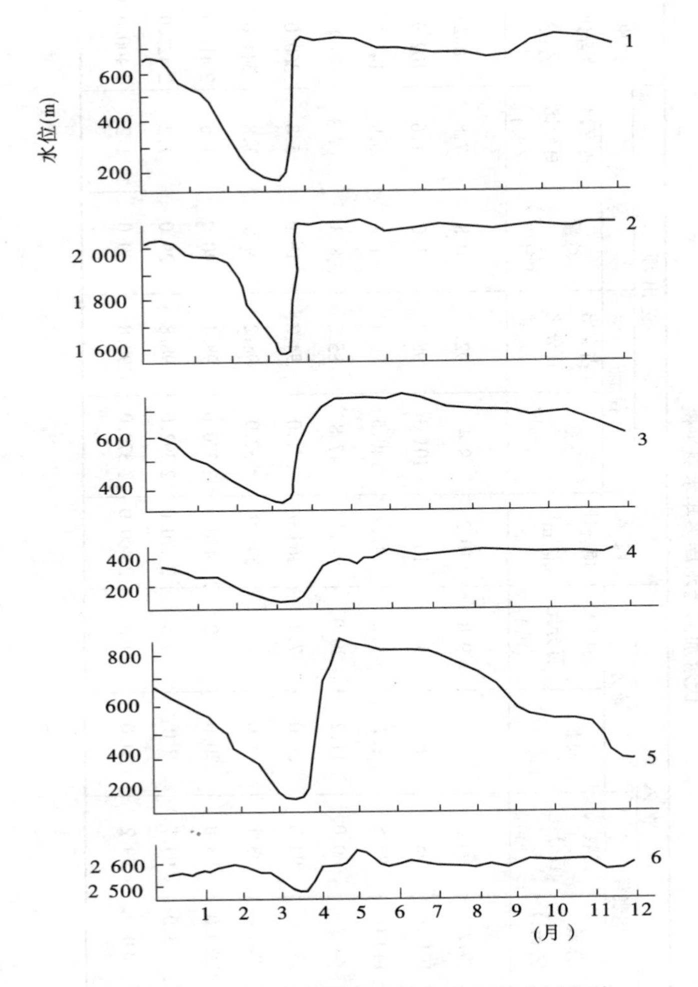

附图 2-10　伏尔加河梯级水库年水位综合过程线

1—伊万科夫水库；2—乌格利奇水库；3—雷宾斯克水库；4—高尔基水库；5—古比雪夫水库；6—伏尔加格勒水库

在水深较浅的湖泊型雷宾斯克水库中，水位涨落变化十分明显。由于库水位涨落的影响，其南北库区之间的水位差可能超过1m（别雷赫，1959），其他水库湖态段也可见到类似的情景。例如，在古比雪夫水库，如遇强北风，在托尔亚季市地区的水位升高0.8～0.6m。水库上段与临坝段之间的水面总坡降可达1m以上（博罗夫科娃等人，1962）。

伏尔加河干流库群不同库段其水位状态也不同。在大多数水库所见到的水位纵向落差和水面比降仅仅是一种周期性现象，但是在其中某些水库个别库段，形成与河流相近的状况。

水库水位变化的特征是由于水电站工况不均衡性所形成的。在水利枢纽下游未调节的河段，这种水位变化特别明显。其所波及的距离达数十公里，变幅有数米之高（阿瓦基扬，沙拉波夫，1977）。

2.4.4　流速

在库区的河段，流速有很大的变化。在水库蓄水过程中，回水区的流速急剧减缓。例如，在高尔基水利枢纽地区，在天然河态下，枯水期的平均流速，在深槽变化范围为26～32cm/s，而在浅滩区则为50～70cm/s。春汛期流速很大，有时竟达150～170cm/s。

高尔基水库开始蓄水后两三星期，在距大坝约50km的回水区内，伏尔加河河槽流速降低了60%～70%。在契卡洛夫斯克到尤尔耶韦茨河段，1953年夏季枯水流速最大值达114cm/s，而在1956年7～8月份库内流速最大值也不超过28cm/s。

河川径流调节后在雷宾斯克至古比雪夫河段，伏尔加河流速变化的特点见附图2-11。

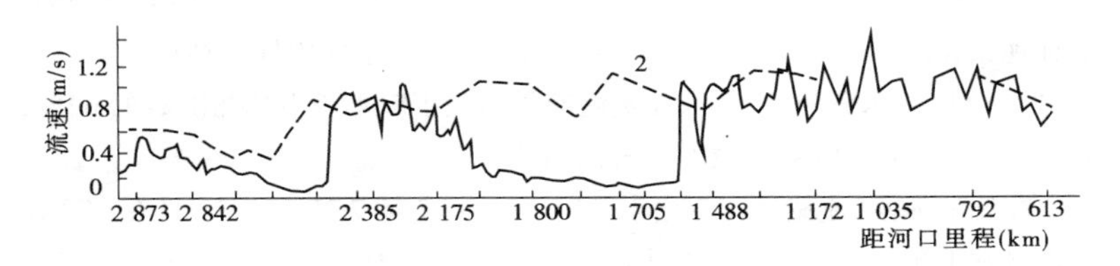

附图2-11　夏季枯水期伏尔加河河槽平均流速

1—调节状态（1957年）；2—天然状态（1921～1922年）（引自贝宁的资料，1921年）

径流调节时,水工建筑物上下游形成极为特殊的流速变化特征。此处流速以水电站工况为转移(附表2-10),其变化范围又受季节变化的影响,同时这种季节变化的特点与年水量大小有关。在丰水年汛期,水库通过水利枢纽大量放水,所以流速增加,达年最大值。在中水年和枯水年,水利枢纽的泄水量最小,因此汛期流速可能比冬季和夏秋两季要小。

附表2-10 雷宾斯克水电站下游在不同流量下的流速

日期(年.月.日)	实测流量编号	水电站流量(m^3/s)	平均流速(m/s)	最大流速(m/s)
1956.10.31	1	1 334	0.88	1.35
	2	1 359	0.89	1.15
	3	1 366	0.90	1.21
	4	1 379	0.90	1.21
1956.11.1	1	1 030	0.74	1.04
	2	1 033	0.74	1.03
	3	991	0.70	0.97
	4	1 017	0.72	1.02
	5	1 035	0.74	1.01
1956.11.2	1	782	0.60	0.86
	2	726	0.56	0.79
	3	768	0.59	0.79
	4	772	0.59	0.82
	5	785	0.60	0.79

水利枢纽上下游的典型特性是,可能出现回流现象(利特维诺夫,1968)。这种现象在回水变动区较为常见。例如,在高尔基水库内耶尔纳提河河口区水深4m处(总水深为8.5m),在实测期间出现正向水流占总测次数的64%,而回流只占36%(雅罗斯拉夫采夫,1967)。

在调节河段,流速昼夜变化十分明显。1957年7月29～30日在雷宾斯克水电站下游水文站昼夜实测水面流速变幅范围为17～137cm/s,近底流速昼夜变幅为56cm/s。在个别时期,在垂直水深线上流速降低1/3(布托林,1958)。高尔基水电站上游平均流速昼夜变幅范围为13～33cm/s。在水深18m处,则为14～44cm/s以上(奇吉林斯基,1962)。

库内若无冰盖,风生流便大大增强。如雷宾斯克那样的水库内,风生流在一般环流中的作用特别明显。在稳定而又持续的风作用下,库内表层水可移动一段很长的距离。在风速为4～6m/s至8～10m/s之间的南风和东南风作用下,水面的自由浮标在4～5昼夜内可漂移40～50km,其平均漂移速度为9～13cm/s。水深只有2～3m的上部水层可顺风移动。在此水层以下水流流向一般或与风向成一较大的角度或反向而行。伏尔加河水库的浅水状况、库底复杂地形和风情不稳三者都决定风生流复杂的结构型式。其速度和流向也有很大的变化(附表2-11)。

附表2-11　雷宾斯克水库格拉夫内深槽风速、风向和流速、流向

时 间 (时:分)	水 层 (m)	风		水 流	
		风 速 (m/s)	风 向 (°)	流 速 (cm/s)	流 向 (°)
11:10～11:50	0～0.8	4.0	330	4.6	150
	2.0～2.8	4.0	330	1.7	300
	6.0～6.8	4.0	330	2.0	350
11:50～12:30	0～0.8	5.0	360	5.0	175
	2.0～2.8	5.0	360	3.8	310
	6.0～6.8	5.0	360	4.6	350
12:30～13:15	0～0.8	7.0	130	12.0	245
	2.0～2.8	7.0	130	8.1	315
	6.0～6.8	7.0	130	10.4	357
14:30～15:30	0～0.8	7.8	120	12.1	318
	2.0～2.8	7.8	120	7.3	310
	6.0～6.8	7.8	120	1.0	290

注:该表引自利特维诺夫的资料,1958年。

因此,在夏秋期间,伏尔加河水利枢纽处大多数的断面内,日平均流量有所减少,此时水流也随之减弱。风生流在环流中及在水流混合处都起着巨大作用。这种水流的特性无论在水库的水域或在垂线上都迥然不同,而在水库浅水区和深水区,其差异特别大。

在沿岸浅滩上方和浅滩以外一段距离内,在某种条件下有一股水流,其流态与浪情和浅滩地貌有关。沿岸的流速无论在水深上或在浅滩横断面上都有所不同,水表层流速较高。以高尔基水库为例,H.A. 雅罗斯拉夫采夫(1967 年)指出,在浪高 1.1m 时浅滩横断面平均流速达 50cm/s,最大流速为 90cm/s。

2.4.5 波浪

伏尔加河浪情随着水库形成而变化。如果说河中浪高一般不超过 0.5~0.75m,则在伏尔加河库群中(例如古比雪夫水库)浪高达 3m 或以上。依水库的形态、面积和水深不同,每个水库都有各自掀浪过程的极限。例如,在伊万科夫水库正常蓄水位下或在乌格利奇水库临坝段内,10m/s 的风速掀起浪高为 50~65cm。

在雷宾斯克水库,盛行风向的浪区很大。最大浪高在水库中央(附图 2-12)。在格拉夫内深槽的大部分水域中,在刮同一风速但风向不同的风

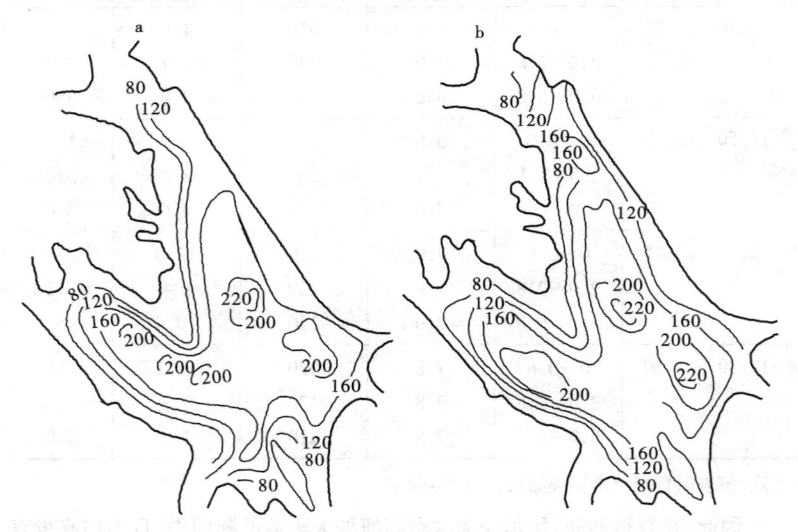

附图 2-12 高尔基水库在西南风(a)和西北风(b)的风速为 20m/s 作用下的等波高(cm)线

时,浪高多半为 160~200cm,而在这一深槽与中央岬部相接的浅水段,浪高降到 80cm。在其中央库区不同风向的风都能掀起巨浪。

与雷宾斯克水库不同,在高尔基水库却见到另一种情景。在这个水库中段,特别是上游河槽段波浪不大。而在科斯特罗马区和深槽,浪高不超过40cm。在南北朝向的水库湖态区具有有利的掀浪条件。刮北风或南风时,掀浪最高。在高尔基水库湖态区的不同区域,最大浪高在215～230cm之间,甚至高达290cm。在9月和10月掀浪频度最高,6月和7月最小。在个别年份却偏离这一规律。例如,在1961年高尔基水库出现巨浪的最高频度时间在8月,最小在10月。

伏尔加河其他水库都有能制约掀浪过程和起浪特性的主要因素。因为水库内掀浪过程均在水位季节变化和年内变化较大的状况下形成,甚至在同一气候条件下水库内波浪要素值也可能发生重大变化。

2.4.6 库区床面特性

掀浪过程和水流运动的不同成因,决定着库区的水动力学效应。水动力学效应又决定这些水库淤积过程的性质和方向。在波高浪大又有流动水的水库内,淤积过程比较强烈。因为其内存在有利于破坏库底原来形态、冲刷原土而推移及其再沉积的条件。

伏尔加河径流调节前,朔沙河河口以上的上游的特点是河床底质为石质土或粗沙土。在河槽中间有个别巨石,甚至石滩。这里一般长满水生苔藓和深水高等植物(蕴藻、松藻、狐尾藻),沿岸植物丛带十分茂盛。

在舍克斯纳河河口以下的中游,河底植物丛少见(苔藓和蕴藻消失),而在翁日阿河河口区,河底或沿岸带植物丛已消失。河底质渐变以沙土为主。

从卡马河河口开始的下游,主要是细沙底质。有的地方看到黏土露出,只在较高的右岸有多处石质床面河段。无论河底或河岸都没有生长任何植物。

在三角洲河汊内,在水流十分缓慢运动的条件下,沿岸植物丛又重新出现。河床质都是沙质淤泥土和沙质黏土。

河流底部沉积变化和水库床面的形成是从水库蓄水之日开始。在处于早期发展阶段的人工水库底部沉积形成过程中,水流侵蚀活动起着最重要的作用。这种侵蚀活动造成库岸坍塌和库底冲刷,并引起悬移质泥沙沉积,而生物因子的作用较小(希罗科夫,1964,1966;布托林等,1975)。

雷宾斯克水库运用25年来,在泥沙平衡的收入项中,来流中悬移质泥沙占16%,来自两岸和库底冲蚀的泥沙占77%,来自泥炭漂浮植物层冲蚀的入库悬浮物约占5%，生物悬浮物占2%，而仅有5%的悬浮物被排到雷宾斯克水电站的下游，其余部分悬浮物全积蓄在库内(济米诺娃，库尔金，1972)。

这样，入库并在库内形成的大部分悬浮物沉积于库底，形成了二次底部沉积。它们是水库土壤复合体的主要组成部分。除了二次底部沉积外，土壤复合体还包含原生土(在淹没之后尚保留的非淤积土)和冲成土(在淹没条件下经受重大变化的土壤)。

在库区水下地形确立及其土壤复合体的形成中，曾经历若干阶段，即指从库底和库岸受强烈冲蚀，库底地形新要素初步出现，到水下地形稳定和二次土形成诸阶段(希罗科夫，1972)。对这些过程曾以上伏尔加诸水库为例作了充分的研究(布托林等，1975)。

根据二次底部沉积层厚度探测结果，伊万科夫水库年平均淤积速度为0.20cm，乌格利奇水库为0.17cm，雷宾斯克水库为0.25cm。这证实了不存在这些水库产生淤积问题的可能性。但是，淤积过程的特点是个别库段淤积速度差别很大。例如，就雷宾斯克水库而言，一些库段的二次沉积层厚度达1m以上，而另一些库段则不超过几个毫米或全无沉积。

若在水动力学效应下库区水流有短时间变化和来自一个或若干个主要起源的成土材料进入量减少时，在土壤复合体中会出现不可逆过程。因此，土壤复合体形成期随时间的推移而延长。在伊万科夫水库，其历时约20年。在乌格利奇水库，需时30年。在雷宾斯克水库运用30年后，土壤复合体重大改组仍在继续。这一土壤复合体在水库形成的头十年就已形成。

2.4.7 含沙量

在伏尔加河，实测的河水含沙量在汛期和洪水期最大，冬季最小。根据A.Л. 贝宁(1924年)的资料，在萨拉托夫地区实测悬浮物含量以春季流冰期最大，约为200mg/L，而以冬季中期最小，其值不超过3～4mg/L。在中伏尔加，含沙量明显减少。例如，在基涅什马站附近，1940年5月3日悬浮物含量为50mg/L，而同年12月20日则为3mg/L。

悬浮物含量及其组成、推移和沉降的特点等，随着水库的形成因流速降低和库内掀浪过程而有很大变化。对所有水库而言，决定悬浮物含量及其组成的主要因素是径流、浮游植物的繁殖状况、库岸和库底再造等。

根据对雷宾斯克水库的悬浮物状况的调查，春季伏尔加河和莫洛加河河水悬浮物含量最大(附图2-13)。悬浮物含量从库岸向库中央递减:水库的河态段悬浮物含量可达 20mg/L,库中央为 3~4mg/L。

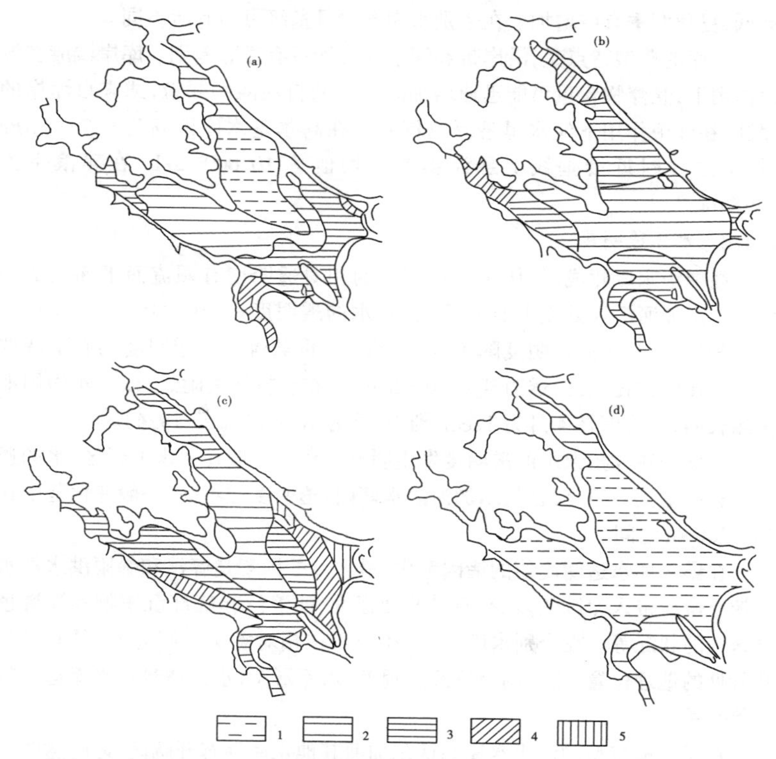

附图 2-13　雷宾斯克水库悬浮物的分布

(a)春季;(b)夏季;(c)秋季;(d)冬季(引自济米诺娃资料,1963 年)

1—1~2mg/L;2—2~4mg/L;3—4~6mg/L;4—6~8mg/L;5—8~12mg/L

夏季的特点是,水的含沙量普遍下降。初秋水库河态段水的悬浮物含量仍与夏季相同,而在格拉夫内深槽,其含量则依风力条件而变化。随着霜冻的来临和来自集水区入库悬浮物含量减少,水的含沙量不超过 5mg/L。冬季库水的悬浮物含量最少,在水库水域中分布较均匀。封冰后水库的格拉夫内深槽含沙量为 2~3mg/L,在冬季减少到 1~2mg/L(济米诺娃,1963)。

单项观测和间接指标证实,伏尔加河梯级其他水库与雷宾斯克水库相同,其含沙量大体上有季节变化。季节变化的特点是春汛含沙量最高,冬季最低,夏秋两季有些增加。在个别水库含沙量量级可能有所不同。

水库的典型特点是,沿岸带和深水区含沙量有显著差别。库岸浅滩在波浪作用下,悬浮物含量可能迅速增加。无论来自浅滩的颗粒,或来自库岸的侵蚀,在波浪作用下使水里悬浮物饱和。在高尔基水库浪高为 0.7~1.0m 时,水边线附近沿垂线上悬浮物的平均值达 10 000mg/L,在碎浪带为 2 200mg/L。

2.4.8 水体透明度

在梯级水库建成后,伏尔加河河水的相对透明度有顺流而下递减的趋势。莫洛加河汇入处至翁日阿河河口,水的透明度在 70~80cm 之间,往下至卡马河河口,水的透明度降到 50~55cm。再顺流而下透明度仍有下降的趋势。在萨拉托夫区,透明度为 40~50cm。在萨拉托夫附近,以一年为周期实测表明,透明度在 4 月为 12cm,到 10 月为 185cm(贝宁,1924)。

库群的建成招致水的透明度发生明显变化。一般在回水上延区,水的透明度有所增大。但是,在伏尔加河诸水库内,透明度都不高,一般变化范围在 70~200cm 之间。

在影响库水透明度值的诸因素中,最重要的因素是春汛和暴雨洪水把水中悬浮微粒带入库区的多少、两岸冲蚀程度、波浪泛起底部沉积物和浮游植物繁殖的状况等。在个别水库内,上述因素在相对意义上则有所不同,且与其所处的地理位置、流域的经济开发程度、水库形态、水文情势和水库运用特性等有关。

在雷宾斯克型的浅水水库和伏尔加河其他水库湖态开阔区,影响透明度下降的主要因素,基本上与波浪泛起底部沉积物和浮游植物繁殖状况等有关。

通常水的最大透明度出现在水库深水区。随着向库岸、浅水区和河溪口靠近,透明度也随之下降。例如,在伊万科夫深槽内,夏季水的透明度为 1.2~1.6m,而在浅水的朔沙深槽为 0.5~1.0m。乌格利奇水库水的透明度未见有明显差异,在其上库段水的透明度为 1.3m,而在临坝段为 1.5m。

雷宾斯克水库的特点是,水的透明度在各个水域有很大变化。在秋季风暴期,在格拉夫内深槽东部和中部,透明度值最小(0.3~0.4m),冬季在佩烈博尔库湾,其值最大(达 3.6m)。此库湾最大平均年透明度为 1.4~1.5m。

库内水的透明度变化一般规律是封冻后透明度值有所增大。这对其他水库来说具有代表性。

库水透明度的某些实测值变化范围很大,但其年平均值相近,而季节变化的特点对所有水库也有共性。

2.4.9 水温

在伏尔加河径流调节前,在河流解冻后,水温开始缓慢上升,约经一个月,水温升到15~16℃。实测水温最高一般在6月,达最高值后,水温开始下降,到10月底为3~4℃。这样的水温保持到秋季流冰前,后在流冰和封冰时,水面水温降到0℃,此时在近底层水温保持在零度以上(接近0℃)。这在水表层和近底层间未见有很大的温差。水温年变幅沿河均匀分布(贝宁,1924)。

水库解冻比河流晚。沿岸带库水春季升温是从解冻水和河水入库时开始。在这一期间,沿岸浅水区表层与水库深水区的水体有一定的温差。某些水库升温期持续达3个月之久。

在像雷宾斯克那样的水库和其他水库的湖态开阔区,特别是在春季,可能出现水温的横向梯度(附图2-14)。

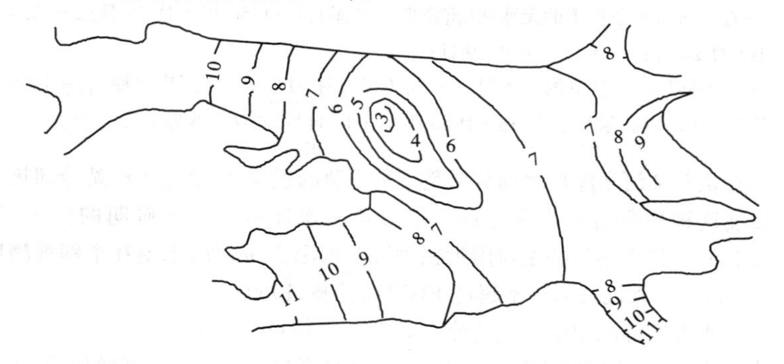

附图2-14 1960年5月13~14日雷宾斯克水库水表层水温(℃)分布

在库内还观测到以夏季变幅大、秋季不明显为特点的昼夜水温变化。夏季水温昼夜变幅一般不超过2~3℃。在个别情况下,实测昼夜变幅为8~10℃。

夏季，在温暖平静的气候时，表层与近底层之间的温差可达10～15℃，此时形成温跃层。在该层内温度梯度为2～3℃/m，而在个别情况下达7℃/m(附图2-15)。

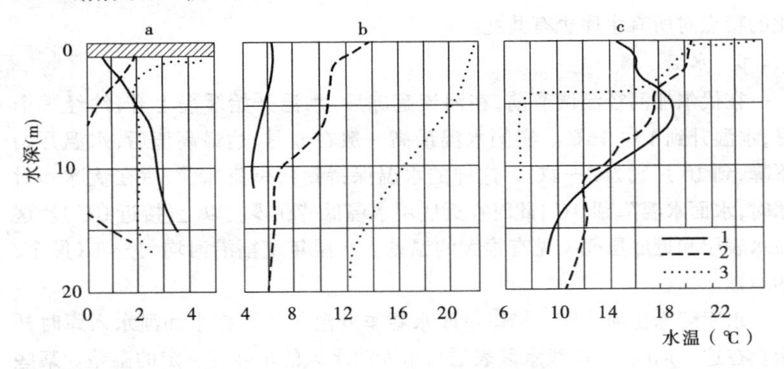

附图2-15　水温按水深分布的特性曲线

a—封冰期(雷宾斯克水库)：1—1962年3月23日；2—1960年4月20日；3—1950年4月20日；

b—在一般蓄热条件下的无冰期(雷宾斯克水库)：1—1956年5月28日；2—1954年5月26日；3—1954年6月19日；

c—在不同气候条件下的无冰期：1—1954年5月31日(雷宾斯克水库)；2—1959年6月16日(高尔基水库)；3—1956年6月10日(雷宾斯克水库)

在伏尔加河水库群水温分层是一种短暂的现象，特别是火电站冷却热水排放使这种现象有时有所增强。伊万科夫水库就是一个鲜明的例子(附图2-16)。在热水排放的主流附近在垂线上水深3.5m处，水温在个别观测期内达21℃，而靠近底部则不超过13℃(布托林，1969)。

在水库底部沉积层内温度分布具有一定特点。在湖泊型水库冬季大部分库底为土温，近底层水温有所升高，水体总蓄热量到冬末略有增加，而在河川型水库，情况恰恰相反。因为底部沉积层温度与水温特别是与温度变动的特点有密切关系，所以人为因素对水温有重大影响。例如，在伊万科夫水库内，在科纳科沃火电站冷却热水排放区的温度在冬季、早春和秋季等3个时期都比水库其他区段高。夏季两者温差最小。人为加热区的土壤总蓄热量比河槽部天然状态高1.5倍，而比河槽坡面处约高5倍(布托林，库尔金娜，

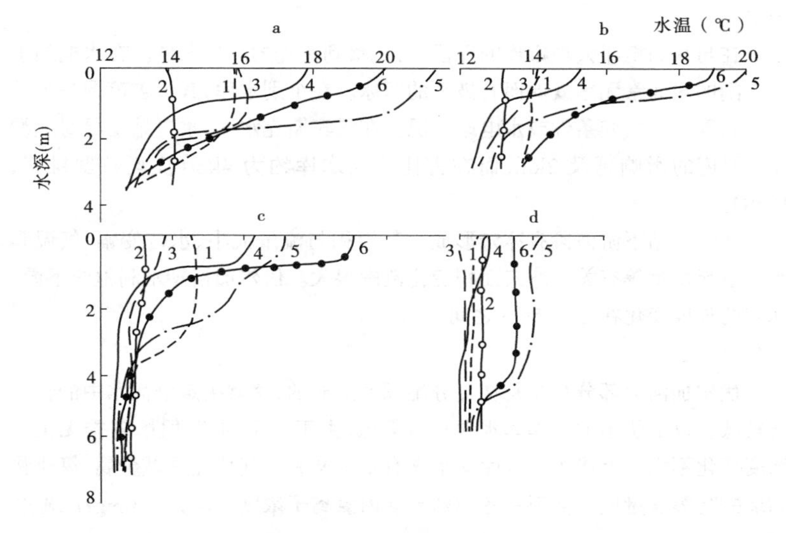

附图 2-16　伊万科夫水库水温按水深分布的特性曲线

a～c—科纳科沃国营地区火电站冷却热水影响区；
d—在影响区以外；1～6—实测组号

1975)。

排入水库的热水补充热量非常大。如果 8 月份补充热量不及河水热量的 10%，10 月份则占 50%，而在 12 月至 3 月热水进入水库补充的热量比来自集水区入库的水大 2～4 倍。

2.4.10　冰情

河流温度条件的变化反映在冰情上。伏尔加河诸水库冰层形成比河流稍早。冰层厚度平均比河流的厚度大 15%～20%。一般为 60～70cm，而在严冬为 80cm，甚至 100cm。

根据观测，水库水域冰层厚度不均匀。库岸附近的冰比水库开阔区厚。例如，在古比雪夫水库库岸区冰厚达 100cm，而在开阔区约 70cm。在有流动水的库段，冰层厚度明显减小。

水库冰情的典型特点是冰层在水位消落时自行下沉至底部。在水库春季蓄水之前，下沉到底质上的冰在个别水库所占的面积有数十甚至数百平方公里。

在与水利枢纽大坝毗连的库段，可观察到特殊的冰情条件。在水电站上游广阔的水面常无冰或偶而有破裂的薄冰。在个别水库，其覆盖范围是不同的。它取决于气候条件或水电站工况。在雷宾斯克水库，水电站工况对上游冰层厚度的影响延及 2km，而在古比雪夫水库约为 4km（皮奥特罗维奇，1958）。

在水电站下游河段有冰穴形成。其面积与流量大小、水位变幅、气温和水库下泄水量等有关。冰穴面积变化范围很大。伏尔加格勒水利枢纽下游，冰穴的长度变化在 1～65km 之间。

2.4.11 盐分

伏尔加河大部分径流是在过分湿润区形成的，这就决定全河水中的含盐量较低。以上伏尔加水库库水含盐量最低，由于库水的流动性，各季无机物浓度变化不大。上伏尔加水库库水含有重碳酸钙。其特点是碱金属、氯化物和硫酸盐等含量低。甚至在冬季枯水期内氯离子浓度平均为 4.0mg/L，碱金属为 1.4mg/L。

在调节径流的情况下，含盐量季节变化的一般趋势遭受破坏。库水流动性应属于决定这些变化的主要因素。水库本身水体的多样性是由水文和地貌等特征、污染源的存在及其位置来决定。

在伊万科夫水库（水交换系数较高），盐浓度的周年变化与畅流的河流相类似。按化学性质，该水库深槽水的化学成分与伏尔加河和特韦尔察河河水的化学成分相近似，因为伏尔加河深水区的水来自伏尔加河和特韦尔察河。

2.5 伏尔加河水资源开发利用

2.5.1 供水

据统计，目前伏尔加河流域有 20 000 个用水单位，1997 年总引用水量 285.71 亿 m^3，占俄罗斯全国用水量的 31.7%，其中伏尔加河两条最大的支流奥卡河为 61.45 亿 m^3，卡马河为 58.64 亿 m^3。引用水量中地表水约占 85%。用水量中居民生活及饮水占 29.2%，生产用水占 51.4%，灌溉用水占 9.1%，农村供水占 4.3%，其他用水占 6.0%。

近 10 年来由于俄罗斯工农业生产的滑坡，用水量有所减少，如 1991～1997 年比 80 年代平均每年减少了 89 亿 m^3。

伏尔加河流域各地区用水量分布不均衡,用水大户集中在莫斯科、彼尔姆、下诺夫哥罗德、萨马拉和阿斯特拉罕5个州。这5个州中只有莫斯科和彼尔姆两个州水源充足,用水量有保障,地处干旱缺水的萨马拉州,特别是阿斯特拉罕州缺水比较严重。

1997年与1991年相比较,伏尔加河流域用水结构发生了改变,生产用水量降低了4%,灌溉用水降低了5%,而生活及饮用水增加了7%。在此期间循环用水及重复用水减少了187.69亿m^3,伏尔加河流域工业用水重复率很高,其中天然气工业达到97%,石油加工工业达95%,化学工业及石油化工达91%,机械制造业达85%。由于重复使用率高,工业节水率达到81%。

全流域供水系统在输水过程中的损耗率高达7%,由于工业生产过程中工艺水平落后及供水系统的漏失严重,相当一部分水量损耗了。综合分析近些年的用水状况,可以认为,用水量仍然偏大。

2.5.2 排水

伏尔加河流域工业及生活污水的排放量1991年占全俄罗斯的31.7%,1997年占29.9%。1997年排水量为183.77亿m^3,其中96%排入河流、湖泊、水库,0.3%~0.4%排入地下,约4%排入低洼地。排入江湖水域的污水中,达到排放标准的只占40.3%,污水占49.3%,未经过处理的占5.6%。污水经过处理,合格的只占4.4%,不合格的占43.7%,排水中达到排放标准的81.91亿m^3水量,主要是企业的冷却用水、灌溉及沼泽地排水。近年来未经处理的污水及虽经处理但未能达标排放的排水量有增加的趋势。污水中大部分来自奥卡河、卡马河及其支流。

排入伏尔加河水域的污染物主要是石油产品,苯酚、氯化物、铜、锌及锰。据1997年统计各种污染物的排放量为:磷化物1 504万t,氮硫铵化合物4 679万t,硝酸盐1 248万t。石油产品3 700t,悬浮物16.7万t,硫酸盐155万t,氯化物143万t,铁1.5万t,铝8 100t,钛8 300t以及其他各类污染物质。

目前伏尔加河流域防治水污染的措施主要是建污水处理厂,但当前的形势不容乐观。尽管现有污水处理能力已超过生产及城市污水总量,但大多数污水处理厂效率不高。

2.5.3 国民经济各部门用水情况

(1)居民及城市公共用水。1997年居民及城市公共用水总量为66亿

m^3,俄罗斯联邦各地区气候条件、城市人口与居民点福利设施各不相同,人均日用水量也不一样,其变幅为320～440L。据1997年统计,伏尔加河流域莫斯科市人均日用水量为631.6L,其余各州为200～400L。伏尔加河流域经过处理后的供水量约占60%。由于输水管线及闸门的损坏,每年损失的水量约占到管网输水量的8%～10%。城市生活及公共用水与工业企业是地表水污染物的主要来源。传统的污水处理设施只能适应日益增加的新的污染物质(重金属、杀虫剂、苯酚、有机化合物等)处理的要求。用氯来处理含有大量有机物质的水,导致了二次污染并形成有机氯化物。由于地表水污染严重,水质较好的地下水的使用量逐年增加。但是近年来集中供应的地下水水质也在降低,地下水也受到重金属盐、石油产品、杀虫剂的污染。

(2)工业用水。伏尔加河流域工业用水占全俄罗斯的37.2%。1997年工业用水总量为116.2亿m^3,约占全流域取水量的45%～50%。重复使用率为1991年水平的73%,重复用水总量为511.5亿m^3。各个工业企业的用水量与工业水平、节水措施及工业结构有关。用水大户是热电厂、冶金工业、有色金属工业、化学工业及石油化学工业。

(3)水力发电用水。伏尔加河开发中水电放在突出地位,为此修建了大型水库进行径流调节,由于伏尔加河来水多,伏尔加河—卡马河各梯级水库的有效库容仅900亿m^3,只能进行不完全年调节,将春汛期(4～6月)的部分水量调节到枯水季节下泄,力争开发更多的电力。伏尔加河—卡马河梯级水电站多年平均年发电量为400亿kW·h,可满足俄罗斯中央经济区用电量的20%,成为统一电力系统高峰负荷期间的主要供电电源。

(4)农业用水。农业用水包括农村居民用水、畜牧业用水、灌溉用水及牧草地用水等。近10年来由于经济衰退,农业用水也有所减少,如1997年的用水量只相当于1990年的40%,主要是农田灌溉用水量大幅度减少。

(5)航运用水。伏尔加水系航运发达,经过改造形成了俄罗斯欧洲地区统一的深水航道,将伏尔加与五海相连。航运用水要求枯水期水库加大泄量,这与水电开发的要求是一致的,但是船闸用水是航运用水的特殊要求,这与其他部门的需求,往往发生矛盾。

(6)渔业用水。伏尔加河是欧洲最大的河流,生物多样性水平高,渔业资源丰富,同时对里海北部海域的生物资源有决定性的影响,该地区是俄罗斯珍贵渔业区,有多种鲟鱼生长,鲟鱼产量占全世界的一半以上。水库修建后对伏尔加河及里海渔业造成了极不利的影响，淹没了洄游鱼类的产卵地，截断了洄游路线，改变了生长条件，特别是水库调蓄春汛洪水改变径流过程，对鱼类生长繁殖很不利。

从渔业生产考虑，要求春汛的水量不少于 1 000 亿～1 100 亿 m^3，春汛期维持在 75～80 天以上(其中涨水期 15～20 天，洪峰期 20 天，落水期 35～40 天)，亦即维持天然情况下春汛的 2/3。但这与其他部门的要求相矛盾，除丰水年外，很难满足。

(7)伏尔加河流域水资源平衡。伏尔加河流域水资源平衡现状见附表 2-12。

附表 2-12　　伏尔加河水资源平衡状况

项 目	水量分配	不同径流条件的水量(亿 m^3)		
		多年平均	75%保证率	95%保证率
收入部分	地表径流	2 530	2 230	1 870
	提取地下水量	45	45	45
	合 计	2 575	2 275	1 915
支出部分	引出量	140	140	125
	洪水与养鱼	65	65	65
	灌 溉	75	75	60
	水库水面蒸发	81	81	81
	合 计	361	361	331
向伏尔加河下游泄水量	渔 业	1 200	1 000	900
	通 航	580	580	580
	水 电	470	470	470
	合 计	2 250	2 050	1 950
	水资源耗用量(包括泄水量)	2 471	2 271	2 156
	平衡状况	+104	+4	−241

由附表 2-12 可知伏尔加河流域年径流量在 2 530 亿～2 540 亿 m^3 时能满足各部门的综合要求，在平水年及枯水年来水量少，满足不了各部门的需要，这时需要对有限的水资源进行合理分配利用，以取得最好的经济效益。

3 伏尔加河开发治理的经验及存在的主要问题

3.1 开发治理经验

伏尔加河从20世纪30年代开始大规模治理开发到20世纪70年代基本实现了梯级开发目标，建成了梯级水库群和贯通五海的深水航道，经过几十年运用的实践，积累了丰富的经验。

3.1.1 重视前期工作、原型观测和基础研究工作

苏联时期对河流治理开发的前期工作和基础工作十分重视，首先是系统整编了历年的水文、测绘资料，布设了完整的气象水文观测站网进行多种水文气象要素的观测，并组织全国力量进行河流查勘，开展水资源及水力资源、航运条件和地质状况的普查，对选定的水利枢纽坝段进行详细的地质勘探，并长期进行规划设计工作，进行多方案比选。工程施工期及竣工后建立了正规的监测网，特别是建立了规模很大的水库水文气象观测实验站，长期坚持进行各种水文气象要素的全面观测与研究工作，如雷宾斯克、高尔基、古比雪夫、伏尔加格勒等大型水库的水文气象观测实验站都由国家水文气象委员会设立，配备了大批教授、研究生及良好的观测仪器及船只，定期出版观测资料，并组织科研、规划设计、交通航运及高等院校的人员进行合作研究，这种长期的定点常设的水文气象实验站，是世界上首创并一直坚持的，是当时社会主义制度优越性的体现。泥沙问题在苏联的江河中并不突出，但政府的重视程度在世界各国是从未有过的，设立了众多的泥沙观测实验站、队，在全国范围内几乎主要高校与水利、交通、电力、林业等部门都建立了专门的泥沙研究的机构或实验室。50年代至70年代曾造就了大批世界著名的泥沙专家。

伏尔加河这条欧洲最大的河流，其流域大部分顺着经度延伸，地跨原始森林至半荒漠的不同地理景观带，这就造成各河段的生态条件的不同一性，这种不同一性在人为的强烈干预下更为突出，出现了许多新情况、新问题。因而长期以来就成为各学科的科研对象，加上伏尔加河及其支流全部分布在俄罗斯联邦境内，这样有利的地理位置又有利于组织和开展全河性的研究。除水利、水电、水运、地理等学科研究受到重视外，伏尔加河生物、生态学的科学研究也被列为重点。早在大规模水利水电建设开始前，为查明伏尔加河生

态环境与生物的本底，并对全河梯级开发后可能出现的变化作出预测，由科学院内陆水体生物研究所牵头，组织莫斯科大学及伏尔加河流域的十多所大学与科研单位，对伏尔加河库群，特别是水文和生物状况、种类繁多的水生生物生命周期和生物物质循环等形成的过程开展了大规模的全面研究，在各大水库均建立了生物站，进行系统观测调查，积累了丰富的资料。20 世纪 60 年代以来，随着伏尔加河工业飞速发展与城市化进程加快（伏尔加河流域城市人口约占总人口的 80%），水环境污染逐渐突出，苏联政府 1972 年通过了“防止伏尔加河和乌拉尔河两流域受未经净化废水污染的措施”的决议，1988 年通过了“防止里海污染”的决议，有关伏尔加河水质监测与保护的科研工作大规模开展，扩大了在大型热电站地区水毒理学和微生物的研究，以期查明它们对水库生态系统的影响，并开展了人类活动对水体影响条件下生态系统变化状况的观测与调研工作，几十年来投入了大量的人力与财力，取得了许多有关表征在新条件下河流生物特点的新资料，得到了许多有价值的科研成果。在该领域的研究走在了世界的前列，其经验值得各国借鉴。

3.1.2 积累了有关水资源分配与水库优化调度的丰富经验

伏尔加河开发是本着综合利用的原则进行的，其水资源利用与水库的调度运用涉及到众多部门和地区的利益，特别是伏尔加河中下游及里海北部是世界著名的珍贵鱼类繁殖生长的地区，渔业资源的经济效益极高，此外伏尔加河下游地区有著名的富饶的伏尔加—阿赫图宾斯克河滩地，伏尔加河三角洲和西部草甸洼地及干旱草原，都对伏尔加河水资源有特殊要求。伏尔加河—卡马河约 900 亿 m^3 的调节库容由位于干流上、中、下游及支流的 11 个大型水库组成。因而水资源分配及水库优化调度是一项复杂的系统工程。

天然情况下伏尔加河春汛期（4～6 月）的来水量一般占全年的 62%。春汛水库调度是关键时期，在伏尔加河下游正是珍贵鱼类的繁殖期，发展渔业要求水库大量泄水，但发电、航运、灌溉及防洪又要求在春汛期水库大量蓄水、调节春汛洪水，如何兼顾各部门的利益，是水库调节运用的难点，早在 1960 年设计部门就着手制订伏尔加河下游水土资源和鱼类资源的综合利用方案。方案中规定，在调济农业用地供水、采取现代土壤改良措施和发展农业技术的基础上，在这一地区建立高效率的灌溉农业和高产畜牧业，将这里建成蔬菜、瓜果、园艺业和畜牧业基地。

为满足渔业和农业的需要，必须实施专门性的春季放水。设计部门经过详细研究提出了伏尔加格勒水库的春汛调度运用方案。

关于春季放水量的大小和水的分配问题，是根据第二季度的来水预报，并考虑到国民经济状况经各有关部门和主管部门磋商后决定的，在放水过程中根据来水量的确切预报，进行不断地修正。

伏尔加河下游现行的放水制度对各有关部门来说，并不都是最合适的(附表 2-13)。例如，根据苏联渔业部资料，近 19 年内，只有丰水的 1966 年、1970 年和 1974 年才出现对伏尔加—里海流域鱼类的繁殖最好的条件。

附表 2-13　伏尔加格勒水利枢纽下游河段春季放水的主要指标

年份	二季度流入伏尔加河—卡马河梯级水库的水量		水库蓄水量（亿 m^3）	向伏尔加河下游的放水量（亿 m^3）
	水量（亿 m^3）	保证率（%）		
1961	1 639	33	449	1 189
1962	1 497	55	544	953
1963	1 694	29	527	1 167
1964	1 478	57	692	786
1965	1 653	30	653	1 000
1966	2 160	5	580	1 580
1967	1 140	90	475	665
1968	1 604	40	559	1 045
1969	1 466	58	608	858
1970	1 965	15	608	1 356
1971	1 483	56	501	975
1972	1 470	58	528	942
1973	1 080	94	305	775
1974	1 865	20	617	1 249
1975	932	98	338	568
1976	1 314	80	650	639
1977	1 340	80	586	709
1978	1 560	48	678	876
1979	2 080	7	620	1 458

在这种情况下，加上里海水位下降，伏尔加河下游未被净化的工业及生

活排水的污染,半洄游和洄游鱼类的繁殖,年年都得不到应有的保证。

伏尔加—卡马河梯级水利枢纽每年都进行月、季、年度和最大来水量的预测,以及冰情预测。近 18 年的预测资料分析表明,预测的平均准确率是很高的。但是在某些水情反常的年份,也发生过重大的预报错误。为了提高预报的可靠性,应该更广泛地利用气象卫星信息,包括有关雪覆盖的面积与厚度融雪线及其迁移、融雪期间的降水量、河网的蓄水量和土壤的湿度等方面的信息。伏尔加河流域应该拥有收集和处理多种地面和卫星水文情报的自动化系统,这将大大提高预报的预见性和准确性,进而大大提高放水的效益。

因为伏尔加河及其支流不能回归利用的水量正在增加,不久的将来,在北部河流向伏尔加河调水之前,梯级水库的工作状况将更加紧张。在植物生长季节,大部分径流量将被利用,因而引起夏季水库放水量增加;而缺水年则导致中断伏尔加格勒以下保证航运的放水。所有这些最终可能引起梯级水库更大强度的汛前放水,水库必须在春季相应地蓄更多的水。因此,作为保证渔业和农业基本措施的伏尔加河下游的放水制度,不可能完全解决所有的水利问题。

在三角洲顶端建立分水闸是伏尔加河下游地区形成控制水流方式的重要环节。它的作用在于当三角洲顶端的流量降低到 12 000～14 000m^3/s 时,确保注入伏尔加河的东部支流——布赞河的流量不少于 8 000～9 000m^3/s,以便淹没三角洲的东部。这个罕见的水利工程建筑设施包括两个通航水闸、两个设有闸门的航道、两个便于洄游鱼类向上游游移的鱼道,33 个带有闸门的活动坝、截断部分河床的无孔拦河坝,以及分三角洲为东西两部分的堤坝。

当三角洲顶端水量减少时,分水闸可以大大改善伏尔加—里海地区半洄游鱼类的繁殖条件,这在缺水年份里特别重要。在缺水年份,分水闸可减缓洪水退落,可以大大延长三角洲东部春汛的持续时间。

分水闸实际上是伏尔加河及卡马河水利工程设施的最后阶段,该工程应该与伏尔加河—卡马河梯级水利枢纽工程相协调,并且应该与伏尔加河三角洲及北里海地区的水文、水力、水生物、鱼类和水利条件相适应。如果建立相应的数学模型系统、计算程序及其信息保证,就能促使顺利地解决这些问题。20 世纪 60 年代提出的数学模型(包括控制梯级水利枢纽的模型)初步解决了水利系统(包括伏尔加河水利系统)的各种开发与设计任务,这些数学模型可作为建立上述模型系统的基础。

因为伏尔加河—卡马河水库调度方案是由苏联动力部全苏电力科学研究所研究出的梯级计算模型和程序,在开发实践中已成功地使用了很多年。这些模型主要反映电力部门的需要,以最大发电量为标准,或以更一般的标准——电力系统的火力发电厂的最低燃料耗量来优选水电站的梯级方式。同样,对非动力部门的用水予以一定的限制。当以梯级水资源的综合利用来解决优化管理问题时,那么梯级计算模型可从多年限制非动力用水部门的各种方案中模拟梯级运行方式。比较计算结果,就能选择管理水利系统的最佳方式。

解决综合水利系统经营优化问题的另一途径是,按最佳的综合指标直接进行计算,即按每个部门产品达到某种指定的数量所必需的国民经济累计消耗的最低限度来进行计算。在这种情况下,首先要解决综合体每个组成部门(在径流单一利用的条件下)的优化问题,并且按梯级计算程序进行水力发电工程方面的选择。然后根据径流单一利用优化情况下的经济关系来解决各部门之间的水量分配问题。

实际运用经验表明,在水资源综合利用的情况下,解决最优化分配水的问题,应该结合采用两种途径。在解决问题的第一阶段,借助于线性(经济的)优化,确定用水部门之间水量分配,必须限制优先用水的部门。第二阶段,在梯级计算程序或其修改程序的基础上,考虑第一阶段分析到的限制用水部门,优选梯级水利枢纽运行的最佳状况。

看来,解决上述问题的最大困难是以必要的数据库信息组成的数学模型。这首先需要大量可靠的关于用水量与利用效益之间相互关系的信息,即水利系统各组成部分的所谓生产函数。目前的研究状况和已有的信息基础仅对水力发电工程可以顺利地得到这种函数,而对另外一些用水部门在解决问题中会碰到很大困难。例如,要获得洪水过程线与农业耕地淹没程度的特征的关系、鱼类产卵场同产卵场繁殖鱼苗效益的关系是相当困难的。必须每年经常地观察伏尔加河水文对伏尔加—阿赫图宾斯克河滩地、三角洲和西部草甸洼地的影响,并收集有关农作物收获量方面的必要统计资料。

卫星调查方法比地面和其他航空观测方法优越,它能在瞬间记录具有高分辨率的大面积的过程,在取得地形、水文、生物和其他信息方面能给予很大帮助。此外,因为里海沿岸地带严重缺水,而三角洲某些地段沼泽化难以通行,因此地面考察不是随时都可进行的。苏联科学院水问题研究所的研究证明:用卫星照片可以研究三角洲的水文网、海岸线和海底地貌的动态,水上及水下的植物分布,洪水期的淹没面积,滨海地带的自然地理特征等。因为苏联科学院水问题研究所最初用卫星方法所从事的研究工作主要与北里海和沿河口地区的问题有关,而没有提出解决最合理地利用伏尔加河下游水土资源的问题。看来,应该制定包括必要信息及其准确性和周期性等特征的专门性卫星研究规划。

由于分水闸的运转,为了深入研究关于调节伏尔加格勒水库以下的春季用水,以满足渔业、农业和水力发电的需要,于1978年成立了临时科学技术委员会。有关主管部门、科研和设计部门都有代表参加该委员会。在大量实质性资料的基础上分析了这个地区近20年(即伏尔加格勒水利枢纽成立以来)的水利状况,委员会深入研究提出了许多具体建议。

(1) 由于下卡马水利枢纽和切博克萨雷水利枢纽投入使用,要重新修订伏尔加河梯级水库水资源利用的规程。在修订和采用新规程之前,各水库汛前放水的总调度量不得超过600亿~700亿m^3。

(2) 改进现有的预报方法(特别是在水情反常的情况下),使主要预报项目更准确、及时和更详尽,以更有效的方法进行预报。

(3) 采取必要措施排除分水闸正常工作的障碍,以便加速农业土地的土壤改良,提高现有灌溉地用水保证率,把东部三角洲变为鱼类保护带,并限制在那里发展农业生产,尤其要限制施用有毒的除莠剂的水稻种植。

(4) 为了提高分水闸的工作效率,在三角洲前部设置便于鱼群到三角洲东部去产卵的正常通道;要加强开展实地的水文学、水化学和鱼类学的研究,并经常地监督分水闸的工作,以便评价分水闸对三角洲和北里海水文、渔业的影响;加强实地调查研究工作,以便评价分水闸建筑物的效果。

考虑到伏尔加河春汛径流的分配与当地某些部门的利益息息相关,并考虑到国民经济状况的具体特点,临时科学技术委员会认为,今后在上层主管部门之间应经常磋商伏尔加格勒水库春季放水的情况,特别是在预料缺水的情况下更应如此。

委员会还确认,如果缺乏伏尔加河春汛径流量最佳分配的方法,就不可能以科学而有根据的经济指标来客观地、可靠地估计对国民经济各部门带来的损失,因而不能正确地规定春季放水量。

3.1.3 基本结论

(1) 当前伏尔加河水利系统有不同的管理结构。伏尔加格勒以上,伏尔加河的主要径流已由水库梯级调节,实现了水利控制;伏尔加格勒以下,实际上保留着粗放的经营方式,这是在天然的非调节径流的环境下形成的,没有经过彻底改造,不能适应新的条件。仅仅在丰水年(保证率不到10%～15%)才出现对水利综合体的大多数部门有利的情况;而大多数年份,伏尔加河水利系统的所有产业部门都蒙受很大损失。

(2) 在最近几年内,必须消除已出现的经济比例失调。考虑到伏尔加—阿赫图宾斯克河滩地、伏尔加河三角洲和北里海是俄罗斯生产最珍贵鱼类的最重要地区,同时还考虑到这个地区的土壤和气候条件有利于发展高效的农业生产,因此必须使这个地区在有效使用分水闸、进行农业用地的土壤改良、发展现代化技术手段的基础之上,建立可控制的渔业和农业。

(3) 伏尔加河水利系统的水利控制,在很大程度上取决于春汛流量预测的效率、预测的修正及水资源综合利用效率方面有根据的经济评价方法。

(4) 解决伏尔加河水利系统的最佳有效管理问题,要求研究数学模型系统,并发展能取得第一手信息的方法研究,其中包括应用卫星方法。这样的模型系统可能是今后建立伏尔加河水利系统自动化管理系统的基础,建立水利自动化管理系统的必要性将随着水利平衡紧张程度的加剧而增加。

20 世纪 80 年代在总结伏尔加河—卡马河水库长期运用的基础上,对水库调度方案进行了修正,但是,伏尔加河缺乏权威性的管理机构,虽然设有"伏尔加河流域管理局",但隶属于苏联土壤改良与水利部领导,该部在苏联是一个职能与权威很小的部门,无法实施统一管理。因而实际上是各部门多头管理,电力部门管发电,交通部门管理航运,渔业部门管渔业,城市、工业部门管供水,农业部门管农业,生态环境部门管生态环境,各行其是,长期处于混乱状态。由于各大水利枢纽均是电力部门投资修建的,水电站都是电力部门管,因而伏尔加河—卡马河梯级水库的运用主要反映电力部门的意见。

80 年代后期苏联围绕水电建设对生态环境的影响展开了激烈争论,伏尔加河开发利用模式是争论的焦点,全国各行各业及公众都卷入了这场争论,其规模之大、程度之激烈是前所未有的。通过这场争论,人们普遍提高了对河流生态环境保护重要性的认识,及对河流综合开发利用的理解,普遍认为对伏尔加河—卡马河梯级水库应重新制订合理的、兼顾各部门利益的调度运用方案。但由于俄罗斯正处在剧烈变动时期，经济全面崩溃，国家处于无政府状态，至今伏尔加河—卡马河梯级水库的合理调度问题还未能解决。

3.2 开发治理中存在的主要问题

伏尔加河的开发方案主要是根据水电、航运及灌溉的需要制订的，在开发方案论证中基本上没有研究梯级开发对生态环境可能产生的影响，这是流域开发中的最大教训之一。早在20世纪30年代初，进行伏尔加河综合利用规划时，一些著名的地理学家、生物学家、鱼类学家就曾指出，伏尔加河下游不能兴建水利枢纽，如果修建水利枢纽必将破坏伏尔加河珍贵的鱼类的生存环境、造成严重的生态灾难。但是，这些意见当时并不被重视，在水利枢纽规划设计时，只突出了正效益，没有很好研究可能产生的负面效益，片面强调梯级开发、综合利用，将伏尔加河全部渠化，从而产生了一系列灾难性的后果。

3.2.1 淹没了伏尔加河中下游绝大部分肥沃的河漫滩地

伏尔加河中下游为冲积性平原河流，河谷开阔，比降平缓，河漫滩发育，是俄罗斯平原最富饶的精华地带。为了发电，在伏尔加河建设了一大批低水头电站，形成了平原水库，造成了极大的淹没损失。如雷宾斯克水库发电水头只有18m，装机容量33万kW，年发电量10.5亿kW·h，但是，水库水面面积4 550km^2，平均每度电能淹没面积为4.33m^2。古比雪夫水库发电水头29m，装机容量230万kW，年发电量105亿kW·h，但水库面积6 450km^2，平均每度电能淹没面积为0.6m^2。整个伏尔加河—卡马河梯级水电站水库水面面积为25 720km^2，淹没土地20 000km^2（其中农用地占大部分），年发电总量约400亿kW·h，每度电能淹没面积为0.5m^2，即每淹没1m^{2}土地，只获得2度电能，这在世界的水库中淹没损失是最大的。

除直接淹没大量土地外，平原水库水面开阔，吹程长，风浪大，使水库周边地区库岸发生了严重的崩坍。如高尔基水库平均水面宽3.7km，最宽处约20km；伏尔加格勒水库最宽处可达15km；古比雪比水库最宽处约45km。古比雪夫水库夏季风速一般为3～5m/s，春季5～6m/s，最大可达15m/s，每年有10～20天，通常情况下浪高小于0.5m，3～4级风时，浪高可达0.75m，最大浪高2.5～3.0m。建库后库岸塌宽累计达到40～160m，尤其是水库刚建成的5年左右时间内，塌岸最为严重，其年速率为10～30m，5年后每年平均在2m左右。萨拉托夫水库塌岸最宽达到300～400m。由于只对城市及铁路、公路干线及一些重要的工矿区的崩岸进行了防护，对整个库周没有采取任何防护措施，因而水库崩岸使得大量土地、森林丧失，村庄掉河。此外，由于平原地区兴建水库，水库周边地区地下水水位升高还造成了大面积土地盐渍化，增加了淹没损失。

伏尔加河是俄罗斯的母亲河，沿岸地区历史文化名胜古迹很多，经济发达，修建水库造成的淹没直接和间接损失难以弥补，成了世界水坝建设中最为昂贵的代价。

3.2.2　*破坏了洄游鱼类的生存环境*

伏尔加河水库建设对洄游鱼类的生存环境造成的破坏主要表现在两方面：一是淹没伏尔加河广阔的河漫滩，二是截断了伏尔加河洄游鱼类的生存环境，使鱼类资源大幅度丧失。

河漫滩是世界上形态各异的生态系统之一，起着平衡水陆生态环境、物种和种群生长动态的作用。伏尔加河因筑坝，使得大部分河漫滩被淹没，其调节水陆生态环境的功能丧失，原有的植物物种不复存在，野生动物种群被迫寻找新的生存环境。

由于筑坝极大地改变了自由流动的天然河流体系，水中的养分、水平面及水的化学性质发生了变化。水库改变了流域的水文特性和河流生态系统的动力学特性，对水生生态系统和物种造成了巨大的压力。建坝后，新的环境与河水原来的生态环境相去甚远，本地的鱼类往往会急剧减少，破坏了许多鱼类季节性的逆流迁移，水库引起水体中沉积物状况、溶解氧的含量及水温等的变化，这一切都影响到水生动植物的繁殖和生存。

自然水流中的生态系统与水库所替代的生态系统有很大的区别。在旱季和季节性水位下降时期，水库的水位大幅度降低将改变水边的生存环境，而鱼类正是在这里产卵与繁殖的。营养循环也将极大地受到水位下降的影响，水生动植物的种类也因水库的水温差异而截然不同。伏尔加河水库的影响一直延伸到其流入的里海北部海域。里海北部渔场依赖伏尔加河定时提供的大量淡水和营养物质，其所捕捞的珍贵鱼种如鲟鱼等主要是靠洄游到伏尔加河产卵的特性维持的。

众所周知，里海北部渔业资源十分丰富，至今珍贵的鲟鱼产量仍占世界的一半。1994 年伏尔加河共捕捞鲟鱼 3 200t，而在 20 世纪 30 年代、40 年代在里海捕捞的鲟鱼最多时每年多达 23 000t。

由于伏尔加河径流量减少与鲟鱼繁殖能力降低，1996 年鲟鱼的自然繁殖效率是多年监测资料中最小的一年。该年放养到水库现存的产卵场的鲟鱼的产卵率明显满足不了自然繁殖的需要，伏尔加河鲟鱼的人工放养量每年在 4 500 万～5 200 万条。

水库使洄游鱼类种类与捕捞量减少的原因主要表现在两方面。一方面是大坝截断了鱼类逆向迁移的通道，使洄游鱼类的天然产卵场少了。例如，鲟鱼的产卵场在大坝修建前是 3 000～4 000hm^2，建坝后只剩下伏尔加格勒水库下游约 400 hm^2 的产卵场，即只剩下了 1/7～1/10。白鲸的产卵场 100%丧失了，俄罗斯鲟鱼的产卵场丧失了 80%，闪光鳇的产卵场丧失了 60%。伏尔加河干流上修建的 8 座大坝有 6 座没有过鱼建筑物，仅在伏尔加格勒水利枢纽建有鱼梯，但其过鱼效果很差，洄游到大坝下游的鲟鱼及鲱鱼只有几千分之一的能通过鱼梯越过大坝。因而随后建设的萨拉托夫水利枢纽就没有再建鱼梯。另一方面是水电开发对径流进行季调节，显著改变了径流的年内分布，使水生生物和鱼类的生存环境发生了很大变化，造成了鱼类资源大量减少。例如，伏尔加河水库调节径流，使春汛期下泄水量与历时均明显减少，从 1941～1950 年的 1 500 亿 m^3 减为 1971～1977 年的 800 亿～850 亿 m^3 及 1978～1985 年的 990 亿 m^3。水库滞蓄春汛洪水，降低下游洪水的水位，减少了适宜鱼类繁殖的产卵场的淹没面积及淹没天数。有些年份伏尔加格勒水库泄水很晚，错过洄游鱼类的产卵期，致使洄游鱼类只能在下游河槽内及河汊内产卵，繁殖量大幅度减少。

冬季水库因发电大量泄水破坏了洄游鱼类在伏尔加格勒水利枢纽上游及半洄游鱼类在河口三角洲地区的冬眠状态，使半洄游鱼类被冲到淹没的浅水区并在冰下死亡。据调查，大约有 30%的俄罗斯鲟的雌鱼及 15%的欧鳇聚集在近坝段内，造成其生理状况恶化，鱼籽生长遭受破坏。

为减少伏尔加河水库对伏尔加河与里海渔业资源的破坏，要求在洄游鱼类的繁殖期间，从古比雪夫水库及伏尔加格勒水库专门泄放渔业用水，以使洄游与半洄游鱼类得以自然繁殖。1962 年经政府批准曾经实施渔业泄水，但是由于与发电有矛盾，近 40 年内只在丰水年泄放过 8 次，在其他年份渔业泄水时间很短，泄量也不够。据计算满足渔业用水需要，理想的人造春汛泄水量为 1 000 亿～1 100 亿 m^3，历时在 75～80 天(涨水期 15～20 天，洪峰 20 天，落水期 35～40 天)。这大约要消耗天然春汛来水量的 2/3，只有在丰水年才不致于损害其他部门的利益,在枯水年不可能实施。另一个造成伏尔加河流域水域生态环境恶化、使鱼类资源减少的重要原因是水质污染。由于排入伏尔加河水系的污水水质恶劣,常发生大量死鱼现象,1965年曾第一次出现过因伏尔加格勒市的一家大型化工厂的污水池堤坝决口,大量剧毒污水流入伏尔加河,结果毒死成百万条珍贵鱼类,其中包括总重量超过3 000t的鲟鱼(几乎占全年鲟鱼产量的30%)。集中排放污水、引起鱼类大量死亡事件越来越多,据统计1965~1974年有334起,1975~1984年有547起,而1986~1988年就超过200起。由于污染物质的积累,水质变坏,在古比雪夫水库的苏斯坎湾、苏拉河、卡马河下游及伏尔加格勒水库每年都发生死鱼现象。由于污染物的大量积累,不少渔场的水质恶化,解剖发现一些鱼的体内竟有重金属、氯化物、硝酸盐、石油产品及其他物质存在,因而鱼是否还能食用已成为人们经常议论的话题。

3.2.3 伏尔加河水质污染日趋严重

伏尔加河的水质在20世纪30年代、40年代以前是很好的。现在伏尔加河的生态环境状况已变坏,很多指标接近临界值,流域内遍布各地的农用地、居民点及工业区使地表水遭受污染。

农用地对水资源的污染主要是化肥与农药。由于伏尔加河流域农业发达,在俄罗斯8%的土地上集中了全国38%的农用地。在森林草原带和草原带农用地占土地面积的90%。伏尔加河流域4 300万hm^2耕地上,每年施用化肥150万t、有机肥6 600万t。长期使用高剂量的化肥,有20%的氮与1.5%~2%的磷进入地表水与地下水中,使伏尔加河水域发生污染。加上库坝群建成后,伏尔加河水流流速减缓,水体自净能力降低,进一步加剧了水质的恶化。

伏尔加河流域集水区另一污染源是降雨。流域面上空有大量尘埃,全俄罗斯1/4的粉尘集中在伏尔加河流域,俄罗斯污染最严重的44个城市中有2个在这里,即新古比雪夫斯克(每年24.5万t)和伏尔加格勒市(每年22.4万t)。在俄罗斯污染物最大浓度超过极限允许浓度10倍的83个城市中有18个在伏尔加河流域。火电厂、冶金厂、石化厂排放的污染物最多。石油开采造成的地表水污染与盐渍化最为严重,伏尔加河流域众多的油田,使地表水受到严重污染。居民区和城市所造成的污染格外严重。人口在120万~150万的大城市每天耗水量50万~60万m^3,污水排放量与此接近,城区暴雨径流挟带大量的污染物进入河流,使水体严重污染。由于俄罗斯目前经济滑坡,大量污水未经处理便排入江河,使得水体污染,水质下降。伏尔加河城市居民与工业的污水排放量在20世纪90年代占全俄罗斯污水排放量的30%,1997年污水排放总量为183.77亿m^3,其中96%排入水域,0.3%~0.4%排入地下,另外4%聚集在低洼地。排入伏尔加河水域的污水约有一半是未经处理或处理不够标准的污水。据预测,今后一个时期如果环保政策及环保工程技术水平仍维持现状,则由于城市化进一步发展,卡马河下游、古比雪夫水库及伏尔加河下游河段的生态环境状况还可能进一步恶化。

3.2.4 支流的防洪问题未根本解决

伏尔加河—卡马河梯级水库建成后干流洪水得到有效控制,但支流的洪水仍未得到有效控制,洪灾还时有发生,如1994年在萨拉托夫州的大、小乌詹河及阿特卡拉河上,由于积雪迅速融化,形成了有实测资料以来最大的洪水,淹没了107个居民点,13 000人受灾,公路及一些桥梁被水冲毁。1994年春汛巴什科尔托斯坦共和国由于大雨与融雪洪水叠加在一起,使白河上游的一座水库垮坝,造成了很大的灾害。

伏尔加河—卡马河梯级水库中一些大水库溃坝的危险仍然存在。据俄罗斯科学院动力与水问题研究所的计算结果,伏尔加河从切博克萨雷水利枢纽和下卡马水利枢纽到古比雪夫水利枢纽,古比雪夫水库的围坝长约500km,如果上游的切博克萨雷和下卡马水库发生溃坝,则古比雪夫水库的库水位要升高到58m(波罗的海标高)或53m(当地标高)。此时水库库容将增加1.8倍,水面面积将增加40%。这将淹没大量农用地、居民点、工厂及疗养院,并使公路、铁路交通中断,输电线路及通讯网遭到破坏,造成重大灾害,但更为严重的是可能引起下游一系列梯级水库溃坝,后果不堪设想。

3.2.5 中下游河道和水库库岸未得到有效整治

伏尔加河中下游水库,由于库面较宽,风浪引起的库岸侵蚀明显,塌岸严重。水库坝下河床局部冲刷也较严重。直至目前,仍未见采取任何整治措施。

4 伏尔加河治理发展方向、发展规划及主要措施

伏尔加河梯级开发所带来的发电、航运、供水等效益是巨大的,但与此同

时，所产生的生态环境破坏、水质恶化、淹没损失等负面效应也随着人类活动的不断加剧而日趋凸现出来，并已造成了损失，这已为人们所认识。为此，近年来，俄罗斯水利、环境、渔业、水资源等方面的专家、学者曾就改造或改善伏尔加河的现状问题开展了广泛研究和讨论，其中也引发了种种争论。但到目前为止，仍未制定出一个正式的治理规划。

为解决伏尔加河—卡马河梯级水资源开发对鱼类生态的影响问题，也曾采取了一系列保护、增殖鱼类资源的措施，这些措施主要包括实施渔业工程、开展渔业生活和采取增殖措施。渔业工程的类型有升渔机、修建伏尔加河下游分水闸、天然产卵场水土改良和建立人工产卵场工程、水底沿岸取水工程拦鱼设施、水底浅水区养渔场等。为了保护珍稀鱼类，苏联最高苏维埃主席团和部长会议曾制定了《鱼类资源保护法》和《鱼类繁殖保护条例》，并颁布了伏尔加河—卡马河梯级水库捕鱼法规。捕鱼法明文规定了各座梯级水库禁捕日期、禁渔区、禁捕鱼类、禁用渔具、允许捕捞鱼类的最小规格、捕鱼限额、禁止有损于鱼类资源增殖的各项活动、奖惩办法等。此外，还对游钓和娱乐性捕鱼水域、禁钓区、钓具网具、钓捕额也作了具体规定。所采取的增殖措施主要有人工繁殖、浮式人工产卵场结构、引进鱼种放养驯化和引殖驯化水生饵料无脊椎动物等。另外，对水库蓄水和消落深度加以控制，向下游天然河段渔业、农业放水严格按梯级水库联合调度规程进行。这种以逐年扩大人工繁殖放流规模为主，以立法护鱼为主旨，充分利用下游天然河段天然产卵场为基础的三结合的治理模式，在一定程度上保护了渔业的发展。但在目前，渔业多年平均单产仍较低，只有 7～8kg/ hm^2（如伊尔科夫水库最高 23 kg/ hm^2，沃特金水库最低 1.5kg/ hm^2）。低产原因主要是捕捞强度低和大多数水库鱼产量不高。前者是由于库内捕捞库段原库林木清理质量太差和缺乏开敞水面专用的捕鱼船所致。后者指的是生活污水和工业废水污染库水，有的水库污染达到不能容忍的程度；大多数水库没有采取设计所规定的渔业水土改良措施，或采取措施或措施没有跟上；水位变幅大及其他因素。

目前，关于伏尔加河水资源、生物资源优化利用问题，有关人士或专家提出了不少方案，代表性的方案有 3 种。

第一方案的实质就是将水库放空，让伏尔加河复原到自然水道状态，这一方案在 1985～1990 年间曾得到某种发展。实施此方案会导致如下后果：业已形成的伏尔加河开发体制遭到全面破坏，且每年还要损失最少 21 亿美元的利润收入;同时,各国民经济部门需进行彻底的重新调整,工业供水、饮用供水变得奇缺,联结南、北部诸海的直航航路从此中断,断送水电事业、湖泊水产业和旅游业,伏尔加河中、下游高产农田无水灌溉,注入里海的淡水水量锐减,水体自净能力降到灾变地步。

然而,要恢复适于当地河流鱼类种群、珍贵洄游性鲟及鲑鱼类的孵卵区,需时不少于50年,甚至到那时,生态环境的质量还达不到原有的水平。

第二方案系70年代针对里海变浅现实提出的,打算在维持梯级水库原有特性的前提下,从注入白海、北冰洋的北部诸河将350亿 m^3 的水调入伏尔加河,补济里海水量,但是这一方案由于如下多方面的原因未能付诸实施:里海水位回升2m;北水南调工程耗资巨大;供水者(指北方河流)水体状况会遭到严重破坏;用水的主要项目尚未定下来;缺乏有关生态资料等。

对伏尔加河—卡马河梯级水库和处于自然状态河段生态系统来说,补济水量可能是积极的,因为这能消除季节、昼夜水位急剧变化,但却使整个梯级水库及自然河段水体温度场、水文和化学状况失常加剧。

第三方案是一个涉及到梯级水库现有水体生态配置、重建、再开发的方案。区域性生物群落调整构想是实施这一方案的理论基础。按照这一构想,实现水资源利用与优化,一般说来,不是在水体内,而是在当地群体自然分布区范围内,在为种群繁殖、育肥、越冬所必需的三合一的生态环境内。

有生态学家提出了进一步改造或重建伏尔加的构想,该构想是以保持与自然界和谐相处的原则为基础,其核心是对水资源综合利用进行优先排序。优先利用排序的依据是,首先考虑个别用水户对生态系统现状的影响,而后才是经济合理性。这一构想认为,伏尔加河诸水库用水户优先排序应依次为饮用供水、水力发电。在发展火电、水运、旅游业时,必须保证执行卫生标准,严禁对水体污染,光靠生态系统来净化污水是难以实现的。此外要作出对生态研究极为重要的评价,要有长达10~15年的长期观测系列资料。借助多种分类法排出行列阵(行列阵元专用来表征水库各种过程发展的关键性阶段),再根据调研目标、任务及其范围,以及原始资料量,就能表征出生物系统中任一级结构组织。水资源合理利用与保护纲要的编制要建立在以全球生态构想的基础之上。

总之,伏尔加河—卡马河梯级开发虽然有不少成功经验值得我们学习,但也有不少教训值得我们借鉴,其中最重要的恐怕就是河流的开发目标必须置于流域系统的背境下考虑，在可望获取诸如发电、拦沙、防洪等效益的同时，还应充分意识到这种对河流系统自然平衡态破坏性的开发活动，所可能带给生态环境、水环境、河道系统演变等自然环境的负面影响，尤其在进行梯级开发中，对此更应引起重视。

附件 3　密西西比河治理开发基本情况

1　流域基本情况

1.1　自然地理概况

1.1.1 流域地势

密西西比河(Mississippi River)是世界大河之一，北美洲最长的河流，位于北美大陆中南部，发源于美国明尼苏达州西北部海拔 501m 的艾塔斯卡湖，向南注入墨西哥湾，长达 3 950km。若以其最大支流密苏里河的源头雷德罗克湖计，全长 6 021km，为世界第四长河，位于亚马孙河、刚果河和长江之后。干、支流流经美国 31 个州和加拿大 2 个省，流域北起五大湖附近，南达墨西哥湾，西至落基山，东至阿巴拉契亚高地，面积达 322 万 km^2，约占北美洲总面积的 1/8，居世界第三位，仅次于亚马孙河和刚果河，占美国本土面积的 41%，覆盖了东部和中部广大地区。河口平均年径流量为 5 800 亿 m^3，平均年输沙量为 4.95 亿 t。西边的支流比东边多而长，形成了一个巨大的不对称的树枝状水系。近河口(维克斯堡)的年平均流量达 1.88 万 m^3/s，洪水流量达 5.8 万m^3/s。

密西西比河支流众多，水量丰富。印第安人尊称为“密西西比”，意即“河流之父”，亦称“老人河”。其重要支流：西岸有密苏里河、阿肯色河、雷德河等；东岸有俄亥俄河、田纳西河等；水位春涨秋落，季节变化大。1936 年枯水期维克斯堡流量仅为 2 654m^3/s，而次年洪水期流量高达 5.8 万 m^3/s。流域的大部分为平原，中、下游河道曲折蜿蜒，河漫滩上有许多牛轭湖(弓形湖)和沼泽。

从源头艾塔斯卡湖至明尼阿波利斯和圣保罗为上游，长约 1 010km，接纳明尼苏达河等支流。地势低平，水流缓慢，河流两侧冰川湖泊和沼泽星罗棋布，湖水往往形成急流、瀑布，而后注入干流。近明尼阿波利斯处，流经 1.2km 长的峡谷急流带，总落差 19.5m，形成著名的圣安东尼瀑布(落差 5.4m)。由明尼阿波利斯和圣保罗至俄亥俄河口的凯罗为中游，长约1 373 km，两岸先后汇入奇珀瓦河、威斯康星河、得梅因河、伊利诺伊河、密苏里河

(右岸最大支流)和俄亥俄河(左岸最大支流)。圣路易斯以北河段,河床坡度大,两岸为悬崖峭壁,多急流险滩。圣路易斯附近谷地开阔,平均宽10~15km。圣路易斯以南,河床比降减小,自开普吉多角以下,河流弯曲度明显增大,河谷逐渐变宽,俄亥俄河汇入处河面宽达2.4km。凯罗以下为下游,长约1 567km。主要支流有怀特河、阿肯色河、亚祖河和雷德河等。流经平原地区,河面宽度一般为730~1 370m(雷德河口以下,有一河段宽仅274m),比降小(平均每公里下降小于9.5cm),水流缓慢,多曲流、牛轭湖和沙洲,具有典型的老年河特征。河口地区共有6条汊道,河流入海总水量的80%经西南水道、南水道和阿洛脱水道3条主汊道。

密西西比河水系主要包括干流、上密西西比河、东部支流俄亥俄(Ohio)河、西部支流密苏里(Missouri)河、阿肯色(Arkansas)河、怀特(White)河和雷德(Red)河。见正文图3-5。

俄亥俄河全长1 578km,流域面积52.8万km^2,河口年平均径流量为2 302亿m^3。干流匹兹堡至河口总落差为127m。田纳西(Tennessee)河是俄亥俄河的主要支流,全长1 050km,流经美国东南部7个州,流域面积10.59万km^2,年径流量254亿m^3。总落差157m(田纳西河治理开发情况将以单行材料详细介绍)。另一条支流是坎伯兰(Cumberland)河,流域面积4.7万km^2,河长1 158km,河口多年平均径流量240亿m^3。

密苏里河是密西西比河的最大支流。全长4 126km,流域面积137.2万km^2,主要源流为蒙大拿州西南部的杰斐逊(Jefferson)河、麦迪逊(Madison)河和加拉丁(Gallation)河,由这3条河汇合成密苏里河,汇口处高程约为1 220m,向北流经陡峭、狭窄的峡谷到大瀑布城,以上为密苏里河上游。这一段河流是典型的深山峡谷河段,水流湍急,河道平均坡降达11.36‰,局部河段如在大瀑布城附近的16km河段,水面下降122m,形成了一系列瀑布。以下折向东流,进入山地和高地平原,到苏城(Sioux)为中游河段。苏城以下为下游河段,河流在冲积性河床内摆动频繁,河道蜿蜒曲折且多汊,在密苏里州的圣·路易斯城以北16km处汇入密西西比河。中下游河段的平均坡降一般为1.9‰。密苏里河的多年平均径流量为703亿m^3,河口最大流量为25 500m^3/s。位于高平原地区的支流,水土流失严重。如黄石(Yellow stone)河、波特(Powder)河和怀特(White)河等,泥沙含量以重量计可达30%。密苏里河总的多年平均输沙量为2.18亿t,多年平均含沙量为3.1kg/m^3,是美国的多沙河流,因此又称大泥河。

密苏里河主要支流有米尔克(Milk)河、黄石河、詹姆斯(James)河、普拉特(Platte)河以及堪萨斯(Kansas)河等。米尔克河长 1 170km,流域面积 5.8 万 km^2,多年平均流量 20m^3/s,径流量 6.3 亿 m^3。黄石河长 1 080km,流域面积 17.8 万 km^2,多年平均流量 370m^3/s。詹姆斯河长 1 142km,流域面积 5.7 万 km^2。普拉特河长 1 593km,流域面积 21.99 万 km^2,多年平均流量 169m^3/s。堪萨斯河全长 1 140km,流域面积 15.9 万 km^2,多年平均流量 186m^3/s,径流量 58.7 亿 m^3。

阿肯色(Arkansas)河也发源于落基山脉,自西向东流,在阿肯色州的德沙县注入密西西比河,全长 2 333km,流域面积 41.6 万 km^2。天然情况下,短山站年平均流量为 1 700m^3/s,年输沙量 0.95 亿 t,最大洪峰流量为 19 800m^3/s。阿肯色河的主要支流加拿大人(Canadian)河长 1 458km,流域面积 12.15 万 km^2,其支流北加拿大人(North Canadian)河长 1 223km,流域面积 3.6 万 km^2。

怀特(White)河发源于阿肯色州麦迪逊县,全长 1 102km,流域面积 7.25 万 km^2,河口平均流量 909m^3/s。

雷德(Red)河(又译红河)是靠近密西西比河河口的一条右岸支流,发源于新墨西哥州蒂拉布兰萨(Tierra Blance)溪,全长 2 075km,流域面积 24.1 万 km^2,河口平均流量 1 585m^3/s。其中沃希托(Washita)河是其最大支流,全长 1 010km,流域面积 2.1 万 km^2,多年平均流量44m^3/s。

美国本土地形由 3 个纵列带组成。第一纵列带是西部山地和高原,落基山脉有 40 多座海拔4 200m 以上的山峰;第二个纵列带是东部的阿巴拉契亚山地,主峰海拔 2 038m;第三个纵列带是中部平原,包括大平原和中央低地,大平原一般海拔 600～1 500m。密西西比河水系介于西经 80°～112°和北纬 29°～49°之间,正是中部平原地带。

上密西西比河两岸地形低矮,湖泊密布,是联系美国内地与东北部的通道。尽管密苏里河发源于落基山脉高地,但流域内大部分地势平坦或微有起伏。俄亥俄河大部处于中央低地,高程在 150m 以下,东部与阿巴拉契亚山地相接。密西西比河干流流经中央低地,中游河段河面宽阔,下游河道迂曲,河宽 2 500～3 000m,水势平稳。由于泥沙不断在河口堆积,自公元 1898 年以来,河口三角洲平均每年向海延伸 30m,形成宽约 300km、面积达 3.7 万

km^2 的三角洲。三角洲地区地势低平，河堤两岸多沼泽、洼地。河口分成6个汊流向外伸展，形如鸟足，有“鸟足三角洲”之称。

1.1.2 气象水文特征

密西西比河流域包含湿润大陆性气候、半干旱草原气候及湿润亚热带气候等5个气候区，4种自然地理区，其中有世界上最高产的土地和7种植被区。流域内降水量自西向东逐步增加。落基山脉以东地区，一般在500mm以上(500mm的降水量等值线在西经100°附近)。大平原东部达到800mm，靠近阿巴拉契亚山区达到1 200～1 500mm，最大达到2 050mm。密苏里河流域的年降水量在上游河段及支流的山区为300～800mm，下游地区为820～1 000mm。但流域内的年蒸发量为800～1 400mm，比降水量还要大，属半干旱地区。密苏里河上游地区及支流山区年降雪量较大，一般为1 000～2 500mm，中下游降雪量小于1 000mm，最小为300mm，所以融雪为密苏里河径流的重要来源。俄亥俄河流域内年平均降水量在1 000mm左右，靠近东部高原则达1 500mm，因此，流域内常常发生洪水。上密西西比河流域，年平均降水量为809mm，干流下游的年平均降水量为1 257mm。

流域东部降水量较大，西部较小，全流域平均年降水深875mm，平均年径流量5 800亿 m^3，居世界第8位。

1.1.3 水沙特点

流域内各地气候条件不一，致使水文特征颇有差异。上游3～7月为洪水期，其中4月由于春季融雪和雨水补给，出现全年最高水位，6月虽降水增多，但融雪水少，产生次高水位，12月为低水位。中游因密苏里河注入，年平均流量增至5 800m^3/s，3～8月为洪水期，最高水位推迟到6月出现。下游由于俄亥俄河提供干流57%的水量，年平均流量猛增到1.34万 m^3/s，1～6月为洪水期，4月为最高水位，10月出现最低水位。但接纳雷德河后，洪水期为2～7月，最高水位发生在4～5月，最低水位在9月。

密西西比河是一条泥沙较多的河流，平均年输沙量4.95亿t，平均含沙量为0.67kg/m^3。

密西西比河的泥沙，主要来自右岸的一些支流，密苏里河的平均年输沙量2.18亿t，阿肯色河1.05亿t。这两个流域都建有大量水库，前者共有库容1 100多亿 m^3，后者共有库容190亿 m^3。水库淤积相对不严重。

河道中的淤积问题。密西西比河干流上游(在两大支流汇口以上),年输沙量只有2 000万t。所建一系列航运梯级通道被淤积,每年要疏浚925万m^3泥沙,以维持通航。

密西西比河下游段也经常有泥沙淤积,为维持航运,每年要用4条挖泥船疏浚2 300万~5 350万m^3泥沙。1973年大洪水后淤积极为严重,一些水文站所测水位流量关系与1950年相比,同流量的水位抬高了1.4m左右,不仅影响航运,而且影响过洪能力。洪水过后用了21条挖泥船进行疏浚。

自1953年至1963年,密苏里河上建了6座水库,泥沙全部拦在库内,使入海泥沙比1953年前减少了一半,1980年统计,包括阿查法拉亚河在内,年平均入海泥沙量为2亿t,引起密西西比河河口三角洲退蚀。

1.1.4 洪水灾害

历史上,密西西比河不少河段灾害频繁。特别是右岸支流流经干旱地区,降水的70%以上集中于4~9月,季节变化大,引起河流水位急剧变化,加上含沙量大,洪水常泛滥成灾,平均7年发生一次大洪水。如1927年下游出现的大洪灾,使58万hm^2土地被淹,200多人死亡,60多万人流离失所,工农业瘫痪,经济损失达10亿美元。

密西西比河洪水主要由短期暴雨或长期降雨所形成。流域西北部诸河有融雪洪水发生。墨西哥湾、加勒比海、大西洋的飓风有时掠过密西西比河下游广大地区,甚至深入到俄亥俄河流域上游。飓风带来的暴雨往往形成较大的洪水。飓风还可在墨西哥湾造成风暴潮,使密西西比河下段有时出现风暴潮洪水。流域内洪水出现时间不一致。密苏里河分3月洪水和6月洪水,前者系苏城以上平原区积雪融化并加上少量降雨所造成;后者系由源流高山融雪伴随大雨所引起。一般后者大于前者。1903年6月赫尔曼站实测最高洪峰流量19 140m^3/s。

上密西西比河春季融雪洪水来量很大,加上初春大雨,最大洪水出现在3~6月。1903年,基奥库克洪峰流量达10 350m^3/s。1927年圣路易斯洪峰流量达25 200m^3/s。俄亥俄河洪水一般由暴雨形成,有时由飓风引起,洪水主要出现在冬末春初,较大洪水一般发生在1~3月。1937年2月初发生历史上最大洪水,河口洪峰流量高达52 350m^3/s。

密西西比河下游洪水,除本地区降雨产生的洪水外,主要来自各支流,其中以俄亥俄河来水最大。俄亥俄河是密西西比河下游洪水的主要来源,所占比例达59%～92%。1927年3～4月间，全流域普降大雨，暴雨中心在阿肯色河口，密西西比河下游水位全线上涨，阿肯色城站按不溃口洪峰流量估算达74 100m^3/s，雷德河码头测站洪峰流量为66 300m^3/s，是最大的一次洪水。

密西西比河干流有记载的历史洪水年份有公元1543、1785、1844、1850、1882、1897年；20世纪1903、1912、1913、1927、1945、1959、1965、1972、1973、1974、1975、1976、1979、1982、1983、1993年都发生过大洪水。密西西比河各测站几次大洪水最大流量见附表3-1。百余年来，密西西比河曾发生重大洪灾37次，平均3年就有1次水灾。1927年洪水，下密西西比河堤防溃决200余处，淹没面积约6.7万km^2，两岸城镇农村遭到严重破坏。孟菲斯市被洪水围困107天，死亡200余人，80万人无家可归，按1973年币值计算损失为25.5亿美元。1973年大洪水，堤防多处溃决，淹没面积6.8万多km^2，死11人，有6.9万人无家可归。1993年，美国中西部上密西西比河和密苏里河流域发生了20世纪最恶劣的洪水。圣路易斯站洪峰流量达30 560m^3/s，是130多年以来测得的最大流量，超过以前有记录洪水27%，水位超过以前有记录水位近2m，洪水持续时间达104天。圣路易斯站洪水相当于150～200年一遇洪水，有些支流测站为500年一遇洪水。这场洪水中西部有1 000多处堤防失事，造成的损失估计达160亿～180亿美元，52人死亡(1951年洪水以来最高的死亡记录)，5.4万人无家可归，56 000所房屋被损坏，344万hm^2农田未能种植或绝收，农作物损失14亿美元；运输系统的损失超过19亿美元。此外，各支流也发生过局部洪灾。如1996年7月伊利诺斯州北部发生突发性暴雨洪水，24小时雨量432mm，暴雨袭击伊利诺斯州北部，1小时内淹没1.6万km^2的土地，芝加哥市1/3的区域受淹，其损失达6.5亿美元。1997年俄亥俄河流域发生1936年以来最大春汛，洪水淹死24人，83 000多座房屋受损，洪泛区财产损失达16亿美元。联邦和州支出的救灾费用超过13亿美元。密西西比河因飓风潮引起的洪灾损失也相当严重。从公元1559年9月19日第一次记录到的墨西哥湾热带风暴算起，至今约165次以上的飓风袭击或威胁着路易斯安那州沿海一带，包括密西西比河河口三角洲在内。

1909年，飓风袭击墨西哥到新奥尔良一带，风暴潮洪水使700人丧生。1915年、1919年和1965年也发生同类的灾害。

附表 3-1

密西西比河各测站几次洪水最大流量

(m^3/s)

测站	测站控制流域面积(万 km^2)	1913 年	1927 年	1937 年	1945 年	1950 年	1973 年	1974 年	1975 年	1979 年	1983 年	预计洪水流量
圣路易斯	181.6	13 600	25 200	10 600	17 100	13 200	24 100	16 400	13 600	19 700	20 100	6 800
凯罗	238.8	57 100	46 000(1)	56 900(2)	41 200	44 700	43 500	39 100	47 000	44 500	42 100	66 800(2)
孟菲斯	241.6		49 400(3)	57 200	41 100	44 900	46 200	42 200	50 100	43 700	46 600	68 200
海伦那	243.9		49 700	55 700		46 500	46 100	42 400	52 500	46 900	46 000	69 700
阿肯色城	293.1	56 100	48 500	61 100	53 500	50 700	53 200	42 200	52 100	51 300	50 300	81 800
维克斯堡	296.4		51 100(4)	58 400	53 800	53 100	55 600	43 200	51 900	48 000	50 600	76 700
纳切兹				57 900		53 000	57 300	42 800	51 500	49 000	51 100	77 000
雷德河码头(8)	320.5	50 700	41 400(5)	41 500	59 400	41 300	42 400	33 200	34 400	40 200	41 600	59 500
巴吞鲁日				39 600		38 700	39 100(10)	32 900	35 800	40 200	41 600	42 500(10)
新奥尔良			38 500(6)	38 000(11)		37 100(11)	35 600(11)	35 900	36 600(11)	32 300(11)	34 700(11)	35 400(11)
雷德河码头(9)			66 300(7)	54 900		59 200	64 000	49 200	55 600	57 000	60 900	85 800

注:(1) 如果不溃堤,洪峰将达 50 000m^3/s;(2)含通过新马德里分洪道的流量;(3)不溃堤的流量;(4)如果不溃堤,洪峰将达64 500 m^3/s;(5)如果不溃堤,洪峰将达 50 400m^3/s;(6)溃堤后流量;(7)不溃堤的洪峰流量;(8)密西西比河的流量(不包括雷德河和阿查法拉亚河);(9)雷德河、阿查法拉亚河与密西西比河合流后的流量;(10)开放摩甘扎分洪道;(11)开放邦内特卡雷分洪道。

1.2 社会经济概况

密西西比河及其支流对美国历史的发展起着重要作用,它们的存在对中西部和主要城市的发展起着重要作用,是把该地区与世界其他地方连接起来的交通网络。其洪泛平原形成了本国最富饶的一些农场,它们可提供种植休闲娱乐,并且包含了主要的生态系统。

密西西比河流域最早的居民是土著美洲印地安人,他们在广阔无垠的土地上游荡。印地安人修建的高高堆起的大型土墩在流域内星罗棋布,用于举行仪式的平台和躲避每年的洪水。欧洲移民真正开始于 18 世纪,密西西比河充当连通北方(英格兰和法国)、南方(西班牙和法国)以及通过俄亥俄河水道通向东方(英格兰和德国)的主要动脉。后来向北美洲西部地区的发展也是沿着与密西西比河汇合的密苏里河、阿肯色河和雷德河水道。

1.2.1 流域人口

19 世纪以来,流域内人口迅速增加。公元 1800 年,流域内人口 20 万,到公元 1890 年时,增加到了 2 800 万人。20 世纪 90 年代初为 6 020 万人,占美国总人口的 28%,90 年代末资料称,流域内人口已达到美国总人口的1/2,约 1.1 亿人,其中洪泛区人口为 769 万,占流域总人口的 12.7%。

全国人口平均密度为 25.2 人/km^2。人口分布的基本特点如下。

(1)东密西疏。密西西比河以东地区占美国本土面积的 1/4,人口平均密度为 60 人/km^2;密西西比河以西至落基山脉东麓地区也占美国本土面积的 1/4,人口平均密度为 16 人/km^2,落基山脉东麓以西地区占美国本土面积 1/2,人口平均密度不足 9 人/km^2。

(2)沿海密内陆疏。本土总人口的 53%集中在宽约 80km 的沿海狭窄地带内,其面积仅占本土的 15.8%,人口平均密度为 97.8 人/km^2。其中,大西洋沿岸占美国本土面积的 4.1%,人口却占总人口的 23%,人口密度为 160.2 人/km^2;太平洋沿岸相应地分别为 4.0%、11%和 83.3 人/km^2;五大湖沿岸相应的分别为 4.5%、13%和 85.9 人/km^2;墨西哥湾沿岸为 3.2%、6%和 57.8 人/km^2。内陆地区地广人稀,约占本土面积的 84.2%,人口仅占总人口的 47%,人口平均密度为 16.5 人/km^2。

美国也是世界上人口流动性最大的国家。1976 年以前,平均每年有 20%的人口迁徙,最高的年份达 30%。近年来仍保持在 10%以上。第二次世界大战以后，国内人口迁徙的总趋势是向西和向南。1980 年南部和西部人口已占全国人口的 52.3%，首次超过东北部和中北部地区。加利福尼亚州从 1970 年起跃居为全国人口最多的一个州，得克萨斯州和佛罗里达州人口也于 1980 年起上升为全国的第三位和第七位。

1.2.2 土地矿产资源

密西西比河流域面积居世界第三位，除水面面积之外，陆地总面积为 317 万 km^2。其中洪泛区面积是 32.3 万 km^2，占流域面积的 10%。

流域的大部分为平原，土地肥沃，物产丰富，主要矿产资源有煤炭、石油、天然气及其他有色金属等。

1.2.3 工农业概况

密西西比河流域工农业生产相当发达，这两项产业产值占全流域总收入的 33%。工业收入仅占全国的 25%，近几年来，由于墨西哥湾沿海一带工业开发迅速崛起，工业的重要性也越来越显著。从 19 世纪起，美国的经济就从东北部的五大湖和大西洋沿岸地区开始发展起来。上密西西比河左岸毗连五大湖系统的密执安湖和苏必利尔湖，靠近工业城市芝加哥，是美国工业最早发展的地区。至 20 世纪初，上述这些自然条件好、资源丰富的地区，已成为美国工农业最发达的地区。芝加哥、底特律、匹兹堡、辛辛那提等大城市相继兴起，由于中央低地与五大湖连成一片，美国经济逐渐向腹地推进，因此密西西比河及其东部支流俄亥俄河（包括其支流田纳西河）开发较早。大部分工程于 30～50 年代建成。随后，随着美国经济向西部和南部的转移，也促进了密西西比河支流密苏里河和阿肯色河的开发，其大部分工程在 50～70 年代竣工。随着密西西比河干支流大中型水利工程的建成，流域内既有了充足的电力能源，又有了水资源保证灌溉，还可保证洪水安全下泄，不致造成大的洪水灾害，因而流域工农业迅速发展。

密西西比河流域的大部分为平原，农用地的利用率相当高，耕地面积占 35%，相当于美国耕地总面积的 64%。沿岸各州大都土壤肥沃深厚，河流纵横，是理想的农业耕作区，主要农作物有玉米、大豆、小麦、稻米、马铃薯和燕麦。这里生产的玉米、大豆占全美产量的 80%，而且还盛产棉花、大米、高粱（蜀黍类）和小麦。由于农地的充分利用，密西西比河流域已成了美国的“粮仓”。另外，密西西比河流域的牧场面积也非常辽阔，相当于全国牧场面积的

30%。

密西西比河流域内总灌溉面积 713 万 hm^2，其中喷灌面积 157 万 hm^2，占 22%。密西西比河沿干流的流域东部各州，天然降水量较多（787～2 000mm/a），农田灌溉面积不大。灌溉工程主要集中在流域西部，西部 10 个州的灌溉面积 587 万 hm^2，占全流域的 82%。

流域内矿产资源丰富，工业相对发达，钢铁、机械、汽车、炼油、化工、食品工业都驰名国内外。电器、橡胶、飞机工业也颇具盛名。

1.2.4 人文景观

密西西比河流域地域辽阔，物产丰富，景色宜人。沿岸大中城市密布，工农业发达。密西西比河为上亿人提供饮水水源，其鱼、虾和其他水产是主要的贸易和当地食物来源。密西西比河还具有极大的娱乐和旅游价值。仅上密西西比河水系每年就接待 1 200 多万游客，从而每年提供了 12 亿多美元的直接和间接消费，以及 1.8 万个就业岗位。

1.3 流域管理机构

为了彻底治理密西西比河，美国国会于公元 1879 年成立了统一的管理机构——密西西比河委员会，从此，拉开了综合治理密西西比河的序幕，在长达 100 多年的治河实践中，联邦、州、县各级政府及地方自治团体在密西西比河上修建了大量水库、堤防、城镇防洪墙和分洪道等防洪工程，并采取了各种非工程防洪措施，这些防洪措施在历年的抗洪救灾中发挥了巨大作用。

密西西比河委员会的首要任务是改善密西西比河航运，防洪也包括其中。委员会由总统任命及参议院批准的成员组成，人员组成是：工程师团 3 名，美国海洋与大气管理局 1 名，民间人士 3 名。

1928 年国会通过法案，决定由工程师团负责流域全面治理，责成制定防洪规划予以实施。自此，密西西比河进入全面治理时期。

在密西西比河下游流域，负责防洪和航运工作的联邦机构是工程师团，由工程师团 4 个分区（圣路易斯、孟菲斯、维克斯堡、新奥尔良）组成的陆军工程师团密西西比河下游流域管理局，在总部设在维克斯堡的密西西比河委员会的协调下开展工作。

1965 年的水资源规划法，除批准成立水资源委员会外，还批准成立了河流流域委员会，在密西西比河流域，1971 年成立了俄亥俄河流域委员会，

1973年成立了密苏里河流域委员会和上密西西比河流域委员会。但后来，1982年，同水资源委员会的命运一样，密西西比河1971年和1973年成立的3个委员会均因联邦预算的撤销而被迫终止了工作。

值得一提的是，密西西比河二级支流田纳西河，经国会批准1933年5月18日成立的田纳西河流域管理局，在该河的开发治理中，发挥了重要作用，为创立举世闻名的田纳西河开发治理模式立下了汗马功劳。

近120年来，由陆军工程师团运作的密西西比河的防洪和航运，在一定程度上，已经处于密西西比河委员会关注的视线内。1927年的洪水，委员会的注意力集中在密西西比河下游流域，并且它的工作得到强有力的支持。支持委员会工作的资金列为专项预算资金，支持密西西比河及其支流项目的资金通过每年国会预算过程也转成专项划拨。

1994年在送交白宫的报告中，特许调查1993年密西西比河洪水以及联邦减轻洪水损失方法的一个研究小组建议；委员会应担负起整个密西西比河系的责任，密西西比河沿河陆军工程师团的全部机构运作应交给委员会主席指挥。为了给上游流域工程提供必须的财政支持，该小组还建议对密西西比河上游与支流项目进行立项。虽然还没有采取立项的行动，但包括上游的流域在内，委员会已经将它的注意力扩大到整个流域。工程师团的所有管区——从墨西哥湾到密西西比河源头的运作机构已经置于委员会主席的领导之下(委员会主席同时作为工程师团密西西比河流域指挥部的指挥官)。

2 流域治理开发情况及主要成就

2.1 治河的历史沿革及防洪体系建设

2.1.1 治河的历史沿革

近3个世纪以来，军事和民间的工程师就已经同它打交道并且抗御着这条强悍的河流。他们看到过成功，也目睹过失败，并且不断从中吸取经验教训。尽管跨入了21世纪，但挑战依然存在。

公元1879年成立的密西西比河委员会，负责测量、调查、研究、改善航道和防洪等工作，当时的重点是航运。1928年5月国会通过密西西比河防洪法令，由密西西比河委员会提出以防洪为主、兼顾航运、发电、灌溉等综合治理方案。

为了减轻洪水的损失，从18世纪居民就开始修建土堤控制洪水。到了19世纪中叶，力图保护重要河段，将许多这样孤立的防洪堤连接起来筑成一条洪水保护线。遗憾的是，大水常常冲毁这些设计粗糙和脆弱的建筑并且造成悲惨的后果。直到公元1849年，联邦政府采取行动，包括河流测量、水力研究、清除暗礁以及通过修建堤坝集中水流，增强河道的稳定性。

19世纪中期发生了几场大洪水，唤醒了联邦政府采取行动的积极性。1849年和1850年的湿地立法赋予州政府出售联邦低洼地、为湿地排水以及提供洪水保护拨款的管理权。联邦政府也需要进一步地研究为减轻洪水灾害应做的工作。在19世纪50年代开始了两项研究，查尔斯埃利特教授和陆军工程师团官员汉弗莱斯和阿博特着手对河系进行详细的调查。埃利特报告指出，洪水将会继续发生，并且提出重点是在洪水发生地区修建水库拦蓄洪水。而汉弗莱斯和阿博特承认水库的作用并且可利用支流河道削减流量，但是他极力建议联邦的努力应该集中在建设适当规模的防洪堤，以保护淹没地区和疏导密西西比河河道。即使采用这种指导思想，地方政府和个别土地拥有者似乎也是无力防止不断发生的破坏性的洪涝。同时，水上交通量的增加也给政府提供可靠的河道航运能力施加了压力。

密西西比河委员会成立后，回顾、评估河流的环境，制定了征服河流的计划。为了改善航运，开始建设辅助河堤以及制定一项利用柳制材料护坡保护河岸容易冲刷地段的计划。委员会同时为地方机构防洪堤建设与维护提供工程技术援助。然而，其授权明确为“航运第一”。

20世纪前，密西西比河下游沿河地区的团体与组织已经修筑了防洪堤网，构成了从沿伊利诺斯州的凯罗到路易斯安那州的新奥尔良的河两岸几乎连续的防洪屏障。在密西西比河中游和上游，防洪堤的质量参差不齐。虽然凯罗下游的防洪堤看上去存在，实际各处并不坚固并且在1900年和1927年间被毁坏几次，酿成破坏性的后果。1927年的特大洪水吞没了俄亥俄和密西西比河的下游流域，使联邦政府的注意力再次集中在密西西比河的下游。为此，国会赋予了委员会全权负责密西西比河下游地区的防洪工作，从而为委员会在流域下游进行急需的减轻洪灾损失的工作提供了管理权限和资金。

1928年，面对束缚密西西比河的问题，陆军工程师团和流域委员会制定了综合性的下游防洪和航运管理计划。提出开辟分洪道，为减轻河道断面的压力创造条件；对河流裁弯取直，加快水流流向河口，以降低洪水水位；对防洪堤要加固和加高(以联邦经费为基础),将其作为防止洪涝灾害的主要建筑。后来,对堤岸保护又提出通过采用铰接混凝土护面(10 年前已经使用)使之免受侵蚀,以及通过使用减小河渠宽度的石块护堤来实现河渠的稳定。还提出对河流疏浚,使河道整治计划能够产生一种自行维护航运河道的效果。

1936 年大洪水后,国会批准了一项全国性的防洪计划。在密西西比河流域,主要是密西西比河上游、俄亥俄河及密苏里河流域,由工程师团和诸如田纳西河流域管理局等联邦机构承建了多用途和单一用途的大坝达 250 多座,这不仅对大坝下游直接提供保护,而且还减少了流向下游的径流量。

为了减轻洪涝对伊利诺斯州凯罗附近和路易斯安那州的新奥尔良上游的重要河段的压力,修建了 4 条分洪道。

今天,在宏伟的防洪堤背后,下游流域的 7 个州,将近 1 000 万人民,生活无忧无虑,不再担心密西西比河下游会发生大洪水。下游防洪堤系统的效益是:90 亿美元的建设与维护代价,预防的洪水损失高达 2 260 亿美元。

1927 年的大洪水以来,密西西比河流域进行了重大的开发活动。砍伐森林、开荒耕作和城市建设及大量移民使径流量大大增加。从 1928 年和 1990 年之间的大水分析可以看到,预期洪水径流和由此引发的洪水水位将会稳定地增高。径流增加、裁弯取直、河道稳定性的综合影响和通过防洪堤的建设减小洪泛区,已经数次促使加高堤防系统。

1928 年以来,密西西比河委员会与地方机构合作建设,已使所有堤防的横断面达到了通过设计洪水的标准。后来,委员会又担负起密西西比河和阿查法拉亚河 2 596km 堤防的建设,其中 2 146km 堤防的断面和坡度已完全达到通过设计洪水的标准。

委员会从早期治理密西西比河采用柳制柴排和能够使堤岸侵蚀减缓和改善河道顺直的原木堤(防波堤)的利用中吸取教训。很快就用石块堤取代了原木堤,后来又用一种特别设计的铰接混凝土护坡取代了柳制材料护坡,因而使河岸的侵蚀极大地减少。委员会的河流工程师们逐步学会了与河流打交道。枯水期,他们在窄深河道内,根据自然河流弯曲的临界水位筑堤与护坡。截至 1998 年底,该委员会已经完成了计划总长 1 750km 河道中的 1 658km 和 545km 岸堤中的 479km 的护坡任务。

早些时候,委员会采用疏浚来维护河道并且要连续地挖掘才能达到要求，这个工作量是巨大的，而且在枯水年常常达不到预期的效果。到 20 世纪 90 年代中期末，密西西比河内需要疏浚的地点已经从 30 多处锐减为 12 处，今天，每年要求的疏浚量已明显地减少。通常完成2 300万 m^3 疏浚量就可以较好地维护干流的河道。

2.1.2 防洪规划

密西西比河流域历史上曾无数次遭受洪水侵袭，其下游平均约 7 年发生一次洪水。因此，为了保护洪泛区宝贵财产免遭洪水之害而制定了防洪规划。

密西西比河流域，一般以伊利诺斯州的凯罗(Cairo)为界，大致分为上密西西比河流域和下密西西比河流域。

上密西西比河流域的主要支流密苏里河和伊利诺伊河在凯罗与密西西比河汇流。除了密苏里河以外，各地都制定了防洪规划，但没有整个水系的总体规划。防洪设施由水库、堤防和防洪墙，联邦政府与非联邦政府的防洪工程混合在一起。

下密西西比河流域由密西西比河干流和俄亥俄河、阿肯色河等支流组成。通过修建密西西比河及其支流工程(MR&T)，制定了不同于上游的水系总体规划。MR&T 工程作为防洪工程由水库、堤防、分洪道与河道整治组成，这些工程基本上都是由联邦政府修建的。

2.1.2.1 上游流域规划

(1)指导思想。上密西西比河流域，尽管在历史上各地修建了堤防，但并没有像下密西西比河及其支流工程那样制定统一的防洪规划，其原因是上游流域的洪泛区没有下游流域大，即使发生洪水，损失也没有下游那么严重。在美国，由于治水思想已由过去的防洪转变为现在占主导地位的管理洪水，因此，近年来在制定保护已开发的洪泛区免遭水灾之害的防洪计划时，采取了所谓洪泛区管理措施。

早先，在上密西西比河流域，一般都依据各地的历史水位与流量实测值，并按照 FEMA 的标准(确定洪水频率标准，1981)来推算流量(水位)与其发生频率的关系，这种方法是制定防洪规划的基本方法。

联邦各项工程均要由国会批准，并经过调查，才能修建防护特定地区的工程。地方修建的堤防基本上也要经过上述程序。制定规划时，要进行工程成本效益分析，只采用有最大效益的规划。这种方法与密西西比河下游流域制定统一的总体规划、经国会批准后方可付诸实施形成了鲜明的对照。其结果导致了上密西西比河流域的堤高及设计洪水频率规模、管理标准等都各不相同。而密苏里河流域，自 1944 年以后，则按统一的防洪规划来修建工程。

上密西西比河流域，虽根据 1965 年的水资源规划成立了密苏里河流域委员会和上密西西比河委员会，但后来被撤销。另外，在上密西西比河，为了确保航运的水深，已按 1930 年以前的《河流港湾法》(River and Harbor Act)作了规定，并进行了疏浚，修建了闸坝。在圣保罗至圣路易斯区段，到 1940 年共修建了 29 座闸坝。

洪泛区管理的基准洪水

洪泛区管理的基准洪水是按所谓洪泛区管理最低标准来设定 100 年一遇洪水。制定规划的目的是，通过指导土地开发利用，避免该水位以下的洪水灾害和混乱；采用工程措施防御该水位以上的洪水泛滥及开展防汛活动等减少洪灾损失。

设施规划的标准

规划的规模基本上是按流量频率进行评估。如上所述，各政府机关在制定规划时，都是按 FEMA 的标准来评估该规划规模、洪峰流量和水位。

设施规划的标准，由防洪工程的实施机关制定，下面介绍主要实施机关的标准。

作为非工程措施的标准，工程师团 1960 年采用了过渡区洪水标准(100 年一遇)。另外，工程师团修建的堤防是按技术标准设计，几乎所有保护城市的堤防最低都是 100 年一遇的洪水标准。另一方面，地方修建的农用堤防基本都是防御 50 年一遇以下的洪水。

20 世纪 50 年代，土壤保护局在农业区采用 25 年一遇洪水水位，在市区采用 100 年一遇洪水水位。

水资源委员会(WRC)1978 年建议联邦机关，在设置医疗机构、急救服务设施及危险品储存设施时，为确保安全而采用 500 年一遇洪水标准。

在各州中，也有些州是将各种标准结合在一起作为洪泛区管理标准。

如上所述，尽管防洪设施规划的标准名目繁多，千差万别，但在制定规划时都重视投资效益分析，分析结果满足不了标准的部分，则要采取洪水保险等确保安全的措施。

密苏里河的防洪规划

密苏里河流域大部分是平原区。这个平原堪称是美利坚合众国的粮仓，保证农业灌溉用水则是最大的难题。因此，在蓄洪提供灌溉用水的同时，为了进行水力发电及防御本流域的洪水灾害而修建了105座水库，总库容量达到了1 060亿m^3。

在制定规划时，对整个水系进行了综合规划，就连最上游的水库也毫不例外。而且还考虑了安全度小的堤坝溃决引起洪水泛滥的影响。

设计洪水的规模因地而异，堪萨斯市为500年一遇。农田堤高度按联邦堤或非联邦堤分别确定。

(2)防洪设施。有代表性的防洪设施是堤防、防洪墙与水库。上密西西比河的水闸不是防洪设施。

上密西西比河的堤防，就其建设主体和管理形式可分为4类，大致可分为联邦堤防与非联邦堤防。联邦堤防是联邦政府机关与地方自治区共同修建或者联邦政府单独修建的堤防，主要保护城镇地区。非联邦堤防是比联邦机关低的实际业务机关修建，由社会投资者等维护的堤防，一般主要用于保护农田。

此外，还有以保护私人财产和土地为目的，由非行政机关的工会、团体或个人修建并维护管理的民用堤防。

附表3-2列出了上密西西比河联邦堤防与非联邦堤防的数量。由此表可以看出，非联邦堤防(C、D)占堤防总数的86%。

而且，所有工程都成立有堤防委员会(Levee Boards)，工程竣工后，其设施按工程师团规定交给委员会使用。工程师团每年检查一次堤防，对堤防的运用及什么地方需进行维护作出评估。

附表3-2　　密西西比河上游堤防的种类与数量

种类	总数	比例(%)
A. 联邦修建、管理的堤防	15	1
B. 联邦修建、地方管理的堤防	214	13
C. 地方修建、管理并符合便于修复条件的堤防	268	17
D. 地方修建、管理的其他堤防	1 079	69
合计	1 576	100

2.1.2.2　下游流域规划

(1)指导思想。密西西比河下游的防洪规划,是作为1928年《防洪法》批准的密西西比河及其支流工程(MR&T)的一部分而制定的。该项规划因1927年的水灾已被法律化。制定规划的联邦机关是工程师团,密西西比河下游管区在总部设在维克斯堡的密西西比河委员会(MRC)协调下开展工作。MR&T工程的总投资包括增补款共计为70亿美元(截至1993年已支出40亿美元),年维护费超过4 600万美元。

下游流域防洪规划可以说基本上是按下述构思考虑的。为了保障俄亥俄河、上密西西比河、密苏里河、阿肯色河、雷德河等各条支流洪泛区的安全,各支流都修建了水库群拦截洪水。其结果,对凯罗以下的密西西比河下游干流产生了附带性的防洪效果。密西西比河下游干流则以这些支流拦截的洪水为对象,制定了堤防、分洪道、滞洪区、裁弯取直及河道整治等防洪设施规划。

这里之所以将田纳西河除外,是因为TVA修建了多用途水库群,在最下游的肯塔基水库已经完全拦截了该河的洪水。

另外,这种防洪体系之所以成为可能,是由于各支流要防御的每一个洪泛区面积都相当大,而且,即使拿不出适量投资,但通过修建多用途水库,对广袤富饶的平原地带进行灌溉和水力发电,也可收到相当的效益。超大库容的一连串多用途库群,既是一项滞蓄洪水进行多用途利用的规划,也是一项综合开发工程。

(2)下游流域的设计洪水。制定密西西比河下游流域防洪规划的代表性设计洪水有两种。

一种是标准设计洪水。选定标准设计降雨既要根据历史洪水调查有关的地区特性,又要根据对气象水文有最大影响的降雨。但这种标准设计降雨,不包括历史最大的异常降雨等。

标准设计洪水,是以标准设计降雨为基础,使用按单位过程线法等径流量计算方法推算的径流量计算得到的洪水流量。标准设计洪水的大小,一般约为可能最大洪水的50%左右,概率多为数百年一遇。

另一种是可能最大洪水。可能最大洪水是以历史记录的所有降雨为对象,设定物理上可能、理论上又会发生的最大降雨(可能最大降雨),采用与标准设计洪水同样的方法来确定。

这里所说的可能最大洪水，可在设计安全系数高、不允许溃塌的工程时采用。

在密西西比河下游干流的规划中，工程师团采用了标准设计洪水，在田纳西河流域，TVA采用了可能最大洪水。

密西西比河下游防洪规划的基本设想是，控制假想的设计洪水（与标准设计洪水相同），即控制大于1927年历史记录洪水。该设计洪水流量，在阿肯色河汇流处比1927年洪水大11%，在纳奇兹下游的雷德里布兰登（莫甘扎分洪道上游）比1927年洪水大29%。

在确定了设计洪水后的1937年，俄亥俄河流域又一次出现暴雨，发生了特大洪水灾害。这次洪水证明确定的设计洪水是正确的。

此后，对防洪规划又作了进一步的修改。径流计算采用单位过程线法，按下列步骤进行了计算，最后于1955年确定了现用的设计洪水。

第一步：让俄亥俄河流域连续降雨3天，采用比1937年降雨大10%的雨量。

第二步：让俄亥俄河流域连续降雨3天，采用1950年1月洪水的雨量。

第三步：让下游中心区降落1938年2月洪水的雨量。

按俄亥俄河防洪规划的设想，要修建即使遇到1937年那样的洪水也不会发生洪水灾害的设施，并考虑实际降雨的地区特点，按其与实际流量的关系，重新确定了下游流域的设计流量分配。

（3）防洪规划。上密西西比河、怀特河、阿肯色河、雷德河等的入流量，是造成密西西比河干流出现最大设计洪水流量时的汇流量，并不代表各条支流的设计洪水流量。例如，上密西西比河干流的入流量是6 800m^3/s，在圣路易斯的设计洪水流量则达32 000m^3/s。

由于干流河槽调蓄和滞洪区分洪，所以，随着河水向下游流泄，流量会有所减少。例如，最大流域面积达137.2万km^2的密苏里河，1903年6月，发生了17 000 m^3/s（圣路易斯市）的洪水，但因水库群滞蓄及与俄亥俄河洪水期错开，干流最大流量时的汇流量仅为2 800 m^3/s。又如，上密西西比河流域面积为46.8万km^2，1903年6月发生了流量为10 000m^3/s的洪水，亦因其水库群滞蓄及与俄亥俄河洪水期错开，干流最大流量时的汇流量仅为4 200m^3/s。

设计洪水流量，在凯罗为64 000m^3/s。在凯罗以下的密西西比河下游干流设计洪水流量(阿肯色市:82 000 m^3/s)中,俄亥俄河设计洪水流量(64 000m^3/s)竟占77%,也就是说,密西西比河下游泄流的77%来自占流域面积不过13%的俄亥俄河洪水。

包括田纳西河、坎伯兰河在内的俄亥俄河,由于从墨西哥湾吹来的大量潮湿气流而出现连阴雨,并发生大规模的长时间洪水。俄亥俄河为保护其流域的洪泛区安全,也修了数量众多的大库容水库。

俄亥俄河的历史最大洪水,1937年2月的记录为50 000m^3/s,地点在田纳西河汇流处下游的帕托卡。这一流量约为密苏里河1903年6月洪水17 000m^3/s的3倍。俄亥俄河的设计洪水流量为64 000 m^3/s(帕托卡),该流量为确保流域内洪泛区安全而利用水库群拦截洪水后的流量。设计洪水流量,尽管是水库群拦洪后的流量,但因超过了历史最大洪水流量,所以,提高了设计洪水流量安全系数。

密西西比河干流的设计洪水流量,阿肯色市为82 000m^3/s,比被称为历史最大洪水的1972年3～4月实测洪水流量74 000m^3/s大11%;雷德里布兰登为86 000m^3/s,比历史最大洪水流量66 000m^3/s大29%左右(相当于500年一遇洪水流量)。

(4)防洪设施。防洪设施规划的关键有:堤防;滞洪区及分洪道;河道整治;支流整治工程(由河道整治、水库、堤内排水泵及分洪道等组成)。

据对MRC访问调查,工程的优先顺序是堤防、分洪道、河道裁弯取直、水库。

a.堤防。密西西比河下游规划堤防总长度为3 543km,到1987年,已完成了2 589km,占73%。

堤防中最长的连续堤长达1 046km,是由阿肯色州派恩布拉夫开始,经阿肯色河汇流处至路易斯安那州威尼斯的干流右岸大堤。其中,长277km的堤段因1973年洪水修改了规划而进行了加高。加高工程从1974年动工,工程投资估算为17 690万美元左右。

左岸干流堤防也有430km长的连续大堤,由田纳西州的孟菲斯开始,延伸到亚祖河汇流处的维克斯堡。由于干流的左岸靠近丘陵地带,故而,建堤防护的区段比右岸要少。

密西西比河的堤防从公元1882年至今,每隔10～20年就要加高一次。与公元1882年的堤防相比,现在的堤防已变成了高、底宽、堤体积分别约为原来堤防3倍、6倍和18倍的地上巨龙。各种堤防的设计水位,由附图3-1推算,1937年以前是按历史洪水的最高水位来设定,现在则是以设计洪水流量分配而设定的水位为基础,至少加0.9m超高来设计堤防。在发生局部水流的地方或者建筑物附近,可采用更高的超高。

工程师团对大堤超高作了如下表述:超高是考虑了波浪作用、断面测量误差、粗糙系数误差以及确定总体纵断面误差等安全系数的组成要素,一般可根据实际的防汛经验来决定。

b.滞洪区与分洪道。规划滞洪区与分洪道的目的是为了在发生大洪水时使其发挥作用,分流超过干流河道泄流能力的多余洪水。

这种滞洪区有新马德里滞洪区、西阿查法拉亚分洪道和莫甘扎分洪道组成的阿查法拉亚分洪道和邦尼特卡雷分洪道。

这些设施按功能大小排序为:邦尼特卡雷分洪道、莫甘扎分洪道、新马德里滞洪区、西阿查法拉亚分洪道。

干支流交汇处不修筑堤防,而是将汇流处附近地区作为天然滞洪区来滞蓄洪水,这种天然滞洪区面积很大,发挥了相当可观的调洪效果。

c.河道整治和裁弯取直。以伊利诺斯州凯罗以下冲积河谷的航运和防洪为目的的河道整治工程是密西西比河及其支流工程的重要组成部分。这项工程是根据1928年的防洪法批准修建的。

河道稳定对保证凯罗下游的工业设施、防洪措施及航道极为重要,为此修建了护岸工程和滩涂防护工程。另外,还修建了丁坝工程和疏浚工程。

河道整治与裁弯取直在特定地区防洪上的作用虽与堤防和防洪墙相同,但它的特点是不会形成突发性破坏或毁灭性破坏。因此,河道整治和裁弯取直,多以防洪以外的航运和观光游览为目的。

此外还应指出,河道扩宽和疏浚、修建护岸等河道整治将会给生态体系带来一定影响。裁弯取直工程将使输移泥沙增加,而且,河道的维护管理也成了严重的问题。

d.支流整治工程。1928年的防洪法批准修建支流整治工程,以保护支流流域免受密西西比河干流洪水的侵袭。但是,支流流域天然径流造成的洪水泛滥仅靠干流防洪工程是防不胜防的。因此,修订的《防洪法》提出了削减支流流域洪水问题的措施。

MR&T工程包括阿肯色州东部的圣弗朗西斯河、密西西比州西北部的

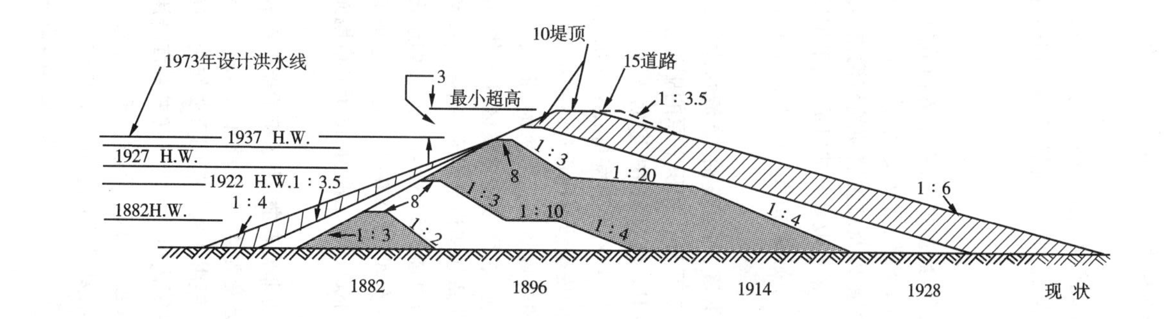

横断面尺寸

年份	高(m)	底宽(m)	断面面积(m^2)
1882	2.7	16.2	25.5
1896	4.7	36.7	88.4
1914	7.3	61.0	228.2
1928	8.2	79.3	338.9
现状	9.3	96.0	460.7

注:资料来源:陆军工程师团《防洪》一书,图上单位英尺。

附图 3-1　密西西比河下游典型堤防横断面尺寸的历年变化

亚祖河、路易斯安那州东北部的滕萨斯河、路易斯安那州南部的阿查法拉亚河等4条主要支流流域。

支流整治工程中，有5个防洪水库，即瓦帕佩洛水库、阿卡巴特拉水库（亚祖河流域）、萨迪斯水库（亚祖河流域）、伊尼德水库（亚祖河流域）和格林纳达水库（亚祖河流域）。

2.1.3 防洪工程措施

密西西比河干支流河道整治工程种类之全、数量之多，在世界河流整治史上是领先的。其工程措施主要是在上游清除暗礁、堵塞支汊、修建梯级闸坝与渠化河道；在中游修建防洪堤、丁坝群、护岸以及疏浚以便缩窄河道，提高航深；在干流下游建防洪堤、分洪区、分洪道、裁弯取直并辅以护岸、丁坝以及疏浚等办法来稳定河岸河床；在河口则修建导流堤，治理拦门沙水道等；在各支流则以修建综合利用水库为主。

密西西比河的防洪工程措施是堤防、分洪道、河道整治、支流水库等方面，其中堤防是主要的防洪工程措施，下游6.5万km^2冲积平原的肥沃土地和城镇250万人口及工业交通均靠堤防保卫。经过培修，堤防平均高约7.5m，个别堤段高约12m。外坡1:3，内坡1:5～1:8，堤顶宽9m，超高0.9m，重要堤段1.5m，已能抵御一般洪水。由于堤防安全泄量比设计洪水小，为了保障干流沿岸重要城市的防洪安全，当洪水超过堤防负担能力时，采取开放分洪道的办法以减少损失。由于土地资源丰富，农民多在分洪区外居住，即使住在分洪区内，也有安全措施。凯罗市的堤防如遇设计洪水，则开放马德里分洪道分洪15 600m^3/s；新奥尔良市大堤防洪能力约35 400m^3/s，如遇设计洪水则在老河口分洪17 600m^3/s、在莫甘扎分洪17 000m^3/s、在邦尼特卡雷分洪7 000m^3/s，使通过新奥尔良市的流量不超过安全泄量，由于城市地面低于洪水位，积涝问题由开动水泵站去解决。

密西西比河下游孟菲斯至雷德河口的河道非常弯曲，为了整治航道有利泄洪，采取裁弯取直工程，将原有750km河道变为476km（缩短274km），便利航行，且使阿肯色市的水位下降4.9m，对减轻洪水威胁起到重要作用。河道整治工程还包括护岸、修丁坝、顺坝和疏浚等内容，1928年以来一直沿用钢链串联的柔性混凝土块沉排护岸，经多年实践，确认这是防止重要岸边侵蚀和坍塌的一种有效方法，但是造价较高，在次要河段上，仍用块石护岸。

现在密西西比河支流上已建有150座水库，总库容达2 000亿m^3，占年总径流量 5 800 亿 m^3 的 1/3，这些水库主要是为了当地防洪，对密西西比河下游防洪也起到一定的作用。

密西西比河及其支流的防洪设施，主要包括：堤防工程、分洪道工程、河道整治改良和堤岸稳定维护。

2.1.3.1 堤防工程

密西西比河堤防是中下游主要防洪措施之一。自凯罗以下至河口，1928 年以后即逐渐建成完整的堤防体系。主要堤防总长约 3 545km，其中 2 586km 是沿密西西比河两岸；959km 是沿阿肯色河和雷德河南岸以及阿查法拉亚河流域。堤防大部分为土堤，城镇及其附近处为混凝土防洪墙。堤身高度平均约 7.5m，堤顶高程按采用暴雨组合法推求的"设计洪水"及分洪计划推算的水面线加超高确定。

主河道的堤防系统，由河堤、防洪墙和其他种类的控制建筑组成，河堤工程由联邦政府修建，由地方财政负担维护。通过招标由承包商承包。在遇到大洪水时，也可由联邦政府资助。陆军工程师团的军分区负责定期的检查，保证堤防处于防洪的优良状态。

目前在干支流上已修筑堤防 7 860km。

下游堤防采用梯形断面。堤顶超高一般为 0.9m，重要堤段超高 1.5m。断面迎水坡 1:4，背水坡 1:5.5～1:6.0，堤顶宽 3m。

密西西比河的护岸工程很有特色。过去曾采用柳条沉排和沥青沉排。1928 年后主要采用混凝土块连成的沉排作为水下部分护岸，认为这是防止岸坡侵蚀的有效方法。岸坡上部用块石砌护。

2.1.3.2 分洪工程

密西西比河洪水主要来源于上游及支流俄亥俄河和密苏里河，而洪灾主要发生在下游。由于流域不具备修建大水库的条件，目前虽在密苏里河上游干流和俄亥俄河支流上修建了一些水库，但对密西西比河下游的防洪作用并不大；下游的防洪主要依靠的是堤防和分洪工程。

为了减轻上游洪水对河口地区城市的压力(特别是新奥尔良)，在雷德河 Landing 地区，修建了莫甘扎、阿查法拉亚东侧分洪道和老河控制工程，将该地区上游洪水流量 84 900m^3/s 分为 42 450m^3/s 由主河道下泄，其余 42 450m^3/s分洪至阿查法拉亚河下泄。主河道的 42 450m^3/s 在莫甘扎以下有7 075m^3/s通过新奥尔良以上 40km 的邦尼特卡雷溢洪道排入 Pontchartrain 湖和海湾。其余的 35 375m^3/s由主河道继续下泄入海湾。

分洪工程有两种。一种是分洪道工程(也是主要的工程);另一种是“回水临时蓄洪区”,建在支流汇入干流的尾闾地区。目前有两处支流尾闾地区筑有堤防,即怀特河河口临时蓄洪区及坦萨斯—柯柯德里亚临时蓄洪区。此类工程可防御一般性洪水,在大洪水时则用于临时蓄洪。

已建成的 4 个分洪道的情况如下。

新马德里分洪道。在俄亥俄河河口凯罗镇以下,分洪区长 56km,面积 525km^2,上口和下口堤防略低,大洪水时可自动冲开,上吞下吐,可分洪 15 600m^3/s。

老河分洪道。在密西西比河入海口以上 500km,原来有一条老河与相邻的阿查法拉亚河相连通自然分洪,近年来因分流量逐渐增大,发展下去密西西比河下段有改道的危险。1963 年在老河口建分洪闸,控制分流 30%,最大分洪量 17 000m^3/s,通过阿查法拉亚河西侧的分洪道入海。

莫甘扎分洪道。在老河分洪道下游约 20km 处,是人工开挖的分洪道,最大分洪量也是 17 000m^3/s,通过阿查法拉亚河东侧的分洪道入海。

邦尼特卡雷分洪堰。在新奥尔良市上游约 40km 处,主要为确保 50 万人口的新奥尔良市的安全,最大分洪量 7 000m^3/s,有闸门控制。

下游 4 个分洪道,共可分洪 41 000m^3/s,另有出路入海,大大减轻了密西西比河下游的防洪负担。

2.1.3.3 河道整治改良和堤岸稳定保护工程

在河道改良方面,修建了大量的丁坝导流和裁弯取直工程,既利于加大洪水的宣泄能力,也利于通航。在堤岸稳定保护措施中,美国的经验认为,采用钢筋混凝土沉排作为河道护岸及护底的效果最好。这种钢筋混凝土沉排是将 1.22m×0.61m×6.35cm 的钢筋混凝土板,用钢筋连接成 1.22m×7.62m 的排体(每小块混凝土板之间的空隙为 1.27cm)。排体连续铺放在河床岸坡及堤脚上,以防止岸坡的冲刷。排体堤岸坡延伸至河底的长度,一般为 15.2~30.5m,这种排体有专门的预制工厂。

20 世纪 30 年代在干流下游的中段进行了 16 处裁弯取直工程,使原来 750km 的河段缩短了 274km,加大了比降,降低了洪水位。但该河段现在又向弯曲发展,河道长度又在增加,降低洪水位的效果逐渐减少。

此外，还用块石堆筑丁坝、顺坝，并用挖泥船疏浚等。

护岸工程。在密西西比河许多不稳定的河岸上都采取了护岸工程。其干流护岸工程一般采用混凝土预制块，块体尺寸已基本标准化，约为 7.6m×1.2m×0.08m，用钢筋将块体联结成混凝土“排”(Mattress)代替了过去的沉排方法。混凝土块体下铺一层尼龙编织布作反滤，铺设工作已实现机械化。

丁坝工程。为了控制水量，束窄河槽，保证足够的航运水深，在密西西比河凸岸及过渡段修建了大量丁坝。至 1973 年，几乎整个中游河段都修建了堤防，有 196km 长的河段铺筑了护坡，有 800 多个总长达 146km 的丁坝工程。据 1974 年统计，从圣路易斯至老河口下游共修建丁坝 1 445 座，累计长 457km。丁坝的主要结构为桩式坝及堆石坝。1961 年以后大量修筑堆石丁坝，完全由块石堆筑，坝顶宽 1.5～3.0m，坝顶高程在中水位以下；坝坡一般为 1∶1.25～1∶1.5，呈下挑开式，角度 15°～45°；丁坝间距与坝长之比采用 1.5～2.5。密西西比河下游治导弯道曲率半径一般采用 3～4km，最大的 10km。

裁弯取直。密西西比河下游实施系统的人工裁弯始于 20 世纪 30～40 年代。1929～1942 年下游孟菲斯至安哥拉修建颈裁工程 16 处，弯道长度由 321km 减至 76km。1932～1955 年进行陡槽裁弯 40 处，缩短流程 37km。由于裁弯加上其他措施，初期效果很显著，河湾归顺，缩短了航程，降低了洪水位。

2.1.3.4　支流水库

密西西比河干流上没有大水库，洪水主要来源于俄亥俄河，从匹兹堡至河口 1 570km，沿河有 210 个居民点，250 万人口，是高度发达的工业区，也不容许建高坝大库。各支流上已建成许多水库，大部分考虑综合利用，也有一些专为防洪修建的滞洪水库。防洪作用较大的水库有 150 余座，共约有库容 2 000 亿 m^3，其中库容在 10 亿 m^3 以上的 45 座。美国库容最大的 10 座水库中，有 6 座在密西西比河的支流上。

通过所有支流水库的调节，密西西比河凯罗镇站的洪峰流量可由 80 700m^3/s 降至 67 000m^3/s；下游的最大洪峰可由 94 000m^3/s 降至 86 000m^3/s。

2.1.3.5　疏浚工程

密西西比河的疏浚始于公元 1895 年。为了维护内河航道及港口航道，密西西比河的上中下游都进行过疏浚。圣路易斯以上 193km 至墨西哥湾 2 093km,年疏浚量 0.76 亿~0.92 亿 m^3,占全美疏浚量的 40%~50%。疏浚分为水力疏浚和机械疏浚。水力疏浚是利用沙坝等水工建筑物控制水流,利用水流自身的能量进行疏浚;机械疏浚是采用拉铲式挖掘机等机械设备进行疏浚。通常使用机械或液压两种吸泥船,也用铰刀式和链斗式吸泥船。在疏浚过程中,常修建各种类型的沙坝,用于引导水流使其能够按要求冲刷河道或用于控制河宽,有时也用于封堵串沟或回水河道。

2.1.3.6 梯级闸坝与水库

1930~1940 年,密西西比河上修建了一系列梯级闸坝,使洪水期流速不致过高,枯水期仍能保持 2.7m 水深。干流上游和主要支流采用连续渠化的方法,修建了一系列梯级闸坝。在圣路易斯河及其上游约 750km 的河段上修建有 30 个闸坝,上游圣安东尼船闸到凯罗的 1 360km 区间建有 29 个梯级闸坝。支流俄亥俄河从匹兹堡到凯罗 1 579km,水位落差 170m,设有 19 个梯级。由于没有控制性很好的水库,所以已建和计划修建的水库以防洪为主的不多。俄亥俄河流域只在支流田纳西河上有以防洪为主的水库,且控制面积不大。密苏里河上建有 7 座大水库,大都以发电为主。

2.1.3.7 河口导流堤

密西西比河河口 1953 年以前每年向墨西哥湾推进 150m,为防止水势分散和泥沙淤堵口门,在河口修建了导流堤,使其定向深入海湾,将泥沙搬运进深水区。在治理拦门沙时,采用的是双导堤工程束流,结合疏浚,以取得所需水深,并将拦门沙航道轴线作适当的偏转,以避开墨西哥湾由东向西的沿岸水流所造成的严重淤积的部位。

2.1.3.8 河床垫层

稳定密西西比河河床的计划,大约从公元 1890 年起开始实施,起初采用的是编制柳条席垫,利用石头沉入河底来抵御湍急的水流以稳定河床。混凝土垫层系统是 1917 年开始应用的,至 1998 年,在河床垫层方面的预算达 3 000 万美元。

2.1.4 河道演变、整治及中游河道的一些人为变化

2.1.4.1 河道演变与整治

据记载,美国密西西比河下游冲积平原河道,自凯罗至巴吞鲁日段,在无

护岸建筑物约束情况下，平均100年内发生天然裁弯13～15次。这种天然裁弯现象是极典型的冲积平原河道蛇曲发展过程。每次天然裁弯均出现于高水位时期，将原有弯段的狭窄地颈冲垮，形成裁弯。

根据多年观测，上述天然裁弯现象并不是在一次洪水时形成的，而是多年中洪水对地颈侵蚀的结果。开始时，弯段起点和终点间的地颈，由于河岸的崩塌一般已缩至仅1km左右。当洪水漫溢到地颈的滩地上时，先在上游区域冲刷成一椭圆深坑，其长轴直径可达250m，最深处达15m。当再次发生漫滩洪水时，原有深坑继续被冲刷扩大，坑上游岸壁与弯段起点处河岸间的距离缩短。以后每次洪水便会继续将原来深坑的下游岸壁逐渐冲塌扩展，最后全部地颈穿通，形成裁弯。

上述密西西比河天然裁弯，每次可缩短河道10～30km。如按前述每100年发生裁弯现象13～15次，则平均每100年可缩短河道300km。与此同时，在其他河段内蛇曲现象继续发展，许多凹岸不断陷塌，又使河长增加。自公元1820年至1930年，测量资料证明，凯罗至巴吞鲁日段长约1 350km的河段内，天然裁弯与蛇曲同时发展的结果，使在此110年内河道仍维持其原有长度不变。这就是说，当河流的水动力平衡经过很长时期已趋稳定后，即使局部河段内因产生天然裁弯使平衡有所变动，但在很长的河段内，由于水流、沙流及河床地质情况所形成的全河段水动力平衡仍能维持不变。

1930年以前，密西西比河委员会一直不主张采用人工裁弯方法来降低水位以减少堤防的加高。原因是：过去曾采用先挖好引河然后在洪水期予以一次裁决的裁弯方法，但裁决时因新河道内坡降骤增，流速猛急，所冲刷的泥沙淤积在新河道下游，引起水位壅高，曾经漫溢成灾；而所收到的降低水位的效果只是暂时的和局部的。实际上，像密西西比河这样的大河，其下游洪水流量每年通常达30 000m^3/s左右，如何进行人工裁弯不致使河道突然失去平衡引起漫溢灾害，当时是缺乏经验的。因此不敢采用人工裁弯作为一种防洪措施使水位降低、泄洪能力增加。

1929年秋，在低水时期，离维克斯堡下游约65km处的尤卡登弯段，在支流大黑河注入密西西比河处，忽然发生天然裁弯。3年后，新河道仍在扩展中，尚未能通过全部洪水。在这以前，大黑河是在尤卡登弯段终点处汇入干流，但由于干流在弯段起点处的凹岸继续坍塌，使干支流间的距离非常接近，相距只有百余米。1929年，在低水期，干流终于突破地颈，劫夺大黑河，形成裁弯。密西西比河委员会对此次低水时期所发生的不平常天然裁弯，进行了详细观测。发现裁弯后的新河道（即大黑河旧道）扩展极为缓慢，干流上原来的水动力平衡情况，如水位、坡降等，也没有发生任何显著变化。经过两年后新河道才过水40%。直到1932年春，干流因洪水期水位上涨较高，新河道断面才有显著的扩大，过流量才增至60%，此时新河道最深处达30m。由于断面已相当大，故新河道内坡降不陡，流速中常，已能通航。这次对尤卡登天然裁弯现象详细观测后所得的结论是：在低水期发生的天然裁弯，新河道断面是逐年缓慢地扩大，坡降变动甚小；新河道在高水位时，上游水位略有下降，而下游因有泥沙淤积水位则略有升高；裁弯三年后，旧弯段才逐渐淤塞。

从上述结论所获得的经验是：具有巨大流量的平原河道，人工裁弯必须不使河道原有的水动力平衡受到剧烈扰动，流量从旧弯段转趋新河道的过程必须是极缓慢的渐变过程；所以不宜沿用以往在欧洲中小河流上所采用的方法，即挖好宽浅引河后在洪水时一次裁决的方法，而应当用窄深式的引河在低水时期进行裁弯。

吸取了上述经验，密西西比河委员会从1933年起进行了几个试验性的人工裁弯。特别注意观察裁弯对水位降落的影响，以便决定当设计洪水流量增加时，是否能用人工裁弯方法来降低水位以代替加高堤防措施，从而节省防洪方面的投资。

维克斯堡附近的马歇尔裁弯，是上述试验性人工裁弯中收到预期效果的一个，其经验以后被大量推广。马歇尔弯段共长11.8km，地颈宽5km。裁弯所挖引河采用窄深式，底宽76m，约为原河道1/12；边坡任其尽量陡，以岸土不坍落为度。挖引河时，除保留新河道两端土埂外，全部引河河身均行开挖，深度达低水位以下3～4m。于1934年春低水位时开放引河，进行裁弯。当时干流流量约8 000 m^3/s，两端水位差0.67m，坡降为0.000 133，因此新河道流速缓慢，但河槽断面仍被冲刷扩大。裁弯后5日，新河道过水8%，一个月后流量才增至10%。裁弯初期，新河道上首曾被泥沙淤塞，但经疏浚后即照常过水。

关于裁弯对水位降落的影响，马歇尔段裁弯两年后，当平滩流量时，新河道水位降低约0.3m。水位降低的特点是裁弯起点处降落最大，向上游逐渐减小，到一定距离后水位不变。新河道终点以下，水位则维持裁弯前情况，未有变动。这些现象都和实验室里试验的结果符合。

值得注意的是,在整批裁弯后,被裁去的所有旧弯段的河道如迅即淤废,则槽蓄量将显著减小,会影响水位的降低。因此,进行整批裁弯后,必须使所有旧弯段仍能蓄水并漫过堤内的广阔滩地,起应有的调蓄洪水作用。

2.1.4.2 中游河道的一些人为变化

密西西比河中游的防洪工程和全年通航已有很大发展,但是防洪工程和河流通航也使河流形成新的地貌和各种新的特性。按 Rhodes 的说法是:“在近百年中密西西比河已经修建了很多闸坝、大堤、突堤,污染了环境,搞得面貌全非。”河流位置、河床面积、断面面积和河床高程均表明河流地貌的变化,水量和沙量的变化、水位和水位流量关系的变化则表明对河流特性的影响。

河流位置。密西西比河中游河道与其相邻河流比较起来表现较好,如北面的密苏里河和南面的密西西比河下游河段。除了圣路易斯市到塞伯斯峡谷几英里范围外,整个河谷西岸都是陡壁悬崖。东侧的洪泛平原由于主河道的严重侵蚀而未受影响。这一河段没有明显的蜿蜒弯曲趋向。

像密西西比河中游那样的冲积大河均有横向迅速变化的能力。洪泛平原上显露的山岩证明了河流在过去曾经移动的事实。例如,公元 1881 年在堪萨斯河和密西西比河汇流口以上 14km 处,密西西比河的一个大河湾就切入堪萨斯河。由于堪萨斯河到汇流口的航线距离要比密西西比河短得多,所以密西西比河的河水就占据了堪萨斯河的河道,在短短几年中堪萨斯河的河道就变成了密西西比河河道,原先的密西西比河河道就被泥沙淤死了。尽管河道中的岛屿位置和大小也在不断变化,但是,密西西比河中游河道在过去 100 年中还是相对地比较稳定。

影响密西西比河中游河道迅速改变的两个重要因素是地震和大洪水。公元 1811 年在密苏里州新玛特丽特地区发生了美国历史上最严重的一次大地震。在以后两年中,又在该地区发生了 1 800 多次余震。这些地震对密西西比河中游河道影响很小。但是在这个地区却是引人注意的。其主震造成了崩岸、坍塌、滑坡、泥石流,使河道改道。

水面面积。河流水面面积取决于有植被的两岸之间的面积。包括河中岛屿的面积,这是有植被的河岸中间的区域。河床面积是水面面积减去岛屿面积。在公元 1821 年、1888 年及 1968 年绘制的地图上从杰斐林巴勒克斯到凯罗之间进行了测量对比,其结果如附表 3-3 所示。

附表 3-3　　　　　**密西西比河中游河流水面面积**　　　　　(km^2)

年份	总面积	岛屿面积	河床面积
1821	282.31	44.36	246.05
1888	422.17	87.5	311.52
1968	259.0	44.03	214.97

公元 1888 年的面积大概就是天然河流状态终止时的情况。1968 年则是河流经人工缩窄后的情况。正如前述,河道缩窄是由于修筑丁坝及护岸工程造成的。在公元 1888～1968 年期间,河流水面面积约减少 1/3,岛屿面积减少 1/2,河床面积下降了 3/4。公元 1821～1888 年期间水面面积、岛屿面积及河床面积的增加原因至今不明。1821 年的地图不准确(圣路易斯至凯罗的距离差了几英里),但是地图上误差要比其面积变化小。据后来证实,公元 1844～1888 年期间发生的大洪水导致河岸侵蚀而使水面面积及河床面积增加。

河流宽度。河宽是按垂直于河道中总的水流方向两岸森林线之间的距离测定的,不管其河岸高度多少,与水面面积一起进行研究。从杰斐林巴勒克斯到凯罗之间,每隔 1.6km 测一次河宽(附表 3-4)。

附表 3-4　　　　　**密西西比河中游历年河宽**

年份	平均河宽(m)
1821	1 098
1888	1 616
1968	976

公元 1888 年平均河宽为 1 616m,这比公元 1821 年和 1968 年的河道要宽。而公元 1821 年和 1968 年的河宽几乎相等。上述断面的水面面积变化了,其河宽也同样地改变,但河流长度没有明显变化。

公元 1803～1849 年期间,圣路易斯港由于自然原因河道有变宽的迹象。其满槽时河宽见附表 3-5。

公元 1803～1849 年期间,圣路易斯市的河宽加大了,这一加宽使圣路易斯市港口情况变坏。公元1838年城市和一些私人公司开始从伊利诺斯州这一岸修建一系列丁坝把河道缩窄到限定宽度。丁坝使河道宽度缩小一半，此后，圣路易斯市河道满槽水位宽度均保持在640m。

附表 3-5　　**圣路易斯市历年河宽**

年份	河宽(m)	年份	河宽(m)
1803	945.5	1849	1 128
1808	976	1888	640
1837	1 128	1973	640
1843	1 189		

注：公元1803～1849年期间河宽资料由Maber提供。

公元1844～1888年期间也曾发生大洪水，这些大洪水结合滩地开发和利用等原因也可能造成河道拓宽，并造成水面面积及河床面积增大。这期间发生了4次不小于28 000m^3/s的大洪水。

断面面积。密西西比河中游河道因通航需要，采用修筑堆石或桩式丁坝使河道缩窄加深。公元1837年圣路易斯市河道宽1 100m，满槽时平均水深9m。圣路易斯市从公元1838年开始修筑丁坝，公元1888年前结束，使河宽固定在640m的宽度。1937年之前满槽水位时水深为14m，1937年过水断面面积为7 400m^2，而1837年为11 000m^2。河宽水深比从123降到47。河道缩窄使圣路易斯市满槽水位时断面面积缩小到1/3。密西西比河中游，凡是河道缩窄的河道，其满槽过水断面面积均已缩小。圣路易斯市的河道因修了防护工程而保持着缩窄的河道，但在未修丁坝的地方还有河岸侵蚀发生。

河床高程。圣路易斯市河道缩窄后造成了河床的普遍刷深，平均刷深了2.4m，密西西比河中游河道凡是缩窄的地方河床都是刷深的，河床刷深是河道缩窄的自然结果，因为流速增大了，其单宽过水能力也加大了。

河床高程不一定与水深有关，但这是河床刷深或淤高的标志。公元1888年河床高程表示其在自然状态下的河床高程。当时在这23km河段内河宽约为1 500m，1966年时河床已缩窄到550m，从公元1888年到1966年期间河床刷深了2.4m，1967年7月陆军工程师团选定了这一23km的河段进行试验以确定要刷深2.7m航深的设计准则。在1967～1969年期间，这一试验河段从550m缩窄到370m。1971年对河床再次进行测量，河床缩窄使河床刷深0.9m。1971年这23km河段的低水位河槽比公元1888年平均刷深3.3m。

流量。公元1843～1861年中段密西西比河在圣路易斯市曾间断地进行流量测量。公元1861年以后圣路易斯市在密苏里河与上游段密西西比河汇流的下游进行了连续测量。公元1844年在圣路易斯出现36 800m^3/s的洪峰流量。其中25 500m^3/s是从密苏里河来的。这也是该河的实测洪峰流量。

由于在河漫滩上修建了大堤，因而影响了密西西比河中游的天然水流。当河水高于漫滩水位时，河漫滩则成了一个蓄洪区。此外，河漫滩还具有一定的槽蓄能力。这样，当流量大于满槽水位的流量时，两岸堤防则增加了洪水流量。这种增加是由于减少了河漫滩槽蓄水量的结果。

对流量产生影响的另一个因素是，在密苏里河上修建了大坝。较大的坝有黄石河上的黄尾坝，密苏里河上的福特、皮克坝、加里松坝、奥阿海坝、大兵特坝、赖达尔坝及加文斯、帕英特坝。这些水库对洪峰流量的影响取决于它的调节方式。总的来说，水库既可以削减洪峰流量，又可增加其最小流量。

上游开发对密西西比河中段圣路易斯市流量的影响反映在该市实测流量上。

近110年来，年平均最大流量没有改变。从平均来看，目前的洪峰流量只比原先的稍有减少；和过去相比，大洪水流量发生次数减少了。在公元1850～1860年间，有3次洪峰大于28 000m^3/s；

近130年来年均流量没有变化；从有实测记录的130年来，最小流量稍有增加。

总之，水库、大坝、丁坝的修建和滩地的开发利用并没有显著地改变密西西比河中游河道的年平均流量。但是过去在天然河道中发生特大洪峰流量和特枯洪峰流量的次数要比现在的河流中更经常。

输沙量。从密西西比河上游及其支流输到河流中段的水量、沙量决定着河流的地貌，大量泥沙是来自苏密里河，悬移质中黏土约为50%，粉沙为35%，沙为15%，沿着河床输移的是细沙。

密苏里河干流和多沙支流上的水库（例如帕累特河）均可减少流入密西西比河中游的泥沙量。但是，在1948年之前，由于圣路易斯市未曾测量泥沙，所以看不出这一变化。

泥沙测量是在密苏里河干流上第一座大坝合龙后才开始的。圣路易斯市21年来的泥沙测量表明，从1965年以来输沙量有变小趋向，但是由于输沙量测量时间较短，这种趋向还不是很明显。

如果由于上游水库的拦蓄和开发致使进入密西西比河的泥沙量减少了，那就可以预期，由于上游拦蓄了泥沙将会使中游河道发生冲刷。

水位。圣路易斯市的水位测量是从公元1843年开始的，公元1861年之前，只进行间断测量，此后则是天天测量。圣路易斯市年最大水位从有实测水位以来的130年间只有稍许增长，但是现在的年最大水位变差系数则比过去大。1973年最高实测水位是13.2m。公元1861～1900年期间有50%以上的时间水位是3.4m，但从1900年后则下降了0.76m。最近70年来出现最低水位和最高水位次数要比最初40年的多。

圣路易斯市水位流量关系。近100年来密西西比河中游的开发对河流水位的影响在1973年洪水中有很具体描述。1973年洪峰流量是24 100m^3/s，其相应最高水位是13.2m。公元1844年实测洪峰流量是36 800m^3/s，目前在圣路易斯市相应计算水位是16m，而在公元1844年则是12.6m。

由于河道缩窄后河床刷深，低流量时的水位在缩窄后的河道中要比天然河道中低。例如1 530m^3/s流量时，公元1946年的水位要比公元1837年低3.4m，但在公元1837年与1946年河道的过水断面中其水位是相等的，为5.8m。当流量大于8 500m^3/s、小于14 000m^3/s时，现时水位要比原天然河道中的水位高。这是由于水流只在丁坝中间的单一河道中通过。由于低于满槽水位的河流缩窄后变得很窄，所以当发生14 000m^3/s的流量时，其水位要比天然河道中的高。

一旦水流漫滩时，大堤及丁坝均要影响河中的高水位。当流量稍大于满槽流量时，大堤对水位的影响较小。过去的滩地(现在已被大堤保护起来)承受着浅水水流，作用没有完全发挥。对于较大洪水，河滩地就承受着比小洪水大得多的水量，大堤对这种大洪水水位的影响就要比小洪水显著得多。

流量为36 800m^3/s情况下的水位抬高值是陆军工程师团按圣路易斯特区圣路易斯市城市防洪设计洪水(200年一遇)设计的水位。对于各次大于8 500m^3/s流量的洪水，水位现在都抬高了。圣路易斯市小于8 500m^3/s流量的现时水位则比缩窄河道前要低。

近百年来，圣路易斯市水位变化的原因是由于闸坝、桩式丁坝和大堤的修建。高闸和桩式丁坝的修建引起泥沙在丁坝区的沉积，树林的生长也促进了淤积。在洪水泛滥的区域它们都会促进泥沙的进一步沉积。在多数场合下，高丁坝区的最大影响就是使河流在丁坝区末端形成一条新的河岸线。丁坝缩窄了河道，也刷深了河床，此外，大堤也将大部分滩地与河道分隔开来，使所有洪水流量只限在河道内及河道与大堤间那部分滩地上流过。

对于一个大于满槽水位的洪水流量，由于筑堤造成的水位抬高与修筑丁坝引起水位抬高的作用是一样的。对于一个更大的洪水，大堤对洪峰水位的影响就要比丁坝的影响大。

曾计算过密西西比河中游圣路易斯市的一个断面，在出现公元1844年洪水36 800m^3/s流量时会有什么情况，那时在圣路易斯市的相应水位是12.6m。以后由于修了大堤和丁坝，没有出现过36 800m^3/s的洪水。根据现代河流特性，当圣路易斯市通过36 800m^3/s大洪水时，其水位将达到15.9m。

对于每一次洪水所抬高的水位都是由于在滩地上修筑大堤、在河流中修筑丁坝和大堤河道间土地利用发生变化的综合结果所致。至于大堤和丁坝对密西西比河中游高水位的影响如何，只有在进行了对该河各种工程实测资料的仔细研究后才能回答，对这一问题进行单独研究是有理由的。

密西西比河中游人为改变河流形态和特性总的情况如下。

在过去100年中，河谷中的河流位置基本上没有改变。如果没有地震或特大洪水，它会依旧保持原样。

河流的水面面积从公元1880年以来已有很大减小，但是如果19世纪不发生特大洪水，则其水面面积不会比其天然状态有明显缩小。

河中水流变化很小，特大洪峰流量比过去小，年最小流量现在已增大，年平均流量没有改变。

圣路易斯年平均最大洪水位在过去100年中稍有抬高，但年最低水位已有明显降低。

除非水位高于6.1m，圣路易斯的日水位要比过去低一些。

各种流量下，现在河中水深要比过去大。

河道过水断面面积的变化已使大于满槽水位时的河流过水能力降低。两岸大堤把主河槽与河滩地分隔开来。丁坝则缩窄了主河道，洪峰流量下的水位要比过去高。

2.1.5　三角洲及河口治理

密西西比河三角洲地形平坦,大面积保持了自然景观,林木杂草覆盖而未开垦利用。堤围保护重要城市及工业区,河口地区开发的任务主要是航运及浅海石油开发。

密西西比河口属于弱潮型,潮差在1m以下。治理以发展航运与防洪结合为原则。为了保证河口的航道畅通,从公元1837年起开始河口的治理,先治理南水道,经过长时期多种方法治理均未成功。直到公元1875年采用了詹姆士的建议,采取整治与疏浚相结合而以整治为主的原则,用双导堤束水,增加流速,再适当进行疏浚,终于成功。南水道治理成功后,再用同样方法治理西南水道。现在西南水道水深达到12m,维持航道宽度244～183m。南水道水深9m,宽度183～137m。1965年挖成一条从新奥尔良到墨西哥湾的东南水道,全长122km,水深10.97m,航道宽度152.4m,口门处拦门沙航道宽182.9m,水深11.58m。目前万吨级以上海轮可从河口上溯到巴吞鲁日市,航程约420km,全线港口年货运量6亿t,新奥尔良港口吞吐量为2亿t。

密西西比河口治理有3个特点。一是合理确定河口双导堤平面布置及断面结构型式。双导堤的间距是根据河口治理目的任务不同,由分析计算及河工模型试验来确定。二是河口导治延伸的走向,对于抑制拦门沙坎的高程有明显效果。三是拦门沙坝高程降低后,海水涌入河口内,在河流流量较大时,咸水上溯距离的加大并不显著,而在河流流量较小时,则较显著。

2.1.6　防洪非工程措施

非工程措施主要包括立法保障、洪泛区管理、洪水保险、洪水预报和警报等。密西西比河防洪非工程措施的成功运用主要体现在管理、立法保障、防洪保险及对科研的重视等方面。

(1)设置集中统一的防洪管理机构。密西西比河委员会负责研究密西西比河的开发治理规划,包括防洪和通航问题。陆军工程师团负责防洪和航道整治管理。防洪计划、大部分防洪工程的设计和兴建、河道和航道的整治以及防洪的调度指挥统一由陆军工程师团负责,即使不是陆军工程师团设计和兴建的水库,只要有防洪任务的,也是由陆军工程师团确定其防洪库容和泄洪标准,并由陆军工程师团统一调度其防洪库容。

(2)重视依法治水,依法防洪。早在1928年,美国就制定了《防洪法》,并在以后作过多次的修改和补充。1936年国会通过了《防洪总法案》,在20世纪60年代至80年代初期,又先后制定了《全国洪水保险法》、《水资源规划法》、《洪水灾害防御法》、《灾害救济法》、《美国的洪水及减灾研究规划》等全国性法规。所有这些及其他一些与江河治理相关的法律法规的制定,使得各工程措施的开展既有法可依,又有法律的保障。

(3)多渠道筹集资金,由联邦政府与地方政府共同分担有关费用。防洪堤的建造在早期完全由联邦政府出资,但后来就改由联邦政府和州政府共同出资。1986年国会通过的《水资源开发法案》规定,州政府分担25%~50%的费用。用于建设堤防的取土或退建占地费用,由地方政府解决,联邦政府不出资。防洪堤的管理和维护费用从地方政府的税收和征收防洪费中解决。

(4)开展防洪保险。防洪保险措施是美国采取的一项重要的非工程措施之一。1968年,国会通过的《国家防洪保险计划》包含两个原则:鼓励州和地方政府在规划未来的经济发展区时避开洪水灾害区,从"抗拒洪水"的方针,改为"给洪水让路"的方针;使公众能以承担得起的保险费参加保险。1973年,又通过立法将自愿保险改为强制保险。联邦防洪保险单由联邦救灾总署发行,但保险单的销售、保险联营、理赔等均由私人保险公司经营。到20世纪80年代,共有3万个保险公司,经售190万个保险单,保险总额达1 100多亿美元。住房及城市建设部建立了2亿美元的保险基金,主要用来支付实际保险费率低于估算保险费率的差额部分和保险联营组织向国家再保险后提供的再保险赔偿。但随着保险事业的发展,保险公司均有盈利而无需国家的补贴,这笔资金也只动用了一小部分。

(5)重视科技手段。美国陆军工程师团设有健全的科研队伍和实验设施,各种重要的工程都要经过模型试验。设置在维克斯堡的水道试验站建有世界最大的内河模型——密西西比河水系整体模型,占地达4 000hm^2,以模拟方式研究防洪方案和河势规划。

该模型与原型线性比尺:水平1:2 000;垂直1:100,时间比尺为原型上的一天等于模型的4.5分钟,模型表面采用混凝土准确塑造。模型与原型的流量比尺为1:1 500 000,每组试验耗水量约为1 000加仑/min,此流量代表密西西比河下游的设计洪水。模型操作采用自动化仪表进行自动控制,仪器有3种类型,即入流装置、水位量测和出流控制,它们与一个定时设备同步。

进口装置由模型入流处的控制器和控制后的程序装置组成；水位测量由带有遥感电路的传感器和记录器组成；出流控制由程序装置、阀门调节器、传感器、记录器以及测量流量的V形堰组成；时间控制设备由主定时器和试验时记录月、日、时的日历所组成。一组模型试验操作开始时，由中央控制室的程序装置通过地下电力系统所遥控的入流自动仪表在适当地点把按流量比尺的洪水流量引入河道内，通常在原型水文站相应位置所安设的自动水位传感器测量流量过程，水位读数立即通过地下电力系统传到控制室，使记录仪以水位过程线的形式提供基本的洪水记录。

密西西比河流域模型不仅可以看成是整个密西西比河水系的模型，而且也可以看成是组成这个水系的单个流域模型的集合体。模型能复演历史上的大洪水，预演可能发生的更大洪水，优化防洪堤的顶高，确定全流域的防洪方案。同时，在各项工程的规划和设计中，注重将最新的科学技术成果运用于治理的实践之中，以最大限度地优化开发方案。

(6)注意改进天气和水文预警预报系统。

a.密西西比河上游的天气和水文预警预报系统。1979年，美国国家气象局(NWS)在密西西比河上游地区建立了河流预报中心(RFC)，其目的是解决春季融雪洪水泛滥问题。1980年1月1日中北部河流预报中心(NCRFC)开始在明尼阿波利斯和明尼苏达进行作业预报。在此之前，位于密苏里州的堪萨斯市的河流预报中心已经做了水文预报的准备工作。

中北部河流预报中心负责密西西比河上游流域至切斯特尔、伊利诺斯(不包括密苏里河流域)的专业水文预报及技术指导。这个中心负责的地区还包括北方的红河至加拿大边境段，北达科他州的苏瑞斯河，明尼苏达州的罗赛欧和伦尼河，明尼苏达州大湖区的支流，威斯康星、密执安、伊利诺斯等州，以及印第安纳州西北部。

中北部河流预报中心是美国13个河流预报中心中建得最晚的一个。每一个河流预报中心负责汇总预报成果并提供服务。得到河流预报中心的预报成果后，天气服务预报办公室向公众发布，进行与预报有关的服务和发布警报。此外，有些联邦和州立机构，如美国陆军工程师团、地质调查局、州立自然资源局等经常与河流预报中心保持联系。

b.成果与服务。每个河流预报中心根据所管辖范围对水文的要求提供水文成果和服务。信息首先提供给天气预报服务办公室，然后由这些办公室提供给电视、广播、公众及特殊需求的用户。中北部河流预报中心依靠自己的技术专长提供大量有指导性的水文成果和服务，其中包括以下几方面。

水文预报。洪峰预报是在指定的预报点预计水位达到或高于洪水水位时编制和发布。当产流情况表明水位一直保持在洪水水位以下时，发布较小的和中等的涨水预报。每日对于密西西比河和伊利诺伊河的某些地区编制和发布水位预报以及预报三天干流水位，根据合作单位和控制水库放流的私营公司的要求编制水库入流预报。

趋势和中长期预报。根据冬季积雪量和一般的融雪类型，在 2 月和 3 月份编制春季融雪洪水趋势预报。趋势预报有两项：一项是根据当前雪水当量，没有预见期降水的水位预报值；另一项是根据当前雪水当量，考虑未来降水的水位预报值，未来降水用多年平均降水（即正常值）。对于中北部河流预报中心管辖的大部分地区，融雪一般发生在 3～4 月。

对密西西比河从伊利诺斯州的格拉夫顿到该州的切斯特尔河段，编制 28 天以内的中长期预报。在这种中长期预报中不考虑未来降水量。

咨询性预报。这种预报完全由计算机编制，为天气服务预报办公室（WSFO）发布大雨情势监视和洪水警报提供指导性咨询，根据现时的水文条件，提供一个降水量参考值，即如果发生这种降水时，河段或河流水位将达到什么样的洪水位，或者堤防水位将达到的危险程度。提供指导的地区或县范围较大，如一个预报地区或者一个县。提供的咨询值是指定地区河流的堤防达到危险水位情况。对于特定的地点提供上游来水参考预报，对这些地区编制上游来水咨询表（HAT－Headwater Advisery Table）。根据洪水水位，对洪水易淹没地方提供上游来水咨询表。该表还可以提供高于或低于洪水水位变化范围的预报。冬季，中北部河流预报中心还编制密西西比河和伊利诺伊河冰情概况，提供给天气服务预报办公室和其他与冰塞淹没有关的机构。

水文情报。编制“水文讨论”日报，主要内容是现时水文情况；是否将要发生重大的洪水，并指出降水定量预报（QPF）将会对水情有什么影响，是否将会有什么不正常的水文气象情况发生等。水文作业周报着重写出过去 7 天的雨型，少量的基准站点的流量，一周的流量变化，一周的平均流量，当前流量占平均流量的百分比等。一个月编制两期水文校正和展望，与气象局发布的 30 天气象展望相呼应。一月两次的校正与展望中简单地讨论一下中北部河流预报中心所辖范围内 30 天的展望，并考虑到当前的水文状况，提供如果气象30天展望中的情况发生时，将对水情产生什么样影响的信息。校正判断可能发生的洪水，这项工作主要是提供给天气服务预报办公室和其他机构使用。

骤发洪水程序。国家天气局有一个河流预报中心在技术上提供支持的现行的骤发洪水程序。公众对天气服务预报中心对骤发洪水预报的需求主要委托给河流预报中心的水文专家，而气象局主要是研制上游来水咨询表(HAT)，以便对公众团体提供帮助，并要求地区站网记录降雨和水位资料，与公众团体一起研制他们的地区骤发洪水预警系统(LFFWS)。骤发洪水程序是河流预报中心的水文学者与公众团体逐个联系的机会之一。

机构之间的相互配合。由河流预报中心提供水文技术专家组织联邦和州政府机构之间的合作，合作项目包括洪水泛滥、干旱、水库运行、退水、站网、冻土、水文发展趋势等。在密西西比河上游地区，在融雪季节常活跃着一个联邦与州政府机构联合的小组，他们一起共享资料，讨论由于融雪可能出现的洪水淹没。通过这种合作，公众可广泛深入地了解可能导致洪水泛滥的融雪情况。

c.水文特征描述。中北部河流预报中心负责对密西西比河上游区的3个主要流域进行作业预报。

加拿大流域区。主要包括苏瑞斯河，北部的红河和伦尼河。这些河都流入加拿大，一般是由于快速的冷冬融雪以及春季降雨加融雪形成的洪水。

密西西比河上游区。除了密西西比河之外，主要的支流有明尼苏达、圣克洛爱克斯、契培瓦、布拉克、威斯康星、洛克、伊利诺伊、依阿华、赛达尔、斯孔克、达斯蒙耐斯、特尔基、玛库开达、瓦普西皮尼康、上衣阿华、麦拉麦克、萨尔特、卡斯卡斯基阿、佛克斯、乌阿康达及法比阿斯等河。流入密西西比河的密苏里河由密苏里州堪萨斯市的密苏里流域河流预报中心作预报。

密西西比河发源于明尼苏达州伊达斯加湖，该湖在美、加边境以南70英里。中北部河流预报中心的大部分预报点分布在切斯特尔和伊利诺斯。一般地说，洪水问题在明尼阿波里斯/圣·波尔、明尼苏达的北部不突出，因为该地区坡度小，沼泽、湖泊和水库的蓄水能力大。洪水一般是由春季融雪伴随着春季降雨形成，在北方的一些支流由夏季降雨形成。南部的支流，由于常年降大雨，所以一年中任何一个月都可能发生洪水。密西西比河60%的水量是从河源到依阿华的古登堡的10个闸坝之间汇入的。从明尼阿波里斯圣·波尔(明尼苏达州)到圣·路易斯(密苏里州)河段有29个闸坝调节下游的航运用水。当闸坝的闸门大开泄水时,河道中将出现较高水位的洪水流量。

大湖流域区。流入大湖的主要河流包括圣·约瑟夫、格伦得、萨金那乌、佛克斯、沃尔夫以及圣·路易斯河。北方河流的洪水主要由春季融雪径流形成,大部分南部的河流是由融雪伴随降雨产生,或者由一年中某特定时间的大雨形成。

d.资料系统。美国国家气象局利用广泛的、各种不同的原始资料和设备获得所需要的信息,其中包括为编制水文预报所需要的降水、温度、河流水位以及水库资料。主要的降水和气温资料由有奉献精神的公民个人提供,他们志愿去读取测站的雨量、水位等资料,记录下来并传送到国家气象局。近年来,这些"合作观测员"的资料大部用自动遥测观测系统(ROSA)代替,这比通过电话口头传送要先进。观测员可通过ROSA系统将数据录入微机,并通过编码传送。ROSA计算机将每个观测员的电话重新编译,然后自动进入野外作业和服务自动化系统(AFOS)中去,并将资料传输到气象局的野外作业办公室。AFOS是气象局用的通信系统,主要任务是打印结果和显示图形。

气象局和联邦航空管理局(FAA)设置的6小时资料可循环传递并在观测后数分钟之内存入AFOS系统。这些基本资料可用于将从"合作观测员"得到的日降水资料进行权重分割。

在风险比较大的地区,需要从地区实时自动记录式电子报告与遥测系统(ALERT)中得到实时资料,在这个系统中包括次降水和河流水位的无线记录器。无线电信号从次降水或水位记录器中得到。资料收集、资料处理及模型模拟出主要站的洪峰水位等,是为了将洪水的发展情况迅速地传送到公众中去。从及时这个要求来看,中北部河流预报中心的ALERT系统还太少。

在中北部河流预报中心有一个河流预报中心(RFC)接口计算机系统,叫做DATACOL,它可以用于与合作单位进行通讯联系,并作为中北部河流预报中心作业用的水文气象数据库。所要求的成果在AFOS中编制成表格,直接传入DATACOL。

在全国范围内,国家气象局主要用的联系工具是电话。极值遥感收集系统(LARC)可以设置为15～60分钟的降水和水位资料的存储。LARC有3种方式存取:①用电话或终端由读者直接调取;②自置时间,从LARC直接在用户终端上显示;③预定某种标准,如河流警戒水位,发生时由LARC自动显示。对于水位、降水、气温和风力,LARC的机架支撑传感器。集中自动资料获取系统(CADAS),从中央计算机用电话线访问LARC。所收集的资料由AFOS循环系统传给气象局机关。还有另一个系统完成资料的自动收集工作,即地球同步观测环境卫星(GOES)的资料收集平台(DCP)。卫星将资料通过下行线再转发回地球,再通过AFOS处理和传输。DCP可以收集很多参数,如降水、水位、温度、风速风向、土壤温度等。这些平台一般是在一个给定的时段内自记。目前多采用随时记录的应答方式。

气象局与其他的水文气象信息用户合作开始使用了标准的水文气象交换格式(SHEF),这种格式是一组记录作业资料的规则,目视和计算机识别都可以用。专门设计的SHEF可用于逐日作业,而不能用于历史资料的转换。格式代表符号为:①A—单站,多参数;②B—多站,多参数,标题传感器(header driver);③E—单站,单参数,均匀间隔的时间序例。SHEF利用了很多要素,以便使有格式的资料转换为密码,为计算机所用。此外,参数组和物理量允许SHEF编码的信息转换为一个资料模块。

气象局河流预报系统(NWSRFS)第5版接受SHEF编码的各种渠道来源的资料,并将其加工成文件,以供作业模型应用。中北部河流预报中心的数据库几乎能全部自动地满足逐日预报所需要的资料。

e.模型和方法。融雪洪水一般发生在2月下旬至4月中旬,常常是包含着同期的降雨。上游中西部发生融雪洪水的主要河流是北部的红河和密西西比河。红河在美加边界以上,马尼托巴的伊梅尔松流域面积为104 118km^2。密西西比河在密苏里河口以上,伊利诺斯州的阿尔顿附近流域面积为444 183km^2。

中北部河流预报中心使用的融雪模型是由国家天气局水文办公室所属的水文实验研究室研制的。在融雪模型中,作为雪和空气交界面能量交换的指标是气温。根据降水和气温资料,利用融雪模型对800个子流域计算,模拟雪水当量值。空中的伽玛反射器(水文办公室,1992)和地面的观测用于调整晚冬期的模拟值。

融雪模型的输出是雨加上融雪水,这个输出作为径流模型的输入。中北部河流预报中心现在用的是前期降水指数模型(API)。这里也用萨克拉门托土壤含水量模型,但只在明尼苏达州约旦以上的明尼苏达河流域(流域面积41 958km^2)应用,该流域仅是一个实验流域。

径流模型的输出是河流演算模型和绘图程序的输入。单位线技术用于将径流深转换为流量过程。有几种不同的演算和(线性)水库模型用于模拟流量过程和基流过程。在发布逐日流量预报时,要绘制流量过程线。

在晚冬季,中北部河流预报中心根据正常降水和融雪的假定条件发布春季融雪洪水的展望。

在暖季,用上述类似的方法发布河流预报,只是少了融雪部分。

中北部河流预报中心还计划在近期用中长期径流预报系统(ESP)程序发布融雪洪水趋势。这个程序利用现时的水文条件和历史气象资料作为水文模型的输入。从连续作业模型中得到现时条件(雪水当量、基流、土壤情况)。利用历史气象资料计算出每个子流域的平均雨量和温度的时间序列。这些时间序列与现时条件一起输入,以产生每个预报的流量轨迹。利用对数正态分布,对该轨迹进行统计分析,然后得到流量过程的概率输出。

中北部河流预报中心近期又开展了一个研究项目,主要课题是考虑或不考虑降水定量预报对河流预报的影响。在所选的威斯康星州,当降水定量预报超过某给定标准时,分别作两个预报运行,即无 QPF 和有 QPF 作为模型输入,这样将可以研究 QPF 在作业预报中的效益。

中北部河流预报中心所使用的作业预报步骤已刊布在 NWSRFS 的使用手册的第二部分“模型和方法”中。

f. 检验。中北部河流预报中心对密西西比河过去 10 年的 3 天预报作了检验。所用的这一时期的资料包括以下各站:伊利诺斯州的戈腾布尔、格拉夫顿、阿尔顿、切斯特尔和密苏里州的圣·路易斯。“误差”用某日预报的水位与同日实测水位之间的绝对差值,以英尺表示。“月平均误差”取一个月所有日误差的平均值。水位预报是预报未来 1 天、2 天、3 天的水位。每增长 1 天预见期误差的增加,反映了预报中的不确定因素的影响,如未来降水,通过水库群开关闸门的调节影响、温度影响等。

3 天预报的检验,向气象局的用户提供了用什么样的预报更有效的参考值,以及 3 天预报和各月之间的变化。各地区之间的变化表现不明显,主要是由于水库运行水位和城市径流的影响,即圣·路易斯及支流入流的影响。

用同样的方法对密苏里的圣·路易斯和伊利诺斯州的切斯特尔作了延长预报的检验,即第一、第二、第三、第四周的水位预报。这些预报主要是对河流退水而言,其实质是能量守恒,没有考虑未来降水。随着预见期的增长,预报误差亦增加，一般是以周计。

中长期预报误差是某给定日期的观测水位与预报水位之差。

国家气象局正在计划对1982年制定的国家检验方法进行补充。制定了“气象局水文作业中的确定的、可能性的洪水(Event Oriented)预报检验系统”，用来克服过去洪水预报检验技术的固有缺点。新的方法可以解答有关河流涨水(一次洪水或一个洪水系列)的重要问题。根据不同水位将洪水分为6类，其范围从无洪水到超记录大洪水。一次洪水在到达洪峰之前，可能要经过几个类别。

新的方法是将预报的洪水类别或级别与实测洪水的类别或级别相比较。

g.预报作业的现代化。国家气象局目前已开始实施一个现代化的改造(MAR)计划，以改进美国的天气和水文的预警预报服务，加强气象和水文两学科之间的相互渗透和资料的交换。计划中的天气预报办公室和河流预报中心的联合作业将会带来最佳的效益。例如，两学科预报员之间的合作将加强实时水文气象作业的一致性，并使河流预报增长预见期。

河流预报中心采用新方法，以及各种功能的不断改进将会提供优质服务，加强州和联邦机构之间以及公众之间的合作。如新一代天气雷达(NEXRAD)一类的高新技术(这里说的是WSR－88D雷达)，将为水文预报模型提供网格降水资料。自动地面观测系统(ASOS)将增加观测站点，使提供适时的温度和降水资料成为可能。从这些站点来的资料将作为地面实况的输入系统，以对WSR－88D雷达产生的信息进行质量检查。ASOS资料将增加逐时资料的网络，以便用来分成6小时时段，再通过ROSA收集24小时降水记录等。先进的天气交互处理系统(AWIPS)将扩大气象局野外站点与国家中心的通信联系，并实现河流预报中心的交互式模型显示。从水文预报和资料处理观点来看，AWIPS对水文学者来说，比将模型做得更精细化的意义还要大。这将成为未来对水文预报方法的主要改进方式。

气象局河流预报系统(NWSRFS)新版本水文预报软件技术将得到加强，天气预报办公室(WFO)采用水文信息和资料的快速检索，地球同步环境卫星改进了自动水文气象资料收集系统(HADS)，进一步增加了水文气象数据库的容量。天气局加强了水资源预报系统(WARFS)，还将利用先进的中长期河流流量预测(ESP)技术。

河流预报中心功能的主要变化是增加了对WSR－88D雷达资料的水文

气象分析和保障(HAS),以控制观测数据的质量,保证对洪水或骤发洪水的连续监视和预警,准备可能发生的洪水和水文气象状况的逐日会商,与天气预报办公室协调应用降水定量预报(QPF)的问题。作为河流预报中心和天气预报办公室水文模型输入的气温和降水资料的质量控制,以专家身份为机关工作人员作出洪水和旱情对许多天气预报办公室所辖地区的影响分析的服务工作。此外,国家检验方法通过计算程序将对更多的洪水事件进行分类,还加强了对水文和气象工作者的培训,以便提高他们的科学和工作水平。今后气象局将加强水文和气象两学科的紧密联系。

美国13个河流预报中心根据各自负责范围内的具体要求,预报、警报工作略有不同,具有各自的独特风格。中北部河流预报中心与有些河流预报中心一样,对密西西比河的主要干流及其支流进行洪水、航运和水库调度的预报。中北部河流预报中心所辖范围的另一特点是:洪水主要来自春季的融雪。这些预报和警报所面临的问题与负责直接入海的短小河流及骤发洪水的预报和警报的河流预报中心有所不同。

2.2　水资源开发利用

2.2.1　水资源开发利用现状

密西西比河流域已建主要大坝和水库概况见附表3-6,其航道情况见附表3-7。

附表3-6　　　　密西西比河流域已建主要大坝和水库

大坝或水库名称	最大坝高(m)	总库容(亿 m^3)	装机容量(万 kW)	建成年份	位置
俄亥俄河支流田纳西河					干流
肯塔基(Kentucky)	62.8	74	17.5	1944	干流
比克威克(Pickwiek)	34.4	13.5	21.6	1938	干流
威尔逊(Wilson)	42	8.0	62.98	1924	干流
惠勒(Wheel)	22	14.2	35.91	1936	干流
甘特斯维尔(Guntersville)	29	12.6	11.07	1939	干流
尼卡杰克(Nickajack)	24.3	3.1	10.8	1967	干流
奇克莫加(Chickamanga)	39	9.1	11.7	1940	干流
瓦茨巴(Watts Bar)	34.2	14	16.6	1942	干流

续附表 3-6

大坝或水库名称	最大坝高(m)	总库容(亿 m^3)	装机容量(万 kW)	建成年份	位置
劳顿堡(Fort Loudoun)	37	4.8	13.91	1943	干流
切罗基(Cherokee)	53	19.3	13.52	1936	支流
希瓦西(Xiwaxi)	94	5.35	11.7	1940	支流
诺里斯(Norris)	81	31.7	10.8	1936	支流
方塔纳(Fontana)	146	17.8	22.5	1944	支流
道格拉斯(Donglas)	62	18.7	11.2	1943	支流
密苏里河					
加文斯波因特(Gavins Piont)	22.6	7.1	10.0	1955	干流
兰德尔堡(Firt Randall)	48.8	75.24	32.0	1954	干流
大本德(Big Bend)	60.4	23.4	46.8	1964	干流
奥阿希(Oahe)	74.7	291	59.5	1962	干流
加里森(Carrsion)	64.0	300.97	51.8	1958	干流
佩克堡(Fort Peck)	76	235.6	18.5	1940	干流
坎宁费里(Canyon Ferry)	69.0	25.30	5.0	1954	支流
黄尾(Yellowtail)	160	17	25.0	1966	支流
金斯利(Kingsley)	52.0	24.67		1942	支流
博伊森(Boysen)	67	11.74		1952	支流
斯托克顿(Stockton)	39	20.6	4.5	1968	支流
泰伯(Tiber)	62	16.87		1956	支流
杜鲁门(Trumen)		16		1977	支流
塔特尔(Tuttle)	47.9	28.93		1962	支流
诺福克(Norfok lake)	65.8	24.46	16.3	1979	支流
帕斯芬德(Pathfinder)	65.2	12.53		1909	支流
塞米诺(Seminoe)	90	12.55		1939	支流
米福特(Miford)	38.4	14.3		1965	支流
上密西西比河支流					
卡莱尔(Carlyle)	20.4	12.12		1967	
雷德罗克(Red Rock)	33.5	22.57			
下密西西比河支流					
格林纳达(Grennade lake)	31	16.5		1954	支流
萨迪斯(Sardis)	35.7	37.2		1940	支流
雷德河					

续附表 3-6

大坝或水库名称	最大坝高(m)	总库容(亿 m^3)	装机容量(万 kW)	建成年份	位置
布莱克利山(Blakeky Mt.)	71.6	34.15		1955	支流
德盖伊(De Gray)	74	10.87		1971	支流
米尔伍德(Millwood Lake)	26.8	22.8		1966	支流
丹尼逊(Dension)	50.3	65.5	17.5	1945	干流
赖特帕特门	30.5	32.7		1957	支流
阿肯色河					
达达尼尔(Dardanelle)	26	0.8	12.4	1965	干流
奥扎克(Ozark)		0.24	10.0	1973	干流
罗伯特—克尔(Robert kerr)		0.98	11.0	1970	干流
韦伯瀑布(Webbers Falls)	26	0.37	6.0	1970	干流
基斯通(Keystone)	37	21.43	7.0	1968	干流
科伍(Kaw)	38.1	16.6		1976	干流
幼发拉(Eufanla)	34.7	47.18	9.0	1964	支流
吉布孙堡(Fort Gibson)	33.5	15.84	6.75	1950	支流
藤基勒费里(Tenkiller Ferry)	60	15.8	3.4	1953	支流
乌洛加(Ologah)	41.7	18.74		1963	支流
彭萨科拉(Pensacola)	44	24.67	8.6	1940	支流
圣福特(Sanford)		16.39		1965	支流
怀特河					
泰布尔罗克(Table Rock)	76.8	42.7	20	1959	支流
格里尔斯费里(Creers Ferry)	74	35.57	9.6	1964	支流
布尔肖尔(Bull shoale)	78	37.6	34	1951	支流
俄亥俄支流坎伯兰河					
巴克利(Barkey)	48	25.7	13	1966	干流
戴尔霍洛(Date Hollow lake)	61	21	5.4	1949	支流
沃夫克里克(Wofe Greek)	79	74	27	1952	支流
中心山(Center Hill)	76	25.8	13.5	1951	支流
俄亥俄支流巴伦河					
巴伦河(Barren)水库	44.5	10		1964	
俄亥俄支流阿勒格河					
阿勒格(Allegheng)水库	35.6	14.55		1965	

附表 3-7　　　　　　**密西西比河及主要支流航道**

河名	航道长度(km)	航道基本情况	货运量
上密西西比河	1 075	共建有 26 级闸坝，一般船闸尺寸为 33.5m×183m，槛上水深 3.96m，大船闸为 33.5m×366m，槛上水深 4.6m，航道最小水深 2.74m，宽度 91.4m	1983 年 26 号闸坝的货运量达 7 365 万 t
密西西比河干流(圣路易斯至凯罗)	298	开展了大量的护岸和河道整治工作，航道最小水深为 2.74m，最小宽度为 91.4m	1978 年货运量为 0.71 亿 t，货运能力 194 亿 tkm
密西西比河干流(凯罗至巴吞鲁日)	1 159	修建了裁弯、护岸以及疏竣工程，航道最小水深 3.65m，最小宽度 91.4m	1978 年货运量(不含巴吞鲁日)为 1.2 亿 t，货运能力 1 139 亿 tkm
密西西比河干流(巴吞鲁日至河口)	409	进行了河口整治，航道最小水深为 9～12m，最小宽度 137～244m	巴吞鲁日至新奥尔良(不含新奥尔良)1978 年货运量 2.7 亿 t，货运能力 280 亿 tkm
俄亥俄河(匹兹堡至凯罗)	1 578	原有航运梯级 46 级，现已改建为 19 级，每级有两座船闸，一级宽 33.5m，长 366m，槛上水深为 4.66m，航道最小水深 2.74m，最小宽度 91.4m	1981 年货运量为 1.95 亿 t
田纳西河(诺克斯维尔至帕迪尤卡)	1 047	已建 9 级船闸，下游 6 级新船闸尺寸为 33.5m×183m，槛上水深 3.96m，上游 3 级船闸为 18.3m×109.7m，航道最小水深 2.74m，最小宽度 91.4m	1980 年货运量 2 930 万 t，货运能力 85 亿 tkm
密苏里河	1 179	苏城至堪萨斯城，航道最小水深 33.5m×183m，槛上水深 3.96m，航道最小水深 2.74m，最小宽度 91.4m	堪萨斯城至河口 1978 年货运量为 670 万 t，货运能力 15.8 亿 tkm

续附表 3-7

河 名	航道长度(km)	航道基本情况	货运量
阿肯色河	1 161	已建 19 级闸坝，船闸一般尺寸为 33.5m×183m，槛上水深 3.96m，航道最小水深 2.74m，最小宽度 60m	堪萨斯城至河口 1978 年货运量为 670 万 t，货运能力 15.8 亿 tkm
伊利诺斯水道(哥拉夫顿至芝加哥)	566	已建渠化梯级 7 级，船闸尺寸为 33.5m×183m，航道最小水深 2.74m，最小宽度 91.4m	1978 年货运量为 6 000 万 t，货运能力 109 亿 tkm
田纳西—通比格比运河	688	共有 12 级船闸，船闸尺寸为 33.5m×183m，航道最小水深 2.74 ～ 3.66m，最小宽度 91.4m	

2.2.1.1 上密西西比河

上密西西比河左岸毗连五大湖系统的密执安湖和苏必利尔湖，靠近工业城市芝加哥，是美国工业最早发展的地区，流域内农业也较发达，迫切要求发展航运。从公元 1830 年起，联邦政府开始对密西西比河进行整治，然后，修建通航船闸、渠化航道，形成了航深为 2.74m 的深水航道，到 1940 年共建成 26 级通航船闸(附图 3-2)。

上密西西比河的支流伊利诺伊河伸入密执安湖畔，分水岭地形平坦。20 世纪 30 年代建成了伊利诺斯水道，渠化了伊利诺伊河，并用运河把密西西比河与五大湖地区的航运系统连通，对促进地区经济起了重要作用。该水道共建有 7 级船闸，闸室尺寸均为 33.5m×183m，单级提升高度为 3.05～9.30m。水道建成后，货运量发展很快。1935 年仅 170 万 t，70 年代已达到 6 000 多万 t。预计 2003 年将达到 9 500 多万 t。为了适应货运量的增加，准备每级增设 33.5m×366m 的大船闸一座。

苏必利尔湖通过苏圣马丽运河与休伦湖和密执安湖连接。为克服两湖湖面 6.6m 的水位差，共建有 5 座船闸，排成 5 线，其中美国 4 座，分别于 1914～1967 年建成，加拿大 1 座，于 1965 年建成。

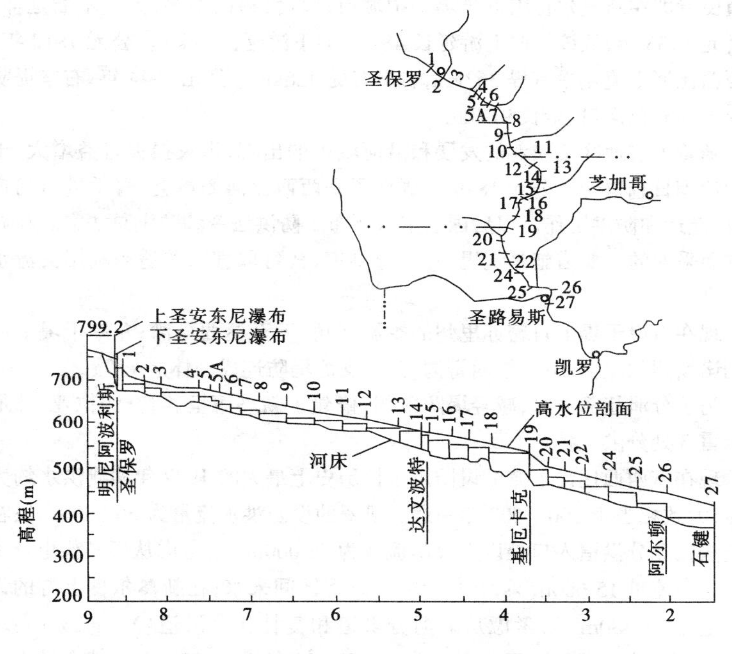

附图 3-2　上密西西比河船闸开发示意

休伦湖通过底特律河、圣克莱尔湖及圣克莱尔河与伊利湖连接。

在伊利湖与安大略湖之间有威兰运河。该运河于 1914～1932 年建成，克服水位差 99m。1932 年货运量仅 853.5 万 t，到 70 年代初已增至 6 000 万 t。

安大略湖与圣劳伦斯湾之间，在 20 世纪初已建成一条小的运河，1959 年又开通了一条新的深水航道。此外，还有纽约州驳船运河水道系统与安大略湖、威兰运河以及北大西洋连接。

通过以上连接航道使密西西比河航运系统，与五大湖航运系统连成了一个整体。内陆水运货物可以分别从墨西哥湾和圣劳伦斯河口出海，从墨西哥湾到东北部沿海城市，以前只能走大西洋海运，现在也可通过上述内陆水道抵达。见附图 3-2。

2.2.1.2　密西西比河干流

密西西比河干流的治理开发主要是防洪和航运。早在公元 1717 年，法国殖民者即在新奥尔良附近筑堤保护城市；以后，移民增多，大堤不断延伸。到公元1735年，从该市向上游延长48km，向下游延长19km。公元1812年，密西西比河干流左岸有堤362km，右岸有堤426km。公元1844年，右岸堤防北延至阿肯色河口，全长917km。

随着下游地区工农业的发展和沿河城市的出现，洪灾损失日益增大，干流的治理日趋迫切。公元1879年成立了密西西比河委员会，着手进行河道测量、航运和防洪工作。以后国会多次颁布了防洪法令和防洪总法案。在防洪方面采取的主要措施是筑堤、开辟分洪道、裁弯取直以及适当利用支流水库拦洪。

现在右岸干堤上自密苏里州的季腊多角，下至墨西哥湾；左岸干堤上起伊利诺斯州的凯罗，下至墨西哥湾，并与支流堤防连成一体。

为了分泄超额洪水，减轻堤防负担，修建了新马德里、阿查法拉亚、邦尼特卡雷3处分洪工程。

现在密西西比河下游的设防洪水比历史上最大的1927年实测洪水约大25%，大致相当于100～500年一遇。凯罗的设防洪水流量为66 080m^3/s；在阿查法拉亚分洪道入口处以上设防流量为77 000m^3/s，考虑从新马德里分洪工程分洪流量15 600m^3/s，并加上凯罗以下区间来水；在新奥尔良上游的设防流量为42 480m^3/s，考虑从老河分洪道和莫甘扎分洪道(Morganz Floodway)向阿查法拉亚分洪区分别分洪17 600m^3/s和16 992 m^3/s，其余洪水仍流经主河道。在新奥尔良下游的设防流量为22 500 m^3/s，考虑从邦尼特卡雷分洪道分洪7 100 m^3/s，其余水量从入海水道分流。

密西西比河下游的航运始于公元1705年。这是一条美国中部内陆平原物资出海的骨干航道，通过近100多年来的整治逐步提高了通航水深。现在凯罗到巴吞鲁日的枯水航深为3.65m。

改善下游航道的主要措施是裁弯取直、护岸、修建丁坝、顺坝、导堤以及疏浚河道。如1928～1976年采用柔性混凝土块沉排护岸996km，修丁坝261km。此外，每年疏浚挖泥量为0.35亿～0.5亿t。

2.2.1.3 俄亥俄河

俄亥俄河流域是美国经济开发最早的地区之一。地区经济发展后迫切要求发展内河航运。

在1911～1940年干流上共建了46级活动船闸，每级提升高度为2.1～

3m，船闸尺寸为33.5m×183m。从1954年开始将原有46级改为19级，总提升高度132m，每级有两座船闸，一座宽33.5m，长183m；另一座宽33.5m，长366m，全线达到2.74m的航深。到1981年，货运量已达到1.95亿t。计划到2020年，将航深提高到3.65m，并将开辟连接五大湖的新水道。

俄亥俄河流域不仅有防洪问题，而且其洪水是密西西比河下游洪水的重要来源。由于地形条件所限，加上航道已经渠化，沿河兴起了一些大城市，在干流上兴建拦洪水库已不可能。因此，俄亥俄河的防洪措施主要依靠支流中小型水库拦洪和辅以地方性防洪工程。俄亥俄河干流19级通航闸坝中，准备将17级装设低水头发电机组，1982年已有两座闸坝装机。

2.2.1.4 密苏里河

密苏里河流域地处落基山脉东麓和大平原的西部，这里经济发展较缓慢，工业集中在堪萨斯城和丹佛等中型城市。流域内主要发展农牧业，农产品以小麦、玉米为主，自西向东部运销，以铁路运输为主。

密苏里河开发较迟。直到1940年才在上游干流修建第一个大型拦洪水库——佩克堡水库。1944年国会批准了密苏里流域规划。该规划是由陆军工程师团负责，并综合了垦务局的规划而制定。仅就防洪和航运而言，这个方案提出了在密苏里干流上修建6座多用途的大坝，分布在苏城以上约1 900km的范围内，对苏城以下的1 200km河道，进行大规模的整治工程，以固定下游的航道，防止河道经常发生摆动，并可充分利用谷地。1953～1964年间建成了佩克堡、加里森、奥阿希、大本德、兰多尔堡、加文斯波因特等6座水库。在支流上计划修建96座支流水库，已建成35座，其中包括黄尾等较大的水库(附图3-3)。

仅干流上的6座水库，总库容达933.3亿m^3，为苏城年径流量的3.2倍，为密苏里河河口处年径流量的1.3倍。上游发生历史洪水时，可控制苏城站的下泄流量不超过2 830m^3/s。但下游支流发生洪水，仍会造成洪灾。如1993年7月30日河口地区的一次大洪水，河堤决口，淹没附近的工业区，损失2亿多美元。

上述水库群基本上拦截了上游泥沙。建库后20多年平均损失库容5%，最大的为10%左右。泥沙被拦截后，下泄的基本上是清水，引起下游河床普遍刷深，水位下降。但是河势的摆动，比建坝前相对减少，经过河道整治，现已呈单一的弯曲河道。因此，苏城以下的下游河道航运条件有所改善。

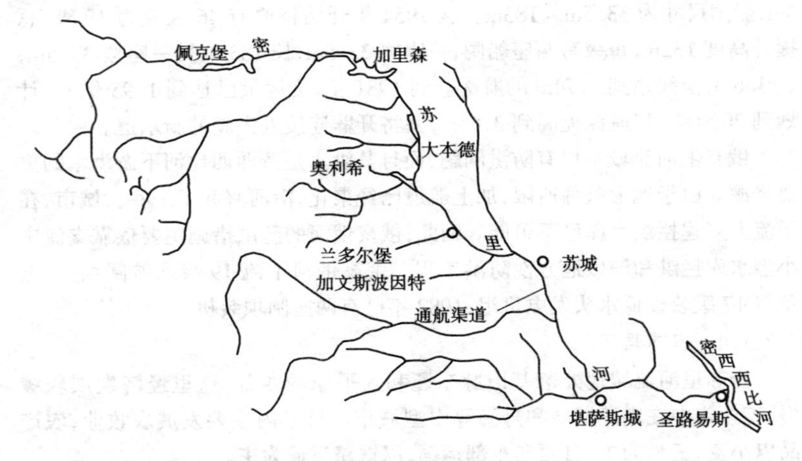

附图 3-3　密苏里河水库开发示意

目前实际通航水深为 1.96～2.1m,未达到规定的 2.74m。

2.2.1.5　阿肯色河

1946 年美国国会批准阿肯色河的流域规划。从防洪、航运、发电等目标出发,规划在干流修建 4 座通航闸坝(包括水电站)和俄克拉马州东部的 7 座大型多目标水库。20 世纪 50 年代初,侵朝战争爆发,规划的实施被推迟。直到 1956 年才在该河上游开始修建基通斯和幼发拉两座水库,开始在下游修建达达尼尔水库。到 1971 年在下游共建成 19 级闸坝,其中有 4 级建有水电站。船闸总提升高度 128m。与此同时,继续在上游修建水库(见附图 3-4)。

2.2.2　水资源开发利用的环境影响

水资源开发利用,比如开发航运与建设防洪工程也使密西西比河自然环境发生恶化。

在 1970 年前,密西西比河是一条在流域上受自然蜿蜒河道制约的河流,但在大水期间,水流溢出堤岸使泥沙横流,形成肥沃的田野与沼泽。这种富饶的湿地栖息环境为鱼类和野生动植物提供营养,现在它们不再到处游荡和繁衍后代。93%的下游洪泛平原位于防洪堤的后面,河道的变动基本上已经受到制约。农业耕作已经取代了低洼地的树林,鱼类及野生动植物受到威

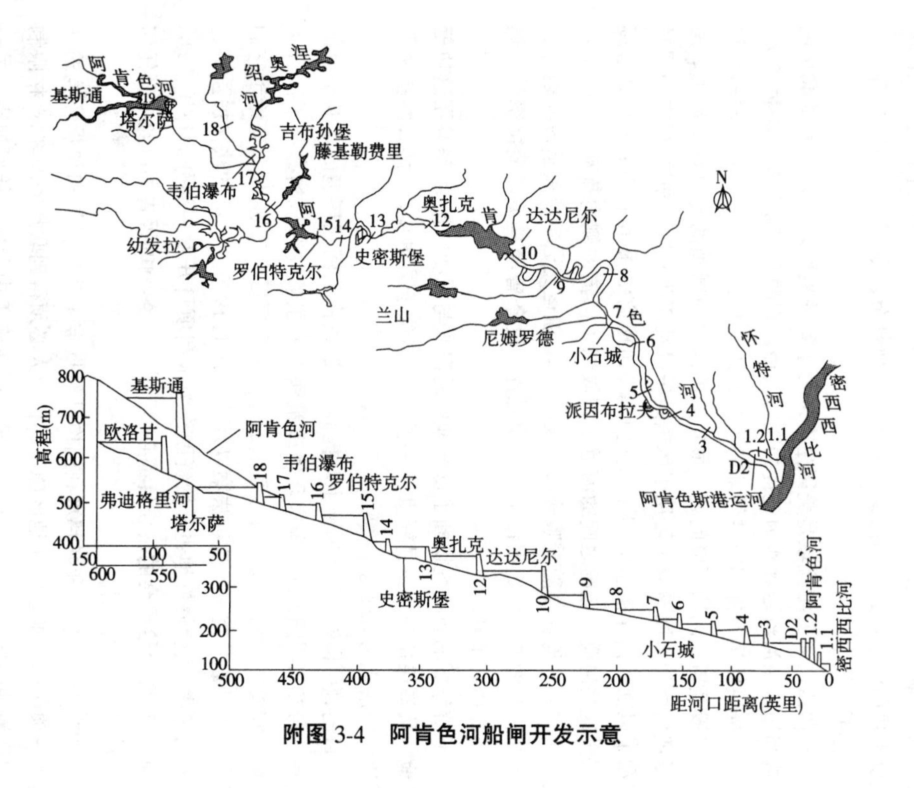

附图 3-4　阿肯色河船闸开发示意

胁。在密西西比河下游末端,三角洲不再有来自河岸泥沙冲刷的沉积,不会再使蒙大拿、明尼苏达和俄亥俄州的地面抬高。对于大陆架,河道几乎已经被限制,不能再扩大,这样对于海岸线沉积不可能有向河口迁移的物质。河流也不再能够随意迁移和流到海岸线的其他部分。孕育海滨的这些自然过程再也不会发生。

密西西比河上游流域是美国生态最为丰富的地区之一。北美洲40%的水禽利用这条河流走廊作为迁徙的飞行路径。它的水产业包括241种鱼类。为上游提供航运条件和防洪保证的大规模工程已经引发许多与密西西比河下游流域经历相同的环境问题。最重要的问题与闸坝的建设密切相关。虽然堤坝后面的水域形成了可用于休闲娱乐以及商业航运的湖泊,但它们同时淹没了以前的沼泽栖息地,促使支流河溪来的泥沙沉积在它们的河口并且逐渐回淤这些河溪。船闸之间的河道工程限制了河流的侧向流动而消除了水生生物的栖息地。伴随着唤醒海岸线的行动,航运交通本身就造成问题并且由于螺旋桨的冲击引起泥沙不断再次悬浮。这条曾经是美国最富饶的自然河流正经历着噩梦。

下游流域的防洪堤切断了低洼地区的河水与泥沙的补给,消除了这块栖息地。从圣保拉到圣路易斯洪泛平原的53%位于防洪堤的后侧,而在密西西比河中游则为83%。

目前,联邦政府已经加强了对提高、保护或恢复河流环境的水利项目的支持。1970年优先通过《国家环境政策法案》,虽然联邦机构参与了制订考虑鱼类和野生动植物以及自然系统的保护水利项目的计划,但没有给予它们优先权或足够的重视。这项法案以及若干其他1970年后续的法律加强了这方面的考虑,国会慢慢地也开始资助作为水利项目开发一部分的环境活动。目前,每项提交给国会的新项目都必须附有环境影响的报告书以及减轻任何负面环境影响的计划。

另外,国会、总统和联邦水利机构已经批准了几项保护和加强环境的计划。一项法律要求在沼泽地区施工的任何人必须得到联邦的准许,严格限制对沼泽地的破坏并且要求申请人减轻他们在施工中造成的任何损害。另一项计划是准许联邦政府拥有河边的土地,以加强保护、恢复破坏的湿地和改善防洪。总而言之,要禁止开发这些土地并把重点放在改善那里的自然系统。即使所涉及的地区与工程师团以往的活动没有直接关系,但工程师团目前仍向国会寻求制定一项重要的自然系统发展与恢复计划的权力。

2.2.3 流域水质、湿地、泥沙变化及生态系统监测和适应性管理

2.2.3.1 水质

水质是密西西比河全流域的一个关键性问题。河流沿岸 5 个州排入地表水的有毒物质量位居全国的前 15 名内。密西西比河的许多河段不能满足《1972 年洁净水法》规定的适合垂钓、游泳的国家水质目标的要求。排入上密西西比河(从源头明尼苏达起算至俄亥俄河入汇处)的许多化学物质来源于农田的非点污染源。

2.2.3.2 湿地

湿地减少是密西西比河流域各州的一个关键性问题。湿地系统具有许多有价值的生态功能,如蓄洪、持水、再循环、净化污染物以及为水生物种提供生长环境。但由于农业和商业开发,密西西比河流域的湿地已减少了数百万公顷,相关生态功能遭到削弱。

200 年来密西西比河流域各州的湿地减少了 2/3。1986 年《联邦水资源开发法》为上密西西比河制定了环境管理计划。该计划主要由两部分组成:一是水生动植物生长环境的恢复和重建工程,另一部分是长期资源监测计划。1997 年向水生动植物生长环境恢复工程提供了大约 1 300 万美元资金,向长期资源监测计划提供了大约 600 万美元资金。

该恢复工程目的在于通过改造边渠、建岛、回水疏浚来改善水生动植物的生长环境。根据该环境管理计划,估计将有超过 1.13 万 hm^2 的鱼和野生动物栖息地得到恢复、保护或加强。公众、科学家、决策者已认识到上密西西比河生态系统退化所带来的高昂代价。1997 年对该环境管理计划的总拨款接近 1.6 亿美元。这个计划的教训是湿地生态系统提供了很大的社会经济利益,其严重退化必然最终会使社会和人民承担高昂代价。密西西比河的经验表明,保持水生生态系统比修整和恢复水生生态系统更简单和更有成效,也表明生态系统的功能可通过天然水文变化得以维持,如果严重地控制和减少这种天然水文变化可能要付出代价。

美国的经验说明了洪泛区密集开发的风险和代价。美国公众和机构逐步认识到,在某些情况下,将居民迁出洪泛区比反复地应付大洪水经济得多且安全得多。鼓励从洪泛区移民提高了人民和社区的安全感,降低了与洪水

相关的损失,减少了对昂贵的治水建筑物的需求,并可使生态上有益的大水流入洪泛区。

2.2.3.3 泥沙

回水湖和沼泽的泥沙被许多人看做是上密西西比河的主要环境问题。过量泥沙使透过水生植物的光减少,并不断淤塞在上密西西比河的回水区域。泥沙主要来源于农田造成的山地侵蚀,此外还来源于住宅和商业开发以及公路建设。上密西西比河的渠化、一系列船闸和大坝的兴建也形成了一个拦截泥沙的系统。

2.2.3.4 生态系统监测和适应性管理

尽管对密西西比河的生态系统和水文系统进行了一个多世纪的管理和科学研究,但也仅仅是获得了部分的了解。像密西西比河这样的复杂生态系统需要不断地监测才能追踪和更好地了解天然变化情况以及人类的干扰影响。

适应性管理的观念提出,应该根据实验设计水利工程。应仔细监测干扰水生生态系统的后果,并将这些“实验”结果用于未来的规划和实施决策中。美国的适应性管理方案已赢得利益相关者和专家的共同参与,并已建立了概念性模型,来帮助描述河流系统的各种知识。适应性管理已正式用于哥伦比亚河、科罗拉多河、上密西西比河等流域的水政策决策。为了帮助增进对密西西比河生态学的了解,有两个概念性模型正在建立。

2.2.4 航运

密西西比河早期开发活动是防洪和扩大航运,耗费了巨大的财政投资,规划参与人员仅有水文学家、水工工程师和土木工程师。这些活动无意中带来了一些副作用。

航运在上密西西比河是一项有着较长历史的重要商业活动。美国陆军工程师团自公元1878年便开始了扩大航运的活动。航运也带来了一些生态环境方面的副作用。兼顾航运与其他活动的利益仍将是密西西比河管理部门的一个重要问题。

3 开发治理的基本经验及存在的主要问题

3.1 综合开发治理的基本经验

3.1.1 随着地区经济的不断发展,逐步建立了全水系的标准化航道网

密西西比河是世界上航运事业最发达的河流,干支流主要通航里程

19 875km,其中水深在 2.74m 以上、可通过千吨级驳船组成的船队的航道为 9 700km。自 20 世纪 60 年代以来,货运量约每 10 年增加 1 倍,1980 年的货运量达 5.27 亿 t。密西西比河的航道虽然遇到了铁路的强烈竞争,但却经久不衰。航运的畅通,对美国的繁荣起了不可估量的作用。

密西西比河的航运始于 18 世纪初。到 19 世纪,开始对干流下游、上密西西比河以及俄亥俄河下游的航道进行整治。其措施除一般的航道疏浚外,还包括设有船闸的旁侧运河,以绕过急滩。到 20 世纪初,开始在河道上修建通航闸坝,以渠化航道。1911～1940 年,俄亥俄河干流上修建了 46 级活动船闸,率先渠化。随后,上密西西比河、田纳西河以及阿肯色河也相继渠化。共建成船闸 100 多座。至此,全水系形成了统一的航道。

密西西比河干支流与江湖河海相连,形成四通八达的航道网,是该水系航运事业持续发展的重要原因。而水系内的航道、船闸以及船舶等,均采用统一的标准,使各航道彼此沟通。航运不受限制,则是航运事业持续发展的另一个原因。密西西比河水系航道的最小水深为 2.74m,仅干流下游(凯罗至巴吞鲁日)为 3.65m,河口航道为 9～12m。航道最小宽度 91.4m。主要船闸尺寸有两种标准,即 33.5m×183m 和 33.5m×366m,槛上水深为 3.96～4.66m。船舶也已标准化。例如开敞驳船的长度有 53.34m、59.44m 和 88.39m 三种;宽度分别为 7.92m、10.67m 和 15.24m;容量分别为 1 000t、1 500t 和3 000t;吃水深均为 2.74m。密西西比河干支流上航行的主要船队是由 8 艘宽 10.6m、长 59.4m 的驳船组成的,其宽度为 32m,总长 178m,吃水 2.59m,载重量 11 152t;还有一支由 15 艘同样驳船组成的船队,尺寸为 32m×343m,载重量 20 910t。上述两种船队均可通过闸室有效长度为 183m 和 366m 的船闸,但长船队通过 183m 的船闸时要解体,分两次通过。

密西西比河的通航标准随货运量的增加而逐步提高,这样可以减少航道建设的初期投资。例如上密西西比河的通航水深,公元 1879 年国会规定为 1.37m,1906 年规定为 1.82m,至 20 世纪 30 年代才达到 2.74m。密西西比河干流的航道,1986 年国会规定从凯罗到河口的最小水深为 2.74m。1944 年规定,把凯罗至巴吞鲁日的航道水深提高到 3.65m。1945 年规定从巴吞鲁日到墨西哥湾的几条河航道的水深分别达到 9～12m。如上所述,船闸的规模也是分期扩大的。

3.1.2 根据河流特性采取综合措施,解决防洪问题

密西西比河下游洪水频繁,6~7 年发生一次大洪水。随着下游地区的经济发展和大工商业城市的出现,防洪具有越来越重要的作用。

自 20 世纪 30 年代起,在密西西比河下游开展了大规模防洪工程建设,普遍加高了堤顶高程。现共有堤防 3 540km,其中干堤总长 2 590km,平均高度 7.5m,个别堤段高度达到 12m。修建了 4 座分洪道,总分洪能力达 56 600m^3/s。裁弯取直工程共 16 处。此外,还结合航运修建了大量的丁坝和护岸工程。

随着地区经济发展,支流的综合开发提到了议事日程。1936 年,国会通过《防洪总法案》,规定防洪以支流水库调洪为主,辅以筑堤、分洪以及河道整治。但是过后不久即发现,在密苏里河和阿肯色河上修建水库,并不能彻底解决密西西比河干流下游的防洪问题。因此,后来又强调综合防洪措施,如改变洪泛区的土地利用、实施防洪保险等非工程措施。

密西西比河的防洪,虽然经过长期的努力,修建了许多防洪工程,但尚未完全控制洪水。随着洪泛区经济的发展,洪灾损失越来越严重,1973 年大洪水和 1993 年夏季洪水以及 1996 年和 1997 年的局部地区洪水,均损失惨重。1993 年洪水后,对这次洪水进行了全面总结,对各种防洪措施进行了重新评估。认为密西西比河有可能发生比 1993 年更大的洪水;洪灾损失中工业和农业各占 50%,农业损失中 80%是降雨量过多、土壤含水量过大引起的;水库调洪减少损失 110 亿美元,堤防减少损失 80 亿美元;但大水中受淹地区只有 10%的居民购买了洪水保险,有 68%的堤防(主要是非联邦堤防)遭受了破坏。在国会授权下,陆军工程师团在 1995 年对密苏里—密西西比水系 21 世纪的防洪方略中专门提出了河滩地带经营利用的评估报告(The Floodplain Management Assessment—FPMA Report),明确了必须有综合性(包括许多非工程的)措施才能实现防洪减灾,如按洪灾风险科学地规划土地利用、加强汛情预报预警、确立紧急应变与救援机制,推广洪水保险等,并应从自然环境保护的角度总体来考虑江河防洪。

3.1.3 开发程序分析

决定河流开发程序的因素很多,但最主要的因素是地区经济发展的需要。就密西西比河来说,具体表现在以下两个方面:一是美国经济发展历史

过程与推进方向;二是地区经济发展对河流开发提出的任务。

从19世纪初起,美国的经济就从东北部的五大湖和大西洋沿岸地区开始发展起来。这些地区自然条件好,资源丰富,至20世纪初,已成为美国工农业最发达的地区。芝加哥、底特律、匹兹堡、辛辛那提等大城市也相继兴起。由于中央低地与五大湖连成一片,美国的经济逐渐向腹地推进,因此密西西比河和东部支流俄亥俄河(包括支流田纳西河)开发较早,大部分工程于30～50年代建成。后来,美国的经济逐步向西部和南部推进,促进了密苏里河和阿肯色河的开发,大部分工程于50～70年代建成。

密西西比河下游地区的经济发展起来后,干流凯罗(俄亥俄河口)以下平原地区洪水灾害与经济发展的矛盾日益突出。1927年大洪水后,其防洪问题得到更大重视,国会多次通过防洪法案。由于地形条件所限,干流中下游不能修建拦洪水库,所以修建了大量的平原防洪工程,并结合防洪需要,对河道进行了整治,使下游河段的航运条件得到了改善。近年来日益重视非工程性的防洪减灾措施。

支流的开发,如上密西西比河和俄亥俄河,主要是为航运服务,修建了大量闸坝,渠化航道。俄亥俄河支流田纳西河的开发以航运和防洪为前提,并最大限度地开发了水电。

作为密西西比河上游干流的密苏里河,在其上游干支流上修建了一些大型水库,但下游河段却没有修建通航闸坝。修建这些水库的主要目的是调节下游河段枯水季的通航流量和发展灌溉。

3.1.4 公众参与制定策略和规划

水利项目开发过程中始终包括公众的参与,但不是以公众现在的要求作为衡量的尺度。1928年,当密西西比河委员会与支流项目进行商议时,在委员会、工程师团、州和地方官员以及公众中间进行了短暂的协商。而类似的密西西比河上游的开发仅与普通公众、州和地方机构进行了有限商议。

今天,这种商议在开放的环境进行,召集所有有关的利益相关者参加讨论,以制定策略和规划。密西西比河委员会每年举行两次密西西比河整个下游流域的会议。委员会的巡视从上游顺河而下,每天停留一地,在重要的河港举行公众会议。在委员会成员到来之前,市民可以写信,向委员会提出问题,市民会收到委员会对他们提出的任何问题或论点作出的书面回答。每逗留一地,委员会主席会提出“流域状况的报告”,它概括委员会的目标和在实现目标过程中取得的进展。联邦、州和地方官员参加这些会议,因为委员会不断改变会议地点,所以他们将随同委员会巡视。在这些会议之间,委员会成员积极与这些官员联系。从事环境和发展的非政府组织与委员会保持着密切的联系。根据目前的联邦法律,特别是那些与环境有关的法律,所有的项目提案必须在公众中讨论,必要时,要举行一般公众会议。因为委员会负责管理密西西比河干流上的所有防洪堤,密西西比河下游6个州对该项目立案工作的支持比较协调。

在上游流域,情况就不同。不存在单一项目和无需制定开发策略规划的项目,联邦政府正在努力采取与水资源开发方向一致的意见。这个问题将使5个州的政府、数千个地方政府以及众多的从事环境和发展的非政府组织、防洪协会、航运界以及普通公众联合起来。对洪泛区开发策略和途径已经在白宫研究小组的报告以及1995年陆军工程师团关于洪泛区管理评估的报告中作了概略描述。工程师团和主要的非政府组织密西西比河上游流域协会与密西西比河上游—伊里诺斯河防洪协会曾经资助全流域的会议,讨论综合开发全流域水资源的方法。河流防洪协会甚至资助荷兰代尔夫特水力学研究所进行航运、防洪和环境联系的研究。所有这些小组汇集的问题可以用一事例来形象说明,上游流域的5个州目前就以采取保护一个州的行动不能损害另一个州利益的方式进行密西西比河沿岸防洪堤建设的调整,但最终未能达成理解备忘录。

3.1.5 信息技术的应用促进了对流域的现代化管理

信息时代和现代遥感技术的出现正在奇迹般地获得更准确、更实时的数据和资料。功能强大的计算机利用由卫星和其他航天平台所获得的高精度的土地利用资料,使密西西比河的测量工作可利用新技术,开发和建立复杂的地理信息系统与数据库。工程师团正在研制汇集了包括从源头到墨西哥湾的密西西比河流域资料的地区工程和环境信息系统(REEGIS)。地理信息系统得到充分的利用并且内容不断地增加。采用先进的测量水深技术,大大地增强了对河流动态变化的认识。

关于防洪,利用比较准确的信息使规划人员能够更好地认识洪水威胁的特殊性质。全球定位系统可以提供位于洪泛区的建筑物的精确经纬度与高程。功能强大的计算机模型输入高精度的河道资料,能够比较精确地确定气象水文关系。观测站向卫星传输信息数据可以使河流管理运行人员近似实时地管理密西西比河。

3.2 流域开发治理存在的主要问题

3.2.1 水质污染、湿地减少和泥沙淤积

水质是整个密西西比河流域的严重问题。沿岸的 5 个州被列入美国向地表水排放有毒废水量最大的 15 个州之中。很多河段达不到 1972 年颁布的《清洁水法》中有关鱼类、游泳方面的水质标准。

排入上密西西比河的许多化学物质来自农业非点源污染。除草剂和杀虫剂分别被列为“可能的”和“潜在的”致癌物质,受到美国环保局的特别重视。在许多地区,人工肥料和来自动物饲养处的径流提高了水的营养水平,水中的氮磷含量明显增加。

湿地减少是密西西比河流域每个州都存在的严重问题。湿地系统具有许多有益的生态系统维护功能,包括蓄洪、滞洪、水的再循环、潜在污染营养物质的转化,并能作为水生物种的生存环境。出于农业和商业目的对湿地的排水和转化(特别是流域高原地区),导致数百万公顷湿地消失,其相关的功能也随之失去。

水库回水区和湿地的泥沙沉积是上密西西比河的关键环境问题。过多的泥沙沉积使水生植物的光透射性减少,并淤填在上密西西比河的回水区。泥沙主要来源于山地农田的冲蚀,其他来源包括居民区和商业区以及高速公路的建设。上密西西比河的渠系、一系列船闸、大坝以及通航水库形成了一个拦截冲刷泥沙的系统。

3.2.2 自然环境恶化

航运一直是上密西西比河重要的商业活动。公元 1878 年国会授权在上密西西比河实施 1.35m 深航道计划时,美国陆军工程师团就开始着手改善航运的工作。

通过在明尼苏达州的明尼阿波利斯到密苏里州的圣路易斯(圣路易斯下游无大坝)之间的河段建造 27 座船闸和大坝,使该河水位维持在理想的通航水深。虽然这样能极大地改善航运条件,但很少考虑到这些大坝的运行对整个流速或生态系统的负面影响。建坝前,年水文变化和多年水文变化维持的一些生态功能和价值随着大坝的建成而减少。上密西西比河上的娱乐和商业航运活动增加了对河岸的侵蚀、河水的混浊度和泥沙淤积。运输石油产品

和农业化学制品的驳船时常因出事造成河水污染。航运与其他活动的相容性仍是密西西比河管理的一个重要课题。

3.2.3 洪水威胁依然存在

1993年上密西西比河及其支流密苏里河发生的大洪水造成严重的社会和经济损失,共有52人死亡,估计总经济损失约180亿美元,9个州的525个县被宣布为重灾区。洪水也促进了对美国洪泛区管理问题和政策进行委托评估。特设的部际洪泛区管理考察委员会确定了存在的3个主要问题:

(1)洪泛区的人口和财产仍处于风险之中。处于风险中的很多人既不完全了解这种风险的性质和后果,也不会完全承担该风险的经济责任。

(2)密西西比河及其支流流域湿地和高地植被的减少使径流量显著增加,这会给国家和居民造成严重的生态后果。

(3)对于洪泛区的管理,联邦政府、州政府以及地方政府之间应分清各自应该承担的责任。

1993年密西西比河洪水充分暴露了美国洪泛区被占领后所产生的问题,加重了洪灾的经济损失。

1993年大洪水后,1996年、1997年又相继发生大洪水,造成巨大损失和社会混乱。所有这一切都说明,密西西比河的洪水威胁依然存在。

3.2.4 保持河流社会经济与生态环境的平衡是人们面临的难题

许多团体在密西西比河问题上存在利害关系,一些管理政策难以统一是不可避免的。在上密西西比河,各种与水有关的流域规划不够协调。IFMRC报告要求更好地制定联邦机构间的洪泛平原管理策略,并制定协调的上密西西比河的水资源管理政策,还建议密西西比河委员会应在协调上密西西比河及其支流的规划方面发挥作用,以帮助完成上密西西比河及密苏里河流域的管理目标。

该报告还建议制定一个新的密西西比河及其支流的规划,建立"一个与洪泛区生态系统功能相适应的有效的防洪减灾系统"。每年洪水的较大波动以及罕见的大洪水和干旱,是维持大河洪泛区生态系统功能的关键因素。完全控制密西西比河的洪水似乎是不妥当的,因为这样以来,一些与每年洪水泛滥有关的有价值的生态功能将会消失。

应加强有关密西西比河其他政策的研究,包括水生物生态学与人们的生活、健康以及与沿岸社区的关系。密西西比河的鱼、虾和水禽具有重要的商业价值,并是当地的食物来源。该河也有着很高的娱乐和旅游的价值。每年约有 1 200 万人来上密西西比河观光旅游,直接和间接收入达 12 亿美元,并解决了 18 000 多人的工作问题。人类的利用直接依赖于洪泛区生态系统的完整性。保持社会经济与生态的适当平衡是密西西比河沿岸政府和居民所面临的重要难题。

3.2.5 生态系统退化

在过去的 200 年里,密西西比河沿岸各州湿地覆盖面积已减小 2/3。居民、科学家和政策制定者已认识到上密西西比河生态系统的退化及其功能的减少造成了较大的经济损失;1997 年为《上密西西比河环境管理计划》拨款接近 1.6 亿美元。从这一教训中,应该认识到湿地生态系统具有极大的社会经济利益,而生态系统的明显退化必将使社会和居民付出极高的代价。密西西比河的经验证明,与补救或恢复生态系统相比,维持水生生态系统更加简单且更经济。

过度开发洪泛区会带来风险并增大投资。鼓励居民迁离洪水易淹区,能改善人民和社区的安全状况,减少洪灾损失,减少修建费用很高的防洪建筑物,并允许生态效益高的洪水扩展到洪泛区。

要有效降低洪灾损失,最好采用一种混合型方法:“最现代的工程实践常常包括工程措施和非工程措施两部分。”而减少洪水损失的策略应建立在成功的非工程措施方法的基础上,比如加高易发洪水灾区的建筑物,或者仅简单地使建筑物和居民远离高风险的洪泛区。

3.2.6 上密西西比河至今未有全面规划

进行了 70 年的密西西比河及其支流项目,已经验证了全面规划的效果。从一开始,即着眼于整个流域的考虑,完成了为下游流域提供防洪与航运保证的一系列工作。航运、防洪和河道稳定性之间的相互结合显而易见并且带来了巨大的社会效益和经济效益。近年来,对于环境问题的日益关注也可以说是全面考虑的结果。修建任何工程项目,影响都是全局性的,因而解决办法也必须在全系统流域上完成。

但时至今日,对上密西西比河还没有全面规划,仅仅是最近,对航运的研究才采取全系统的方式研究航运与环境的关系。防洪仍然没有从整个上游流域综合考虑,结果导致90年代以来发生了几次严重水灾。

3.3 密西西比河与黄河开发治理的比较分析

密西西比河水沙情况与黄河有很大不同,密西西比河的水量是黄河的12倍,黄河的输沙量却是密西西比河的3倍多。

密西西比河开发治理的目标主要是防洪与航运,其次是发电、灌溉、供水、渔业、林业、旅游及环保等项。经过100多年全面的综合治理,取得了很大成效,成为世界上治理较好的大河之一:已经建立了较完整的防洪体系,实现了梯级开发,综合利用水资源,并将工程措施与非工程措施相结合。在干流上游及支流开展水土保持,修建水库,蓄洪拦沙,梯级渠化河道;在干流中下游修筑堤防,修建分洪、滞洪工程,大力进行河道整治;河口治理也取得了明显的效果。

密西西比河下游防洪工程治理成效显著,在勘测、规划、设计、施工以及管理运用等方面有很多好的经验。密西西比河防洪工程体系的基本做法和黄河大致相同,但计算、量测、试验、水文测报、施工等方面一些具体工作的技术手段比黄河先进,机械化和现代化技术应用较为广泛,但当前密西西比河的防洪问题尚未彻底解决。

美国经济发达富裕,科学技术先进,这对治理密西西比河采取的方针策略、投资与技术措施起着决定作用。因此,我们认为必须根据黄河的具体情况有选择地吸取密西西比河的治河经验,现提出如下建议。

3.3.1 堤防工程方面

密西西比河干支流建有完整的堤防,成为防御洪水的屏障。堤防设计断面按堤高7.6m为界,分别采用不同的边坡,临河坡为1:3.5～1:4.5,背河坡为1:4.5～1:6.5。现黄河大堤一般高8～12m,临背边坡为1:2.5～1:3。密西西比河堤高小于黄河,而边坡较缓,稳定性好。我们认为,黄河大堤有必要进一步通过稳定验算,分别按不同堤高,适当放缓边坡。

密西西比河堤防均为平工。大堤加培是机械化施工。采用临背堤坡与堤顶同时均匀加高的办法,其优点是堤身均匀沉陷,避免产生裂缝。黄河大堤加培施工办法与此不同,山东临黄大堤有1/4的险工段,临背悬差大,从人力施工、挖压土地、节省投资等方面考虑,一般采用在临河或背河一侧加帮,由于新加部分荷载较大,新老堤身各部位沉陷不均,因而易发生顺堤裂缝。

密西西比河大堤防渗加固主要采取后戗压渗的办法，与临河截渗、背河导渗的工程相比，后戗最经济，戗顶宽度为 50～100m，与黄河规定的机淤宽度相同。我们认为，采用后戗或机淤的措施，不仅可解决防渗问题，防止大堤溃决，同时加大堤身断面，对临堤除险抢护，防止冲刷也是有利的。

密西西比河堤防管理是很好的。首先从大堤外观看整齐完好，堤顶平整，堤坡符合标准，没有残缺或冲沟浪窝，这与堤坡缓、加培施工方法、压实质量、特别是加强经常性管理养护有关；堤坡全部植草，允许在堤上放牧；为防止堤身树根腐烂，造成孔洞隐患，堤顶、堤坡一律不植树，临背堤脚以外可以植树，大堤两侧附近村庄很少，河滩内大量植树造林，行洪主要靠主槽；堤顶一般没有交通要求，堤上除少量排灌站及分洪闸，很少见到穿堤建筑物，个别穿堤管线是从堤顶上跨越。总之，密西西比河堤防管理从各方面注意维护完整，保持防洪能力，力求减少人为因素造成堤身隐患的可能性，这一点值得我们借鉴。

黄河上规定临河堤坡洪水位以上与背河堤坡可以植树，实际临河堤坡自生树也很多。我们认为存在两方面的问题：①树根腐烂，造成堤身隐患；②洪水漫滩后，影响防守巡堤查水和抢险。长江、珠江均规定堤身不植树，黄河堤防是防洪的主要工程措施，必须做到万无一失。因此，不宜在堤上植树，堤上现有树木逐年砍伐，树根彻底挖除。

对穿堤管线要严格执行规定的审批管理办法，应尽量采用架空跨越大堤的办法，减少人为造成隐患的因素。

3.3.2 河道整治方面

密西西比河河道整治目的是防洪与航运并重，防止堤岸冲刷侵蚀，改善与稳定河道，有利行洪，维持航运需要的宽度和深度。采取的措施是以整治建筑物为主，护滩保堤、束窄河槽、裁弯取直，并辅以疏浚河道。

在防洪方面基本做法是注重守滩，不在堤上修紧靠大河的险工，滩岸坍塌，靠近堤根，即退修大堤，从而减少了临堤出险、发生冲决的可能性。

确定治导线主要是依靠实际经验，辅以模型试验，因势利导，上下游、左右岸统筹兼顾，统一规划，分期实施，平面控制采取以弯导流。

整治建筑物主要结构型式有丁坝、护岸与混凝土沉排护底。下游河道90%的凹岸，枯水位以下已铺设混凝土沉排。有的河湾同时在凸岸修筑丁坝，以控导主流、拦沙淤滩、束窄河槽、维护航道。丁坝与护岸有乱石坝（岸）

和木桩坝(逐渐不再采用)。乱石坝全部用块石堆筑,不修土坝基,坝高与中低水位平,洪水期可漫顶过水,护岸边坡1:3～1:5,沉排坡度1:2～1:3,丁坝边坡采取块石自然稳定坡度1:1.5左右。

黄河下游河道整治目的与密西西比河不同,主要是防洪,稳定河势、控导主流、争取防守主动。密西西比河整治的经验中,有些做法与黄河是基本相同的,如护滩保堤、因势利导、以弯导流等,黄河过去也有"守堤不如守滩"的说法。

密西西比河护岸稳定安全系数要求不小于1.3,设计断面坡度较缓,长江护岸也如此,增强了坝岸的稳定性。黄河坝岸设计断面坡度较陡,坝高且根石不足,受投资限制,安全系数仅接近于1。特别是戴帽加高的砌石坝岸,"头重、脚轻、腰间单薄",稳定性很差,1985年发生了齐河段赵庄险工25号坝坝身局部破坏(鼓肚),与济南郊区段泺口险工10～12号坝垮坝事件。我们认为黄河坝岸今后有必要研究改进坝身结构,适当放缓坡岸,护岸可采用1:2.5～1:3,并建议进行坝顶过水的乱石坝试验。

3.3.3 分洪工程方面

分洪工程是密西西比河下游防洪的主要措施之一。共有4处分洪工程,除凯罗附近的新马德里分洪道起滞洪削峰作用外,其余3处工程都是分洪后直接入海,在设计洪水情况下,经过分洪,干流河道减轻了一半流量的排洪任务。

密西西比河分洪工程是无坝侧向分流,除分洪闸,还有自溃堤,辅以爆破。分洪流量主要靠启闭分洪闸门和分洪闸上下的水文站测流控制。黄河东平湖分洪工程分出水量为大河来量的43%,受水库蓄水能力及艾山以下堤防防御能力的限制,对分洪流量及大河下泄量必须较准确地控制。我们认为,当前仅靠启闭分洪闸门与艾山站控制,难以保证艾山下泄流量不超过规定数值。为争取工作主动,建议在黄庄设站测流。

美国很重视非工程防洪措施,它是通过立法形式实施,从1966年开始,实行工程措施和非工程措施相结合的防洪政策。20世纪70年代相继发布《全国洪水保险法》、《洪水灾害防御法》、《灾害救济法》、《洪泛区管理及滩地保护命令》等法令,明确规定洪泛区限制开发利用,实行强制保险政策等。凡被保护区内受益群众要交纳防洪税(与其他税同时征收),在陆军工程师团各级办事机构内都设有律师,保证各项法令贯彻执行。

黄河防洪主要靠堤防加人防，非工程防洪措施工程量比重较小。当前我们对分(滞)洪区的使用、补偿、土地利用、调整生产结构、推行洪水保险、合理分担洪水灾害损失等有关的政策、法令、标准、体制及管理办法中缺乏明确可行的规定。1982年汛期，东平湖分洪后遗留的问题至今尚未处理完毕。我们认为非工程防洪措施是工程措施必不可少的补充，可减少洪水灾害损失，提高防洪安全的可靠性。但涉及面广，问题复杂，今后须加强这方面的调查研究，明令公布法规，逐步推行实施。

3.3.4 河口治理方面

密西西比河河口治理是采取整治与疏浚相结合、以整治为主的原则。自19世纪30年代开始，用了100多年的时间，经历了几代人坚持不懈的努力。开始先在南水道试验，取得经验后又治理西南水道，加强河道海洋的观测，摸清了海流的方向和拦门沙淤积分布的规律，以实践为基础，结合模型试验，反复研究改进，取得了明显的效果，保证了宣泄洪水和通航的需要。采取的主要工程措施是在河口段修建导堤丁坝，约束水流，加大流速；入海口外拦门沙段航道轴线向东偏转一个角度，利用海流冲淤，减轻了拦门沙的淤积，再辅以疏浚，维持通航深度与宽度。

20世纪50年代以前，密西西比河年均来沙4亿多t，因此，在历史上河口三角洲河道也是摆动的，和黄河口相似，也存在着淤积、延伸、改道的情况。只是水多沙少，摆动的周期较长，千年左右才摆动一次。

近些年来，密西西比河来沙显著减少，年来沙量减少2亿多t，河口没有再向海延伸，还有蚀退现象，来沙量减少是河口较为稳定的重要原因。

阿查法拉亚河，从密西西比河分流30%，分沙比例相同。但阿查法拉亚河近30年年来沙量虽有减少，但不像密西西比河那样显著。阿查法拉亚河口三角洲近些年仍为向外延伸趋势，估计平均每年淤出土地18.2km^2。

至于泥沙减少的原因，新奥尔良分区的专家认为：一是植被的变化。18世纪，船是主要运输工具；在上游也同样以船作为运输工具，蒸汽机年代，用木材作燃料，两岸树木砍伐很多，20世纪初，地表植被破坏，造成支流密苏里河、阿肯色河水土流失严重。20世纪30年代中期，成立水土保持委员会，号召人们不再砍伐树木，并大力种树，防止水土流失。二是在支流和上游修建水库，拦了一些泥沙。三是河道整治。1927年以后作了很多裁弯，使河道减短，保持水流畅通，水力坡降加大，同时修筑一批堤岸保护工程，使河岸不坍塌，减少沙量同时改良滩区农作物结构，减少地表水土流失。在弯道下部种树，形成自然落淤，丁坝间也是落淤区。也有一些专家认为，1950年以来，大量建水库是年沙量显著减少的主要原因，其次是滩岸保护。

我们建议，研究密西西比河泥沙减少的原因，作为治黄借鉴，如在今后30年内，年沙量能减少2亿多t，将对整个黄河的治理产生很大成效，河口状况也会相应得到改善。同时建议加强黄河河口海流的研究，使黄河口的泥沙也能利用海流，向远方输送，以减少黄河口的延伸。

3.3.5 立法管水方面

美国很注重立法管水。对河流的治理开发，制定了一系列的法令法规，包括总的治理规划或重大的单项工程计划，要由联邦或州政府立法机关通过后实施兴建，具有法律效力，作为工程建设的依据，不经一定的立法手续不能轻易变动。

美国是资本主义国家，我国是社会主义国家，政治制度有着本质上的不同，但立法管水的做法值得我们借鉴。当前我国治水方面的法制还很不健全，业务部门制定的管理条例，缺乏权威性，执行有困难，有时部门之间产生不应有的矛盾纠纷，或工作不协调出现扯皮现象，影响工作或工程进展。我们认为，今后有必要健全水利建设方面的法制，通过一些水利法令、条例，使治黄工作顺利进行。

同时建议各级水利部门都聘请一些法律顾问，以正确贯彻法令和政策。

3.3.6 新技术应用方面

密西西比河治理工作中，现代化技术特别是电子计算机应用较为广泛。工程设计、计算、制图、水库、闸坝的调度运用，水工模型试验数据量测多是用电子计算机控制操作；河道及河口定期用声纳方法进行水下地形测量，了解坝岸工程工作状态及河道泥沙淤积情况；重要的工程先要通过物理模型试验与数学模型计算，优选出经济合理的设计方案；土石方工程及混凝土沉排机械化施工，大大减轻了体力劳动，且保证质量，加快了速度，较好地实现设计要求，发挥工程作用；在密西西比河流域内已建立了暴雨径流、水文自动测报系统，利用通讯卫星及电脑快速准确地处理数据、传递信息，进行洪水预报与洪水调度，并通过微波遥感测试雷达监测河道行洪状况或洪泛区淹没范围。上述新技术在我国有的项目已开始引进试用，但仅仅是少数单位刚刚起步，黄河上新技术应用是较差的，今后需要加快步伐。

除以上所述，密西西比河综合治理还很重视生态环境保护、发展旅游。在干支流水库、闸坝周围、河道滩地（或裁弯取直后的牛轭湖）以及两岸附近城镇，大地绿化成效显著，树草植被茂盛，并兴建了一些旅游设施，风景优美，环境舒适宜人，不仅增加了旅游收入，更重要的是保护了生态环境，我们感到这种做法值得仿效。

4 未来发展方向、发展规划及主要措施

4.1 美国21世纪江河防洪减灾对策

4.1.1 加大洪泛区管理力度

上密西西河与密苏里河及其支流在美国历史上占据着重要地位，对美国中西部的发展起着至关重要的作用：它们促进了许多重要城市的发展，形成了当地与世界连接的运输网。洪泛区为美国提供了最有生产力的耕地和重要的生态系统。虽经多年整治，但始终未能治理好，尤其是洪水肆虐，给当地造成了巨大的危害。

4.1.1.1 洪泛区管理中的主要问题

(1)洪水风险十分突出。不仅在上密西西比河流域，而且在全美国，人民的生命与财产都处在风险之中。洪泛区从减灾措施中得到减少损失的效益，但是这些措施却往往把人们吸引到风险很大的洪泛区中，从而加重了未来洪水的损失，处在风险中的人们既没有充分意识到这种风险的性质及其可能的后果，也没有采取有力的措施来分担联邦为承受洪水风险而造成的财政上的困难。在近30年里，洪水损失每年平均20亿美元，在过去的10年里，洪水损失已增加到每年平均30亿美元。在1988～1992年的4年中，美国联邦应急管理局(FEMA)每年因灾后恢复而支出的费用达2亿美元，1993年则高达42亿美元。

(2)对生态环境重视不够。只是在最近几年，美国政府才意识到上密西西比河流域这一脆弱的生态系统的重要意义。鉴于在过去的两个世纪里已丧失了大量的土地，人们认识到美国在目前所面临的严重的生态后果。尽管人们已经认识到有效的洪泛区管理可以减少损失，并能在利用洪泛区及其流域和自然环境之间找到某种平衡，以满足社会与环境的需要；但是美国政府

似乎并未充分认识到这一点。

(3)洪泛区管理职责不清。联邦、州以及地方政府在洪泛区管理中的职责不清。尽管自1936年颁布《防洪法》之后,联邦政府一直致力于减轻洪水灾害,亦即从事洪泛区管理,许多州与地方政府也都做了相应的努力,但是,州和地方政府的减灾行动往往受到未经协调并相互矛盾的联邦政策、计划与指南的牵制。重要原因在于联邦政府在减灾方面起主导作用,它向大多数减灾措施、生态系统的恢复以及灾后恢复提供经费,因而州与地方政府不得不听命于联邦政府而限制了自己的积极性。

(4)洪水保险推行不力。洪水保险打入市场不够,洪泛区内居民参加洪水保险的仅占20%～30%。不参加全国洪水保险计划的社区依然可以得到大量的受灾补助,从而在洪泛区居民中造成这样一种印象,即购买洪水保险并非是值得的投资。

(5)减灾措施协调不够。联邦对洪泛区管理中采取的减灾措施缺乏协调,在上密西西比河流域,由联邦、州、地方及个人负责的堤防、水库缺乏整体性结合,因而达不到洪泛区减灾的效果。许多堤防标准不一、质量不同、位置欠佳,同时对堤防与环境的关系也注意不够,联邦政府的洪灾应急反应和灾后恢复工作以及减灾计划都与地方协调不够。

4.1.1.2 未来洪泛区的治理目标

总体目标:把减轻国家承担洪水风险的责任以及协调一致地、整体地加强洪泛区管理作为未来的战略目标;限制对洪泛区不合理的开发,撤出处在风险中的人民;大力推行非工程措施以减少洪灾损失,使之逐渐成为取代兴修大坝、堤防和防洪墙等工程措施的具有生命力的途径。

(1)治理目标。

① 减少洪水对国家所带来的风险与损失。尽量减少损失的程度,当减灾措施不恰当时要避免新的建设项目;将处于洪泛区内风险中的人们迁出;消除或减轻对生命、财产与环境造成的威胁;关心洪泛区内居民的身心健康;保证重要基础设施与地方经济的安全。

② 保持与增强洪泛区自然资源的功能。把洪泛区视做流域这个大生态系统中的一个部分;恢复河滩地以及蓄水洼地;在一切与洪泛区有关的行动中要同时考虑社会与环境两个因素。

(2)管理目标。

① 洪泛区管理一体化。一体化的洪泛区管理应当是持续的、公平合理的、有灵活性的以及投资分担的。要改善现行国家洪水保险计划和联邦与地方的关系并协同执行减灾规划;要减少国家在洪水损失上的开支,要求联邦与地方共同承担洪水损失的风险。

② 依靠科技提供洪泛区管理所需的资料信息。提供及时而准确的信息以带动核查灾情,评估建议中减灾措施的效果,为制定长期的减灾对策提供时空的基础资料,充分发挥地理信息系统的作用。

③ 未来洪泛区的设想。城市要靠水库、堤防、防洪墙以及山区治理和洪泛区内的滞蓄来防护,常受水灾的地方应当辟为旅游场所。

新建项目应位于危险水位以上,并加以控制。处在风险中的居民应当迁出。要继续使较高的冲积地变为耕地。城郊的工业要有自行保护的设施。例如自来水厂、污水处理厂、电厂以及主要的道路、桥梁等重要基础设施,都应当抬高到设计洪水位以上,或采取其他防洪措施。

位于堤后的重要基础设施应当参加保险,加固后的堤防要保证在大洪水时不漫决,争取消灭历史上发生过的溃堤灾害。加固后的堤防背河滩地,应将农作物改种为其他作物,或者造林,或者退耕。

航运要同河流的生态系统相协调,在改变河道控制工程时,要注意增加鱼类以及野生生物的栖息场所。

要在各级政府规划的指导下采取洪泛区的防洪减灾措施,洪泛区管理要有全局观点,应将河道、堤防以及有关环境设施的管理集中于一个机构,并与其他机构合作。主要干支流堤防的维修费用应由各级政府分摊。

要利用数学模型对决策进行评估,以说明这种决策对于流域其他地区的影响,在选用危机处理方案时,要充分利用遥感信息及地理信息系统。

今后的洪泛区管理方向应当是采用既能减轻洪水灾害又能保护并改善洪泛区自然资源的治理措施,并在这一原则下,避免洪泛区的风险;当风险不可避免时,则应将风险的影响缩小到最低程度;一旦灾害发生,则力争使损失减轻。

④ 关于加强洪泛区管理的一些原则性意见。通过立法规定经济发展与环境质量是洪泛区管理规划同等重要的目标。

采取工程与非工程措施减少洪泛区内洪水灾害的破坏性,要充分采取所有可能的措施,包括洪泛区防护与蓄洪设施、兴建堤防、永久性移民、洪水预警等,将人口集中、有重要基础设施的地区的防洪标准提高到标准计划洪水的水平(相当于500年一遇)。

加强洪泛区管理的组织建设,制定洪泛区管理法,以建立一个全国性的洪泛区管理模式,宣布州是国家主要的洪泛区管理者,并明确各级政府的职责,向参与洪泛区管理的各级政府提供经费;发布命令,规定联邦政府有权裁决洪泛区内的一切行动;重建水资源委员会,协调各级政府在水资源方面采取的措施以及区域性问题;建立上密西西比河与密苏里河流域委员会以协调流域规划方面的问题,并统一管理防洪减灾、生态环境和航运等工作。

加强河道堤防管理,明确陆军工程师团负责联邦堤防的修复、维护与兴建工作,以提高河道管理水平,并保证设计标准的连贯性;州政府要注意非联邦堤防的兴建位置与质量以及日常性维护工作,以保证堤防的整体性并创造有利的洪泛区环境和水文水力等条件。

建立洪泛区管理决策支持系统,利用现代科学技术建立洪泛区管理决策支持系统与地理信息系统,以及时提供洪泛区管理所需的各种水资源信息;并定期对已建工程项目能否继续满足预定的防洪减灾和社会环境目标进行评估。

确定各级政府在洪泛区管理中经费开支的分摊比例。

增强洪水保险的市场机制,对于适合投保但又未达到投保水平的个人采取削减灾后补贴的政策;并向无力投保的低收入灾民提供资助;增加重复遭灾建筑物或设施的附加保险费;要求能防御标准计划洪水的堤后居民购买按洪水保险计算出来的保险;将洪水临近到来中止投保的等候期由5天延长到15天;改进洪水保险的及时性、覆盖面及精度;规定购买保险(包括抬高、拆毁与重建建筑物)的费用;寻求州政府对洪水保险的支持。

强化土地征购中的环境意识,寻找立法依据,在推行土地征购计划时增加灾后的灵活性;联邦在灾后恢复工作以及日常的维护性工作中要随时注意环境问题;要注意协调同环境有关的联邦土地征购工作;当自愿出售土地的个人再购买土地时,给予资助。

4.1.2 运用非工程措施减少洪水的破坏性

尽管美国今后的方针是限制洪泛区开发,但开发洪泛区仍会继续下去。对于较低洼的地区,防护与移民是两种减少洪水破坏性的基本对策,但对于集中开发的城市,只有采取工程与非工程措施相结合的途径才能达到保护目前已开发的成果。特别是非工程措施,要给予足够的重视。

各种工程措施都对社会与环境带来影响,特别是联邦的环保条例实施前兴建的工程已经对环境产生了不良的影响。在1993年大洪水中,工程措施不仅显示出力量,同时也暴露了弱点,尤其是堤防的弱点。1993年洪水后,公众对移民颇感兴趣,联邦应急管理局(FEMA)亦有兴趣对移民进行投资。购买产权的重要意义在于永远消除影响个人的洪水风险,并对环境与水文产生良好的效应;而与购买产权有关的移民则会对社会产生重大影响。

洪水的不可预测性必然要求有一个联系紧密、协调一致的灾害应急反应和灾后恢复对策以及有力的洪水保险制度。联邦政府要建立一个合作的体系,以使各级政府安排力量从事危机处理并解决灾后恢复问题。联邦政府应当努力实现减灾行动的一体化,从而避免交叉工作中的重复劳动。鼓励洪泛区居民投保,以承担力所能及的防洪风险。

(1)按照系统分析观点考虑减灾措施。

(2)购买洪泛区内财产的产权。

(3)重新组织灾后恢复工作。

(4)强化国家洪水保险计划(NFIP)机制。

4.1.3 通过规划减少洪水的破坏性

洪泛区管理的目标是在保持和增强洪泛区自然资源及其功能的同时减少洪水的破坏性,而减少洪水破坏性的基本原则就是在规划中尽可能地避免洪水风险。在流域内进行规划能使洪泛区的利用在竞争与妥协两方面达到平衡,从而实现社会经济与环境两方面的目标。

洪泛区管理有了这样的规划,国家就能通过流域管理、国家洪水保险计划(NFIP)以及包括购买产权在内的其他措施进一步减少洪水的风险,并在实施规划的过程中逐步减少洪水的破坏性。

4.1.3.1 将洪泛区当做流域的一部分进行规划与管理

上密西西比河流域包括许多大小不同的流域,每个流域都是一个自然的水文单元,在这个单元内,水从上游高地流向下游,最终流入干流。下游洪水位、洪水历时、出现频率都在一定程度上受到上游降雨和排水的影响,例如湿地与山地治理对小洪水的影响大,对大洪水的影响小等。这说明流域的规划管理与上下游的水位、流量、洪水灾害、水质、生态环境都有直接关系。

1993年中西部洪水调查中，不少部门反映在近几十年里，洪水位抬高了，洪水次数增加了。部分原因是防洪工程措施（如堤防）的问题，另一部分原因则是山地治理，这里所指的山地治理主要包括农业开发与住宅区硬化，从而减少蓄水能力，增加下游径流。由于流域内包括许多具有不同经济利益的行政地区，因而对每项措施对下游的累积影响注意不够。长期以来，流域被认为是水资源规划最理想的单元。早在20世纪70年代，陆军工程师团就以流域为规划单元进行水质与供水分析。近年来，已有更多的单位制定了流域管理规划与环保规划。但是，一些联邦的流域规划和治理政策都缺乏协调，因而未能达到多目标管理的目的。例如有的规划只关心水质和生态环境，而很少顾及减轻洪水灾害；有的规划只注意农业，而忽视非农业的城市及城郊的土地利用。为此，必须制定经过协调的、兼顾多方利益的、能实现多目标管理的流域规划。

4.1.3.2 灾害规划要有整体性

为了实现21世纪洪泛区管理的目标，在制定规划时，应当将灾前规划、灾中应急反应计划、灾后恢复计划以及其他减灾计划作为一个整体，这样才能使灾前与灾后的减灾行动相得益彰，这样的整体规划才有利于在发生灾害时减少洪水风险与损失，并使灾害恢复与洪泛区管理的长期目标相一致。

为了最大限度地减少洪水对人民生命财产的威胁和对环境的影响，灾前规划要对个人、企业、社区、州与联邦采取的行动进行协调。个人事先要明确自己该做些什么，例如关闭煤气管道，并且了解洪水来临时，何时从何地撤退。灾前规划也是一项共同的责任，生产、存储和保管有害物质的人员（包括使用除草剂、农药与化肥的农民），在不能确保有害物质散失的情况下，就必须制定设备转移计划，还要充分了解有害物质存放的地方以及处理、存储和消除有害物质所造成的威胁。

灾前规划不仅要求在洪泛区内采取行动，而且要在跨州、跨地区间采取行动并加强合作。

4.1.3.3 密切洪泛区规划与国家洪水保险计划的关系

国家洪水保险计划是国家洪泛区管理策略的主要部分。因此，应当使国家洪水保险计划（NFIP）及社区保险率系统（CRS）成为鼓励社区制定洪泛区管理和减灾规划的一种手段，并将洪泛区管理结合到制定规划与决策之中。

要利用洪水保险率这个杠杆强化 NFIP 对洪泛区管理的要求,使新建与更新建筑物通过保险达到减少洪水损失的目的,并明确地体现在洪泛区规划中;NFIP 还要通过增加满足洪泛区管理要求的费用以及增加洪水保险费用的办法限制对洪泛区的开发,以减少洪水的风险及洪水的破坏性。

4.1.3.4 成功地组织洪泛区管理

联邦应当在制定有关职责方面起指导作用。事实上,自 1981 年美国停止了水资源委员会的工作以后,联邦政府在解决州与州的水资源问题方面没有发挥指导作用。全国性的水资源管理是由几个机构进行的。然而水资源的问题盘根错节,要实现真正的管理,就必须有机构间的协调与合作。在洪泛区管理方面也同样缺乏全国性的统一计划。

洪泛区管理的一个重要内容就是控制土地利用,这应当是州与地方政府独有的职责,联邦政府的责任在于当州级政府在研究制定洪泛区管理规划时提供指导、技术情报和建议,并向洪泛区管理投资。但联邦的投资决不能支持在洪水易发地区的开发,并且要求地方政府在规划土地利用时,不要增加可能的损失。联邦还应在洪泛区居民中消除误解,不要以为联邦政府会对因洪水风险造成的损失进行赔偿。为此,应当颁布全国洪泛区管理法,以明确各级政府的职责,并加强各级政府间的协调,使之各尽其责。

洪泛区管理法除了规定各级政府的责任外,还应积极地向各级政府投资,以调动它们制定并实施洪泛区管理规划的积极性,并加强它们在洪泛区内采取行动的责任感。洪泛区管理法为了支持地方规划并强调其领导作用,应当规定凡影响洪泛区的联邦政府行动,都要尽量与联邦业已批准的州的计划相一致。

(1)加强联邦政府的协调功能。

(2)联邦在洪泛区的行动主要是树立样板。

(3)加强州政府在洪泛区管理中的作用。

(4)加强联邦同非联邦各级政府间的纽带关系。

(5)妥善安排公共设施的资金。

(6)在规划中力争资源开发与环境质量的平衡。

今后在制定新的水资源开发项目时,要同时争取达到这样的平衡,即在增加国民经济发展的净效益的同时,通过对人工资源、自然资源以及生态系统质量的管理、保护、恢复、改善,加强环境的质量。

4.1.4 开展同洪泛区管理有关的重大科技问题的研究

洪泛区管理涉及的科技问题是多方面的,以下问题是当前亟待研究解决的。

4.1.4.1 建立统一的数据库

(1)汇编全国工程建筑物名册。名册包括洪泛区内建筑物数量、位置、类型、功能。有了这种资料以及对其进行的风险分析就便于制定灾前预防和减灾措施,并根据风险大小安排投资,同时也为洪水保险提供信息。

(2)研制干支流水系的水文水力学模型。在上密西西比河研制干支流水系的水文水力学(非恒定流)模型将有助于估计建筑物的抗洪作用,协调生态系统的模拟以及进行洪泛区管理的决策。若将气象信息和预报结合在这种模型中将能更好地进行洪泛区与水资源管理。

(3) 洪水风险评估。当洪水系列增加以及记录到新的洪峰流量之后,就应对洪水频率曲线进行校正,并对确定区域洪水风险的现有站网是否恰当进行评估。要加密站网,包括恢复已中断的测站或者在不能可靠地估计风险的地区设站。

(4)确定洪水风险的联邦标准。目前一般采用联邦的标准分布函数,即对数皮尔逊Ⅲ型曲线确定洪水风险。这种方法有待检验,判定什么方法最有代表性,除了概率论本身外还要考察其应用的结果,包括选定防洪设施的高程,估计坝址与工程的风险度,确定洪泛区的界限以及给定洪水保险费率等。

(5)改进洪水预报系统。

(6)完善洪泛区图。

4.1.4.2 定量评估环境影响

环境质量与不同物种是为社会服务的,不能进入市场,需要利用与市场价格无关的方法来评估这种服务的效益。非市场价格的估计值就是受影响的个人对于一种环境服务而自愿付出的部分收入。当环境的产出可以得到判定并将其作用货币化时,这种货币化的环境质量就应当计入益本比分析。

许多方法都是估计娱乐性效益的,而不是估计像生态系统良好这种无形服务效益。经济学家用所谓间接法与直接法来估计非市场性的价格。间接法如旅游费用法或求乐分析法,其前提是,人们对待服务的价值体现在所选择的消费上,这种方法取决于在特定环境下对人的性格的观察而不能用于估计像湿地恢复这种情况。直接法是利用测定手段直接测量一个人所付的价值或自愿支付的价值。最广泛应用的是所谓或有价值法(tanlinght valuation),即是说向被访者提供关于建议的环境服务的信息,并询问什么样的改变对他们最有价值。不过在具体做法中问题也不少,例如,像旅游业这样的项目,公众是熟悉的,而且容易估计市场价格;但是对于数量和质量不熟悉,或难以定量的新产品,这种直接法就行不通了,更何况像环境质量与管理措施这类更难定量的问题。

应当研究一种评估非市场性的社会影响的方法,制定地区的和国家的测定社会与环境产出的标准。

4.1.4.3 保护堤防的安全

从1993年卫星图上发现,密苏里河一些溃决的堤段与旧河道位置相吻合,这表明堤防在抬高河道水位,从而在水位低于堤防时产生高能,以致掏空堤防方面起了巨大的作用。在许多沿岸绿化的堤段,冲刷淤积都不严重,堤防保全良好,卫星图像还表明凡位于高能区的堤防都保不住,即使在筑堤时挖尽沙土,建于母质之上,也难免溃堤。这说明堤防不应建在高能冲刷区,应当退堤,或将高能地段留做行洪道或用做放牧、发展旅游、渔业、种养野生生物等方面。

4.1.4.4 研究自然洪泛区的水文效应

联邦政府在明尼苏达河谷建立了一个野生生物保护区,其部分目的在于使洪泛区具有天然生态系统和洪水蓄泄机制的功能。虽然政府并未把上密西西比河的这个野生生物保护区当做防洪减灾的措施,但它却在减轻上密西西比河洪灾方面起了明显的作用。因此应当对包括绿化、保护野生生物等非工程措施的防洪减灾效益作出评估。

一些材料证实山区湿地疏干以及地下暗管排水都使1993年洪水加大。洪泛区和山地的临时滞蓄洪水的作用在过去未被很好地加以定量评估。在近代防洪对策中也没有考虑湿地的天然蓄水能力及对降低下游水位的作用。湿地及其排水对于发展农业的作用应当很好地加以评估,应当很好地研究湿地和森林湿地的天然蓄水和洪泛区蓄水对于干流洪水的影响。

4.1.4.5 植物工程措施

联邦的设计手册没有提到植物工程措施,即在河岸种植植物以代替传统的修坡和抛石护坡。传统的办法仅仅是为了扩大洪水流路,而植物工程措施则能提高洪泛区的天然功能。

4.1.4.6 灾后恢复资金

自1989年至1993年的5年中,联邦洪灾资助开支达276亿美元。为此应当研究灾后恢复资助系统。

4.1.4.7 洪泛区农业

联邦的农田计划对洪泛区管理起了很大作用,其他的联邦计划也影响土地利用决策,因此应就联邦农田计划对洪泛区农业产生的影响进行评估。

4.1.4.8 洪水保险

目前对于NFIP打入市场的情况了解不多,谁参加了保险,谁不参加保险以及为什么并不清楚,而这些资料对于推行洪水保险却是很重要的,因此应进行调研。

4.2 生态系统监测和适应性管理

密西西比河开发造成生态系统退化的沉痛教训已使人们惊醒,需要对密西西比河这样庞大复杂的生态系统进行长期监测,以便更好地了解其自然变化及人类干扰造成的影响。美国陆军工程师团已聘请生物学家,并与美国渔业和野生生物管理局和美国地质调查局生物资源分局就生态系统的监测和恢复进行了合作。已经制定了上密西西比河环境管理计划的长期资源监测计划,该计划由上游中西部环境科学中心实施。此种长期资源监测计划对"量化生态系统变化趋势及其因果关系"非常重要。

适应性管理要求依据实验进行水利工程设计,对水生生物生态系统的干预结果应使用今后规划和运行决策所使用的"实验"数据进行仔细监测。美国的适应性管理计划吸收了投资者和专家参与,建立了概念模型,有助于描述河系的综合情况。哥伦比亚河、科罗拉多河、佛罗里达大沼泽地以及上密西西比河已经将适应性管理正式应用于水政策的决策之中,专题小组已于1995年12月开始正式研究。为加深对密西西比河生态学的了解,建立了两种概念性模型,一种是流域模型,另一种是水箱(pool)模型。

在过去200年里,密西西比河沿岸各州湿地面积已减少2/3。1996年制定了《上密西西比河环境管理计划》,美国陆军工程师团负责制定这一计划,并得到美国渔业和野生生物管理局以及地质调查局的协助。该计划的两个最重要部分是:①生态恢复和改善工程;②长期资源监测规划。1997年用于环境管理规划生态恢复工程的费用已达1.3亿美元,用于监测方面的费用为600万美元。

4.3 发展前景

现在密西西比河的规划进入了一个新的重要阶段,既重视生态系统的完整性、水质、渔业等问题,又越来越重视社会科学问题,如移民安置、洪泛区管理、资源评价和科学政策关系等。规划参与人员增加了生物学家、生态学家和相关的社会科学领域的专家。从密西西比河流域得出的经验是:水资源机构和政策应定期根据政治、经济、科学之间的关系变化进行调整。

密西西比河的经验表明了单目标河流管理的负面影响以及一旦大型工程建成后,调整河流管理政策和实践都是相当困难的。同时也表明了湿地系统的价值。在黄河上,规划和决策者必须考虑各种水资源开发方案的实际意义,应仔细地监测黄河的生态系统,其开发计划不仅应从社会科学、环境科学方面作长远考虑,而且还应考虑水利工程的立体联系。

目前,在美国,联邦政府、各方面水利专家以及密西西比河流域的人民正在努力寻求既能保持密西西比河沿岸经济利益和生态利益平衡和可持续性发展,同时又能更为有效地对付洪水的策略。在长期与密西西比河打交道的过程中,美国人民积累了成功的经验和失败的教训。

附件4　田纳西河治理开发基本情况

1　流域基本情况

1.1　自然地理概况

1.1.1　流域地势

田纳西河是美国东南部的主要河流，是美国第5大河流，属密西西比河水系，是其支流俄亥俄河最长的左岸支流，由阿巴拉契亚山脉西坡上的霍耳斯顿河和弗连奇勃罗德河汇合而成，发源于弗吉尼亚州，向西经卡罗来纳、佐治亚、亚拉巴马、田纳西、肯塔基和密西西比等州，经俄亥俄河汇入密西西比河，呈一巨大的斜U字形(附图4-1)。河流全长，以上游两支流汇流处起算为1 050km，以霍耳斯顿河源算起则为1 600km，落差130m。流域面积10.62万km^2。流域大部分为森林覆盖的丘陵低山，东部为山区丘陵，西部为冲积性平原，蕴藏着丰富的水能资源和矿产资源。

田纳西河共有一级支流19条，其中较大的有7条；二级支流31条。流域形状像一个中间打了结的封口长形气球，上游地区宽，打结处的查塔努加变狭窄，向下流域又展宽，快入俄亥俄河时又变狭窄。支流多分布于查塔努加以上地区，7条较大的一级支流中有5条在该地区。

1.1.2　气象特征

田纳西河流域位于美国东南部，地处中纬度，东距大西洋较近，南离墨西哥湾不远，流域及周围地区无高大山地阻挡，邻近的海洋沿岸又有强大的暖流经过。夏季，当北纬30°以北大西洋上空被反气旋控制的时候，来自墨西哥湾热带海洋性气流很容易沿着反气旋的西缘进入流域地区。冬季，流域由于巴芬湾上空低气压的影响，地面又无东西向延伸的山脉的阻挡，极地大陆性气流也易流入流域地区。从北部流入的寒冷而干燥的气流虽然弱，但仍很显著。同时，冷空气也常常从北方沿冰岛气旋的西缘袭来，即所谓“寒潮”，引起气温的剧降。

流域四季分明，夏季炎热，最热月份是7月。流域大部分地区7月份平均气温在25℃以上。阿巴拉契亚山区7月份平均温度较低，多在20～22℃之间，有个别地方低于20℃。最冷月份是1月，平均气温为2～6℃，阿巴拉

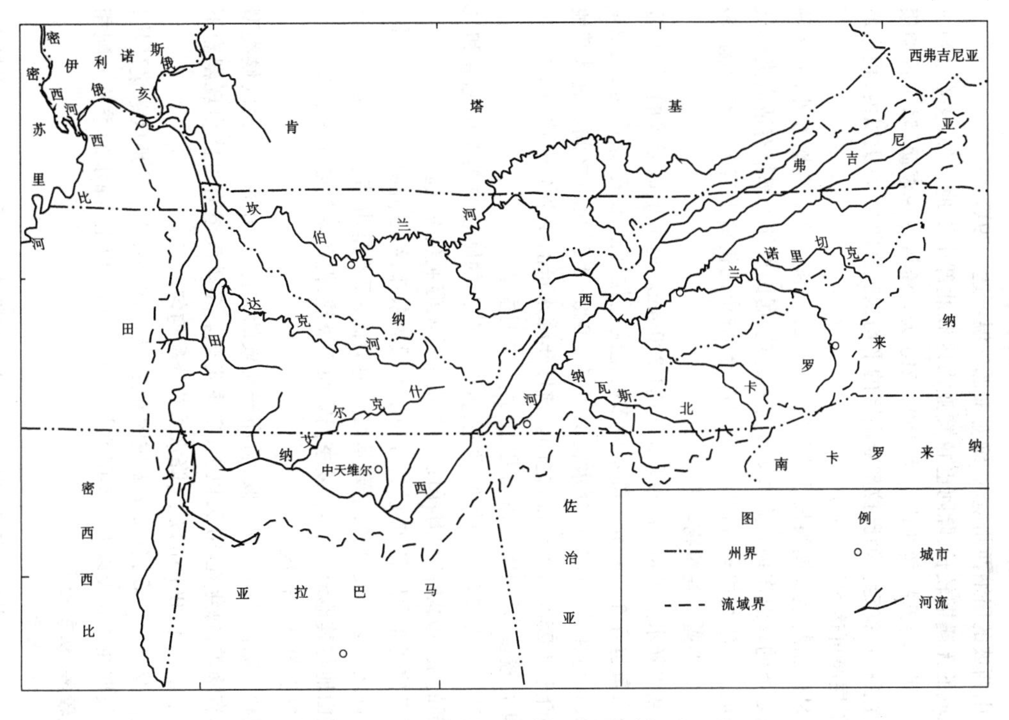

附图 4-1 田纳西河流域行政区划水系示意

契亚山区和北部个别地方低于2℃。流域的绝对最高气温出现在7月,最高纪录在40℃以上。绝对最低温度与1月份的月平均温度差别很大。如阿巴拉契亚山西坡的田纳西州境内,绝对最低气温可达-29℃。

流域的无霜期较长,除阿巴拉契亚山区和北部个别地方外,多在190～250天之间。阿巴拉契亚山区为150～210天。流域冬季温暖,降雪日期很少,积雪层很不稳定。阿巴拉契亚山区的平均积雪日期在30天以内,积雪最厚处,雪层厚可达50～100cm。

流域的植物生长期很长,除阿巴拉契亚山区和北部个别地方外,都能种植棉花之类的喜温作物。流域城乡房屋建筑,居民点外貌都带有适应炎热气候的特征。住宅往往有带顶的屋脊和凉台,城市的街道上有的建有凉棚,多为没有墙的半露天建筑物。

流域内降水量丰富,年均降水量达1 320mm。但由于地形等的影响,各地年降水量也存在着差异。降水最多的是阿巴拉契亚山区,最高可达2 290mm。大谷地和整个西半部降水较少,多在1 000～1 250mm之间。流域其他地区则介于1 250～1 500mm之间。流域年降水量的季节分配较为均匀,一般1～4月较多,且强度大,6月和10月为少雨季节。

田纳西河流域有3种气候类型:分布于东部的阿巴拉契亚山地温和气候、北部的温和大陆性和海洋性气候,南部的温湿亚热带气候。

阿巴拉契亚山地温和气候,分布于流域的东部,约占流域总面积的一半。该区气候之所以比较温和,主要是因为地势高,而不是由纬度决定的。阿巴拉契亚山地与其他地区不同,夏季温暖而不炎热,但冬季气温往往猛降,在流域内是气温最低的地区。

温和大陆性和海洋性气候,分布于流域的北部,面积很小。该气候类型区冬季有降雪,每年在10天以上;夏季炎热。冬季气温有可能出现剧烈下降。降水量在1 000mm以上,降水季节分配均匀。

温湿亚热带气候,分布于流域的南部,所占比例较大。该地区冬暖夏热,植物生长期在200天以上。年降水量在1 000mm以上,降水的季节分配相对春夏较多、秋季较少。

1.1.3 河流水文

田纳西河上游的支流大都发源于山区,东部支流河段的河床比降最大。如弗兰奇布朗河的支流皮各奥河,河床比降达8.8‰;小田纳西河支流特克期格河,河床在 11km 内落差高达 366m。田纳西河从位于特克期格河最高处的稍皮水坝到帕杜卡河口,河流的总落差在 1 186km 内下降 973m。田纳西河干流河道除个别河段处,普遍比较平缓,比降较小。从诺克斯维尔到河口的落差在 1 050km 内下降 157m,但在亚拉巴马州的马瑟肖尔斯地区,河道在 32km 内就下降 31m。

河流径流量的 42% 由降水直接补给,其余部分由深层土壤水和地下水补给。土壤储水和地下水补给在一定程度上使河水流量趋于稳定化。流域内暴雨通常出现在每年的 10 月到第二年 4 月期间,也是河流洪水发生的季节。在每年的 6~10 月,在受飓风影响的某些支流区,也会有暴雨出现。山区坡地植物稠密,对暴雨直接形成径流具有滞蓄作用。

田纳西河流量洪枯季节变化大,流量的年内季节分配不均匀。每年到了洪水季节,河道水量猛增,枯水季节,水量锐减。流量的年际变化也很显著。在离河口 36km 的肯塔基大坝处,多年平均流量为 1 850m^3/s,相应年径流量约为 584 亿 m^3。年平均流量最小的年份出现在 1925 年,为 127m^3/s,最大的年份是公元 1879 年,达 14 200m^3/s。在弗特卢当大坝处,多年平均流量为 380m^3/s,最小的 1925 年仅 45m^3/s,最大的公元 1867 年达 8 500m^3/s。

山区降水量大,暴雨多,查塔努加市成为受洪水危害最大的城市。查塔努加以下的区域,不仅支流少,且流量也不大。

1.1.4 自然灾害

田纳西河流域多年平均降水量为 1 320mm,雨量充沛且年内分布比较均匀。流域植被很好,夏季降雨被植被截留且水分蒸发量较大,所以洪水发生在冬季,史载最大洪峰流量 14 200m^3/s。田纳西河的洪水是该流域的主要灾害。在冬季和春季,降雨量丰富,常会发生洪水,有时会造成灾难性的后果。查塔努加地区是受洪水影响最严重的地区。1933 年之前,田纳西河流域没有任何防洪工程。一些低洼地区,特别是查塔努加地区,经常小雨成灾,频繁遭淹,造成生命财产的巨大损失。因此,那时的田纳西河,简直成了一条"魔鬼之河"。自 1933 年开始,至 1982 年,田纳西河经过 50 年的整治,共修建大小水坝 47 座,总库容 194 亿 m^3,有效地控制了洪水。

1.2 社会经济状况

1.2.1 流域社会经济概况

自 19 世纪早期以来,田纳西河就对流域经济的发展起着重要的作用,干流已成为美国内陆水运网的组成部分。诺克斯维尔作为世界最长的内陆水运的端点之一,与匹兹堡和新奥尔良连为一体。但在当时,田纳西河还具有许多险滩,河床坡度陡缓不均,而且水位变化大。这些困难,阻碍了密西西比河和俄亥俄河的船只上溯进入田纳西河。

尽管早在 19 世纪 20 年代,就开始疏通田纳西河,但在一个多世纪里,作为一条长距离的内河航道,田纳西河还一直处于待开发状态。东部山区边缘和中西部的障碍河段是进行航道开发的主要目标。

在早期,尽管对田纳西河的开发是以整条河流作为一个整体来考虑的,但仅限于某一目标的开发,而无论从自然地理的角度或是从社会经济发展的角度都没有把整个流域作为一个统一的整体。相反,流域各地区的发展是基于其自然特色,处于孤立的状态。流域的基本格局表现为两个部分,每个部分又可分为若干亚区。

1.2.1.1 上流域地区

查塔努加以东、以北的流域称为上流域地区,包括岭谷区、阿巴拉契亚山区和康伯兰高原区 3 个亚区。

岭谷区岭谷相间,人口稠密,狭窄的谷地被崎岖的山体隔开,岭谷平行呈东北西南向,河流沿谷地由东北向西南流动。30 年代初,该区有两个大城市,即诺克斯维尔和查塔努加市,是流域当时主要的制造业中心。这个地区的经济以农业为主,经济发展水平比周围地区要高。但是在 30 年代初,由于受美国经济不景气的影响,居民生活水平也很低。

岭谷区东南是阿巴拉契亚山区,也称为兰岭亚区。在 19 世纪,阿巴拉契亚山区覆盖着浓密的森林,但到了 20 世纪 30 年代初,原始的林木被砍伐,许多地方岩石裸露,地区经济发展受到了影响。为了稳定经济,在兰岭地区发展了旅游业。以旅游业作为经济基础的北卡罗来纳州的亚什维尔市,有 5 265km^2 的州立和国立森林,大斯茅克山区国家公园也延伸到境内,这些都奠定了亚什维尔发展旅游业的基础。

岭谷区西面是康伯兰高原区亚区。这个高原地区,地表土壤瘠薄,但地下资源丰富,尤以煤炭资源最多。30 年代初,该区内的居民聚集方式以孤立的家宅为主,仅在交叉路口有村舍分布,此外还有煤炭镇。由于经济大萧条的影响,许多居民极其贫困。

1.2.1.2 下流域地区

下流域地区与上流域地区的分界线是康伯兰高原陡峭的边缘。下流域地区可分为4个亚区，即棉花生产区、内部海岸平原、高地边缘区和纳什维尔盆地。

棉花生产区由东南田纳西州和北亚拉巴马州两个部分组成，属于美国典型棉花带的组成部分。该亚区内地形波状起伏，有许多石灰岩山丘。在内战以前，该地区具有典型的美国南方种植园特色，到处是棉田、白色圆柱状的官邸和黑奴简陋的小屋。到了19世纪后期，老的种植园由承租农民进行耕作，这里又突出地变成了小块土地经营区。到了20世纪30年代初，该区呈现出南方乡村贫困凄凉的景象。负债累累的农民中有一半是黑人。他们用很少的投资，耕作不属于他们的土地，致使土壤肥力和土地生产力迅速下降。

沿着下流域地区的西部河段，位于棉花生产区以北的高地边缘区是土壤肥力差异不同的一个地带。在20世纪30年代，这里种植有不同的作物，养殖各种家畜。该亚区的西部边缘曾经是栎木和山核桃林的生产基地。但是由于过度的砍伐，到30年代，土壤侵蚀严重，土地贫瘠。

田纳西河以西、与高地边缘区相毗邻的亚区是内部海岸平原。该亚区地形平缓，土壤多为沙质，黏土少。到30年代初，内部海岸平原是流域内林地和农业用地遭受侵蚀最严重的区域。在美国经济大萧条期间，联邦政府出于保护和恢复的目的，购买了大片土地，归公共所有。如纳茨兹州立公园和林区就是其中一例。

北部位于高地边缘区以东、棉花生产区以北的亚区是纳什维尔盆地。该亚区土壤相对较肥沃，大面积的土地是草场，小块用于种植玉米、小麦和其他作物。在19世纪，该区就有了制鞋、火炉子、铅笔、纺织工厂以及炼乳、化工厂等的分布。该亚区具有多样化的经济，纳什维尔市场也较发达。该亚区在很大程度上与位于诺克斯维尔和查塔努加之间的岭谷区相似。

1933年，田纳西河流域经济结构极为落后，社会发展水平很低，全流域仅有12%的劳动力从事工业生产，68%从事农业生产，工、农业生产水平十分低下，一半以上的土地由于水土流失而荒芜，洪水灾害频繁，年人均收入不足100美元，仅为全美平均的44%。田纳西河流域蕴藏着丰富的水力资源，具有发展通航的有利条件，流域内矿产资源也十分丰富，特别是煤、铁、锌、铝钒土、云母等储量相当大，但由于缺乏资金和技术及经济基础薄弱而无力开发。

田纳西河流域管理局(TVA)成立后,致力于防洪、改善通航条件,最大限度地开发水电资源,同时注重肥料的研究生产以及新的农业生产方式的试验推广。到20世纪50年代,已在田纳西河及其支流上建设了一系列水利枢纽,水库总有效库容达148亿m^3,相当于年径流量的34%,每年2月可提供148亿m^3库容作防洪用,现已有效地控制住了洪水。在全河实现了通航,沟通了田纳西河和俄亥俄河、密西西比河的水运系统,水电开发任务基本完成。50年代后,随着流域内经济的快速发展和用电量的增加,TVA开始大规模兴建火电和核电站。今天,TVA已成为全美最大的电力生产商,总装机3 200万kW,其中水电站30座、火电站11座、核电站3座,拥有2.8万km长的输电线和160家一级电力批发商。1995年供电收入55亿美元。共建成54座水坝,且每条支流至少都有一座多用途水库,使田纳西河的防洪能力达到百年一遇;建成10座船闸,极大地改善了田纳西河的通航条件。通过TVA提供的廉价电力(TVA的电价在全美排倒数第2位)和田纳西河便利的航运条件,吸引了大量的外部投资,促进了地区经济的发展,提供了大量的就业机会,彻底改变了这一地区贫困落后的面貌,人民生活水平有了很大提高,1994年人均收入达到18 400美元,为全美平均的84%。如今,田纳西河流域是全美发展最快、最富有的地区之一。

1.2.2 水资源

田纳西河流域水资源丰富,多年平均流量为1 850m^3/s,年径流总量达584亿m^3,占密西西比河年径流总量的9.8%,平均每平方公里拥有径流量53.6万m^3。水能资源蕴藏量也相当丰富。据美国陆军工程师团调查统计,田纳西河流域干支流合计,可能开发的水能蕴藏量达414万kW,年发电量可达173亿kW·h,在密西西比河流域仅次于密苏里河流域,居于第二位。可能开发的水能资源量占整个密西西比河流域总量的15.2%。水能资源主要集中分布于干流和东部小田纳西河、赫瓦斯河、赫莱斯顿河、弗兰奇布朗德河和克林奇河五大支流上。田纳西河流域丰富的水资源不仅可供建设水电站进行发电,而且还能用于发展内河航运,灌溉两岸农田,为城市,尤其是耗水工业提供水源,还可用于发展水产养殖和旅游业。

1.2.3 工农业概况

田纳西河流域开发较早,18世纪下半叶就有较为发达的农业,流域内盛产棉花、马铃薯和蔬菜,并有大片牧场。当时河流两岸到处是茂盛的原始森林，田纳西河水量也较平稳，是一个山清水秀、土地较肥沃的地区。但是自从19世纪后期以来，尤其是到了20世纪初，由于对资源进行不合理的开发利用，土地的过度耕种和过度开垦、森林的过度砍伐、对矿物资源采取掠夺式的开采等，造成流域土壤肥力下降，农作物产量降低，森林覆盖率下降，加之流域内冬季降水强度较大，引起了严重的水土流失，到处洪水成灾。如位于东部山地的达克镇铜矿被发现后，掠夺式的开采导致成片的森林被砍伐，用做燃料，矿区周围约12km^2以内变成了秃山。冶炼厂烟囱排出的滚滚浓烟，含大量污染物质，如二氧化硫等，使其四周和流经该区的河流下游沿岸寸草不生，加剧了水土流失和环境的恶化。

到1933年，田纳西河流域人均收入不足100美元，经济结构不合理，绝大部分劳动力从事农业。流域居民十分贫困，在当时是美国最贫困的地区之一。

田纳西河流域自20世纪30年代开始大规模开发以来，在工业、农业、航运、旅游业等方面，已取得了巨大成就，使该地区的经济、人民生活和自然环境发生了显著的变化。如今，田纳西河流域是全美工农业发展最快的地区之一。

1.2.4 矿产资源

田纳西河流域矿产种类颇多，拥有丰富的煤炭、磷矿和锌矿，此外还有石油、天然气、铝土矿、铁矿、铜矿、铅矿、锰矿、重晶石、云母、长石和黏土等。

(1)煤炭。分布于田纳西河流域及其邻近地区的煤田，属于美国阿巴拉契亚大煤田的一部分。煤种以烟煤为主，褐煤和无烟煤储量很小。煤田的煤层很平，便于开采，而且埋藏不深，又多受河流切割，适于露天开采。主要煤田有阿巴拉契亚煤田和中央煤田。据统计，到1979年为止，田纳西河流域及其邻近地区煤炭探明储量达413.01亿t，其中，烟煤为402.05亿t，褐煤为9.82亿t，无烟煤为1.14亿t。煤炭分布情况是：亚拉巴马州烟煤51.5亿t，褐煤9.8亿t；肯塔基州东部烟煤118.8亿t，西部烟煤191.8亿t；田纳西州烟煤9.05亿t；弗吉尼亚州烟煤31亿t，无烟煤1.14亿t。

(2)磷矿。田纳西河流域的磷矿主要分布于纳什维尔以南直到亚拉巴马州北部的区域内，可开采矿储量为9 300亿t。该磷矿有棕色矿、蓝色矿和白色矿3种。棕色矿中心在蒙特泼来仁特，矿区呈南北走向，长209km，宽48km。原矿品位20%～25%(P_2O_5)，含二氧化硅量高，可直接用做磷炉原料。用做肥料的磷矿则需经选矿富集。蓝色矿矿层很薄无开采价值,白色矿经手选可得含70%~80%磷酸三钙的高品位矿。

(3)锌矿。田纳西河流域的锌矿储量居美国第二位,主要集中分布于田纳西河流域的东部和中部。东部属于阿巴拉契亚矿床,主要集中于田纳西州的迈斯考特和杰斐逊镇附近,以及弗吉尼亚州的奥斯丁维尔附近。东部合计储量达720万t;中部属于密西西比河流域矿区,与周围其他州合计储量达1 190万t。

一些储量较小的矿藏,如石油、天然气、铜、锰、云母、长石和黏土等,经过长期开采,已基本枯竭。

1.2.5 人文景观

田纳西河流域有丰富的文化遗产。流域的暖湿气候和丰富资源,早在一万年前就将游牧的猎人吸引到了这里,经过了和平和冲突叠起的数个世纪,土著美国文化渐渐发生演变和多样化。这些文化经过考古证明,在整个流域都有出露,散布在地区内的斜坡上和洪积层中。

田纳西河流域管理局(TVA)从一开始,就负有保护流域内的考古资源的责任。近年来,TVA已经开始鉴定、研究和分析建筑的和历史的遗产,把这方面的工作作为在地面上所进行的工作项目的一部分。这一地区的历史和文化遗产是可供开发的,并有很大的效益。

从1979年以来,TVA已把考古的、建筑的和历史的活动结合在一起,作为统一的文化资源管理项目。这个项目包括鉴定、评价、保护、解释和开发在TVA土地上或流域其他地区有意义的文化资源。

文化资源项目是由TVA和各州历史保护机构、地方社会组织、联邦机构密切合作完成的,还动员了TVA和全国其他单位(尤其是大学和学院)的许多专家,共同进行研究。

TVA一直重视流域内生态环境建设,注重提高流域内人民的生活质量。截至目前,TVA在其所管辖的水库周围已建成了118个国家公园,还有各种娱乐场所、野营地、野生生物保护地、旅游景点等800多个,每年来此旅游的人数达7 000多万人次。

1.3 田纳西河流域开发治理历史沿革

1.3.1 田纳西河治理的历史变迁

最早对田纳西河的利用是在18世纪用于运输移民。随着沿岸定居者的增多，田纳西河的水运越来越重要。对田纳西河的治理和开发早期也只是为了航运。但早期的治理都因资金的缺乏而告失败。自公元1830年起，人们花了几十年的时间和大量的资金用于许多工程的建设，但也仅限于局部河段的治理，其结果也只能是浪费钱，除了高水位时期，要在整条河上通航仍是不可能的。1930年工程师们在向国会提交的报告中指出："就目前条件，田纳西河并不适宜于现代规模的航运，即使现在建设的工程全部完工，仍不能提供一条令人满意的水道。"此外，田纳西河的洪水也是很大的问题。在冬季和春季，降雨量丰富，常会发生洪水，有时会造成灾难性的后果。查塔努加地区是受洪水影响最严重的地区。但直到1933年，田纳西河流域没有任何防洪工程。由此人们逐渐认识到，对河道的治理需要作出全新的尝试。

1929年，美国发生严重的经济危机。股市暴跌，数百万人失去了一切。银行倒闭，工厂关闭，商店关门。地方政府只能收到一半的税收，外贸几乎停止。到1930年底，有600多万人失业，一年后达到1 200万人，很多人失去了家庭，5 000多家银行倒闭，32 000多家企业破产，农产品价格降到了历史最低点，很多家庭买不到食品。

对于当时有250万人口的田纳西河流域，情况更加糟糕。年人均收入不到100美元，仅为全美平均水平的44%；私人电力公司提供的电力只能满足30万用户。这一地区还存在着严重的环境问题，因过量耕种而导致大量土地荒芜，滥伐森林，水土流失严重。一位观察家形容这一地区是"美国的一部分，但不是美国"。

1932年秋，标榜要实行"新政"的罗斯福在大选中获胜。国家需要变革，经济需要复苏，并且罗斯福就任总统后，他和一些有远见的政治家们认识到，应该对全流域内的各种自然资源进行综合管理和开发，以保证资源的有效开发和利用，保护生态环境，振兴经济的发展。1933年美国国会通过了《田纳西河流域管理法案》，并据此成立了联邦政府的特殊机构——田纳西河流域管理局，从此开始了所谓的"伟大试验"。

由此可见，TVA的产生并不是偶然的，而是社会需要、机遇、有远见的政治家及其富有创新精神的思想相结合的产物。可以说，是在适当的地方、适当的时间、适当的人物头脑中，形成了TVA这样流域管理与综合开发的概念，促成了TVA的诞生。直到今天，美国人虽然对TVA模式感到自豪，但他们自己也认为，在美国再建立一个TVA这样的机构已不可能，因为条件发生了变化，机遇和环境已不复存在。

田纳西河流域的开发治理大体上可分为4个阶段。

第一阶段，1933～1950年，在这17年间，主要从事水利水电建设。首先开工建设具有最大防洪效益的诺烈斯大坝，同时在干流上修建改善航运的低坝工程，基本上控制住了洪水危害，并使航运得到了改善，为工业、农业的发展创造了良好的条件(附图4-2)。

第二阶段，1950～1960年，由于电力负荷的增加，转入大规模的火电厂建设，同时进一步完善水电工程建设。

第三阶段，1960～1970年，为防止公害，限制火电厂的发展，同时进一步发展水电建设，并转入新的核能发电的研究论证。

第四阶段，1970年以后，主要从事核电建设。

在进行上述建设的同时，TVA从一开始建设，就给流域内的农业、林业的经营和发展创造了很好的条件，并通过示范、方法和效果三者集合，使流域内的农业、林业得到高速度的发展。通过这些工程建设，TVA逐步建立了一支高速度、高质量的设计施工队伍，同时管理工作不断完善，使它自身成为一个拥有设备生产能力的强大的企业实体。

1.3.1.1　1933～1950年阶段

这个阶段主要是搞水利水电工程建设，TVA称其为"水利化"年代。工程的主要目标是：干流上游及支流兴建防洪、发电水库10座，购入其他单位已完建的水库11座；在主干流上兴建渠化航道的发电梯级8座大坝，购进1座。干流最上一级防洪为主的诺烈斯大坝首先兴建。另外在瓦茨巴兴建一座当时世界上最大的火电厂，装机容量为6万kW。通过这些建设取得了如下的成就：电站装机容量从18.93万kW增加到299.4万kW，提高15.8倍；渠化航道1 046km，航运量300万t，提高18倍；基本控制住了洪水危害，并经受住了三年大洪水的考验，同时建立了90个径流预报站、150处降雨预报站，实现了降雨和洪水的电传预报；通过大坝水面骤升、骤降，杀死幼蚊虫，控制住了疟疾危害；使80%的居民用上了电，居民收入提高500%，恢复耕地776.7km^2，建立15 000处农业示范站；广泛地建立起农产品加工工业，基本上解决了失业和贫困问题。

TVA取得这些成就，有如下主观和客观因素。

(1)第二次世界大战期间，美国的人力、物力、资金，优先安排在工期短、

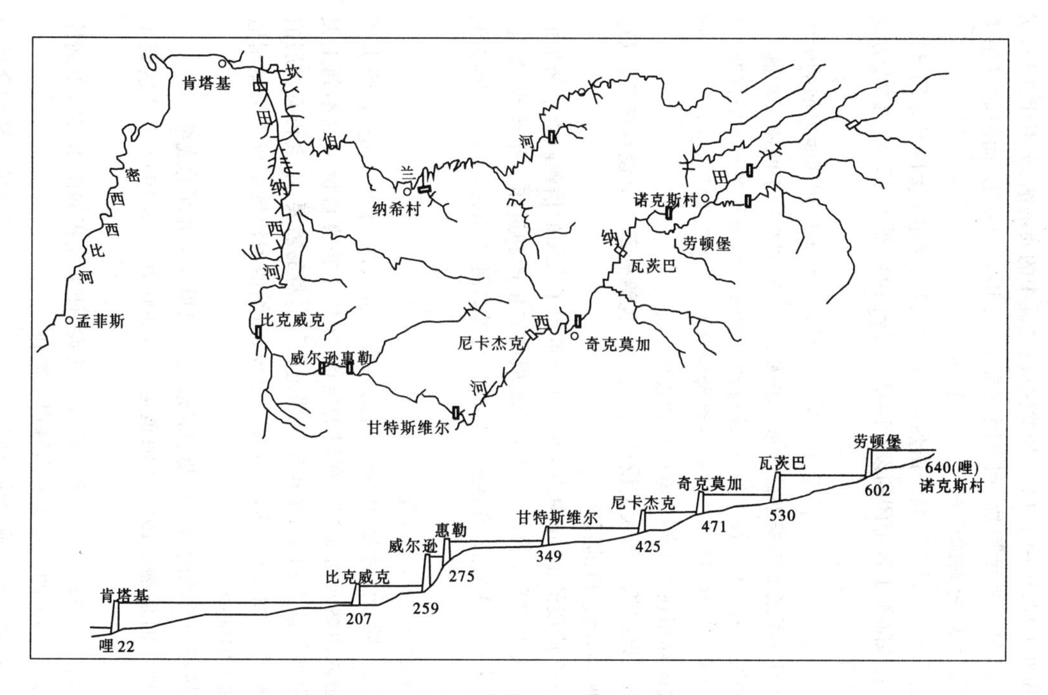

附图 4-2　田纳西河流域水利水电开发示意

收效快的水利工程上面;同时战时的建设要求加快速度、节约物力。此时建设的道格拉斯大坝,仅用了13个月就建成;建设中的弗塔纳、奥考伊3号、切罗克大坝工人转移速度很快,和平时间要4～6年方能完工,而战时仅用了2～3年即可完成;材料的消耗,也非常节约。

(2)使用前人的设计资料。诺烈斯和惠勒大坝,使用了美国垦务局批准、TVA同意的原陆军工程师团的设计图纸。直到1934年1月开始,TVA方使用自己的力量进行设计。

(3)采取同型大坝"成对"设计。对于坝型及地质条件相同或近似的大坝工程;采用同一图纸加以局部修改或不作修改,一套图纸用于两座大坝施工。在这类工程施工中,工人技术熟练,建设速度加快。如切罗克—道格拉斯、赫莱斯顿—南赫莱斯顿、阿巴拉契亚—奥考伊3号等大坝,均是"成对"设计施工;此方法同样用在以后燃气电厂的建设中。

(4)TVA既组织内部人员设计施工,又承包给外部人员设计施工,以达到缩短工期、降低造价的目的。

在第一个阶段的17年中,TVA的工作取得了人民的信赖。查塔努加的居民也普遍认为,TVA的建设加速了流域内的生产和进步。雅契玛(Yakima)的居民采取同样方法,在他们所在的考路姆比河(Columbia),建立起类似的机构。

1.3.1.2 1950～1960年阶段

TVA第一阶段的建设,中间经过第二次世界大战,廉价的电力,吸引了国防工业进入田纳西河流域。那时的电价,按成本核算售价每度不到1美分。战后很多人认为:TVA的电能发展超出了自身的需要,不会再有发展前途。出乎人们的预料,经过第一阶段的建设,田纳西河流域变成了机械制造和国防工业的中心。

TVA按第一阶段的指导思想,持续建设,取得6个方面的成绩。

(1)发展内河运输。1950年河道运输达300万t,到1959年已达到了1 200万t。

(2)控制区域性的洪水。第一阶段的建设,使大面积的洪水灾害得到控制,到1959年,局部的洪水灾害也得到了控制。

(3)为发展地区的农业提供化肥。1950年TVA仅经营硝酸铵和含量为48%的过磷酸盐两种肥料,而到1960年,TVA生产多种为增产用的颗粒肥料和液体肥料。

(4)旅游业发展迅速。1950 年各水库和燃气电厂经营的旅游收入为 1 300万美元,到 1960 年的旅游收入达 1 亿美元。

(5)林业改善。TVA 在宜林区通过自身的代理机构,营造林木。得到很好保护和管理的森林面积增加了 8%,木材蓄积量比 1950 年增加 16%,间伐年产值达 5 亿美元。

(6)电力负荷要求持续增长。其原因是:内河航运量加大,带来了工业和商业的发展,就业人员增多;政府经营的国防和其他工业,由于朝鲜战争而大规模地增长负荷;战后电器材料和设备售价低廉并能满足市场要求,促使用电户增加;1953 年,由于家用电器增加,使居民耗电量增加 15%。如战后的 1945 年,农村用电户仅占 28%,到 1950 年增加到 82%,1955 年增加到 93%。每户用电量 1950 年平均为 2 000kW·h,到 1956 年超过 4 000kW·h。流域内居民平均拥有的电力一直高于美国全国的平均数,如 1946 年田纳西河流域居民户平均为 1 903kW·h,全美国为 1 329kW·h,1960 年前者为 8 806kW·h,后者为 3 854kW·h。同样,商业和工业用电比率以相类似的速度增长。

这一阶段 TVA 为满足电力负荷增长的要求,大量地购进和新建燃煤的火电厂。但购进的 25 座火电厂,除 1 座用 30 年外,其余有 3 座买后就报废,8 座用 1~4 年后也陆续报废。其他购进的电厂也相继报废。

在此期间,TVA 在赫莱斯顿支流上兴建了两座大坝,同时对已建的大坝由于战时设备材料短缺,未装或未装足发电机组的,进行了补装和扩装。为了充分利用水能,在赫瓦斯大坝处,建设了抽水蓄能电站,抽水机容量 7.5 万 kW,流量 113.6m^3/s,水头 72.6m,单机容量为 5.95 万 kW,是当时世界上同型机组中最大的。对威尔逊大坝下游影响航运的沙滩,采用延伸引航道的办法进行处理,延伸的引航道长约 4km。在诺烈斯大坝处作 1∶10、1∶16 的引航道和闸室的模型试验,采取拖航和拖缆的办法解决,使船闸的提升高度达 30.5m,是世界上提升高度最高的,且闸室内无大的旋流发生。

通过这一阶段的建设,取得如下的经验。

(1)火电机组尺寸愈大,单机容量愈大,效率愈高。

(2)冷却水的温度愈低,电站的效率愈高。原用水库表层水冷却,改为取用底层水冷却。

(3)TVA 在建设火电厂时,充分考虑了扩建大型机组的需要。采用钢质堵水墙,避免拆卸扩宽的困难。在约翰塞尔和卡拉丁电厂还采用平衡嵌板的做法,以适应热胀冷缩的温度变化。

(4)管理用煤手段的提高。过去TVA对煤的质量取样、试验采用人工,后改为自动化取样。原采用大型牵引刮刀形成锥形煤堆,从窑口运出使用,后改为皮带输送机,自动提升38m高。

1.3.1.3 1960～1970年阶段

由于前十年大量发展火电,造成电力发展严重地影响了生态环境的局面。TVA对火电厂的环保问题给予了充分的注意。当时的客观情况是:①1960年以后国防工业用电量压缩到最低点,每年降低10%,而农村用电持续增长,增长的比率大于国防工业用电量的减少,使流域内的电力需要还在增长;②TVA大量地用煤,造成土地贫瘠,废渣堵塞河道,污染水源,虽然1940年TVA对此采取了措施,但问题仍较严重;1965年TVA规定,采煤区必须复耕种树,防止污染所使用的费用,计入采煤的成本中,作为购煤契约的一部分,后来,州的法律对此也作了严格的规定,促使TVA进一步研究此问题;③1967年美国政府发布命令,要严肃对待空气中的煤灰和二氧化硫对空气的污染,TVA随即拨出1 500万美元,在老的电厂装设静电聚尘器,于1970年完成。同时开始试验在烟囱里清除二氧化硫的方法。对于这些方面的研究,TVA早在1950年就广泛监测电厂排放物对大气的影响。1960年开始使用静电聚尘器对付烟灰和二氧化硫,并将烟囱加高到183～305m。

在此期间,TVA的建设项目如下。

(1)火电建设方面,TVA主要发展大容量机组,单机容量分别为55万kW、95万kW和115万kW。同时研究高烟囱的振动问题,最初采取内部衬砌隔层,顶部用不锈钢材料做成。在金斯敦热电厂采用筛网格的设计试验,观察风力作用下的振动状况,烟囱高度达244m。在康伯兰火电厂采用给烟囱自由支撑、钢板内衬和网墙设计,烟囱高305m。

(2)输电线路的发展。由于用电户的增加,要求进行输电线路的建设,以减少损失。1960年TVA建设500kV输电线48km;1964年着手建设第二条500kV的线路,长402km;到1970年TVA拥有500kV线路1 738km,总共有13～500kV线路24 779km。这些线路与外电网相联,在出现季节性电力不足和盈余时,可以向外电网购进或出售电。

(3)继续兴建大坝和扩建原有水电站,并改善航运条件。

新建了克林奇河上的麦拉顿赫尔大坝。将1933年购进的难以作防渗处理的赫尔斯巴大坝下移10.3km，重建了尼卡亚克大坝。

在威尔逊和惠勒大坝扩装发电机组。

改善航运。通过尼卡亚克、麦拉顿赫尔大坝的建设和扩建威尔逊、格特斯维尔大坝的船闸，增建一条33m×183m的船闸，使干流航运里程增加，通过的船型加大。到1970年，田纳西河的水上运输量达到2 550万t。

对区域性的支流河道，同当地居民合作，进行多目标的防洪治理开发：①对于毕迟支流的开发，与当地居民合作，1961年完成了治理规划，兴建了7座水库，用于防洪和调节地表径流，并为市政、工业、疗养提供水源；②对艾尔克支流的开发，同样与当地居民合作，建立开发协会，修建的第一座蒂姆斯弗德大坝，用于商业养鱼、城市供水、防洪和发电，并建立了休养所；③在比尔溪支流，兴建4座水坝，渠化航道129km，增加了蓄水、防洪、工业和市政供水、休养等效益。

1.3.1.4　1970～1983年阶段

(1)面临的问题。国家和各州政府对环境质量提出了更高的要求，污染了空气和水质要采取重金惩罚，这样给TVA的建设带来了困难。

1979年中东石油提价，并对美国实行禁运，同时美国煤价上涨，从而使核能的地位上升。

大容量火电单机在运行中困难重重。有的机组由于负荷跟不上，还不到额定容量的50%，有的为了分析事故，长期停止运行，进行分析和检修，造成很大损失。

灾害性天气迫使TVA向外购买电力。由于1974年的暴风雨和1970年1月的低温，造成一些机组停止运行；加之由于机组容量大，停、运、操作不灵活，迫使TVA向外购买电力以补充系统容量的不足。

水利工程投资持续下降，造成部分工程停工和机构改组，以适应变化。

虽然核电成本低，开机投入运行的时间与火电相同，但核电厂建设复杂，投资大，对管理的要求高，以及经常发生意想不到的问题。这些因素，使核电工程一再推迟，有些核电厂项目则被撤销。

(2)对上述问题，采取了如下措施：①向外购买电力补充，充分发挥火电机组的效率；②进行负荷调整，提倡和说服大用电户节约用电；③严格执行建设程序，在对环保问题进行充分研究，并取得允许建设的批准书后，才开始建设;④取得铀矿的开采权,储存铀矿石,避免受铀价暴涨的影响。

(3)核电厂建设情况。1964 年开始核电厂建设的研究,1965 年进行 5 座火电厂与 1 座核电厂的对比研究。依据这些研究,得到有价值的数据,再进行建设。

勃朗斯弗雷核电厂位于惠勒水库附近,3 台机组总容量为 345.6 万 kW。美国原子能管理委员会 1967 年 6 月批准,允许其核辐射的界限为 3rd 4 度。计划 1970 年第一号机投产,由于设备推迟交货和环保规定变更,冷却水塔机械图做了六次大修改,至 1975 年第一、二号机组方才投入运行,而当年 4 月又发生火灾,停下来检查。经过 18 个月的间隔,于 1977 年重建防火设施。所以虽然核电站核算成本仍低于火电厂,但运行时间推迟了很多。

西考耶核电厂,由两台压力水反应堆组成;1969 年 6 月申请兴建,1970 年批准。1973 年 10 月和 1974 年 7 月进行了选址设计。同样由于设备推迟交货、环境保护要求的变更,以及 1975 年压缩水的软化以适应水质管理,增加定型监测设备等原因,使投入运行的预计时间由 1979 年底和 1980 年中期推迟到 1980 年 8 月和 1981 年 6 月。

瓦茨巴核电厂为与西考耶同型设计电厂,晚于西考耶电厂很久,1973 年批准建设。两台机组分别计划于 1976 年 8 月和 1977 年 5 月投入运行,结果又以同样的原因推迟到 1981 年 9 月和 1982 年 6 月。

其他如贝尔方特、哈茨维尔、菲普斯本特、耶罗克里克等核电厂,均因同样原因,加之美国原子能管理委员会的要求变更、设备变更,致使原计划时间有的推迟,有的无限期地推迟建设。

为保证核电厂的运行安全,1964 年开始在西考耶电厂建立人员培训中心,满足各厂运行要求。

(4)环境要求火电厂进一步改善,并采用高效率的静电聚尘器,防止硫化物进入大气层。过去 TVA 采取陷井聚集干灰,干灰聚集池远离城市中心和人口密集区等办法。但由于人口快速地增多,干灰被水冲集于附近的大洼地中而产生石灰石,凝结于池底,影响树木生长,因此必须加以清除。而且当干灰池填满后,还需再挖大池,迫使 TVA 不得不进一步研究,完善这些措施。

TVA 研究的新的静电聚尘器,其效率达 98%,超过环保要求 80% 的界限。水池干石灰的清洗,先后采取自然洪水冲洗,湍流收缩式吸附器、文德里式清洗器,直到后来试验性地使用氧化镁清洗器。在被清除池内的烂泥中生产出硫酸，供工业部门使用。同时，在原煤中清洗废灰和硫化物，然后再进行燃烧，使废灰和硫化物减少。所有这些措施，均在 TVA 的火电厂进行研究、完善和使用。

(5)流域内单机容量大的机组增多，高峰负荷时，通常大电厂设备容量与利用量相比要小 20%，而这些高峰负荷时间往往仅有半小时。对此，TVA 采取建设燃石油和天然气的单机容量小、运行快的机组来解决。先后建设单机容量为 3.29 万 kW、5.95 万 kW、6.80 万 kW、8.13 万 kW 的小机组，加上购进的小机组，总容量达 250 多万 kW，用以调节高峰负荷。

(6)水利工程建设。TVA 过去几十年重点放在防洪、航运、发电等水利水电建设方面，20 世纪 70 年代以来，大坝维修也是重点之一，其主要工作如下。

拉考纳山区抽水蓄能电站建设。1966 年开始研究，1970 年开始建设。该电站采用可逆式机组，单机容量 38.25 万 kW，电站通过 854m 的隧洞，提水高 321m，下水池为尼卡亚克水库。电站的重件用船舶运输。四台机组于 1979 年 8 月全部投入运行。

特里考大坝的建设。该坝位于小田纳西河的河口，目的用于防洪、航运，使该河流域内的工业取得发展。于 1969 年开始动工，但因国会投资少，从而被推迟。1977 年 1 月大坝已准备合龙蓄水，由于影响鲈科小鱼的繁殖等原因，被法院命令停工，于是不得不停工研究这种 7.62cm 长的小鱼的移殖。移殖研究成功后，1979 年通过拨款，1980 年完建。

达克河的防洪工程。预计完成哥伦比亚和诺玛德两座大坝，用于防洪、发电、工业和城市供水、文化娱乐、渔业、野生动物栖息地。1972 年 6 月开工建设诺玛德大坝，1974 年 3 月法院出于环境保护要求，命令停工。原计划 1975 年中期完成，推迟到 1976 年 1 月才完建。哥伦比亚大坝 1972 年开始建设，1973 年法院命令停工，推迟到 1983 年才合龙蓄水。

在此期间，对已经使用 60 年的购进的奥考伊大坝和弗特纳大坝弧形段裂缝进行维修处理。在匹克威克大坝，原有的船闸室为 33.5m×183m，又增建一条 33.5m×305m 的闸室。

(7)露天采矿区的重新垦殖。1970 年 TVA 对煤的开采提出了新的要求。州的法律对煤的开采，要求更为严格，特别是露天开采区，提出废土堆上要重新垦殖，而且坡度不大于 18°。这个要求分别在田纳西河流域的西部和南部山区执行，这些都使煤价变得昂贵起来。但是，这样做能使开采过程中就充分注意避免河道淤塞和水质污染，不致造成集中处理，工程量过大、资金和人力不足。

1.3.2 田纳西河的流域管理机构

1.3.2.1 机构组成

田纳西河流域管理局(TVA)是由美国总统罗斯福建议，根据国会通过的《田纳西河流域管理法案》，于 1933 年 5 月 18 日正式成立。国会授予TVA广泛的权力，对田纳西河流域的自然资源负有全面规划、开发、利用和保护的职责。TVA是联邦政府的一个独立机构，它既拥有政府机关的权力，又具有私人企业的灵活性和主动性。TVA由 3 人组成的董事会领导，董事会成员均由总统提名，参议院批准，并由总统指定其中 1 人为董事长。董事会成员任期 9 年，每 3 年替换 1 人。TVA实行总经理负责制，其管理机制随着时间的推移而不断变更和完善。1983 年 TVA 机构组成见附图 4-3。

TVA已拥有各类专业工程师、专家和科技人员 2 000 余名，管理局的雇员已达 34 000 余人(其中包括建筑工人在内)。

此外，董事会组织了一个包括水土保持、灌溉、发电、渔业、防洪、搬迁、旅游、财政等专业人员的队伍，分成若干个专业小组，他们对承担的任务负责。所提的方案由董事会讨论、协调、通过。

对田纳西河流域这样一个大范围的资源进行统一开发，这种方式在当时是独一无二的。全河流经的 7 个州作为一个规划单位来考虑，即河流的全部落差及各条支流都为全流域的利益而开发，而不是为某一地区、某一个单位的利益开发。若没有TVA这样的机构，就无法承担规模这样大的工作，田纳西河流域的开发可能会推迟多年，且流域可能被开发成四零五散。因此，TVA机构是田纳西河流域建设取得巨大成就的保证。

1.3.2.2 TVA的使命

美国国会赋予TVA发展地区经济的使命是：①控制洪水灾害；②改善田纳西河道的航运条件；③生产电能；④对自然资源的合理开发、利用和保护作出规划，并付诸实施；⑤促进工农业发展；⑥提高人民生活水平和社会公共福利。

60 多年来，TVA遵循美国人民、美国政府的委托，肩负历史使命，不断努力，综合规划，统一开发，全面建设，使地区经济迅速发展、人民生活水平大幅度提高，人均收入比 1933 年增长近 50 倍。在水利、电力、化肥、核工业等方

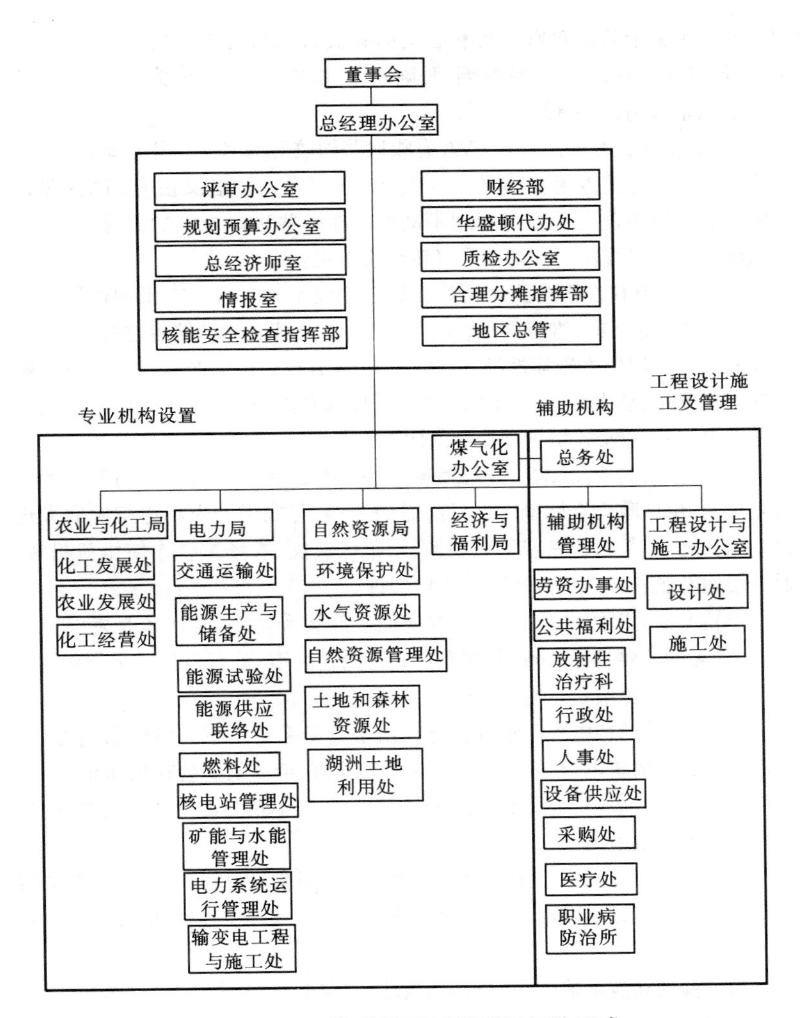

附图 4-3　田纳西河流域管理局机构组成

面取得了举世瞩目的成就。

1.3.2.3　TVA 的职能

(1)独立的人事权。董事会有权选用 TVA 的其他官员和雇员;有权不按照公务法中关于美国政府官员和雇员的有关条款来聘用官员、雇员和代理人，以便开展业务；有权调整报酬，明确职责，以确保 TVA 成为一个高效、负责的组织系统；有权解雇任何职员。

(2)对土地具有征用权。TVA 有权以美国政府的名义行使土地征用权，以征用或购买方式占用不动产。不动产以美国政府的名义占有，TVA 是以美国政府机构的名义受委托管理不动产。在一些法律规定的情况下，TVA 有权将其所有或管辖的不动产予以转让或出租。

(3)TVA 有权在田纳西河及其支流上建设水库、大坝，在田纳西河上形成水深 2.7m 的河渠，维持供水，改善田纳西河及其支流的航运、控制田纳西河和密西西比河发生破坏性洪水；此外，TVA 有权在田纳西河及其支流上购买或兴建电站、动力设施、输电线、通航工程以及附属设施，并通过输电线将各种发电设备联网成为一个或若干个电力系统。

(4)生产新的农用肥料，并进行推广和示范。董事会有权同商品生产者订立合同，生产政府发展推广项目所需的肥料；与农民和农场组织协商大规模使用新肥料，与试验站或示范农场、示范区农民、农场主合作使用新肥料，通过使用新肥料或其他方法防治土壤侵蚀。

(5)TVA 所辖的水坝，主要目的是促进航运和防洪，其次才是发电。只要与 TVA 的主要目标一致，并在条件允许的情况下，董事会有权充分利用水电设施发电，以免浪费水能。

(6)生产并销售电力。董事会有权出售自身系统用不完的剩余电力，但是董事会签订的售电合同的有效期不得超过 20 年。董事会在出售电力时，应优先卖给地方政府、公民联合组织和农民，并且不是为做生意赚利润，而是为当地居民提供电力。

董事会与私营的电力批发商签订的合同中应包括这样一个条款，即董事会有权提前 5 年以书面形式通知批发商中止合同，以便将电力供应给地方政府。

为了推动和鼓励输电线路附近的农民使用电力，董事会有权把输电线路以合理的费用建到农场和乡村。董事会有权开展科学实验，以便更好、更广泛地将电力用于农业生产、民用及当地的小型工业。TVA 应当与地方政府及其下属机构、科研机构、其他组织一起，研究如何利用电力来有效地开发当地资源。

董事会有权在售电合同中标明零售电价,如果零售商不能遵守或是违反这一规定,董事会有权单方中止合同。

(7)TVA 生产的电力主要是造福于本地区的居民。因此,应当首先考虑当地民众的利益,特别是能为家庭及乡村用户提供便宜的电力,向工业输电应放在第二位。向工业售电的主要目的是为了使电站全负荷运行,保证资本回收,以便让家庭及乡村用户享受尽可能低的电价并鼓励他们多用电。

TVA 的职工人数随着建设项目和规模而增减。在 20 世纪 40 年代初期水利建设高潮时,职工总数曾达 4 万余人,50 年代 2 万人左右,60 年代初期减至 1.1 万人,1971 年达到 2.58 万人,1973 年有职工 3.3 万人, 1974 年 6 月 30 日人员仅 2.5 万人,1978 年职工人数曾高达 4.3 万人, 到 1984 年职工人数降到 3.4 万人。1987 年职工人数为 3 万人,1998 年调整为 1.38 万人。

2 流域治理开发情况及主要成就

2.1 防洪体系建设及治河历史

2.1.1 治理以前的荒凉面貌

田纳西河流域开发较早,18 世纪下半叶就有发达的农业和实行了水力发电,当时沿岸有茂盛的栎树林。可在 1914 年前在东部山区达克镇发现铜矿进行开采冶炼以后,很快使这个流域变得面目全非,成片的山林被伐作燃料,矿区周围 $12km^2$ 以内变成了秃山,冶炼厂烟囱冒出的滚滚浓烟,含有大量污染物质(硫磺、氮氧化合物等)使四周和下游沿岸寸草不生,滥伐森林加剧了水土流失,以致几乎年年洪水成灾,沿岸只能生长薹草,耕地肥力大大降低,农作物产量很低,居民贫困,人口外流,使田纳西河流域变成了人口稀少的贫困地区。当时有人这样描写过这里的荒凉景象:“荒芜的土地随雨水冲走,童山濯濯,以致下不大的雨也很快汇集成汹涌的洪水,肥沃土地被冲刷成千沟万壑,河水浑浊不堪,航道淤浅,鱼类绝迹,下游的几所水电站也因水库被泥沙淤塞而报废了。”由于田纳西河造成许多生命财产的损失,当时居民曾把它诅咒为“魔鬼之河”。

2.1.2 综合整治思想的确立

由上文所述可知,在开发一种自然资源时,不作统盘考虑,会受到大自然多么巨大的惩罚!但是在资本主义国家,由于流域综合开发牵涉到不同部门、不同财团的利益,要从整体出发实行综合治理是很不容易的。在田纳西河径流的分配问题上，从 19 世纪末起，水力发电就与航运发生了矛盾。围绕首先确保航行或是确保发电的问题，政府与议会就争论了许多年。田纳西河流域又如何能实现综合治理呢？这与当时的政治、历史背景是分不开的。

1933 年，曾连任四任的总统罗斯福上台后，为了克服 1929 年开始的笼罩全世界的经济危机，极力推行“新政”，主张由国家干预经济，拨出大量资金来刺激经济发展以缓和失业问题、维持农产品价格等。正是在这样的背景下，罗斯福在特别咨文中指出：“鉴于国家对田纳西河流域的大量投资，继续被人忘却，我要求议会立法，以便从公民的利益出发制定该河开发规划……这样的规划不能仅仅解决发电一个问题，还要考虑到防洪、水土保持、造林、开垦荒地、发展工业等许多方面……此外应成立一个既有行政权力、又有民营企业的灵活性的田纳西河流域管理局(TVA)。”美国国会接受了罗斯福的建议，于 1933 年 5 月颁布了《田纳西河流域管理法案》，同年成立了主管流域调查研究、设计和日常管理工作的庞大的独立行政机构——田纳西河流域管理局。这样从法律和组织上保证了综合整治思想的贯彻。

2.1.3 治理概况

田纳西河开发与治理的主导思想是：纵观全局，打破行政界限，对整个流域进行统一规划，进行全面的治理开发。具体做法是：从流域规划中的防洪入手，综合开发利用水资源，发展水能与水运，首先创造一个有安全保障的环境和能源交通等方面的基础设施，促进国土开发。水电配合火电、核电，大力发展高耗能的炼铝工业、原子能工业、化学工业，建成最大的电力和铝化工业基地。随着工业的发展，特别是化学工业的大量生产，较快地、因地制宜地全面发展农林牧副渔各业。强调环境保护和提高环境质量，促进旅游业的发展，同时普及科学技术和文化教育事业。

田纳西河流域的整治方针是最大限度地防洪和发展航运，在洪水调节、灌溉允许的范围内最大限度地发电、开垦土地和发展工业。

在干支流拦河设坝，实行梯级水力开发是流域整治的主体工程。截至 1949 年干流上修建了 11 座大坝，最大的是肯塔基大坝(1944 年建成)，有效库容约 75 亿 m^3。另外右岸支流上修建了 4 座，左岸支流上 8 座，加上原有水坝(如 1925 年建成的威尔逊大坝)和政府收购的水坝，共有大小水坝 27 座，总库容约 142 亿 m^3，1966 年增加到 32 座，到 1982 年计有大小水坝 47 座，总库容 194 亿 m^3。

修建了这些大小水坝后,洪水几乎全部驯服了。1942 年发生大洪水,由于水库发挥了调节作用,安全度过了汛期。又如 1955 年 3 月的大洪水,查塔努加避免了 40 万美元的损失,下游低地也减少了 58 万美元的损失。从此洪水不再为害而且听人调度,田纳西河由“魔鬼之河”变成了“驯顺的猫”(当地人的说法)。

航道水深增加了 2.7m,枯水期也至少可维持 2m 多的深度,从此从诺克斯维尔到田纳西河口帕杜卡长 1 050km 的航道可全年通航,并与美国内陆的 14 481km 的水道沟通,形成了一个统一的航运系统。1933 年田纳西河货运量仅有 5 149 万 t·km,1942 年增至 2.29 亿 t·km。1954 年仅运费一项就节省了约 1 400 万美元。到 1982 年货运量增至 60 亿 t·km。

发电是田纳西河流域管理局最大的一项事业,1976 年的电力收入高达 17 亿美元。截至 1945 年建设了 27 个水电站,装机容量共达 450 万 kW,1955 年增至 781 万 kW,年发电量达 425 亿 kW·h。动力工业的发展带动了工业,特别是耗电工业的发展。在 50 年代,能源结构以火力发电为主,以后又建成了许多火力发电厂,到了 1969 年,年发电能力达 1 800 万 kW,火力发电占了约 70%,目前则正变为以原子能发电为主,1980 年的总发电能力达到了 3 315 万 kW,成了美国最大的电力系统。

生产的电力约有 75%分配给原子能委员会所属的军工生产部门,剩下的分配给州内的新旧农场、工厂,还输送到别的州,供电面积达 20 万 km^2。按人口平均计算的耗电量,50 年中增加了 3 倍,是别的州的 2.5 倍,而电价还不到别的州的一半。

在水土保持方面采取了许多有力措施,如田纳西河流域管理局免费供应树苗以鼓励私人植树造林,另外以低价出售当地生产的高效化肥并给予各种补贴以提高土地肥力,由该局所属的 10 个森林水文实验站对各地农场进行技术指导,在 7%的荒地上完成了植树造林工作,实行了有效的防火措施等。20 年间就使 8.9 万 hm^2 的私人土地实现了绿化。1976 年流域森林覆盖率已达 60%(6 万 km^2),森林蓄积量比 40 年前增加了 2 倍以上,树木生长量是采伐量 3 倍多,现在林业已成了本区的主要产业之一,林业职工有 6 万多人,每年产值达 27 亿美元,在此丰富的森林资源基础上,50 年代建设了美国最大的造纸厂。

在工业方面,本区原有历史悠久的两个火药工厂,后改建为肥料工厂(在马瑟肖尔斯)，该厂研制成功了肥效达70%的高效肥料，畅销全国各地。这里还设有世界最大的肥料研究机构——国家肥料中心。电力问题解决后，第二次世界大战爆发，在本区建设了大规模的炸药、合成化学、炼铝等军工厂，此外开始了远洋船的建造，并建设了原子弹工厂。除这些国防工业外，还新建了1 800个新工厂。第二产业部门的职工为1933年的4倍(约60万人)。

在农业方面新建了7 000个农场，以往农村用不起电，仅城市有电，现在农村也有了丰富的供应，目前已百分之百地实现了电气化，优质化肥也得到优惠供应，摆脱了水灾，船运又便捷，所以农业很快得到振兴，单产比1933年增加了两倍多，成了美国的一个重要农业区。

旅游业也获得了蓬勃发展。在26个水库区建设了长16 000km的湖岸，成了理想的休息场所，每年吸引的游客超过7 000万人。水库养殖业也飞跃发展，鱼类捕捞量增加了50倍，也招来了大量的钓鱼爱好者。

2.1.4 防洪体系建设

防洪是TVA的首要任务。为减小洪灾损失，TVA采取了两个方面的措施：一是防洪工程体系建设，即修建水库，TVA建设的54座水库中有27座有防洪功能，一般情况下，TVA根据各地洪水风险排序，实施统一的水库洪水调度；二是防洪非工程体系建设，即洪泛区管理等。TVA已建立了完善的水情自动测报网络，并在10多个洪水多发地区建立了自动预警系统，当洪水到达相应水位时，可在5分钟内发布洪水预警。第一种称为“让水远离人”，即减小洪水发生的概率和淹没范围；第二种称为“让人远离水”，即通过对洪泛区的管理减小洪水发生时的损失。

田纳西河流域内的主要防洪工程措施是水库和中下游零星的堤防，没有系统的堤防工程和城市防洪墙工程。TVA的防洪工程措施就是水库系统，规划时考虑了4个地区的防洪问题：①在大雨季节，查塔努加(Chattanooga)上游的支流都可做到截流，既为当地的防洪控制了水量，也减轻了查塔努加下游的防洪压力；②查塔努加上游主河道的蓄洪能力旨在对查塔努加这一重灾区的水量有所控制，其蓄洪能力虽然很有限，但因其就近的地理位置而具有很高的价值；③从查塔努加到匹克威克(Pickwick)和干流蓄洪主要是为局部的防洪而设计；④肯塔基(Kentucky)和巴克莱(Karkley)两座大坝的蓄洪任务则主要是控制俄亥俄河及密西西比河下游的洪水流量。

田纳西河的防洪重点是中游的查塔努加市，其上游有13座具有防洪能力的水库，且5条主要支流上均设有1～2座大型水库，这些水库控制了查塔努加以上流域面积的60%，水库的联合调度使查塔努加市的防洪标准达到百年一遇。

每年的1～4月是田纳西河的洪水期，尤其是3月上中旬大洪水发生的概率最高，因此从3月15日以后，干支流水库逐步提高水位，减小蓄洪能力，以满足发电、休闲等方面的要求。TVA水库运用原则保证防洪重点，不能因为局部的防洪问题而过早地蓄洪。TVA的水库系统已避免了约40亿美元的洪水损失。

夏、秋两季是田纳西河的非汛期，TVA的水库都蓄水发电，为水上休闲、旅游提供服务，并通过水位的升降控制杂草、蚊蝇生长，改善环境。

TVA与一个私营的天气预报公司签订了合同，让其提供各类天气预报，每天都能收到未来10天的预报，作为各项操作计划的参考。

TVA与其他政府机构、市、县和工业实体签订防洪协议，用来作为指导解决流量和高水位引起的问题的准则，并每年进行检查和修订。另外，一些设有应急管理机构的县与TVA签订互通情报的协议。TVA通过全国天气服务电台、电话解答系统、热线电话向公众提供洪水消息，将水库涨落情况经TVA土地管理办公室通知码头、沿岸野营地区和休闲设施。

洪泛区管理是合理使用洪泛区水土资源、减小洪水损失的综合措施，是TVA防洪的辅助手段。在TVA水库系统建成的初期，就认识到水库系统不能解决所有的防洪问题，它不能防止所有地区的水灾，只能减轻洪水的破坏程度，而对非治理段作用更小。因此，从1953年开始，TVA正式开展了洪泛区管理项目，将“让水远离人”和“让人远离水”两种防洪手段有机地结合起来。TVA洪泛区管理的主要内容是建立洪水信息管理系统，为联邦政府的洪水保险项目，各地区的政府、个人、社区、工业等提供技术支持，参与工程项目分析和审查。

2.1.5 防洪效益

田纳西河流域在开发治理过程中，始终把流域的资源视为统一的整体。经过60多年的建设和发展，兴建了60多座水坝，形成了一个庞大的人工水库体系，发展了内河航运，控制住了洪水，利用水库建成了强大的电力系统并吸引了工业向流域内集聚。同时，使流域内的土地利用合理化，建立了合理的农业结构，改善了流域的生态环境。今天的田纳西河流域，经60多年的开发治理，对美国和田纳西河流域带来的所有效益是无法估计的，在本资料中，我们只对其防洪效益作一介绍。

田纳西河流域内大小水库有效库容量总计148亿m^3，为田纳西河年平均径流量的58%，对流域及俄亥俄河、密西西比河沿岸的洪水控制都起到了很大的作用。

自从1936年诺烈斯水坝建成以来，避免的洪水损失远远超过了建坝所投资于防洪的部分。流域内的查塔努加市是最易受洪水影响的城市，也是防洪效益的集中体现者。1973年3月，田纳西河流域内一场暴雨，在不到3天的时间内，降雨量达到125～254mm，造成了一次特大洪水。据计算，如果没有一系列水库的调节，在地势低洼的查塔努加市，水位将上升7～8m，淹没包括市中心在内的大半个城市(公元1867年特大洪水时该市水位上升8.5m，全城淹没)，仅该市造成的损失就高达5亿美元左右。实际上，由于上游各水库的调节，该市水位只上升2.1m，损失约3 500万美元。在过去的50多年里，查塔努加市实际遭到的洪害损失总计仅3 900万美元，由于水库体系的防洪作用，避免了26.22亿美元的损失。自从1936年以来至90年代末期，田纳西河流域总共避免洪害损失为40多亿美元，如计及整个流域、俄亥俄河及密西西比河，估计达到2 260亿美元。

2.2 水资源开发利用

TVA成立后，致力于防洪、改善通航条件，最大限度地开发水电资源，同时注重肥料的研究生产以及新的农业生产方式的试验推广。到20世纪50年代，已在田纳西河及其支流上建设了一系列水利枢纽，已有效地控制住了洪水，在全河实现了通航，基本完成了水电开发任务。

TVA在完成大规模的建设任务、转入经营管理后，在设备的更新改造、水质改良、生态环境保护等方面开展了大量工作，如“水坝安全计划”、“水电现代化计划”、“净水计划”、“湖泊改良计划”等，使各项工程在满足多目标需求的前提下，发挥最大的整体效益，成为持续发展的动力，社会服务功能不断完善，区域经济发展充满活力，也使TVA在得到社会和公众认可的同时，不断发展、壮大了自身的经济实力，实现了良性循环。

TVA对流域的治理、开发进行了详尽的规划，1936年提出了规划报告。考虑干流上理想的坝址较少，且当时田纳西河流域为农牧区，工业很不发达，水库淹没损失较少，确定采用高坝开发方案，走航运、防洪、发电等综合开发的道路。

在国家财政的支持下和第二次世界大战军工生产对电力需求的推动下，到1944年田纳西河干流上的9个多目标水利枢纽工程全部建成，9座水库总防洪库容72亿m^3，枢纽均建有船闸，使1 000km河道可常年保持3m以上的水深，满足了航运要求。到1958年，多数支流上有调节能力的水库也基本建成，同时发电能力也得到了较大提高，至1936年，规划报告提出的建议和目标基本实现。廉价的电力和航运（航运和工农业取水是不收费的，航运的主要货物是煤炭），仅1995年一年，航运比陆运就节约4亿多美元，促进了流域农业、工矿业的发展，居民生活水平得到迅速提高。

随着对电力需求的增长，水力发电已不能满足要求，因此，从50年代TVA开始大规模建设大型火电站。1959年肯尼迪总统决定联邦政府不再给TVA建设资金，并要求用售电收入逐步偿还原来联邦政府的投资，但允许TVA发行债券筹集建设资金，同时作为允许自筹资金的交换条件，国会限定了TVA和它的电力销售商不得超出1957年的供电范围。虽然TVA债券不属于联邦政府债券，但是其政府的信誉及制定的"电力债券决议（含优先偿还私人贷款条款）"，使TVA可以筹集到低利率的投资。从1966年开始TVA又大规模发展大型核电站。目前，TVA管理的水坝54座，水力发电厂30座，水电站11座，核电站3座，燃气、燃油电站48座，总计装机容量3 193万kW。TVA电力系统最大负荷约2 600万kW，1996年发电量达1 600亿kW·h，其中火电发电量占70%，水电占16%，核电占14%。TVA已成为北美最大的电力生产商。由于TVA不以盈利为目的，所以其电价一直低于美国平均电价，这使TVA的供电范围达20万km^2，超出田纳西河流域面积的1倍以上。

流域水资源的充分开发和有效利用，极大地促进了流域农业、工业、航运、水土保持、植树造林、旅游、养鱼等方面的快速发展，使流域基本实现了综合开发。目前，流域人均收入已接近全美平均水平，森林覆盖率很高，环境优美。

可以说，TVA模式振兴了田纳西河流域的社会和经济发展。今天，全盘照搬TVA模式可能是不现实的，但其经验却可以学习和借鉴。

2.3 流域生态情况

随着田纳西河流域经济的飞速发展，尽管TVA也采取了一系列措施，流域生态环境仍受到较大影响，促使政府制定一系列控制环境恶化的政策法规。

2.3.1 水质控制

在1933年以前，城市和工业都没有顾及到把它们未处理的废弃物排进水体的后果。大部分未处理的污水和废弃物是直接排进河流的，相当长的河段作为废弃物排放区而不适于别的利用。严重的土壤侵蚀把大量的淤泥和沉积物冲进了河流，加之农业的污染，使得水质下降，家庭和工业不能使用。当时也没有任何州或联邦机构制定过有关限制对水体污染的法律。

在20世纪30年代后期和40年代初，联邦公共健康服务机构、各州有关机构和TVA开始对水体污染进行了调查和研究。但其研究的范围很小，仅有很小比例的家庭污水在排进河流之前进行了处理。在1940年，流域内仅有60.6万人的住所区有排水沟系统，在60.6万人中仅有1/3生活在有废弃物处理系统的区域。被排进河流的废弃物大约相当于50万人口所产生的污染物。流域内250个主要工厂中仅有47家对减少污染作过一定的努力。估计流域内工业对河流的污染，按有机负荷计，相当于由130万人口所产生的污染物。

随着各种研究的完成和第二次世界大战的结束，流域各州开始采取各种有益措施，以便保护流域水资源。1945年，田纳西州制定了第一部专门的河流污染控制的法律，在1946～1975年期间，其他6个州也相继通过了专门的法律。40年代后期，在对老的污水处理厂进行升级的同时，又建了许多新的处理厂。但是，这些处理设施的改善并不能跟上在二次世界大战期间和之后时间里经济迅猛发展所产生的污物增加的步伐。因此，从1941～1951年，尽管进行了控制，排进河流的有机污染物还是上升了35%。

由于各州和联邦机构的努力，在50年代，田纳西河流域市政污物处理厂的数量有了显著增多，处理水平有了明显的提高。在1950年，流域内有68个城市有了污物处理厂，到1960年上升到了102个，且原来68个城市中有17个对原有的处理厂进行了改善。后来，在流域内新建的工厂，都依据各州制定的河流污染控制法律，对它们的污水作了较为满意的处理。

1969年，TVA继续从事有关流域河流出现的严重水质问题和污染物产生问题的研究。1969年，除了某些区域还存在有严重的污染外，从总体看，流域的河流清洁化了。在枯水期间，河流和水库的63个区段需进行水质改善，这些区段总计约1 600km，占流域河流总长度的30%。这些区段主要的水质问题是溶解氧低，这是由水库低层缺氧水的排放引起的。

1969年，水质问题最大的影响是对温水鱼的繁殖(再生产和生长)，这种情况发生在41条溪流段，约930km长。水质问题的第二个影响是供水，有38条溪流段约840km长的水质影响到了沿岸的工农业和生活用水。另外旅游业在16条溪流段约365km也受到了影响，冷水鱼在10条溪流段约117km受到了影响。

1969以后，各州和联邦机构一直在致力改善水质问题。各州机构在流域水污染清洁化方面取得了进展。1978年，按清洁度排序，田纳西河在美国本土的25条大河中位居第10位。各种污染物指标的清洁度排序情况是：磷污染居于第3位，粪便污染居第4位，浑浊度居第6位，溶解固体居第6位，氮污染居第12位，田纳西河的缺氧问题严重，溶解氧含量位居第23位。

尽管田纳西河与美国其他大河相比，清洁度较好，但也有严重的污染问题存在。1980年的研究结果表明，该流域的河流有10处属于"危急的"问题、8处"严重的"问题和大量的"局部性的"问题。有17座水库释放的水对下游产生了不利的影响。

清洁化活动首先在某些于1980年鉴定有危急问题的区域进行。到1983年底，仅有一个区域经治理达到了局部性问题的水平。多年来，由于位于田纳西州金斯敦附近的赫莱斯顿河受到了废弃物的严重污染，在过去的10～15年中，为了使赫莱斯顿河的污染不至于达到危急的程度，从而制定了严格的排污标准。

2.3.1.1 河流水质控制

河流的基本污染源有两个：①工业和城市向河流直接排放污染物；②因降雨造成通过都市区、农田以及建筑场地和采矿区等的地表径流带来的污染物。大量的有机物吸收了水中的氧，严重地降低了河水中溶解氧的含量。植物营养物促进了水藻和有机植物在水中的生长；有毒物影响了水生物和鱼类的存在，影响了工农业及生活用水；沉积物能扼杀有机生物，使河道和水库发生淤积。

(1)危急的问题。80年代初，流域内有10个危急性的问题。其中的3个与已经停业运营数年的工厂残存物有直接关系；1个是由家庭、工业排泄物和城市径流引起；1个主要与城市径流有关；两个与工业排放和采矿区径流有关；两个与来自废弃的和正在开采的矿区径流有关；最后1个与长久堆放的工业废弃物有关。

(2)严重的和局部性的水质问题。几乎所有的严重水质问题和局部性水质问题都由来自市政污水和工业废弃物或城市和农田径流的污染物所致。与市政和工业废弃物有关的污染问题通常出现在废弃物未被完全处理、河流枯水季节时排放污物的时候或污染物被排放在与饮水源有关的地方。根据污染源的大小、污水系统的类型、地形、土壤类型和地方农业实践状况的不同,地表径流既能产生严重的水质问题,也可能形成局部性水质问题。

2.3.1.2 水库水质控制

拦蓄河水形成的水库改变了河水的质量,这种改变尽管从总体上说是有益的,所带来的效益是巨大的,但也有不利的方面,产生了某些方面的水质问题。当水库底层的冷水被释放的时候,下游的水温发生了改变,有时以致影响了温水水生物。在水库出现热水层期间,底层水中溶解氧的含量减少,当这种低氧水被释放后,将会使下游水中含氧浓度降低,以致对鱼类的生息产生了不利的影响。低氧水也降低了河流对污染物的降解能力。

TVA为提高水质,除合理地运营水库外,还采取了若干技术措施,给水轮机安装通气管和空气压入器等以提高或释放水中的氧含量。由于不同的水库,情况不同,TVA对它们也采取了若干不同的技术措施。

2.3.1.3 地下水污染控制

某些水质问题在地区和全国都具有普遍性。在未来,也许最严重的是地下水的污染问题,尤其是由于不适当地堆放有害废弃物引起的污染。1930年以前,流域居民开挖泉水和打井并没有涉及到地下水质的变化或引起变化的可能性问题。20世纪30年代,居民仅在家院周围安置了粪池和污水区。随着流域工业化程度的提高和生活水平的改善,大量的家庭废弃物开始随意堆放,出现了大量的固体废弃物。直到70年代初,在这些废弃物堆放的露天焚烧垃圾场周围,鼠类活动频繁,有时污染到了地下水。在70年代,进行了必要的改善,普遍采用卫生场所堆放废弃物,但效果还不是很明显。当时,工业废弃物的堆放还没有受到重视,例如孟菲斯赫里坞德堆放场,有害的工业废弃物堆放长达数年之久。到80年代中期,上述污染是否能被有效地制止的试验还在进行中。在查塔努加市区南部打井已使地下水受到了污染,致使这一带的地下水有可能出现不能利用的局面。

密西西比州东北部的地下水资源,虽未被污染,但水量在迅速减少,水位在下降，地下水的补给源是地表水，如果密西西比州的图帕罗继续以现在的速率利用地下水的话，到2000年，由于地表水的补给不够迅速，这里将会出现严重的地下水短缺。在密西西比州的考林森地区，地下水位也在下降。

同时，在流域的某些地区，地表水也不是总能满足需要，在干旱季节，上流域地区经常存在有地表水源不足的现象。1981年，田纳西州临近查塔努加的茅伯兰的居民，由于其水库干枯，不得不到别处去拉水。茅伯兰高原地表水资源的不足已经妨碍了那里的工业发展。

整个流域约有一半居民，包括98%的乡村人口，以地下水为水源。与地表水相对比，由于地下水水质好，开采费用低，工业和家庭对地下水的开采量还在上升。流域的水文地质情况极其复杂，无法较为精确地估计出流域内地下水资源的多少，这限制了联邦机构、各州和地方政府对地下水资源的管理，增加了对地下水污染和滥用的潜在危险。

20世纪70年代，为保护地下水和地表水资源，管理废弃物，联邦通过了几项法律，有清洁水法、联邦水污染控制法、资源保护和恢复法。各州有关地下水的政策和法律，到80年代初才开始建立和执行，当时还没有建立国家地下水政策。为此，为了保护地下水资源，环境保护机构试图制定一种政策，以便在制定规划和执行规划方面引导各州，然而环境保护机构的政策受到了预算费用的制约。

地下水流动缓慢，补给源有限，显得非常脆弱，一旦被污染，要使其得到恢复，需用几十年甚至几百年的时间。而且，污染场所的净化费用昂贵。由于这些原因，未来的地下水管理活动应集中于保护清洁的地下水源而不是净化已污染了的地下水源。

2.3.2 固体废弃物的管理

先进的固体废弃物管理技术和对已有的有效技术进行改进在20世纪一直很受重视，但问题的出现要比解决问题的速度快得多。

在第二次世界大战以前，田纳西河流域同全国大部分地区一样，是以农业为主的地区，城市不仅数量少，且规模也不大，互相孤立。每个城市排出的废弃物数量很少，农民排出的废弃物大部分又得到了重新利用，剩余的食品用于喂养狗和猪之类的家畜。不能重新使用的废弃物时常是被单独埋掉或烧毁。每个城市有单独的垃圾堆放场，到一定时间就会自燃或人为烧掉，处理起来也很容易。

第二次世界大战期间，流域开始工业化，随着战争对流域影响程度的上升，人口开始从农场向城市转移，生产的产品从谷物向化学品转变。战后，居民的生活水平有了迅速的提高，随着消费者对货物需求的增多，美国的工业规模更加庞大，人均产生的废弃物数量也有了显著的上升。各种在过去可重复使用的物品不愿再重新使用。战时用化学原料代替自然原料技术的突破以及人们对新产品的需求，促进了人造物品的生产。在美国，化学工业得到了很大的发展，从而产生了大量新的外来废弃物。这些新的废弃物对地表水和地下水具有潜在的污染可能性。

随着固体有害废弃物问题的明显化和尖锐化，新的对付方法也得到了发展，分离的小型堆放场开始减少，私人和市政府机构把废弃物收集起来，运到市政和私人堆放区，采用小型焚化炉进行销毁，但其效率太低，大量的有害废弃物仍被埋掉或堆进池内。

60 年代后期，流域有几个州通过了法律，要求各地为堆放市政垃圾而建立卫生区。一些有条件的地方政府进行了这方面的工作，对于没有条件的地方，TVA 帮助它们进行建设。固体废弃物管理活动还一直在扩大，某些常规的废弃物堆放方法仍需要改进。在田纳西州境内，环境保护机构、美国公共健康服务机构、TVA 与州和地方政府一起合作，进行固体废弃物管理方面的示范，主要示范工程包括：约翰逊城的混合肥料厂，萨姆纳县的从废弃物回收能源设备，哈姆尔顿县的示范堆放区。在亚拉巴马州的弗洛伦斯附近，污水淤泥被用于育肥农田。

废弃物组成类型多样，最普通的有瓶子、盖子、箱子、纸和食物废料。近年来最引人注目的是有害的化学副产品，这种类型的废弃物如果处理不当，会对人体健康产生可怕的危害。另一种主要废弃物主要是污水淤泥，1980 年，流域内产生的市政污水淤泥估计有 8 500 万 t，尤其是在大城市地区污水淤泥的量特别大。

废弃物的来源也不一致，市政废弃物总量中，约有 40% 是来源于居民家庭，有 33% 来源于工业。工业废弃物危害性大，因此时常是被认作特殊的问题。采矿和农业每年也产生大量的废弃物，这些废弃物有时也被堆放入市政废弃物系统，其所造成的污染问题也很特殊。

废弃物的安置也有不同的方法。日常废弃物多数被堆放起来，可被焚烧、加工成燃料、混合肥料或被回收制成铝、纸和玻璃等。处理和堆放有害的固体废弃物的方法包括堆积、焚烧、中和、混合、土地处理、深井填埋和废弃物转化等。

2.3.2.1 市政废弃物的管理

在田纳西河流域，每天产生的固体废弃物大约有 2.3 万 t。地方政府负责废弃物的管理，包括鉴定、收集、运输、加工、转变和安置等各个方面。有些地方政府把废弃物管理作为税收的第二或第三大来源，而大多数地方政府还缺乏必要的固体废弃物管理方面的知识。合理的废弃物管理不是一系列毫无联系的活动，而是一个整体。不同类型的废弃物有不同的收集方法，运输和废弃物安置之间的联系也很密切。

流域地区有 176 个县(88%)，地方政府已经在管理固体废弃物方面起着某些作用，有 25 个县还没有行动起来，每天约有 7 000t 的固体废弃物没有被合理收集和堆放，而是沿着高速公路和违禁地乱扔乱堆。未进行管理的废弃物堆积量的增加对公众健康是有害的，它们污染了空气、水和土地资源，危害到了家畜和野生动物。

1983 年，已有 124 个县开展了废弃物管理方面的工作，它们几乎处理了所有工业、商业和日常的废弃物，管辖区域的居民家庭废弃物处理量仅达一半。

2.3.2.2 有害废弃物的管理

过去的有害废弃物堆放场，由于忽视了它的潜在影响，又缺少法律约束，到了 80 年代初，发现其具有危害性。几乎所有的制造业，如服装、鞋、家具、汽车、药物、塑料、食品、石油和天然气、化妆品、电子器件和油漆等，都能产生有害的废弃物，但这些工业企业对流域的经济来说又是必不可少的。流域中的有害废弃物必须得到控制，各州和环境保护机构正致力于评价这些问题，并寻找既能保护公众健康，又能维持经济稳定发展的方法。

一些处理和安置设备已在工厂中制造出来了，但在 80 年代初，仅有 6 台设备处于商业性的运营中，但是这些设备的规模太小，所能处理的废弃物类型也有限。流域的处理和安置设备不能满足需要，应用于有害废弃物安置、堆积的最一般的技术也存在着问题，这些问题包括对地下水、空气和地表水有潜在的长期性污染。环境保护机构、TVA 和各州积极努力，通过建立法律、开发各种新技术，致力于废弃物的处理。

1982 年 12 月 20 日，环境保护机构宣布了全美国 418 个最严重的有害废弃物场所的排序表,其中有10个位于田纳西河流域。环境保护机构和各州机构已对流域内的某些场所进行了净化,对另一些场所的研究和净化工作也在进行中。

今后,随着城市人口的增多和集中,人均产生的诸如纸和塑料之类的废弃物会增多。1980年流域产生的固体废弃物达850万t,如果未来流域内的年人均废弃物仍与1980年相同,那么,到1990年,每天需要处理的废弃物大约有2.60万t。

进一步设立废弃物堆放场所存在困难,许多适合于堆放固体废弃物的土地被用于诸如农业之类的活动。并且,新设立废弃物堆放场所还会受到临近地区土地所有者和居民的强烈反对。

在流域里,地方一级的固体废弃物管理企业严重缺乏,地方管理者被已经存在的问题搞得焦头烂额,无暇顾及新的处理技术和改善方法。对地方固体废弃物管理者的教育和技术援助应当致力于改善现在的收集和安置经营方法,提高投资有效性,鼓励开发更新的技术。随着认识的提高,地方固体废弃物管理者应当顾及长远的目标和新技术的效益。

固体废弃物管理问题将会变得更为复杂。随着来自居民和工业固体废弃物安置需求的进一步增加,污水淤泥量的不断增多,加上由建筑、农业和采矿活动所产生的废弃物的需求,许多有关的问题正在迅速出现,寻找解决方法的研究必须加快步伐。

2.3.3 露天采矿区土地的恢复

第二次世界大战后,随着对煤炭需求量的日益高涨和大型搬迁土体机械设备的发展,田纳西河流域内的露天采煤有了大规模的发展。当时,无任何法律约束,恢复工作基本没有开展。

露天采煤对该地区土地有显著影响。矿工顺着煤层,呈若干长条带状沿着山坡搬迁土体,在某些区域,他们几乎是剥离整个山头。受扰乱的区域,地形破碎,陡坡、峭壁丛生,土体酸化程度较高。若靠自然过程恢复,需数十年的时间。

恢复矿区土地的工作于1945年开始,当时州森林管理机构、TVA和一个煤炭公司一起合作,在弗吉尼亚州西南部通过种植树木,进行了示范性的煤矿区土地恢复。在50年代和60年代,流域各州和TVA鼓励对采矿后的土地进行自发性的恢复。TVA为土地所有者和煤矿公司免费提供树苗,进行恢复技术援助。在以后的20年内,仅有约810万m^2的矿区土地种上了树苗,有8 100万m^2的区域仍在遭受侵蚀,淤积河流。

为了减少采矿对土壤和水资源的影响,流域需要建立强有力的法律。1966年,弗吉尼亚州通过了类似的法律。到1970年,流域大部分产煤州都通过了促进恢复露天采煤区土地的法律,但从总体上来说,法律还很弱,不具有严厉的约束力。在各州,促使恢复露天采矿区的法律正在起草和通过的同时,TVA采取了措施,以保护为其提供煤炭的露天采煤区的土地 ,从1965年开始,TVA要求它的长期煤炭供应者减小对采煤区土地和水资源的影响,并定期检查以保证恢复工作的贯彻执行。

到1970年,全国大部分州都建立了露天采矿法律,但其约束力还比较弱,且不稳定,也没有颁布统一的联邦法案。1972年7月,在田纳西州的坎贝尔县开始了全国第一个大规模的陡坡采矿区外形恢复示范。其目的在于确定这种技术的费用,帮助消除关于这方面技术的不确知性。这个示范对国会通过联邦性的法案是有某些方面的启示和帮助的,1977年8月3日发布的《露天采矿和恢复法规》授权美国内务部成立露天采矿局(OSM),以促进和监督采煤区地表土地的恢复。在该法规之下,流域各州分别于1980年、1981年和1982年开始履行自己的职责。从此,各州也加强了恢复废弃区域的努力。如1983年,该地区内已有2 926.125万m^2废弃地列入了复垦的日程表。

第一批恢复孤立分散废煤矿区的工程开始于60年代初。1963年,在流域的两个州有4项恢复工程在同时进行,1971年和1972年,在田纳西州的马岗县进行了两个带有美化土地性质的恢复示范。1974年,田纳西州范布伦县皮尼溪流域的水质问题得到了改善。1976～1980年,TVA、各州机构与地方性土壤和水保护组织一起恢复了亚拉巴马州、田纳西州和弗吉尼亚州的38个县境内的废弃矿区土地,合计有70.6km^2。当然,上述的努力相对于整个流域来说,仅具有示范性,流域内仍有243km^2的孤立分散废弃矿区尚未进行恢复。

非煤炭矿物的露天开采也扰乱了流域的土地,对水体产生了不利的影响。非煤矿区土地的恢复十分复杂,因为联邦和大多数的法律没有涉及到这个问题。

恢复废弃非煤矿区土地的工作还一直在进行。1982～1983年进行的一个调查表明，北卡罗来纳州境内有约 6.1km^2 的废弃矿区，它产生于北卡罗来纳州的《采矿及恢复法规》被通过的 1971 年以前。6.1km^2 中，有 1.95km^2 经自然作用，在一定程度上已得到了恢复；1.5km^2 是正在开采的矿区，由采矿公司进行恢复；TVA 恢复了 0.82km^2；剩余的 1.63km^2 还在恢复中。

2.3.4 大气质量控制

进入 20 世纪 40 年代，TVA 开始在流域发展烧煤火电厂，尤其是 50 年代和 60 年代初是火电厂建设的鼎盛时期。随着 TVA 火电容量的增加，流域地区大气污染问题逐渐变得严重起来。60 年代中期，流域各州开始研究和控制地方性的大气污染问题，60 年代后期，通过了大气质量法规，各个州都成立了大气污染保护机构，田纳西州和亚拉巴马州在主要的都市区还成立了地方性的保护机构。

TVA 是流域大气污染物的最大排放者，大气保护机构要求 TVA 依照州大气污染控制规定提交规划，但 TVA 仅就颗粒物的排放同意满足各州规定的排放界限，而对于二氧化硫则比较勉强，TVA 认为二氧化硫的排放规定太严厉，提出改善周围大气质量可采取间歇控制的方针。尽管这种排放方针不能减少排入大气的总污染量，但它防止了周围高污染物浓度的出现。TVA 在一些火电厂加高烟囱，以使排放的污染物进入高层大气中，扩散到远处，减小对电厂临近区域的污染。TVA 应用计算机来预测何时排放有利于污染物的扩散，个别电厂周围何时出现不利于污染物扩散的气象条件等，以安排好它排放污染物的合适时间。TVA 曾在威杜斯克里克电厂进行过石灰湿法洗涤示范，但由于洗涤技术落后和费用太高，且在当时不能达到州规定的排放标准而未能成功。尽管环境保护机构对间歇排放污染物的方法不满意，TVA 还是一直持续到 1976 年。当时联邦最高法院提出清洁大气法规应当被解释为连续的控制，而不是间歇控制。

之后，TVA 被迫按照由清洁大气法规授权的州排放标准进行污染物控制。TVA 也采取了积极行动，以争取各州放宽其排放界限。当时 TVA 也认识到它不得不按规定的标准排放污染物，但实际上，它还是与法律机构有争执，排放超过了规定的标准。环境保护机构和各州向法院对 TVA 提出了起诉，在 1979 年和 1980 年，TVA 在新的董事会领导下，接受了判决，同意 TVA 所有火电厂按照连续排放规定排放污染物。TVA 立即开始对其火电厂进行了相对较快而简单的净化修改，用低硫煤代替高硫煤，限制某些高排放量的产生，更慎重地安装了控制设备。到1979年，12座火电厂中有7座已符合各州排放规定。TVA也同样给另5座火电厂安装了新的污染控制设备，诸如洗涤器、过滤器和静电除尘器以减少烟囱气体中的二氧化硫和颗粒物。发展洗煤厂，通过对含硫煤的洗选，减少其中的硫含量。到1983年底，12座火电厂到的二氧化硫排放量都达到了规定的标准，并使整个流域的二氧化硫总排放量减少了近一半。

田纳西河流域降水中的pH值平均数为4.3，其酸性是理论纯洁降雨的25倍，这与在美国东部和加拿大发现的情况相类似。

当河流、湖泊中的水酸性太强时，生息在它们中间的鱼和生物体就开始死亡。流域鱼类的死亡与河流和湖水较低的pH值有关，而pH值低又同酸雨和春季的大量融雪水有联系。流域中一些鱼的死亡归因于酸雨。在有些地区，土壤的成分也对湖泊和河流的pH值有影响。到1983年为止，流域地区酸雨对作物、植物和陆地动物危害的程度还不清楚。

解决酸雨问题，困难很大，且费用昂贵。它不像有些污染问题仅限于流域或更小的区域。大气污染不易被控制——它变成了一个全国性的和国际性的问题。在深入研究酸雨的同时，要利用已有的知识，对酸雨采取某些措施进行控制，以减小其对脆弱的和敏感的水生生态系统和陆生生态系统的毁坏。

TVA认识到了酸雨是一个全国性的问题，也认识到了燃烧煤炭释放出的二氧化硫和氮氧化物促进了酸雨的形成。作为全国性努力的一部分，TVA急需进一步减小其排放量。

2.3.5 野生动物及栖息地保护

到40年代，农田区的面积变大了，各农田区边缘的杂草和灌丛被消除掉了，使得农田野生动物栖息地发生了变化，从而引起农田野生动物的减少。当鹌鹑数量开始下降时，对于某些野生动物，农田作为栖息地的重要性第一次被认识到。为了制止农田野生动物减少的趋势，各州机构试图限制狩猎，并进行了一些早期的管理。但栖息地的减少未能被制止，农田野生动物数量继续在下降。后来，各州机构又企图改善私人土地上的栖息条件，从1949年开始，向农民提供了多花蔷薇科植物，以改善农田区栖息地。在3年中，共提供了数百万株这类植物。同时，TVA划出若干库滨土地，供各州、各联邦机构作为野生动物避难所和野生动物管理区。

随着森林的改善和其他管理保护野生动物栖息地措施的实施，出没在林中的鹿的数量增多了，到1981年，流域内鹿的数量已达390万只，现在还在增多。在鹿的数量恢复的同时，由于限制狩猎季节，进行了养殖活动，野火鸡的数量也增多了，木鸭数量的增多是由于安置窝巢盒子和改善伐木措施等所致。

30年代初，湿地野生动物——鸭、鹅、潜水鸟、鱼鹰、鹰以及软毛兽，在流域数量很少，有些种类实际上已不存在了。河流被拦蓄后，大量的原始湿地消失了，水库新产生的湿地又随水库水位的升降而有波动。野生动物机构建立了若干避难所，并采取了吸引野生动物的措施，在库滨蓄洪的土地上种植水鸟食物种子和其他食料，以此来吸引水鸟的生息。

在各有关方面的共同努力下，流域野生动物的保护工作得到了持续的发展。狩猎和钓鱼爱好者，通过各种特许费和设备使用费等途径为野生动物保护提供了资金，他们也积极地支持对野生动物栖息地进行改善和保护。同时，人们对野生动物的兴趣也较为浓厚。

自1970年以来，在联邦水污染控制法规、受威胁的生物种类法规和清洁水法规等的影响和促进下，流域加强了对湿地，关键是对鸭子、鹅和水獭的管理和保护。

2.3.6 鱼类保护

水库的建设对流域的鱼类产生了深刻的影响。1934年以前，流域地区的水面面积达469.8km^2，当时对某些鱼类构成威胁的是流动的水。在流域开发初期，许多人怀疑鱼类能否适应变化巨大的新水域甚至有人预言，水库体系的建成将会使田纳西河变成生态的沙漠。

水库体系的建成使得鱼种类发生了深刻的变化。由于河流栖息地的改变和大坝拦阻了鱼类洄游产卵，白鲟、鲟、鲤科小鱼和鲈科小鱼的数量减少了。靠流动水生活的鲜水淡菜数量降低了。而鲈鱼、太阳鱼、鲶鱼以及具有商业价值的淡菜的数量随着水面的扩大而上升了，1983年，水面达到了3 604.5km^2。

渔业研究和管理在水库体系建设初期就已开始。在水库体系建成且水位稳定后的头几年，鱼类的数量随营养物含量的减少而出现了突然的暴涨。产量超过了娱乐和商业性捕捞量，且一直持续到60年代。

到80年代初，渔业经营管理者在流域的许多河流和溪水中养殖了各种鱼类,并正在进行清查、栖息地改善和修改便于开发资源的钓鱼法律。流域内的水库、河流和池塘都供养殖使用,其数量超过2.3亿个,其中有一半用于培养捕食物(如丝鳍和河鲱),作为鱼的食料,食料的30%被作为商品来出售,用于钓鱼活动。每年估计有120万钓鱼者在1 530万个鱼池中钓鱼。鲈鱼、鲶鱼、兰鳃、白鲈鱼、太阳鱼、暴突鱼、红鳟和带状鲈鱼等是被钓的主要对象。多数的商业性捕鱼区分布于干流水库、弗兰奇布朗德河上的道格拉斯水库以及肯塔基水库的尾水区域。

迄今为止,流域的渔业发展是稳妥而合理的,流域内生息有223种本地鱼种和次生鱼种、10种外来鱼种。通过深入细致的管理,鱼的生产能力也得到了改善;通过改良品种,规范化捕捞,避免过度捕捞和污染影响,某些优良鱼类的产量得到提高。流域内几乎所有的水域都可供旅游者钓鱼。

2.4 田纳西河流域蓬勃发展的旅游业

位于田纳西河流域诸州的TVA湖群水面面积达2 590km^2,湖岸线长17 699km。最初,TVA水库体系被设计用于航运、防洪、发电和恢复森林等目的,而旅游的兴起则是后来的事,旅游的出现使得水库体系的效用更加充分,成为流域资源开发的一个重要方面。

TVA水库旅游资源丰富,旅游活动包括野餐、划船、钓鱼、游泳、野营、徒步旅行、景色研究、风景拍照和狩猎等,供进行这些活动的设施分别由国家、各州和地方进行管理。在旅游设施中,也有许多私人投资经营的商业性船坞和休息地。另外,在田纳西河流域还有数十平方公里未开发的土地可作为娱乐用地。TVA要求从事旅游经营要十分注意安全和对资源的保护。

2.4.1 旅游场所

2.4.1.1 公园

各州政府和地方机构得到TVA的许可后,在数十平方公里的滨湖岸区的土地上建设了许多公共娱乐区域,公园是其中最主要的部分。流域内有18个州立公园,其中有3个位于亚拉巴马州,2个分布于肯塔基州,1个在密西西比州,田纳西州境内最多,有12个。大部分州立公园都设有度假设施。

此外,各县和各市政机构在TVA湖滨有90个公园,这些公园中大部分备有划船、野餐、游泳和野营等娱乐设施。

2.4.1.2 通道小径、野营地

在17 699km的库岸线周围散布有许多通道小径,通过这些小径把各游

览区域连为一体,在通往较大的旅游区处都设有标志。在小径上可以徒步行走,缓步游览,有的小径还可以骑马。小径的两侧景色别致,设有休息场所。

田纳西河流域的野营地很多,各种类型应有尽有,有团体野营地,也有家庭野营区域,游人可视情况进行选择。

2.4.1.3 小自然风景区

位于美国东部的几个自然风景区,不论是大的还是小的,其许多背景和自然面貌极为相似,都含有瀑布、深谷、优美的风景、未开发的森林区以及其他不同寻常的植被或自然景色等。TVA 设立小自然风景区也具有上述特色,TVA 设立小自然风景区的目的是为了保护具有科学价值的自然风景,以供公众利用和娱乐。

此外,在肯塔基和巴克莱两水库之间有一块长 64km、宽 13km 的"湖间地"旅游区,这里是娱乐、休养、野生动物保护和"环境教育"的中心。

在田纳西河流域,还有专门为老人和盲人等提供服务的娱乐设施。

2.4.2 旅游活动

2.4.2.1 划船及水流景观

在 TVA 水库里划船是极为流行的娱乐活动。游人在划船时,通过观看像历史农场这样的被保护景物,可以了解 19 世纪时这一地区的农村生活。自然林地中心反映了自然资源的面貌,每年 3~11 月开放。金鱼池(Golden Pond)参观者中心的多功能剧场呈现出多样化的图像,每年从元月中旬至 12 月中旬,除每周的星期二外均开放。

流域诸州对照联邦政府 1971 年的划船法规,对船只数作了注册,并通过了有关的安全法律,以保证对船只的管理。

在 TVA 湖上,大约有 300 个船坞和休养地。速划船赛、赛船会和其他有组织的地方、地区和国家级船赛每年都在这里举行。

在 TVA 各水坝的溢洪口、船道、发电站水道等有时会出现特殊的水流景观,为使这些景致供游人充分观赏,TVA 还专门设立了水上安全设施。

2.4.2.2 钓鱼和狩猎

在 TVA 水库,全年皆可钓鱼,最好的季节是春季和晚秋。钓鱼和狩猎器具在每个州都有,可在船坞处买到。在 TVA 水库能钓到的鱼种有大嘴鱼、小嘴鱼、花点白鲈鱼、眼珠暴突鱼、翻车鱼和条纹鲈鱼等。红鳟鱼分布于几个较深的支流湖里和一些大坝的下面。TVA 和流域各州已有 21 个水库设置了鱼吸引器。

TVA已经划出 777km^2 的土地和水域供各州机构、联邦政府渔业和野生动物服务机构用做野生动物管理区域或避难所。为了恢复在生态方面具有重要价值的生物种类,改善本地的和移居的野生动物的生息场所,TVA与各种机构、私营组织和个人合作,正在整个流域内采取各种措施,对各种示范管理工具和技术进行实践运用,并提高人们有关野生动物资源价值的认识。流域内可供游人狩猎的场所很多,但所有的狩猎活动都必须遵守联邦和各州的法律和规定。

湖间地是一项正继续发展和示范的工程,设有许多特殊职能区域,诸如机动车停放区、骑马区、射箭区、环境教育区等。

2.4.3 旅游业的开发措施及发展方向

从一开始,TVA就鼓励在田纳西河流域发展各种类型的户外娱乐设施和场所,尤其是在TVA水库和湖滨地带。为了不给流域居民带来不利的影响,TVA制定了各种旅游政策,以促进、支持和补充各机构和私人组织有关旅游业的活动。

概括地讲,TVA制定的政策是鉴定整个流域(尤其是TVA水库区)可供利用的旅游资源,鼓励其他公有机构和私人投资者开发,在开发地区,如需要,TVA就给它们提供技术帮助。同时,TVA也为水库安全提供设备,防止滥用库滨土地。

TVA已划出大片的水库沿岸土地,用于建设野生动物管理和狩猎区、野生动物保护区和鸭子、鹅的饲养区。这些区域由各州娱乐和渔业机构、国家渔业和野生动物服务机构管理。库滨有 405km^2 以上的土地已被转交给国家公园服务机构和美国森林服务机构,作为自然森林地而进行管理。

从1969年以来,TVA一直在从事旅游基本设施的改善,诸如野餐设备、船池、通道以及沿库滨地区的卫生设备。到1978年,这些库滨设备的使用已经大大地增加了,设备管理成为TVA董事会亟待解决的问题,新政策急需制定。1978年,TVA开始执行新的政策。为了使田纳西河流域独一无二的优势条件得到重视,在流域内召开了一系列会议,广泛征求流域各方面领导人和居民的意见,根据这些意见,制定了适用于水库设备的专门管理计划。

新的政策基本上维持了TVA长期稳定的旅游目的——为流域居民和到流域来的参观者提供好的户外旅游条件,鼓励各州和地方政府机构在可行的地方发展公园和其他旅游娱乐设施，支持在流域内兴建和发展私人娱乐场所。

通过规划和技术援助，TVA对所有类型的公园、娱乐项目以及水库设备的发展进行了指导，也为各机构和私人提供有关地区资源开发和旅游使用方面的资料和情报，便于这些机构分析旅游业的发展状况。

TVA在支持其他机构发展旅游业方面，最有效的方法之一是对于将它所拥有的库滨地带的所有权转让给联邦、各州和地方政府机构，以发展公园和公共通道。土地被出租或出售给私有企业和各有关组织，用于发展团体野营地等。另外，在水库土地上进行的各种活动，TVA还一直提供广泛的技术援助，以帮助它们改善所拥有的旅游设施。

旅游作为一种经济活动，其价值观念已在人们的心中建立起来了，各州都成立了旅游促进组织，进行协调和宣传。流域内许多城市、县及其他组织都有自己的旅游服务部门。旅游资源开发方面的投资也被视作一种有效的工业投资。

旅游的人数和活动项目在迅速地增加，划船、徒步行走欣赏自然景色等活动非常普遍，伴随这些变化，保护措施也得到了重视。田纳西河首先采取了法律形式，保护已用于旅游的溪流和通道小径，设立了一个特别机构——户外旅游调查局来完成较为紧迫的任务。在此期间，TVA也完成了一项研究，推荐把东田纳西州的奥百德河包含在国家自然风景河流系统之内。在田纳西州中部的布法罗河，类似的研究在70年代初还在进行中。田纳西州立机构、美国森林服务机构和TVA对田纳西东南部的赫瓦斯河作了调查，并建议将其一部分归入田纳西自然风景河流系统。

城市居民要求在城市附近开辟各种娱乐活动设施，位于亚拉巴马州德卡图的波因特玛兰德公园就是为满足这些要求而建立的。德卡图县利用从TVA获得的土地，投入相当的资金，为居民建设娱乐场所，这是一种可取的新方法。在惠勒水库库滨，建设了多功能游泳区，配备有各种奥林匹克竞赛设备。在城市娱乐中心，还有自然形成的高尔夫球场以及野营设备等。

TVA的基本政策是各阶段发展方法的缩影，展示出政府资金怎样用于开发多目标水库的旅游潜能，TVA在分析来自TVA水库的旅游效益方面，紧密地结合流域居民，从给他们带来益处的角度来衡量旅游业的效益。在TVA水库，有些娱乐设施的开发和经营归于其他公共机构和私人，在这种情况下，TVA也为他们提供了设备、土地以及技术援助。

TVA政策的正确性从以下几个方面得到了反映：在流域内存在有原始的旅游基础，优美的自然风景就是其中之一。人工的水资源开发工程使这里的水质变得清洁了，鱼类丰富了，野生动物量增大了。优美的自然风景不仅没有被破坏，而且一直得到保护。各州、县和城市管理着许多娱乐设施。对于田纳西河流域的居民来说，环境质量已经变成了衡量各种开发是否合理和可行的标准之一，尤其是旅游资源的开发。

在未来，田纳西河流域的旅游业发展必然还会遇到种种问题，但过去的经历已经提供了某些经验和教训。

未来，空间的紧张是一个主要问题，解决这类问题的方法可以从湖间地得到启发。湖间地作为娱乐和环境教育等多种功能的示范区，其目的之一是研究缺少其他发展潜力的土地如何被用于娱乐，如何作为周围地区经济财富的储存地。

湖间地的另一个目的是在自然背景下为自然环境研究提供一个研究场所，在$20km^2$的环境教育中心区，人们可以学到关于自然和保护自然的知识，中心有许多以户外作为教室进行教学的教师，已有数千名学生从这里毕业。湖间地对于其他地区来说，更重要的是它已被作为一种模式，有许多地区也建设了类似的学校传授类似的知识，如乔治亚州的德克尔巴县、肯塔基州的享德森县、密执安州的格罗斯因特县和韦恩县等。

人口过多也是亟待研究的问题。过多的人参加旅游，进行各种户外活动，安全措施对公众变得越来越重要，在一些地区，应采取某些适当的措施。如TVA于60年代末、70年代初在一些水域设置了永久性的浮标，在这方面也做了大量的宣传。但是作为永久浮标的器具变质生锈、烂掉后对划船者和滑水者会带来危害，也会污染环境。为使水库清洁，库滨厕所受到严格的管理。各州都有规定，设计的野营设备也充分注意到了不给清洁的水体造成危害。

繁荣的压力在许多方面已被感觉到了。人们进行旅游，要求距离远，速度快，且招待设备要好。娱乐设备变得大、轻、快，易于使用，且结实、多功能、更奇特，价钱要便宜。对于具有上述特性的设备，使用的人特别多，比较昂贵的娱乐活动，如滑水、船赛到70年代初参加的人数就已很多。人们的空余时间一直在增多，10年前能使用的设施，到现在已不能满足要求了，人们非常考究设备的设计和质量，流域内各公有、私有娱乐设施都在这些方面进行了不懈的努力。

TVA认识和考虑到了上述问题,一直在这些方面进行努力。调查分析人们对于娱乐设施的要求,并进行预测,以便对进一步发展旅游业作决策。随着流域经济等的进一步发展,旅游业的前途广阔,必将成为所占份额较大的产业。因此,人们在流域可开发的旅游资源方面不断扩大投资。

TVA一直在扩大它的技术援助的范围,援助项目既包括各种类型的公园和娱乐项目,也涉及道路小径、风景溪流、野生动物活动区、湖上珍贵设备等。TVA也为旅游的发展提供装备器件,使商业性娱乐设施升级,且能使环境清洁化。TVA在旅游资源开发方面的作用是必不可少的。

3 流域开发治理的经验及存在的主要问题

3.1 TVA模式的主要经验

3.1.1 TVA法案

TVA法案(Tennessee Valley Authority Act),即《田纳西河流域管理法案》,是1933年由美国国会通过、罗斯福总统批准的法案。TVA法案的目标是通过建立一个独立的政府机构来管理整个流域的资源,以达到洪水控制、航运、发电、流域经济发展等方面的优化管理,以洪水控制、航运和水电开发带动流域经济的发展。

1922年第一次提出的TVA法案是关于对威尔逊水坝(Wilson Dam)的处理,因民主党和共和党对如何处理这一国有资产产生了分歧而未获通过。以后每年都提出这一法案并进行辩论,虽然一直没有通过,但使这一法案逐步完善,而演变为一个庞大的立法实验。到1932年,民主党人罗斯福竞选总统获胜后施行"新政",国会在百日之内通过了很多重要的法案。作为"新政"之一,罗斯福总统很快批准了TVA法案,成立了田纳西河流域管理局这一特殊的联邦机构,以便集中力量开发田纳西河流域的各种资源,解决流域内的失业和贫困问题。

TVA法案对田纳西河流域管理局的职能、权限等方面进行了规定,其主要内容见本书1.3.2节。

3.1.2 TVA模式的主要经验

3.1.2.1 TVA法案是TVA模式得以成功的根本保证

TVA法案所赋予TVA的使命是代表联邦政府管理流域内所有的自然

资源,解决人类在资源开发中所遇到的各种问题,从而达到最大限度地治理水灾、改善航运、提供电力、保护环境、促进经济发展、提高人民生活水平。为了实现这一目标,TVA 法案对 TVA 在土地征用及出让、河流开发、电力生产和销售、电价制定、债券发行、财务管理及售电收入的分配等方面都作了规定,为 TVA 充分履行其职责提供了法律依据。TVA 法案比较全面,但又不是非常具体,目的在于使 TVA 董事会能有更多的灵活性,灵活的目的不是使 TVA 盈利,而是为区域经济发展服务。

TVA 法案对除害和兴利的关系作出了准确的定位,即 TVA 的首要目标是防洪、改善航运,其次才是水力发电。有了这样的定位,TVA 就不会变成只追求发电利润而办电的纯粹企业,它必须作为联邦政府机构行使为社会发展而综合治理田纳西河流域的职能。

TVA 在 60 多年的工作实践中,能够按照 TVA 法案所规定的权力和义务,将政府的职能与服务于社会、发展区域经济相结合,灵活、主动地开展工作,以其辉煌的业绩,证明 TVA 的立法试验是成功的。

3.1.2.2 以发展电力为龙头,壮大自身经济实力

TVA 法案在具体内容上,涉及电力方面的比较多,这也说明在 TVA 的发展过程中,发电占有十分重要的位置。TVA 法案授权 TVA 购买破产企业,发行价值 300 亿美元的债券,为发展电力提供资金保证。在电价方面,法案规定 TVA 的电价必须为其运作提供足够的资金,同时应使电价尽可能地保持在最低价格。这样就保证了 TVA 的生存,而生存是为了更好地服务于社会。从目前情况看,TVA 运营费用的绝大部分资金来自发电收入(约占 99%)。

3.1.2.3 提供优质服务,树立良好形象

TVA 自成立之日起,在大力发展公益事业的同时,还积极帮助流域内的人民转变观念、改变生产和耕作方式,并积极发展电力,为流域发展和人民生活提供廉价电力。TVA 开展的“净水计划”、“湖泊改良计划”、“优质社区计划”等,是 TVA 为区域经济发展和环境的不断改善而作出的努力,这些行动为其赢得了良好的声誉,树立了良好的形象,促进了社会和经济的发展,同时也争取到了更多的电力供应市场,确保了 TVA 在竞争中的优势。这种以追求整体效益和服务社会为原则的系统优化,更加突出了 TVA 在服务中求得发展的特点。

3.1.2.4 重视人才培养,提高员工素质和公司竞争力

TVA重视人才资源的综合开发,创办了TVA职工大学,以适应经济的发展、电力市场竞争的加剧、科学技术日新月异等对员工工作技能和应变能力提出的高要求。在人才培养上舍得投入,改进教学条件,聘请专业教师和中、高级管理人员授课,提高员工的整体素质,从而增强公司的竞争力,保证持续发展。

3.2 TVA水资源管理的特点

TVA对田纳西河流域的水资源管理是广义的、综合的、多目标的,涉及航运、防洪、发电、供水、娱乐、生态保护等多个方面。

3.2.1 航运

田纳西河流域起初开发的首要任务是航运,用9个梯级实现了主河道渠化。TVA负责按流域统一规划建设通航设施,费用由国会拨付,建成后交由陆军工程师团管理。水库调度应满足下游航运最小水深要求。

3.2.2 防洪

TVA规划在每一条支流上都修建大坝,有条件的支流修建高坝大库,蓄洪削峰,以对全流域的洪水进行有效调节。另外,还通过在主河道两岸修建堤防、建立分洪区等综合治理措施,形成了完整的防洪体系,使田纳西河的防洪标准达到防御百年一遇洪水的目标。

TVA的防洪工程建设由联邦政府拨款。堤防一般由国家提供建设资金,维护管理费用由地方政府自行承担。

TVA建设的54座水库中有27座有防洪功能,一般情况下,TVA根据各地洪水风险排序,实施统一的水库洪水调度。

TVA负责向地方政府和公众发布流域内的水情预报与汛情通报,建立了完善的水情自动测报网络,并在10个洪水多发地区建立了自动预警系统,当洪水达到相应水位时,可在5分钟内发布洪水预警。

3.2.3 发电

水电站的建设运用服从防洪、航运和水资源保护的要求。TVA作为一个国有企业,通过保持全国最低电价,稳定了国家电力市场价格;通过建立区域电网和电力销售积累建设资金,实现了流域滚动开发。

3.2.4 供水

TVA负责发放河岸取水工程设施许可证,管理取用水设施的建设。

3.2.5 水环境保护

在保证下游最小流量的前提下(根据该河历史资料确定),通过增加下泄流量或采取工程措施改善下游河水的溶解氧的含量,满足生物多样性要求。

3.2.6 娱乐休闲和旅游

水库夏季抬高水位满足游泳等娱乐项目的需要,假日放水满足漂流需要,注重发展旅游业。

3.3 TVA 管理体制的特点

3.3.1 立法对流域综合开发治理起着关键性的作用

1933 年美国国会通过了《田纳西河流域管理局法案》,该法案对田纳西河流域水资源的综合开发、治理和区域经济发展起了决定性作用。依据这一法案,成立了联邦政府的特殊机构——田纳西河流域管理局。遵照这一法案,TVA 由弱小变强大,由贫穷变为昌盛。TVA 60 多年的发展历史足以证实,无论什么时期,不论干任何工作,法律就是 TVA 的行动指南。

3.3.1.1 TVA 法是 TVA 对整个流域资源进行综合开发、治理、管理,带动区域经济发展的根本保证

TVA 法所赋予 TVA 的使命是:代表联邦政府管理流域内全部自然资源,妥善解决人类在资源的开发和利用中所遇到的各种问题,从而达到最大限度地治理水灾、改善航运、提供电力、保护环境,促进区域经济发展,提高人民的生活水平。为了实现这一目标,法案在政策上对 TVA 也大力倾斜支持,如 TVA 可独立行使对流域内土地征用及出让权、河流开发权、电力的生产和销售权、电价制定权、债券发行权及债务偿还、财务管理及售电收入的分配等方面的权利。这些强有力的政策,使 TVA 在法案明确的范围内能充分履行其职责和义务。从总体上看,TVA 法比较全面,但很不具体,它只是一个纲领性文件。从全面意义理解,该法案明确了 TVA 的地位、责任、权利和义务,是具有权威性的;从其他角度看,该法案的真实目的是为促进区域经济发展、提高人民的生活水平,使 TVA 在具体操作上有更多的主动性和灵活性。美国人称 TVA 是一项“伟大的试验”,试验的目的是能否将一个既具有政府职能又具有私人企业的主动性和灵活性的法人实体有机结合。实践证实,TVA 严格遵循法案所明确的权力和责任,将政府的职能和权力与服务于社会、发展区域经济妥善结合,灵活主动地开展工作,以其辉煌的业绩,证明“TVA 试验”是成功的。

3.3.1.2 TVA法的活力是TVA生存发展的强大动力

TVA法颁布于1933年,根据当时的社会发展情况,制定的工作目标是:控制洪水,改善航运条件,最大限度地开发水电资源。TVA根据法案精神,主动积极地开展工作,于1944年完成了干流的全部航道整治,1945年完成了流域内的水电开发任务,在较好地完成TVA法提出的工作目标的同时,TVA在经济方面也取得辉煌的成就。TVA人在成绩和成就面前,认真总结经验,提出了新的更高的要求和奋斗目标。为了适应新的社会经济发展,人们提出应该对TVA法进行修改,于是1939年进行了第一次修正。修正案中明确规定:TVA有权以美国政府名义行使土地征用权,以征用或购买方式占用不动产,在法律许可的情况下。有权将其所有或管辖的不动产予以转让或出租;有权在田纳西河流域范围内修建火电站、核电站、输变电设施、通航工程,并建立区域电网。50年代初期,TVA法又进行了第二次修正,使TVA的权利及服务领域又进一步扩大。

虽然法案在不断的修正,但TVA的宗旨始终是不变的,以推动区域社会的经济发展为工作总目标,积极主动地为全社会提供优质服务始终是TVA人的座右铭。随着人类社会的不断发展,民众的需求和欲望也在不断地变化,所以TVA法也需要不断地修改和完善,这就是该法案的活力所在。TVA能够灵活地把握机遇,充分利用法案所赋予的权利,不断地扩大自己的服务领域,使之发展成为全美最大的电力生产商。

TVA涉及到的服务领域较多,但主要经营产品是电力,电力收入占全部收入的90%以上,他们的经营方针是“以电养水”,用企业经营产生的经济效益换回政府职能服务的社会效益。

3.3.1.3 责权利的高度统一

TVA法不但明确了TVA的主要职责,而且还明确了TVA在流域内可行使水资源的开发权、所有权及管理权。在明确其流域管理权的同时,给予独立的人事权,流域内河流的开发、治理权,土地征用、购买、转让、出租等权力,电力生产和销售权。1959年TVA又被授予了融资权。

联邦政府在赋予TVA上述责任与权利的同时,在政策上给予倾斜和扶持。例如,TVA成立初期,水资源开发项目的建设资金全部由联邦财政投入,售电收入的绝大部分归TVA所有,剩余的资金均用于本流域的开发治理,从而盘活了水利资产的存量,实际上是间接地增大了对水利项目的建设投入，以水治水，以水求生存、求发展、求壮大、求繁荣。

3.3.2 政府职能与企业效益有机结合

TVA既是联邦的政府机构，又是独立的企业法人。作为政府职能它承担了航运、防洪、供水、改善水质、生态环境保护、提供娱乐用水等社会责任；在服务方面，它负责发布洪水预报、水情通报、洪泛区建设指导等。TVA将防洪应急预案发放到各州政府、社区组织和大型企业，并经常协助他们制定各自的防洪计划和应急洪水预案，还经常开展防洪预演，做到了防患于未然。同时积极开展如“净水计划”、“湖泊改良计划”、“优质社区计划”等以社会效益为主的项目建设。

作为企业法人，TVA利用水资源开发水电产业，并以此为基础，逐步扩大其经营范围，如进行土地买卖、开发火电及核电项目，其开发资金的筹措，是通过贷款和发行企业债券等方式进行运作的，逐步使其发展成为全美最大的电力公司。从1940年起TVA每年向州政府上缴其5%的营业额，作为地方补偿，从而妥善地处理了政府机构与州政府的关系；自1959年起开始逐步偿还先期电力设施的投资达8亿美元，理顺了企业与联邦政府的关系。今后TVA还将通过电力收入补偿流域水利工程及水资源管理等方面的运行、管理费。

3.3.3 流域管理与区域管理相结合

对田纳西河流域的水资源管理，TVA法也作了明确的分工。州政府负责水资源保护、社区防洪安全，向用水部门发放用水许可证，并负责上述问题的实施、水质监测与监督。州政府每两年编制一份地方水资源评价报告上报联邦政府。TVA的职责是：根据各州《清洁水法》和环境保护目标，综合分析地方水资源评价报告，针对具体问题，对水库调度进行适当的调整，同时向地方政府和公众提供防洪、水源保护等方面的技术支持。

TVA还负责田纳西河流域河岸取水工程施工许可证的发放，以确保河流的合理开发利用。

3.3.4 高科技在流域管理中扮演了重要角色

田纳西河流域的水资源管理是多目标的，为此TVA对水资源优化配置做了大量工作，同时也采用多种高新技术。在数据采集上采用遥测遥感技术，采集的数据从常规的雨量、水位，扩展到水质、水温等数据；通讯手段也是多样化，因地制宜地采用电话、微波、超短波、卫星等手段，大大提高了数据采集的速度和预报预警的时效;在河流的预报调度方面广泛采用计算机技术进行多目标优化,提高了整个水资源系统的综合利用水平,大大提高了工作效率和经济效益。TVA 的员工逐年下降,1987 年为 30 000 人,1998 年调整为 13 800人。

3.3.5 注重人才资源开发是企业发展的动力

面对经济的快速发展、市场竞争的加剧以及科学技术的不断更新,如何提高员工的工作技能、应变能力及工作效率,TVA 的做法是将人才开发作为重要工作来抓,高起点、多投入地开发人才。针对职工知识、工作能力和应变技能的薄弱环节,定期聘请专业教师和中、高级管理人员讲课,其目的是提高职工的整体素质,以适应现代化、快节奏、高效率要求。另外,TVA 还采用网络教学、卫星教学系统等高级教学手段。面对员工、面对社会各界进行广泛宣传和教育,现在全美没有人不知道 TVA 的,TVA 人也因此感到自豪。TVA 对人才资源开发的方法和手段,已取得明显社会效益,同时也大大地提高了他们的经济效益。

3.4 TVA 面临的问题与采取的措施

3.4.1 TVA 面临的问题

TVA 目前主要面临以下几方面的问题。

(1)机构庞大。

(2)由于部分核电站的停建,背上了严重的债务,电价优势逐步丧失。

(3)全美将解除电力管制,即变国家定价为电力生产商自行定价,自由竞争,加上 TVA 法案限定了 TVA 的供电范围不能扩大,而其他电力生产商可以争取现在 TVA 的用户,使 TVA 面临其用户被挖走的危险,造成售电减少,发电设备闲置。同时据预测,解除电力管制后,电价将下降,这就使 TVA 的收入减少,因而难以平衡预算。

(4)火电站的灰尘、二氧化硫的污染及水中缺氧的问题,使 TVA 面临着环境保护的巨大压力。

3.4.2 TVA 的对策

(1)为降低电价,提高电力系统的可靠性,增强竞争能力,TVA 采取了以下措施:①从 1997 年开始用 8 年时间,投资 5 000 万美元进行水电站自动化改造,进行机构重组,减少操作人员,提高机组和电力系统的效率;②鉴于水电机组平均已运行 50 多年的情况,计划从 1992～2010 年投资 7 亿美元,对

88 台水电机组进行现代化改造,以提高机组效率和运行的可靠性,并增加装机 54 万 kW,年增加发电量 7 亿 kW·h;③加强电站的检修,提高电力系统的可靠性。

(2)为解决火电站的环境污染问题,增加水电装机,以减少火电的发电量。对火力发电采用低硫煤、石灰石除硫设备、洗煤设备、除尘器等办法,减少二氧化硫和粉尘的排放量。

(3)为解决设计、施工人员闲置问题,积极寻求国际合作。

(4)为解决机构庞大问题,根据工作需要随时调整人员。TVA 职工人数随着建设项目和规模随时调整。40 年代初期,职工总数高达 4 万多人;50 年代减为 2 万人;60 年代初减至 1.1 万人;1971 年增为 2.58 万人;1973 年为 3.3 万人;1974 年为 2.5 万人;1978 年高达 4.3 万人;1984 年又降至 3.4 万人;1987 年减为 3 万人;1998 年又调整到 1.38 万人。

4 未来发展方向、发展规划及主要措施

4.1 世界最成功的综合治理开发模式

田纳西河流域虽然是美洲大陆开发较早的地区之一,但在后来资本主义工业化的过程中,这里的经济落在了全国的后面。20 世纪 30 年代世界性经济危机时期,情况更为严重。由于水土流失和洪水泛滥,使 85% 的耕地遭到冲刷破坏,加上森林火灾,疟疾流行,使失业率高达 25%,造成人口外流,全流域人均收入仅及全国平均数的 45%,流域内几乎没有工业,农民没有机械,只有 3% 的农户家中有电。1933 年在罗斯福总统的建议下,国会通过了成立田纳西河流域管理局的法案,规定它"具有最广泛的责任来计划恰当地利用、保护和开发田纳西河流域的自然资源,为国家总的社会经济利益服务"。从那时起,TVA 从抓水电开发和土地利用开始,对全流域的自然资源开发进行了统一规划和综合治理,他们的指导思想是"综合"和"统一",从而使资源开发与本地区的经济发展紧密地结合起来。经过 50 年后,到 1983 年,全流域的工业增长了 20 倍,农业增长了 17 倍,各种电站容量增长了 133 倍,运输量增长了 22 倍,其中水运增长了 160 倍,木材增长了 2.5 倍。全流域在人口增加 62% 的同时,人均收入增长了 44 倍,而同期全国只增长了 19 倍,劳动力中过去有 62% 从事农业,现在仅 5% 在农业部门工作。而从事第三产业的劳力由 16.5% 增加到 42.1%。从根本上治理了洪涝灾害,减少洪

水损失达21.5亿美元,制止了森林火灾和水土流失,森林面积扩大到58%,又借此保护了野生动物,建立了旅游区。在经济上取得重大发展的同时,也治理和保护了环境,使全流域的经济全面稳定发展,社会和生态环境互相协调。当地人自称这里是美国"最适合人生活的地方",美国政府历来也把TVA作为对外交流的一个典型,世界各国,包括发达国家和发展中国家,都不断派人去考察和研究。

4.2 为适应发展,适应未来,适时修正发展规划和开发计划

多年来对整条河流进行总体规划和开发是对工程规划者的挑战。以往人们只是对河流流域进行有限开发,如俄亥俄河的治理,只考虑了航运,建设的水坝都是低坝,而未考虑防洪和水电开发。田纳西河流域首次被作为一个整体来开发其所有资源,也证明了可以将整条河作为一个规划单元。对整个流域的综合开发应考虑流域内各地区的利益,而不仅是部分地区的利益或单目标效益。

对TVA而言,改善航运条件是其首要职责,其次是防洪。发电只是结合这两项基本职责进行。但是,在规划和工程建设上对航运不需作特殊处理,因为主流上的大型水库可以满足航运所要求的水深。起初,对发展电力以满足流域内未来的需要也未作过多的考虑。TVA早在1936年就完成了对全流域的规划,并在规划中确定了大坝的建设顺序,但规划在实施过程中又随形势的变化而进行修订。如随着二战的来临,要求以尽量少的时间和投入产出尽量多的电力,因此建设周期短的项目被优先建设。TVA建设的第一座水坝是诺烈斯水坝,于1936年建成,随后又陆续建设了其他几座水坝。到1944年,完成了TVA法案规定的航道整治任务;到1945年,田纳西河流域规划中的水电项目已基本实施完成。到50年代,随着流域内电力需求的迅猛增长,TVA的水电已不能满足需求,TVA开始建设大型火电站。

在1933年以前,很少有人利用田纳西河流域的水进行娱乐。到80年代,人们对水质和水上娱乐活动提出了很高的要求,TVA开始实施"净水计划"和"湖泊改良计划"。

TVA在规划的制定过程中,还十分注重公众的参与,并成立了专门的委员会,以确保信息畅通。TVA认为,只有确保公众的参与,充分考虑并努力满足公众的需求,并在规划的制定过程中使有关各方达成一致,才能保证规划的顺利实施。

4.3 防洪和水资源管理思想的重大转变

经过60多年的开发建设，田纳西河流域干支流以航运、防洪为目的的水利工程已接近尾声，田纳西河流域已成为世界上开发管理最为完善的水系之一。目前，流域的防洪标准达到了百年一遇。TVA的水库系统不仅使本流域的11个重灾区的水灾受灾程度大大降低，而且，在下游的俄亥俄河和密西西比河处于汛期时，TVA通过和美国陆军工程师团及俄亥俄河管理委员会合作，优化水库调度，还可以共同防止下游发生大水灾的可能。

田纳西河流域的洪水调度主要是水库调度，防洪调度和发电调度均由TVA决策。水库已实现联合调度，防洪是第一位的，发电调度服从防洪调度。如果州与州之间或县与县之间因防洪和发电发生冲突时，由TVA负责协调解决，但原则依然是防洪第一，往往是给受灾州(县)以经济补偿。

TVA根据多年的资料，分析确定了田纳西河流域百年一遇洪水风险区域，要求洪水风险区域内的居民和企业搬离。目前区域内的居民和企业很少，少数洪水风险区域内的房屋设施都采取了相应的安全措施。

TVA从早期的"让水远离人"和"让人远离水"——采取工程和行政措施让民众免遭水患，到近期的"让民众参与水"——增强民众的水意识、参与治水并共享治水的成果，反映了TVA多年来治水思想、实施措施的重大转变。TVA的水文检测、水流量预报、蓄洪量调控、防洪的实际运作方案及大坝的安全措施和应急方案等的技术和思想比较先进，很值得我们借鉴。

4.4 电力发展面临严峻挑战

TVA的电力发展今后面临着严峻的挑战，从内部讲，由于历史上电源建设决策上的失误和迫于环保方面的压力，有一座核电站停运；火电容量闲置过多；消除污染导致火电的成本大幅度上升；电价上涨压力很大。从外部讲，目前全美经济发展趋缓，电力需求增长放慢，导致了电容量闲置；全美将取消电力管制，电力市场更加开放，电力生产、销售商的竞争将会更加激烈，对TVA的电价、服务质量、目前拥有的供电市场的稳定等提出了更高的要求，对此，TVA还缺乏总体上行之有效的对策。

4.5 设备老化，单靠科学的管理，难以长期奏效

TVA的防洪治理、水电开发技术、电站自动化控制技术并不先进，一些水工、电气设备甚至比较落后。例如，很多电厂仍在使用三四十年代生产的单相变压器，并且运行良好，而这在我国已基本淘汰。TVA对管理工作十分

重视,把科学的管理方法运用于水利工程的各个环节,是TVA取得成功的基础。

TVA的电力生产调度管理水平在全美是一流的。多年来,TVA先后推行了可靠性管理、物质管理、经济成本的动态管理,特别是近年来,又实行了全面质量管理,并和美国国内其他软件公司合作开发了“WMS”系统,使各项工作更加科学化、规范化,使各种决策更加准确,收到了较高的经济回报。

例如,通过其完善的管理系统,能够实时掌握TVA电网中负荷大小和变化趋势,合理确定水电、核电和火电的比例,并能够计算出当时的发电成本,随时和周边发电网的电价做比较,科学地决定是自己发电还是外购。

在设备的运行、维护、大修等方面,TVA也有一套完备的管理体系,通过对多年运行检修资料的统计分析,能够定量分析判断设备总体健康水平,为合理地安排机组检修提供科学的依据,科学管理大大提高了工作效率,降低了成本。美国能源研究所的一份统计报告认为,水电站的主要动力驱动部件的最长使用寿命为40年,但是TVA的平均使用寿命达到了52年。由此可见TVA的生产运行和设备管理水平是相当高的。

4.6 TVA水电现代化计划

TVA近年提出了庞大的水电现代化计划,该计划的提出主要基于以下考虑:一是TVA领导认识到,解除电力管制后,电力企业之间的竞争,主要是技术、成本、供电可靠性、服务质量的竞争,提高电力生产、管理的技术含量,降低成本费用将使TVA处于更加有利的地位;二是电力市场需求不足,近期TVA不会有大的电力建设项目,具有内部挖潜的有利时机;三是TVA的水电站多建于三四十年代,主要设备使用寿命均已超过预期使用寿命,急需进行技术改造。

TVA水电现代化计划的前身是综合水利计划,即仅仅限于更换水轮机的转轮,以提高水轮机效率。1994年修改确定的现代化计划,其目的不仅是为了提高效率,还包括增加容量和提高自动控制水平。计划通过技术改造,新增水电装机53.6万kW,加之提高效率,年新增发电量70亿kW·h,由于相应减少了火电开机,每年减少80万t有害气体排放量,可以取得显著的经济、社会和环境效益。总投资7亿美元,整个计划预计到2010年完成。

到目前为止,已有13个水电站完成了现代化计划,新增装机8万kW,平均效率提高了5.11%,效果非常显著。

4.7 日益重视科技进步和人才教育培养

经济的发展、电力市场的更加开放和竞争的日趋激烈，使TVA强烈地认识到，人才是赢得市场并在竞争中立于不败之地的关键因素。因此，TVA非常重视人力资源的开发，重视职工培训，把提高员工素质和技能作为一项重要的目标。多年来，形成了较完善的教育培训体系。

为满足TVA员工培训的需要并出于多方面的考虑，TVA创办了TVA职工大学。TVA职工大学成立于1995年，现有专职教职工40人，目前，由TVA主管职工教育的一位副总裁担任校长。TVA职工大学的宗旨是为实现TVA目标服务，为所有员工提供不断学习的机会。TVA职工大学的经费来源为：基本建设投资由TVA总部拨付，年教育经费由学员单位和TVA共同支付。TVA职工大学的师资以兼职教师为主，兼职教师均来自TVA各部门的资深管理人员。TVA职工大学的职能除了培训人才、与正规大学合办管理类研究生班、记学分的电化远程教育外，还提供项目咨询和工程设计。此外，TVA职工大学的职能和作用有进一步扩大的趋势，如既是TVA宣传的窗口，也是与国内外交流合作的载体等。

TVA的培训教育体系具有如下特点。

4.7.1 有一套完整的制度及保证

TVA的领导提出要为TVA所有的员工提供发展和教育的环境，要求每位员工每3年必须完成120学时的培训任务，即平均每人每年要接受40学时的培训教育，所有培训由TVA职工大学和用人单位一起完成。为了保证培训计划的实施，TVA在职工教育上投入了大量资金，增加了现代化的教学设备，改善了教学环境。TVA每年投入的培训经费不少于TVA全员工资收入的3%。

4.7.2 精神和技能两方面的培训构成了TVA职工教育的内涵

TVA很重视企业文化建设，注重企业形象宣传，在田纳西及邻近各州，TVA的徽志到处可见，同样TVA重视精神方面的教育，要求员工爱岗敬业，要有忧患意识，对工作要进取、主动，这些都是通过培训来完成的。为此，专门开设了《开创TVA的新纪元》、《领导艺术与领导方法》、《职业生涯设计》、《TVA所面临的困境》等8门必修课。

TVA职工都要接受定期的岗位培训，包括上岗前培训、在岗培训、转岗培训等。特别重视新技术和计算机应用技能的培训。

4.7.3 采用多元化的培训方式以取得最佳的教学效果

TVA的培训方式是多种多样的,有教室教学、现场培训、计算机模拟、远程电化教学、工具箱培训等,不拘一格。员工每次接受培训的时间一般不超过两周,大多为一周。TVA职工大学还和美国众多著名大学联合开设了多门选修课程,将选修课程的成绩记入学分,为职工继续深造提供了良好的条件。注重实效是TVA教育追求的目标。

4.8 TVA在促进社区发展中将发挥更大作用

TVA成立后,积极发展防洪、航运事业,开发水电资源,帮助流域内的人民转变观念、改变生产和耕作方式,并以其自身的发展带动全流域的经济和社会发展。同时,TVA利用自己的经济、技术、人才优势,在社区的发展中也发挥了极大的作用,并赢得了良好的声誉。

社区的发展是指社区的全面发展,而不仅是工商业的发展,社区发展的最佳途径是开发能力,即提高人和机构、团体胜任工作的能力。TVA认为,一个优质的社区应当是这样的社区:那里的居民对未来抱有一个共同的理想,对实现这一理想制定了具体的行动计划,并且拥有必要的合作精神,从而不断进取。优质社区的特征是:掌握自己的经济命运,用"主动"代替"被动",经济发展模式具有广泛的群众基础;有一个有效的社区组织来推行社区经济发展计划;有一个知识型、开发型和强有力的领导班子;能够获得足够的经济和技术信息;现有资源能得到充分和有效的合理利用;各部门间能有效合作;社区经济的发展必须包括其所有成员的参与。

TVA制定了优质社区计划,并提出优质社区建设的4个步骤。一是社区必须有组织性。包括对社区发展资源作出评估,制定发展目标和改进方案。涉及到社区领导力量、预计效果、资金预算和筹措、公众参与、同各级政府和私立组织之间进行合作。二是社区必须有计划性。工作组的成员学习合作精神,目标一致,共同分析社区的经济基础以及发展的最佳时机,制定社区发展和进步的有效计划。三是社区必须有行动。要制定一个行动计划,包括计划的实施方案,并指定成员。四是社区必须力所能及地进行最大限度的成长与发展。在这个过程中,社区应寻找时机并解决问题,进而不断地发展。社区应当再接再厉,在整个社区内推广普及成功范例,并进一步制定新的发展计划。

TVA致力于帮助优质社区的建立和发展,但在社区发展中,TVA并不起主导作用，而只是起资金支持和技术咨询的作用。主要途径：一是资金支持，为社区经济发展需要提供一部分贷款；二是技术支持，在评估经济发展的资源及方案、确认共同的建设目标、评估社区的经济基础、评估社区的需求与时机、制定规划、实施具体项目等方面承担指导任务。在TVA的支持和指导下，田纳西河流域的许多社区开始向优质社区发展，抛弃了以往片面的、狭隘的社区建设及经济发展方针，进而采取了具有团结性、前瞻性和计划性的方案来增强社区长远的经济竞争实力，改善人民生活，提高农村社区的经济增长，解决农村剩余劳动力问题，制造业和服务业雇用了2/3的农村劳动力。

4.9 TVA未来的洪水管理计划

近几年来，TVA的洪水管理计划发生了许多变化，包括组织变化、洪泛区管理活动的重新调整和先进技术的开发与实施。1994年，为了达到全机构的统一，将水库运行、洪水风险降低、通航运行及维护职能合并成一个运行部，使诸多相关活动较好地统一到了多目标水库系统总的运行活动中。洪水管理工作将继续在以下4个主要职能领域进行：①规章制度的复核；②闸、坝和桥梁安全；③河流、水库程序；④应急准备。支持活动包括数据收集与管理，主要为专业职能领域提供技术和通讯专业技术。

最近这些组织变化的关键是重新调整TVA洪泛区的管理服务。从全国来看，联邦政府在洪泛区管理中的作用也有重新的定义。联邦机构正在起带头作用，而州和地方政府则被要求作为洪泛区的主要管理者，在实施地方洪泛区管理计划中起主要作用。为了与这些变化相协调，TVA已经将其有限的资金集中到管理活动中，将降低洪水风险工作的目标从公共土地和工程转移到受TVA大坝调节河流的沿岸洪泛区。TVA继续将重点放在提高洪水风险意识，采用创新的途径减少洪水损失，以及提供水文学和水力学专业技术支持TVA的运行上。然而，TVA不再参与直接为全流域社区提供洪泛平原管理服务，包括每天帮助解释和管理地方性洪泛平原规则。管理地区洪泛平原，特别是无调节河流沿岸的责任，已经转移给了流域内7个州和地方社区。

合理和统一的TVA洪水管理活动还高度依赖于改善河流管理的先进技术的开发和实施。考虑到搞好防洪需要与水力发电、娱乐和水质等多目标效益之间平衡要求的增加，TVA正在试验和实施数据收集、天气预报、水库系统模拟、风险评价和应急准备的新技术。数据收集和天气预报的改进涉及利用下一代雷达、实时天气显示、有效测雨计系统的确认、大坝自动监测装置和基于数据系统(GIS)的地理信息系统的开发。

发电与水库模拟模型是一个目前正在开发的以面向目标规划为基础进行模拟和优化的新模型,可以改进统一的水库和发电系统运行程序。TERRA是一个决策支持系统,目前正用来更好地统一水库系统、发电系统和与环境有关的数据与模拟能力。利用风险分析的优点更好地评估防洪库容的价值和推动以季节为基础的方法进行洪水风险评价。目前正在探索将主要危害地点的洪灾损失信息纳入以地理信息系统为基础的系统,以改善实时的防洪运行。

TVA 仍然采用双重方法继续进行洪水管理,将传统的工程控制与降低洪水风险等非工程措施结合起来。洪水管理活动的统一和集中,加上技术的先进和员工培训的改进,将有助于 TVA 仍处于洪水管理创新的前列。

5 启示与借鉴

5.1 TVA 模式对我国体制改革的启示

田纳西河治理的成就被美国人称为"美国的骄傲",美国政府把它作为"示范性的国营企业"、对外交流的样板。在我国体制改革正在深入发展的今天,田纳西模式对我们究竟有哪些启示?结合我国实际应该向它学习些什么?我们认为主要是以下四个方面。

5.1.1 "综合治理、全面开发"的指导思想

TVA 的这一"综合治理、全面开发"的指导思想是 60 多年来贯彻在他们的一切工作之中的,是有其理论和实践根据的。TVA 的经验和我们自己的实践都说明,一条河可能有各种各样的问题,农业落后问题、水土流失问题、洪水问题、水电开发问题等,但是,如果一个一个问题孤立地治理解决,那么花的力气要很多。有时甚至开发了一种资源、破坏了另一种资源,或者造成新的障碍。相反,搞一个流域的统一规划,统一开发,中心问题只有一个,即如何促进地区经济发展。这样做起初会有许多矛盾,TVA 介绍说,他们在建第一个水电站的时候,搞发电的专家和负责养鱼的专家即使在一起吃饭也互不讲话,因为他们有矛盾。在 60 多年后的今天,才算找到了一条较好的解决办法,即在水电站放水中掺气,增加河水的含氧量,对水轮机效率影响 1%。说明只要坚持综合利用,在对一种资源的利用影响不大的情况下,可以解决

另一种资源的开发问题,我们觉得他们是在用科学的手段来协调。罗斯福在当年向国会提交 TVA 法案时说,要使这个机构"具有最广泛的责任来计划恰当地利用、保护和开发田纳西河流域的自然资源,为国家总的社会经济利益服务"。

5.1.2 立法和机构是综合开发的保证

有了正确的指导思想,就一定要通过立法手段和建立相应的机构来保证这种指导思想的实现。TVA 的机构,国会通过立法使其稳定了 60 多年,法律给予它对流域内各种自然资源有规划、开发、利用、保护等广泛责权,罗斯福称它是"一个拥有政府机关的权力,同时又具有私营企业的灵活性和主动性的机构"。可能有人会认为这是政企不分的机构,与当前我们的改革方向有矛盾。实际上只要不给营私者提供谋私的权力,政府机构的某些职能可以由企业来承担。这在别的国家也是有的,例如英国的河务管理局也在向私人承包方向行动。这与政企不分是有区别的。

TVA 机构内部一个明显的特点是:有各种专家在同一机构里工作,当然要有一个共同的目标——综合利用。TVA 总结认为,有许多方面的专家,例如有水资源专家、发电专家、航运专家、农业专家、林业专家、地区经济专家等一起来考虑一项工程,由一个统一的目标,即发展地区经济的目标把他们连系起来,首先进行各自专业的分析研究,然后在董事会的领导下进行综合的统一的研究,专家们认为这样所取得的成果比他们分散在各自的机构里工作所取得的成果加起来还要大。TVA 称此为"系统效应",也就是把各种专家集合在一起,使他们为一个共同的目标工作,而如果分散在不同的机构里,他们就为局部的、部门的利益而工作,后者会产生互相抵消、互相削弱的作用,而前一种做法,也就是 TVA 的做法,会产生积极的作用,上面举的养鱼发电的矛盾就是一个例子,而这种事例,还有很多很多。这就是体制的作用。

我国已经颁布了《中华人民共和国水法》(简称《水法》),这是一个很大的进步。但《水法》并没有彻底解决综合治理、全面开发中的各种矛盾。我国设立全国性的大流域机构已数十年,省一级的流域机构也有不少,但没有理顺上下左右的关系。关键是流域机构只负责规划,甚至不是综合规划,而是几个专业的规划;而不负责开发和治理。TVA 的经验告诉我们:如果没有开发和治理,那么再好的规划也是空的。

5.1.3 恰当的资金是流域开发的重要条件

TVA 的资金由国家统包走向多样化，走向以债券为主的收入，这条道路对我们也有所启发。1960 年以前国家的投资是以后发展的基础，但如果一直沿老路走下去，也会越走越窄。随着我国经济体制改革的深入，相信流域开发和治理的资金来源也会多样化。

5.1.4 能源开发要首先开发水电

田纳西河流域既有丰富的水电资源，又有丰富的煤矿，可是他们毫不犹豫地首先开发水电，自 1933 年到 1953 年，水电资源的开发率达到 85%，此时水电在电网中占 85.2%。这时他们才大规模开发煤电，他们认为水电比火电经济是用不着争论的。我国在这个问题上争论，甚至走弯路，实际是受我国自身不合理价格体系的迷惑造成的。在 60 年代中期之后，国际市场煤价上涨，TVA 宁可将煤运出流域外，而发展核电。他们认为煤电和核电的成本中均应包括治理污染的费用，核电成本还要包括核反应堆烧完后处理的费用。这些在水电都是不存在的。水电是再生性资源，优先开发水电是符合在保护的前提下开发这条原则的，这对于我国资源并不丰富的地区是特别适用的。

5.2 从田纳西河流域管理模式看我国的流域管理

5.2.1 我国现行流域管理中存在的主要问题

综观国内外水资源管理的经验与教训，加强流域统一管理是统筹兼顾、综合利用、发挥水资源多种功能以求得综合效益的必然要求。这已成为国际水资源管理的发展方向并为各国所普遍接受。我国流域管理的历史不短，但现行的流域管理在管理体制和机制上存在许多矛盾，流域管理步履维艰。

(1)流域管理的法制不健全。流域管理与区域管理的权限划分不明确；流域机构缺少执法权；在处理水事纠纷时缺少仲裁权；在流域规划管理上，流域机构缺少足够的权威来保证流域规划的有效实施。

(2)缺乏有利于流域综合开发的产业政策。为促进江河治理和水资源综合开发，很多国家都采取了一些优惠政策，如税收优惠等，而我国流域滚动开发难以实现的主要原因之一，是缺乏水电发展的好政策。

(3)缺乏协调机制。目前的流域机构是水利部的派出机构，是没有委员的委员会，不能形成包括有关部门和地方共同参与的议事协调能力，许多问题长期议而不决，影响了流域的开发与治理。

(4)没有有效的调控手段,包括项目审批、投资、调度、运用等,无法对水资源进行有效的调度。

(5)没有经济实力,主要依靠事业费维持,难以有效运作。内部结构不合理,机关、事业部分过大,有收入的企业部分太小,机构缺乏活力。

5.2.2 加强我国流域管理和水资源综合开发利用的建议

5.2.2.1 加强对我国流域管理体制的研究

国外流域管理的模式多种多样:①在管理范围上,TVA 已超越了水利;英国的流域管理主要是城市供水和污水处理;②在机构性质上,TVA 是联邦政府机构,具有行政权力,又是企业;西班牙的流域机构是国家机关;法国的流域机构具有财政金融性质;③在管理方法上,英国是直接管理,法国是间接管理;④在开发方式上,TVA 与法国的罗讷河,是以水电为龙头,英国主要是供水。每个国家的流域管理所采用的管理模式,都要适应本国的国情,即国家体制、条件和背景等,不能不加分析地原样照搬。因此,建议加强对国外流域管理和我国流域管理体制的研究,建立符合我国国情、适应社会主义市场经济体制和政治体制改革要求的流域管理体制。

5.2.2.2 加强流域管理法制建设

在我国水利法制建设中,流域管理法制建设是一个薄弱环节。从各国成功的经验来看,无不把法制建设作为实行流域管理的基础工作和前提条件。流域管理的法制体系包括流域管理的专门法,如 TVA 法案,也包括在各种水法规中有关流域管理的条款。在我国水的基本法——《水法》中,对流域管理未做规定。《水法》颁布后,在国务院制定的《河道管理条例》、《防汛条例》、《取水许可制度实施办法》及国务院批准的水利部"三定"方案中,对流域管理作了补充和完善。但是,由于一些问题是水的基本法中遗留下来的问题,通过行政法规和规章难以作出根本上的调整。因此,加强流域管理法制建设十分迫切。目前,急需研究并通过立法形式加以解决的是:流域机构的性质、地位、职责;流域管理与行政区域管理的关系;流域管理的原则和基本管理制度;促进流域综合开发的政策和措施;流域机构的行政执法权力等。

5.2.2.3 加强流域机构能力建设,强化调控能力

能力建设,包括建立流域开发利用、管理和保护的政策、法规体系,调整流域管理体制。在行政管理上,应采取以下措施。

(1)强化水权管理。流域的水权管理,包括以水资源规划管理为主要内

容的宏观管理和以实施取水许可制度为主要内容的微观管理两部分。流域机构负责组织编制流域规划,规划经批准后,负责监督实施。流域内的水资源开发项目,经流域机构审查同意后,方可按基本建设程序履行审批手续。取水许可管理按分级管理原则,按照水利部对各流域机构的授权实施管理。

(2)强化水量的调度管理。在汛期和枯水期,由流域机构按照经批准的防御特大洪水方案和水量分配方案进行统一调度。为提高流域机构的调度能力,流域内具有控制性的水利工程应由流域机构实施管理。

(3)强化流域机构对水环境的管理职能。流域机构应加强水资源保护工作,对全流域的水环境实行统一的监督管理;划定水功能区;制定水质控制目标并负责监督实施;组织全流域的水环境监测网络,定期发布流域水环境状况公报;调解流域内省际间的水污染纠纷。

(4)加强流域机构的协调能力。通过法律、法规的授权,赋予流域机构在调解省际间水事纠纷中的裁决权。

5.2.2.4 加快流域综合开发

(1)把流域综合开发利用作为国家的产业政策。加快制定《水资源综合利用促进法》。开发利用水资源必须按流域统一规划、统筹兼顾、综合利用,发挥水资源的多种功能。水资源综合利用工程国家优先安排立项,鼓励并支持有关地区和部门联合开发具有综合效益的水资源工程。

(2)国家对流域综合开发实行优惠和扶持政策。鼓励并支持流域机构和有关地区、部门组建流域开发集团;增加对流域综合开发的投入;在引进外资、向社会融资、土地开发和利用、税收、水价和电价制定等方面给予优惠和特殊政策;对水资源综合利用工程所承担的防洪等社会公益性任务,所需资金应由国家财政负担。

5.2.2.5 建立水利良性循环机制

与TVA相比,我们既不缺乏政府职能,也不缺乏基层服务对象。TVA能够全方位地为社会经济发展服务,我们也在为地方的防洪、灌溉、供水及经济发展而努力,两者有相似之处,但中间的纽带却不相同。TVA的一切努力都能使其获得间接效益,做得越多,效益越大。而我们与地方政府之间只有服务的义务,而没有分享利益的权利。建议把TVA的机制引入到已有供电区的中小水电供电地区,以产权关系为纽带,把中小水电供电区逐步改造成水利部门服务于社会、受益于社会的良性循环体。

5.3 借鉴田纳西河流域开发治理经验，加强黄河流域综合开发治理与管理

5.3.1 立法是流域综合治理开发和管护的重要保障

综观 TVA 发展历程，可以说没有 TVA 法案，就没有田纳西河流域管理局，也就没有田纳西河流域今天综合治理开发的成功。没有 1972 年通过的联邦《清洁水法》和强有力的行政措施，就不可能取得今天田纳西河流域水环境保护的成就。加强水立法工作，树立法律的权威性，是我国流域治理开发中最为重要、紧迫的课题。

黄河水少沙多，下游是举世闻名的地上悬河，河情十分特殊，防洪和水土流失防治任务艰巨，是世界上最难治理的河流。黄河水资源贫乏，供需矛盾十分突出，国民经济与生态环境之间、地区之间、部门之间用水矛盾尖锐。除害与兴利、整体与局部关系极为密切。而参与黄河治理开发的地区、部门众多，要求不一，关系协调和利益协调极为复杂，必须依法加强黄河流域的统一规划、管理，统筹协调各方面的关系。我国自 1988 年以来相继颁布实施了《水法》、《水土保持法》、《水污染防治法》、《防洪法》等法律及配套法规，对依法治水起到了一定的作用。但是这些法律、法规都是针对全国的普遍情况而制定的，比较原则，对解决黄河治理开发和管护中的特殊问题仍有一定的局限性。因此，迫切需要制定能结合黄河特殊性的专门法律——《黄河法》，规范和调整各方面的关系，保障黄河治理开发健康有序地进行。建议将《黄河法》列入全国人大立法计划，争取尽快出台，逐步建立健全黄河流域水法规体系。

为解决当前水资源管理中的突出问题，在《黄河法》出台前，要尽快制定并颁布《黄河水资源管理和保护条例》，明确黄河水资源管理和保护的基本原则，流域机构在水资源管理中的法律地位，流域机构与有关省(区)水行政主管部门的事权划分，国家有关部门在黄河水资源管理和保护中的作用和职责等。

5.3.2 逐步建立起符合中国国情的新型流域管理体制

TVA 管理模式的特点是既具有政府的某些权力，又具有企业的灵活性和主动性。印度、墨西哥、斯里兰卡、阿富汗等国也先后建立起类似的以改善流域经济为目的的流域管理体制。它们的共同特征，一是对经济和社会发展具有广泛的权力；二是属于政府的一个机构，对中央负责；三是法律授予高度的自治权；四是有专门的经费，滚动开发。

21世纪的前50年,是我国实现现代化的重要历史阶段。随着流域经济社会的发展和人口的增加,对防洪保障、水资源供给保障和水环境保障提出越来越高的要求。因此,必须建立能充分体现依法治国、依法治水方针的,适应我国社会主义市场经济体制要求的,促进国民经济和社会可持续发展的水管理模式。

我国的国情与美国不同,没有必要照搬TVA的管理模式,但其管理思路和一些做法对于我们逐步建立新型流域管理体制具有一定的借鉴意义。长期以来,黄河水利委员会一直被定位于事业单位,没有明确授予其足够有效的水行政执法地位和行政监督权、处罚权,国家赋予的职能与现行机构定位不相符,责、权不统一,流域管理体制不顺,流域机构在履行职能时困难重重,流域管理中的一些突出问题难以解决。在社会主义市场经济的新形势下,这些问题尤显突出,因而采取以下措施是十分必要的。

(1)成立高层次的黄河管理委员会。成立由国务院领导、国家有关部委、流域机构及流域内各省(区)负责人共同组成的高层次流域管理和决策机构,负责研究解决黄河治理开发的重大问题,制定或拟定流域性政策法规,组织协调流域管理各方面的关系等。

(2)明确黄河水利委员会的行政地位和法律地位。黄河水利委员会作为管理委员会的办事机构,具体负责实施管理委员会的各项决策决议,同时,作为水利部的派出机构,代表国家在流域内行使水行政管理的职能,实行公务员管理。国家要明确流域机构的水行政执法地位,赋予行政监督权和处罚权。

(3)流域综合治理开发要由流域机构统一负责。我国水资源的开发利用由多个部门共同参与。目前流域水资源开发管理存在着利益为个别部门所有,而治害则由国家水行政管理部门承担的弊端,并且水量由一个部门管,水质则由另一个部门管,造成部门之间各自为战。因此,建议国家将流域的水利电力等资源统一由流域机构管理,滚动开发,综合治理。

5.3.3 流域综合开发治理要与国民经济发展相适应

TVA抓住美国急需发展航运和能源的机遇,通过在流域内兴建大型水利枢纽和梯级工程,解决了航运、防洪问题,并提供廉价、充足的电力,促进了地方经济发展,同时也壮大了自身实力。第二次世界大战结束后,又大力发展火电、核电等工业,进行土地开发,既满足了战后发展经济对电力的大量需求,适应了国民经济不断发展的节奏,又促进了流域综合开发治理工作的深入开展。这条经验值得借鉴。

黄河流域大部位于我国中西部地区,土地资源丰富,矿产资源尤其是能源和有色金属资源优势明显,具有巨大的发展潜力。然而,黄河流域自然条件复杂,经济发展缓慢,洪水威胁依然是我国的心腹之患,水土流失尚未得到有效治理。近年来,又出现了缺水断流加剧及水污染严重等新问题,与人口、资源、环境和经济社会协调发展很不适应。为使我国在21世纪中叶实现现代化建设第三步战略目标,促使全国经济社会的可持续发展,党和国家及时作出了加快中西部地区发展、特别是提出了实施西部大开发战略的决策。实施西部大开发战略,加强水利基础设施建设,加强生态环境保护与建设,坚持水资源的合理开发、科学配置、有效利用和保护,都与黄河治理开发紧密相关。流域机构如何不失时机地抓住这样的大好机遇,加快黄河治理开发,建立与经济社会可持续发展相适应的防洪安全保障体系、水资源供给保障体系和水生态环境保护保障体系,有许多问题值得思考。我们认为:一是国家要在实施西部大开发战略中加大对黄河治理开发的投入,使黄河治理开发与经济社会发展相适应;二是要转变观念,大胆探索,深化体制改革,使流域管理适应社会主义市场经济规律的要求;三是要积极争取政府的经济、政策支持,不断壮大流域机构自我发展的经济实力。

5.3.4 要高度重视运用现代科学技术治理黄河

高科技在TVA的流域管理工作中扮演了重要角色。TVA在各方面采用高科技手段。在数据采集上采用遥测遥感技术,采集的数据从开始的雨量、水位,扩展到水质、水温等数据;因地制宜地采用电话、微波、超短波、卫星等多样化通讯手段,大大提高了数据采集的速度和预报预警的时效。在河流的预报调度方面,广泛采用计算机技术进行多目标优化,提高了整个水资源系统的综合利用效益,同时大大提高了工作效率。

高度重视运用现代科学技术特别是高新技术,是搞好黄河治理开发的一个关键环节。要按照黄河的实际情况,研究和采用现代先进的科技手段。对黄河治理开发中的关键科学技术问题,要组织多部门、多学科联合攻关,力争取得早日突破,为治理开发黄河提供有力的科技支撑。要加大投入,进一步做好治黄战略性课题研究,加强基础研究和前期工作。

附件 5　科罗拉多河治理开发基本情况

1　流域基本情况

1.1　自然地理概况

1.1.1　流域地势

科罗拉多河是北美洲西部的主要河流，也是美国西南部地区最大的多沙河流，发源于美国科罗拉多州中北部落基山脉中的弗兰特岭（海拔 4 300m）西坡。流向西南，干流流经科罗拉多、犹他、亚利桑那、内华达和加利福尼亚等 5 个州和墨西哥西北端，最后注入加利福尼亚湾。其支流还流经怀俄明州和新墨西哥州。流域位于北纬 31°02′～43°13′，西经 106°22′～117°33′。干流全长 2 333km，其中最下游 145km 在墨西哥境内。流域总面积 66.8 万 km^2，其中在美国境内流域面积约为 63.7 万 km^2，约占美国陆地面积的 1/12。

科罗拉多河流域边界三面环山，东、北为构成大陆分水岭的山脉，西为落基山脉，整个流域地势为北高南低。源流所在地两岸山地海拔均在 4 270m 以上，从发源地到利斯费里（Lees ferry，海拔 940m）为上游河段，河道蜿蜒曲折，长约 1 030km。由于地势较高，终年积雪，水量较多，河水下切明显。中游从利斯费里至比尔威廉斯河口，流经科罗拉多高原，由于该区多为干旱地区，增加的径流不多，河谷不易展宽，形成许多峡谷地形，上中游合计长达 1 600km，约占科罗拉多河总长的 2/3。河流在亚利桑那州西北穿过世界闻名的科罗拉多大峡谷，该峡谷东起小科罗拉多河入汇处，西至内华达州界附近的格兰德瓦什岸，全长 350km，最大深度 1 740m，河流曲折蜿蜒，河床坡降 1.5m/km，水流湍急，流速高达 6.9m/s，水深 10～15m。下游地势低洼，有山脉、盆地、沙漠等。

科罗拉多河水系复杂，支流众多（超过 50 条）。其主要支流有甘尼森（Gunnison）河、格林（Green）河、圣胡安（San Juan）河、小科罗拉多（Little Colorado）河、维尔京（Virgin）河和希拉（Gila）河等，详见正文图 3-6。

科罗拉多河的主要支流简介如下。

(1)甘尼森河。该支流发源于落基山脉乌雷（Ouray）山附近，由东向西北方向流，先后接纳托米奇（Tomichi）河、泰勒（Taylor）河、莱克（Lake）河、诺斯（North）河和安肯帕格里（Uncompahgre）河等支流，在大章克申（Grand Junction）附近从左岸注入科罗拉多河。

（2）格林河。该河是科罗拉多河最大的右岸支流，发源于怀俄明州的温德（Wind）岭西北坡，向南流经怀俄明州西南角，后穿越犹他州东部进入科罗拉多州西北角，经恐龙化石国家保护区又进入犹他州，再向西南流，经过格林河市折向东南流，在莫阿布市西南约 60km 处汇入科罗拉多河，全长 1 175km，流域面积 11.7 万 km^2，多年平均流量 185m^3/s。其支流有大桑迪（Big Sandy）河、布莱克斯（Blacks）河、比特（Bitter）河、扬帕（Yampa）河、杜申（Duchesne）河、怀特（White）河、斯特罗伯里（Strawberry）河和圣拉斐尔（San Rafael）河等。格林河大部分都在崎岖的山地穿行，只有在涨水时才可通行小船。

（3）圣胡安河。该河发源于科罗拉多州圣胡安山脉萨米特峰附近，由东向西流，在虹桥国家保护区从左岸注入科罗拉多河，主要支流有纳瓦霍（Navajo）河、彼得拉（Piedra）河、阿尼马斯（Animas）河、查科（Chaco）河、曼科斯（Mancos）河和钦利（Chile）河等。

（4）小科罗拉多河。该河发源于亚利桑那州与新墨西哥州交界处伊格尔附近，在北里姆以东 30km 处从大峡谷国家公园东部自左岸注入科罗拉多河。该河流域面积 7.7 万 km^2，年均径流量 4.4 亿 m^3，年均输沙量 5 300 万 t。其较大支流有卡里索（Carrizo）河、普埃科（Puerco）河、卡顿伍德（Cattonwood）河以及代阿布洛（Diablo）河等。

（5）维尔京河。该河发源于布赖斯（Bryce）峡谷国家公园西南侧，由北向西南方向流，在欧弗顿附近从右岸注入米德湖。其主要支流有哈里肯（Huricane）河、圣可拉拉（San Clara）河、比弗丹（Beaver Dam）河以及梅多瓦利（Meadow Vauer）河。

（6）希拉河。该河发源于新墨西哥州境内布莱可岭西坡，由东向西流，在尤马（Yuma）附近从左岸注入科罗拉多河，全长 1 014km，流域面积 13.4 万 km^2。其主要支流有圣弗朗西斯科（San Francisco）河、圣西蒙（San Simon）河、圣佩德罗（San Pedro）河、索尔特（Salt）河、阿瓜弗里亚（Agua Fria）河、纽（New）河、斯康可（Skunk）河、皇后（Queen）河、圣克鲁斯（San Cruz）河等。

除了以上较大支流外，科罗拉多河还有 10 多条较小的支流汇入。

1.1.2 气象特征

科罗拉多河上游受海拔和地形的影响，气温变化较大，最低气温 -46.7℃，最高气温达 42.8℃，年均降水量为 200～500mm。秋冬春各季降水量多为降雪，春末夏初，当气温升高时，积雪迅速融化，河道流量大增，年径流量约 70%集中在 4～7 月。由于落基山区降水较多，并有冰雪融水补给，因此，科罗拉多河上游水资源极为丰富。

1.1.3 水沙特点

科罗拉多河是世界上著名的多沙河流，其中下游河水含沙量高，水流混浊，呈暗褐色，河流年均含沙量达 27.5kg/m^3。在科罗拉多河大峡谷处测得年均输沙量为 1.81 亿 t，平均含沙量 11.6kg/m^3。科罗拉多河所挟带的泥沙大部分沉积在水库内和河口下游附近，在河口形成一个横跨加利福尼亚湾北部的大三角洲，并向南发展，占据了该湾头部的水域面积。近年来，由于梯级水库的修建和大量引水，进入下游的泥沙主要为区间来沙，数量较小。有些支流的含沙量很大，如小科罗拉多河，每 1km^2 平均每年要冲刷 688t 泥沙，平均含沙量高达 120kg/m^3。

科罗拉多河上游干支流水量丰沛，据利斯费里站统计，该站多年平均实测径流量为 186 亿 m^3，最大径流量为 296 亿 m^3(1917 年)，最小径流量为 69 亿 m^3(1934 年)。中下游地区大部分属干旱、半干旱气候，年均降水量不足 100mm，加上蒸发、渗漏、灌溉等耗水，水量逐渐减少。各年之间及各季之间水量丰枯相差很大，4～5 月洪水期流量可达 1 982～3 115m^3/s(最大洪水流量达 8 500m^3/s)，枯水期流量仅为 85m^3/s(最小枯水量仅 20m^3/s)，最大和最小洪水流量相差 400 多倍。春末夏初洪水泛滥，秋冬则河水干枯。经过沿程水库调蓄和沿程调水，愈往下游流量愈小，每年经河口流入加利福尼亚湾的水量已微不足道，河口径流量只有 49 亿 m^3。

1.1.4 自然灾害

科罗拉多河地处美国西南部干旱地区，其下游是美国最干旱的地区，水资源极为宝贵。根据年轮分析和史前记录，科罗拉多河流域历史上曾发生过持续严重干旱，其严重程度超过了最近数百年来所发生的最严重干旱。水资源问题在今后相当长的时期内，仍将是科罗拉多河流域工农业生产和经济发展的制约因素。如果全球变暖问题被进一步证实，这一地区降水的变化将会更加剧烈，再加上由于变暖引起的蒸发量的增加，就有可能增加出现持续干旱现象的概率。该流域不仅存在干旱威胁，而且还时常遭受洪水和泥沙的危害。洪水一般出现在初夏。下游三角洲一带过去每年5～7月定期泛滥，有“美洲尼罗河”的称号。

在胡佛大坝未建之前，科罗拉多河沿岸居民饱受该河泛滥之苦，每年春季和夏季，泛滥的河水经常冲毁沿岸低洼地带的农作物、房舍，居民的生命及财产受到严重威胁。到了夏末和秋天，河流又干枯缺水，导致庄稼干枯和牲畜因缺水而死亡。

历史上，甚至直至今天，科罗拉多河流域还时常发生大洪水，造成严重损失。①1905～1907年，科罗拉多河流域发生特大洪水，造成河流改道，致使原面积只有57km^{2}的索尔顿碟形洼地形成了今天面积达1 300km^{2}的索尔顿湖；②1965年洪水，给科罗拉多州造成1亿多美元的损失，23人死亡，数万人逃离家园；③1978年科罗拉多河流域的加利福尼亚州发生了自1969年以来最严重的洪水灾害，125人死亡，造成10亿美元的经济损失；④1983年洪水，使图森市变成了一个孤岛，11人死亡，数万人无家可归，损失高达100多亿美元；⑤1995年洪水，淹没了加利福尼亚州萨利纳斯最富饶的土地，造成公路交通中断，至少12人丧生，数千人无家可归，成千上万人逃离家园，经济损失约20亿美元。

1.2 社会经济概况

1.2.1 人口

科罗拉多河（含支流）流经美国怀俄明、科罗拉多、犹他、新墨西哥、内华达、亚利桑那和加利福尼亚等7个州。该河在墨西哥和亚利桑那州之间流淌27km，成为美、墨界河，最下游145km在墨西哥境内。科罗拉多河流域人口约2 500万。千百年来，河流为流域内人民提供了生产和生活用水，目前，灌溉农田已达120万hm^2。

1.2.2 土地矿产资源

科罗拉多河上游山区矿产丰富，历史上曾盛产金、银。现以钼、铀、锌、钒、铜、铅、石油、煤和天然气为主。钼产量居全国首位。上游石油储量估计达3亿t，可开采的有1亿t，天然气储量有29 000亿m^3，其中2 800亿m^{3}是可开采的。煤的储量有1 410亿t，大约有一半是值得开采的。值得一提的矿藏还有:铀 20 万 t,钒 24 万 t,铅 150 万 t,磷酸盐 585 万 t,黄铁硫(含硫 50%)数百万吨,锌 250 万 t,银 5.55 亿盎司;铁矿(含铁 65%)500 万 t,钾碱 2.06 亿 t。流域内落基山怀俄明盆地有大油田,怀俄明州西南部的格林河盆地中有大量油页岩。一些山间盆地有大量煤田,品位一般较低,近年来产量有较大增长。据科罗拉多规划局预测,煤和铀的开采量在 2000 年后有发展的趋势;石油和天然气的开采在 2000 年后会有所下降。

1.2.3 工农业概况

科罗拉多河中下游流经干旱与半干旱的山间地区,很少有支流汇入,具有典型的过境河性质,为该地区的主要灌溉水源,对流域内和附近地区的工农业生产具有重大意义。径流的绝大部分用于农业灌溉,年引水量约 95 亿 m^3,城市供水和工业用水约为 21 亿 m^3。根据 1972 年统计,科罗拉多河的年引水量总计达 123 亿 m^3,至 1990 年为 152 亿 m^3,2000 年已达 164 亿 m^3。

科罗拉多河除了向流域内供水外,还向流域外供水。供水范围为东北到科罗拉多州的丹佛市,北到犹他州的盐湖河谷,东南到新墨西哥州的阿波奎克市,西南到加利福尼亚州的洛杉矶,南到墨西哥边境的南部海岸和沙漠。供水主要用于农业灌溉,同时也用于城市和工业用水。其中,给墨西哥的年供水量不少于 18.5 亿 m^3。河流受益居民总数达 2 500 万人。在美国,该河是第一条年平均径流都分配完的重要河流,其供水和环境问题备受重视。

60 年代起,科罗拉多河流域各州制造业迅速发展,至 70 年代职工总数增加了两倍。产品主要有机械、食品和军用品。农田大部分依靠灌溉,主要农作物有小麦、玉米、高粱、甜菜等。家畜和畜产品在农业收入中占显著地位。

1.2.4 人文景观

科罗拉多河流经人烟稀少的美国西南部地区,穿行于深山峡谷之中。经科罗拉多河水系冲蚀,形成深邃的、色彩斑斓的峡谷,干流峡谷总长 1 600km,占河道总长的 2/3 以上,其中最著名的科罗拉多大峡谷,位于亚利桑那州西北部,在科罗拉多河中游,为第三纪上新世时高原大幅度抬升和河流强烈下切而成。大峡谷全长 350km,最大深度 1 740m,谷顶部宽 6.5~29km,往下收缩,下部呈 V 字形。谷底水面宽度不足 1km,最窄处仅 120m。从谷底向上,沿崖壁出露着从前寒武纪到新生代的各期岩系,水平层次清晰,并含有代表性生物化石，有“世界最大天然地质博物馆”、“活的地质史教科书”之称。岩性软硬不同、颜色各异的岩层，被外力作用雕琢成千姿百态的奇峰异石和峭壁石柱。随着晖明阴晦的天气变化，水光山色变幻无穷，蔚为壮观。1919 年美国国会通过法案，将大峡谷最深的一段(长约 170km)正式辟为国家公园，面积 2 728km^2。现每年前来观光旅游的人数超过 200 万。

科罗拉多河流域既有沙漠中的人工绿洲、闻名于世的赌城——拉斯韦加斯，更有举世仰慕的美国西部的大金字塔、20 世纪绿洲文明的甘泉——胡佛水坝。该坝 1931 年在美国大萧条时期动工，到 1936 年，短短的 6 年中，一座宏伟建筑即在一片荒芜的峡谷中建成。在为治理科罗拉多河而兴建的一系列大坝、运河和水渠之中，胡佛水坝是科罗拉多河除害兴利的里程碑。该坝是当时世界上最杰出的水利工程，它充分反映出机器时代美国人的聪明才智和技术实力。半个多世纪之后的今天，像一把巨型楔子直插在亚利桑那和内华达两州交界处的这一白色水泥建筑物依然使世人惊叹不已。尽管新一代更巨大、更先进的工程壮举不断涌现，然而胡佛水坝仍然被奉为世界水坝之范例，仍然是世界上最著名的水坝。

科罗拉多河沿岸不仅有丹佛、盐湖城、洛杉矶、拉斯韦加斯、圣迭戈、菲尼克斯等大中城市，而且还有科罗拉多、亚利桑那、丹佛等大学学府。科罗拉多河流域城镇的扩大，人口的增加，工农业的发展，与该河水资源的综合开发治理息息相关。如内华达州的拉斯韦加斯城是一座美丽的城市，这座城市之所以兴起的最重要的先决条件，就是胡佛水坝的兴建解决了城市的供水问题。又如美国近年来发展最快的城市之一——洛杉矶，地处内华达沙漠边沿，地理位置类似于我国的西北地区，水资源十分缺乏，但由于加利福尼亚、洛杉矶两大引水工程的建成，为城市和经济的发展提供了水资源保障，才使得该城市迅速发展。

1.3 流域管理机构

科罗拉多河流域属于“多龙”治水，管理机构较多，譬如，垦务局，科罗拉多河上游委员会、林业部、国防部、贸易部、内务部、环境保护部、劳动部、交通部、能源部和保健部等都参与流域管理。科罗拉多河流域规划主要由垦务局负责。垦务局是根据《垦务法》1902 年创建的，属内务部。其重要任务是解决美国西部 17 个州的干旱缺水问题，也承担水力发电、城镇工业用水、防洪、渔业、保护野生生态环境、防治盐碱化和发展旅游等任务。水文和水质的监测任务则由地质调查局(USGS)负责。

世界上许多国家在制定流域规划和确定工程项目时,日益重视“智囊团”的作用,以保证战略决策不失误或少失误,使工程建立在科学论证的基础上。如美国对科罗拉多河上游地区的开发就是如此。自1971年起,美国就开始制定一个科罗拉多河上游平原地区的综合研究规划,作为制定2020年前区域远景规划的基础,除亚利桑那、犹他、科罗拉多、新墨西哥和怀俄明州政府参与规划的制定和合作外,“科罗拉多河上游委员会”以及林业部、国防部、贸易部、内务部、环境保护部、劳动部、交通部、能源部和保健部也参与了制定和合作。

为了发展中西部的经济,美国政府十分重视中西部的水资源开发,把它作为联邦和有关州政府的重要任务之一,联邦政府早在1902年就设立了垦务局,致力于开发中西部的水资源,经过近100年的努力,已经建成并管理345座水库、254座大坝、267座泵站、21.6万km渠道、2 300km输水干管、950km隧洞和58座水电站,这些水资源开发利用的骨干工程的建设和建成,为中西部的社会和经济发展奠定了坚实的基础。

2 流域治理开发的主要成就

2.1 防洪工程体系建设

2.1.1 *治河的历史沿革*

科罗拉多河的早期治理,是在支流上游建小工程,引水灌溉和发电。随着19世纪下半叶美国西南各州的开发,沿科罗拉多河下游两岸农业逐步发达。20世纪初,在近墨西哥边界处建尤马工程,引水灌溉加利福尼亚州南部农田果园;此外,在支流上修建了若干中小型工程。但一为洪水所苦,如1905年洪水淹没富饶的帝国谷地,并在低洼的苏尔顿地区形成一个永久的大湖;二为泥沙所害,沿河引灌渠首及灌渠,经常为泥沙淤堵;三为旱灾所扰。为防洪、引灌、清淤,经常需要花费大量的人力、物力和财力,而收效甚微。因此,20世纪初提出必须控制洪水,抑制旱灾,防止淤积,并开发水能,使下游地区的经济得到持续发展。20世纪20年代末,经过对干支流70个可能起控制作用的坝址进行比较研究,在上游两条主要支流上选出3处较优坝址。进一步深入研究的结果表明:第一,都不具备提供适当的防洪与调节库容的自然条件;第二,各坝址距离最需要防洪、供水的下游广大农业地区太远;第三,在上述坝址的下游,仍有众多的支流得不到控制,还可能产生毁灭性的洪水。因此,最后确定在干流中游大峡谷区建设一座高坝大库,以满足立法规定的要求,即解决蓄水灌溉、防洪、拦泥,并可发电。垦务局经长期研究,提出在科罗拉多河内华达和亚利桑那两州的边界上建胡佛高坝的计划。该坝"能保护下游地区免遭洪灾,又能蓄纳春洪,供应夏秋需水;能拦截每年下泄的泥沙,又不致侵占防洪和调节库容;能建成一座适当规模的水电站,利用全部径流发电,为美国西南地区经济发展提供廉价电能,又为偿还建设资金提供保证。"经过近十年在立法和技术上的准备,1928 年经国会通过,总统批准《鲍尔德峡工程法案》(因当时当选总统胡佛对工程的支持,故改名为胡佛坝)。1929 年 10 月美国进入经济大萧条时期,但仍在 1931 年 4 月开工,1935 年 2 月开始蓄水,当年 9 月大坝竣工,1936 年 10 月第一台机组发电。胡佛坝的兴建,为西南地区提供了迫切需要的水和电,对促进当地经济发展具有十分重要的意义。

兴建胡佛坝的同时,1934 年在下游接近墨西哥处建英皮里尔坝和全美渠灌溉工程。随后还在胡佛坝与英皮里尔坝之间结合引水灌溉陆续建设帕克坝和戴维斯坝。20 世纪 60 年代又在上游兴建格兰峡重力拱坝,以及支流上的佛莱敏峡双曲拱坝、纳瓦约土石坝,进一步增加调节库容和拦沙库容。

科罗拉多河的大规模开发,通过流域规划,选择了从干流中游开始的开发程序,以更好地适应经济发展要求。科罗拉多河干流梯级开发和支流上大于 10 万 kW 的水电站详见附表 5-1 及附图 5-1。现已建成 6 座大水电站,共有装机容量 288 万 kW,年发电量 113 亿 kW·h。在格兰峡与胡佛之间,规划中还有 3 个梯级,共可装机 360 万 kW,为保留大峡谷景区而未建。

已建 6 座大水库总库容 778.5 亿 m^3,上游各支流还建有 86 座中小水库,总库容 46 亿 m^3,下游支流水库 9 座,总库容 48 亿 m^3,共计大小水库 100 座,总库容 872 亿 m^3,相当于平均年径流量的 4.7 倍,平均年输沙量(容积)的近 600 倍。

但是,胡佛坝和下游的支流水库,还不能完全控制全流域的洪水。下游还需要靠堤防来防洪,采用"堤防设计洪水",可防相当于百年一遇的洪水。

对于泥沙的控制,一方面靠推行水土保持工作;另一方面靠水库拦蓄,现有的水库库容可以拦蓄好几百年,并还有可建水库的余地。

附表 5-1 科罗拉多河干支流较大水电站(装机容量 10 万 kW 以上)

干支流	附图编号	水电站	最大水头(m)	有效库容(亿 m³)	装机容量(万 kW)	年发电量(亿 kW·h)	建成年份
科罗拉多河	①	杜　威	99	76.5	18.0	8.0	未建
	②	摩阿布	42	1.4	11.0	4.0	未建
	③	格兰峡	174	257.6	95.0	48.6	1964
	④	大理石峡	93	0.5	60.0	23.1	未建
	⑤	加那布溪	294		150.0	65.7	未建
	⑥	桥　峡	205	30.7	150.0	58.0	未建
	⑦	胡　佛	180	195.8	134.5	38:5	1936
	⑧	戴维斯	45	19.5	24.0	11.8	1950
	⑨	帕　克	25	2.2	12.0	5.0	1942
甘尼森河	⑩	马罗点	123	0.5	12.0	3.5	1970
格林河	11	佛莱敏峡	136	43.4	10.0	6.0	1964
	12	回声公园	159	67.4	20.8	7.2	未建
	13	灰　峡	143	20.5	40.0	11.0	未建
	14	格陵河	43		12.0	3.5	未建
已建 6 级合计			683	518.8	288.3	113.4	

由于美国西半部干旱缺水，科罗拉多河流域的绝大部分水量用于农业灌溉，约需 95 亿 m³，城市供水和工业用水约需 28 亿 m³。因此，在科罗拉多河干、支流上兴建了许多大型引水工程，上游有弗赖因潘—阿肯色河引水工程、圣胡安—查马工程、纳瓦霍印第安灌溉工程，下游有南达科他工程、科罗拉多河引水工程、索尔特河工程和希拉河工程等。

除科罗拉多河上下游各州大量引水灌溉外，还修建了一些跨流域调水工程，如 1941 年建成的科罗拉多河水道，将科罗拉多河下游一部分水量，调往加利福尼亚州南部海岸流域，供洛杉矶市使用；1959 年建成的科罗拉多河—大汤普逊河调水工程，把科罗拉多河上游的水穿过落基山下的隧洞引至密西西比河流域的支流大汤普逊河，年调水量 2.84 亿 m³。

据 1972 年的统计，流域内外每年从科罗拉多河的引水量已达 123 亿

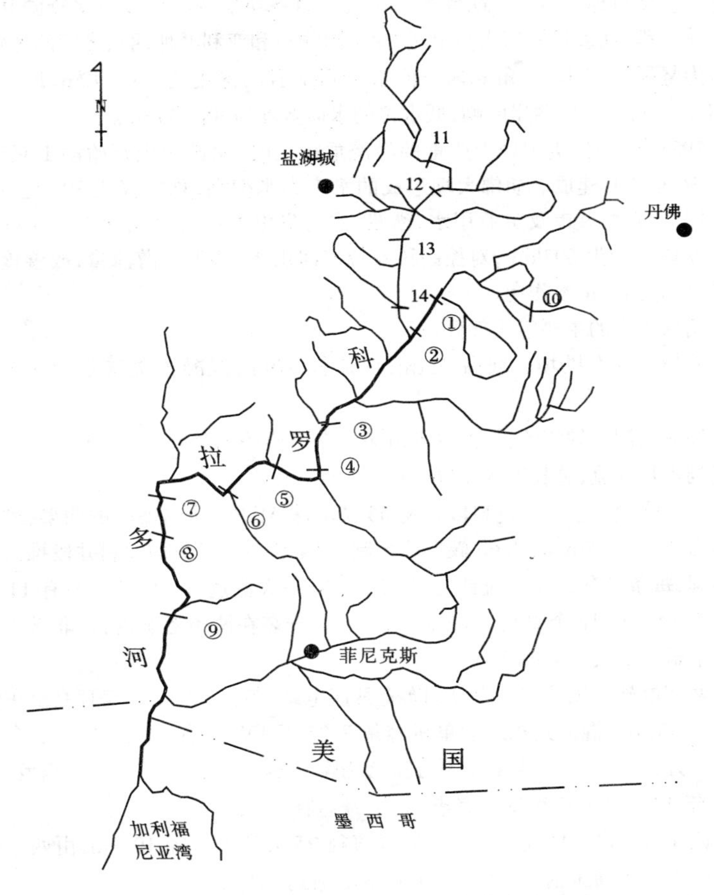

附图 5-1　科罗拉多河干支流大水电站位置

m^3，占平均年径流量的 66%，至 2000 年已达到 164 亿 m^3。因此流入墨西哥境内的水量愈来愈少了。

2.1.2　防洪工程措施

2.1.2.1　主要已建水库

(1)胡佛大坝(Hoover Dam)。1928 年美国通过《鲍尔德峡工程法案》，开始第一个多目标工程——胡佛坝的建设。胡佛坝是科罗拉多河水资源开发的主体工程，系多目标高水头枢纽，建于内华达和亚利桑那两州之间的黑峡，基岩为坚硬的安山岩、角砾岩。低水位到基岩的深度为33～40m，最低点42.4m。河谷很窄，两岸陡峭，低水位的水面宽度为88～113m。

1931年4月，美国处于严重的经济危机之时，胡佛大坝开始动工兴建。于1936年3月建成。胡佛大坝形成的水库为米德湖，总库容达393亿m^3。其中用于防洪、城市及工业用水、灌溉、水力发电的综合利用库容为196亿m^3。水库面积为693km^2，对控制科罗拉多河洪水，调节下游流量，改善该河环境，均起到了重要作用。

胡佛大坝的主要组成部分：

混凝土重力拱坝。坝高221m，坝顶长379m，混凝土浇筑量为335万m^3。

导流隧洞。导流流量为5 670m^3/s。左右岸各两条直径为15.25m的衬砌隧洞进行导流，总长度为4 860m。

泄洪隧洞。左右岸进口段为宽45.7m、深51.8m、长198m的明渠，进水口各由4个30.5m×4.88m鼓形门控制，明渠段后接溢流面及斜井段推入后部隧洞，每条隧洞最大泄流能力5 670m^3/s，最大流速53.4m/s。另有11个直径2.14m和12个直径1.83m的针形阀，安装在两条隧洞内，在非常洪水条件下辅助泄流2 440m^3/s。

两座电站。坝址左右岸分别布置两座电站，各长198m，厂房顶高出正常尾水位45.7m，混流式机组的单机容量8.25万kW的有14台，另有3台分别为9万、5万、5.4万kW，合计134万kW。1941年10月第一台机组发电，1961年12月全部机组安装完毕。

四座进水塔。塔高120.4m，底部直径25m，顶部直径19.3m，由两个进水塔引出两条高压钢管，直径从9.15m收缩到2.59m。

一条150t的永久缆索。

胡佛坝建成后的效益

防洪。米德湖的调洪作用显著，洪水流量5 670m^3/s可被削减为1 130m^3/s，特大洪峰8 500m^3/s可被削减为2 120m^3/s。例如，1941年、1952年、1958年的洪水流量为2 920～3 450m^3/s，水库调洪后下泄的洪水在1 000 m^3/s以下。1953～1956年为旱年，水库提供了水源；1957年的洪水流量

3 540m^3/s,则为水库所蓄积而未下泄。

灌溉。胡佛坝下游河谷有数十万公顷耕地,其中以英皮利尔河谷为例,可灌溉耕地 20 万 hm^2,近年来已发展了灌溉农田面积 18 万 hm^2,1944 年河谷的作物产值约为 7 000 万美元,而 1974 年则增为 3.98 亿美元。

城市及工业供水。加州南部为半干旱区,年降水量仅 380mm,远远不能满足用水需要。1974 年,由米德湖引取了 13.2 亿 m^3 的水量,向加州南部 1 万 km^2 的 125 个城镇及工业单位供水,包括有 1 000 万人口的洛杉矶在内。

水力发电。多年平均发电量为 38.5 亿 kW·h,最高为 1953 年的 64.5 亿 kW·h,最低为 1965 年的 26.1 亿 kW·h。每年所发的电能估计与烧油 600 万桶的火电厂相当。电费收入除偿还所分摊的投资外,还有余款作为州政府收入和进一步开发科罗拉多河灌区、水电的资金。

通航及旅游。纵长 177km 的米德湖可以通航大小船只及游艇,改变了建坝前的面貌。米德湖成为著名的游览胜地,截至 1974 年 7 月 12 日,参观及游览者已达 1 600 万人。

胡佛坝的工程技术特点

1936 年建成的胡佛坝,有不少指标(例如,坝高、混凝土浇筑强度、大直径隧洞导流、施工周期短等方面)在当时居世界领先地位,成为早期的多目标高水头枢纽工程的范例。1961 年安装完毕的两个大水电厂,在进水塔及圆筒门、高压钢管、单机容量及装机总容量、狭窄河谷厂房布置等方面,在当时具有一定的水平和特色。

工程兴建从解决加州南部的干旱缺水问题出发,建成后在防洪、灌溉、城市及工业用水、水力发电等方面,均发挥了显著效用。

如何避免空蚀破坏,是高水头水利枢纽运行中的一项重要研究课题。胡佛坝泄洪隧洞在 1941 年小流量泄洪运行中,曾发生过严重的空蚀破坏,高水头大直径隧洞的安全泄洪技术尚存在一些问题。混流式水轮机也存在空蚀问题,现正在换装不锈钢新水轮,以提高抗空蚀性能;同时还采用重绕发电机线圈的措施。这两项措施都有利于提高电厂的出力。美国在能源危机中,重视提高已建电厂的出力。

胡佛坝是科罗拉多河水资源开发的主体工程,水库总库容达 393 亿 m^3,对控制科罗拉多河洪水、调节下游流量、改善该河环境,均起了重要作用。1968~1977 年 10 年间发电量如附表 5-2 所示。

附表 5-2　　**胡佛坝水电站历年发电量**　　(亿 kW·h)

年份	1968	1969	1970	1971	1972	1973	1974	1975	1976	1977	平均
发电量	28.81	30.30	31.69	31.98	32.85	31.32	35.82	34.94	35.68	34.20	32.76

注:表中资料来源于 Water and Power Resources Service Project Data, 1981。

胡佛坝与其上游的格兰峡坝建成后,两坝之间的大峡谷风景区旅游事业发展迅速,经济效益显著。

(2)英皮利尔坝(Imperial Dam)。英皮利尔坝在科罗拉多河下游接近美、墨边界,系支墩坝,最大坝高 26m,坝顶长度 1 059m,水库总库容 1.05 亿 m^3,于 1938 年建成。英皮利尔坝是加利福尼亚州的引水渠首枢纽,干渠长 100km,向加利福尼亚的两个大灌区输水。英皮利尔河谷是科罗拉多河的最大灌区,位于索尔顿湖的南部,灌区面积 22 万 hm^2,该区土质黏细,不易排水,因此从 1929 年起就采用地下陶管排水,1954 年后采用混凝土衬砌渠道。科阿切拉河谷灌区位于索尔顿湖的西北部,灌溉面积 3.13 万 hm^2。公元 1871～1972 年期间,该灌区每年提取地下水 1.2 亿 m^3,取用科罗拉多河水 4 亿 m^3。该区所有灌溉农田都采用地下管道排水。

(3)戴维斯坝(Davis Dam)。戴维斯坝位于比拉米德(Byramid)峡谷,在胡佛坝下游 107.8km 处,距亚利桑那州京马恩(Kingman)以西 51.5km,系土石坝,坝高 61m,坝顶长度 488m,顶宽 15.24m,由混凝土溢洪道、进水建筑物和电站组成。

戴维斯坝形成的水库为莫哈夫湖,总库容 28.43 亿 m^3。电站设在科罗拉多河亚利桑那州一边。共有 5 台 4.5 万 kW 半露天式发电机,总装机容量 22.5 万 kW,年发电量为 10 亿 kW·h。

戴维斯坝可控制洪水、降低河水含盐量,其电站向亚利桑那州、南加利福尼亚州和内华达州供电。

戴维斯坝于 1942 年 8 月开工,第二次世界大战时停工,1946 年 3 月复工。主坝、进口建筑物和溢洪道于 1949 年 4 月建成。

1950 年元月,溢洪道上 6 个临时导流孔用混凝土塞封堵;水库首次蓄水。电厂于 1950 年 10 月建成,1951 年元月第一台机组发电,其余机组于 1951 年 6 月发电。

(4)帕克坝(Parker Dam)。帕克坝形成的水库为哈瓦苏湖,位于胡佛坝下游 249km 处，距亚利桑那州帕克市上游 29km。

帕克坝系混凝土拱坝，由 15.24m×15.24m 提升式平板闸门控制。坝高 97.5m，坝顶长度 261m。

帕克坝电厂有 4 台水轮发电机组。单机容量为 3 万 kW，总装机容量 12 万 kW。

帕克坝于 1938 年建成。

(5)格兰峡坝(Grand Canyon Dam)。格兰峡坝位于亚利桑那州科罗拉多河格兰峡，水库名鲍威尔湖，其大部分都在犹他州境内，总库容 333.3 亿 m^3，有效库容 257.6 亿 m^3，水库面积 653km^2。

格兰峡坝为混凝土拱坝，最大坝高 216.4m，坝顶宽 7.62m，最大底宽 91.44m，坝顶长 457.5m，共分 26 个坝段。坝体混凝土 374.7 万 m^3，连同水电站及其他建筑物在内混凝土总方量 421.5 万 m^3。

格兰峡坝的溢洪道设在两岸坝肩附近，由引水渠、泄水建筑物、斜向和水平的泄洪隧洞、挑流鼻坎、两扇弧形闸门(12.19m×16.00m)组成。泄洪隧洞直径为 12.5m。进水建筑物渐变段由平拱顶 27.13m×15.85m 过渡到直径为 14.71m 的圆形，然后再变为直径为 12.5m 的圆形。左岸泄洪洞长 570m，右岸泄洪洞长 517m，泄洪能力为 3 908m^3/s。

格兰峡坝的水电站位于坝轴线下游 122m 处，厂房内装有混流式水轮机 8 台，总容量 95 万 kW，水头 104～171m，转速 150r/min，发电机容量为 12.5kVA，功率因数 0.90。压力钢管 8 条，每条内径 4.57m，上游进水喇叭口设定轮式闸门控制流量。

格兰峡坝有两条导流隧洞，左洞长 918m，右洞长 838m，直径均为 12.5m，泄流量 425m^3/s。

其泄水底孔由 4 根通过坝体的钢管组成，直径 2.44m。上端为喇叭口，安装附环滑动闸门以作事故紧急闸门用，最大泄流量为 425m^3/s。

格兰峡坝于 1957 年开工。1966 年全部机组开始运行。该坝施工准备期 2 年，正式施工期 5 年，总造价为 2.45 亿美元。

(6)佛莱敏峡坝(Flaming Gorge Dam)。佛莱敏峡坝坐落在犹他州东北部格林河上，距离犹他州和怀俄明州下游交界约 51.5km 处。该坝系混凝土薄拱坝，最大坝高 153m，坝顶长 391.6m，顶宽 8.23m，混凝土量为 75.5 万 m^3。1956 年开工，1964 年竣工。泄洪隧洞建在左岸坝肩上，长 205.7m，混凝土衬砌洞最大泄洪量为 815.5m³/s。水库总库容为 10 亿 m³。建在坝址下游的电厂有 3 台 5 万马力(1 马力 = 735.499W)法兰西水轮机、3 台 3.6 万 kW 发电机、3 条直径 3m 的钢管。

2.1.2.2　引水工程(附图 5-2)

(1)全美渠灌溉工程。全美渠(All American Canal)在加利福尼亚州西南

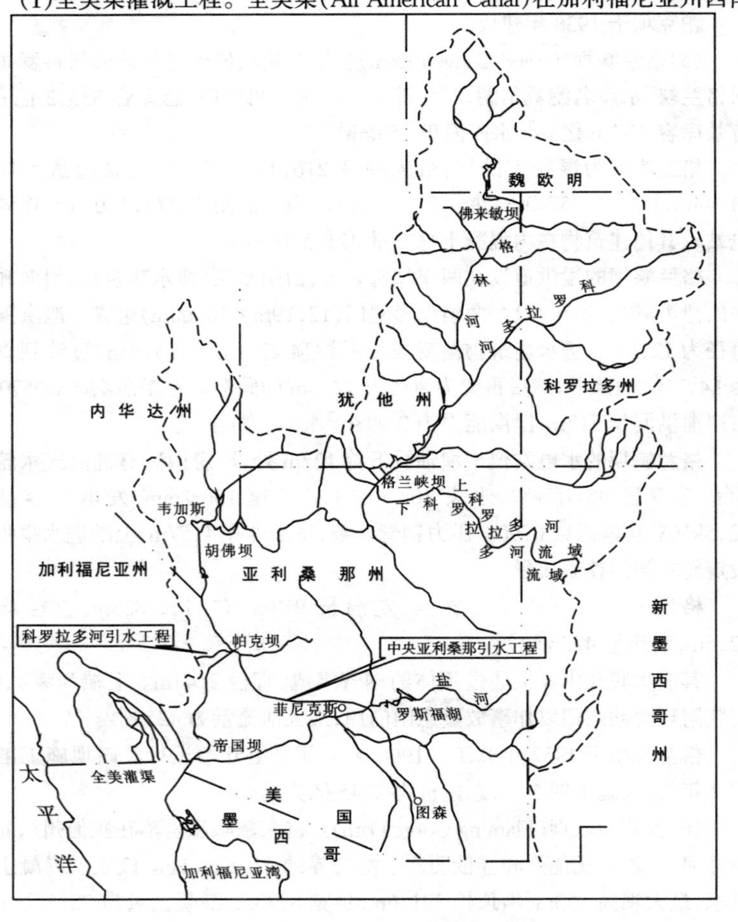

附图 5-2　科罗拉多河流域引水工程

部，位于美国与墨西哥国界北侧。由胡佛坝下游的英皮利尔坝引水，最大流量430m^3/s，向西流约130km而进入英皮利尔河谷，于尤马（Yuma）以西32km处接科切拉（Coachlla）支渠，长198km，因整个渠系均在美国境内，故名全美渠，以区别原来流入墨西哥境内的英皮利尔河谷的老阿拉木（Alamo）渠系。

全美渠建于1934～1940年，系科罗拉多河下游联邦政府主办的灌溉工程之一，自英皮利尔水库引水，向西流入加利福尼亚境内，到卡列克西科为止，水渠可灌溉帝王谷（Imperial Vally）内耕地38.9万hm^2。帝王谷本是莫哈维大沙漠的一部分，地势较低，大部分地区高程在海平面以下，其中索尔顿湖（在美墨国界以北95km）最低，湖面高程为70m，本地区干旱多沙，一片荒凉。但经全美渠引水灌溉后，使沙漠变成绿洲，土质肥沃、草木繁茂、五谷丰登，1944年作物产值约7 000万美元，1974年则增至3.98亿美元。

帝王谷气候炎热，每年7月份平均温度为32℃，1月份平均气温为12℃，夏季极端炎热，最高气温达54℃，适于种植热带作物。

全美渠的支渠科拉切渠，分水流入西北灌区科切拉谷农田，全美渠除灌溉耕地外，还向西为圣迭戈市供水。

（2）科罗拉多河水道（The Colorado Aqueduct）。科罗拉多河水道系东水西调工程，即将科罗拉多河下游一部分水量，调往加利福尼亚州南部海岸流域，供洛杉矶市使用。淡水通过科罗拉多河水道输送至目的地。该水道东起科罗拉多河帕克坝，西到洛杉矶市，全长389km。沿线共建提水泵站5座，将哈瓦苏湖的水提过分水岭，总提升高度为493m，输水量为400m^3/d。过分水岭后，存蓄于马修斯湖中，该湖水面高出帕克坝305m。从马修斯湖至洛杉矶一段完全自流。本水道中有一段混凝土衬砌渠道和一段随挖随填式管道，总长188km，一条长148m的穿山自流隧洞，另建有144座倒虹吸管，总长48km，本水道第一期工程于1941年建成；还有两条支水道输水至圣迭戈地区。

（3）科罗拉多河—大汤普逊河调水工程（Colorado Big Thompson Project）。科罗拉多州东部诸河溪，如大汤普逊（Big Thompson）河、南普拉特（South Platte）河、圣弗仑（St. Vrain）河、巨石溪（Boulder Cr）等，早在公元1870年即进行开发，用于灌溉，但规模很小，远远不能满足要求。1935年垦务局获得经费15万美元，对打通落基山的调水工程进行了调查并提出了可行性报告。

1937年组成了北科罗拉多水利区(N. Colorado Water Conservancy District)。对用水及分摊费用的偿还签订了合同。1938年跨流域调水工程开工,1959年所有批准项目全部竣工。

科罗拉多河—大汤普逊河调水工程,是一项多目标水资源开发工程,根据计划,要求从科罗拉多河上游穿过落基山每年向东部调水3.8亿m^3,由于地形正好是西高东低,因此可利用落差发电。为了避免科罗拉多河上游因调出水量而感到水源不足,首先要在调水工程的首部修建足够容量的水库,把河川径流尽量多地拦蓄起来,同时将水调入大汤普逊河后,需要再建一系列的水库群进行反调节,有的需建泵站扬水,有的可装发电机,并建配套的渠系工程进行输水及配水。

调水工程有水库10座,4座泵站,7座水电站,见附表5-3。

大汤普逊河调水工程运行多年,实际年调水量平均为2.84亿m^3,灌区面积达28万hm^2;城市及工业用水超过7 700万m^3。附表5-3中水电站装机总容量18.4万kW,年发电7.59亿kW·h。每年约200万人到该调水工程旅游点游览,效益显著。

(4)盐锅—阿肯色河引水工程。盐锅—阿肯色河工程是科罗拉多州东南部一项多目标水资源开发工程,是一项跨过大陆分水岭的引水工程。该工程计划从科罗拉多河流域西坡集水区调水8 560万m^3,穿过大陆分水岭的隧洞流至落基山脉以东的阿肯色河流域,该地区年平均水量约2亿m^3,这样就可以提高阿肯色河的调节流量发电,以满足城市及工业用电需要。这项工程还有旅游、鱼类和野生动物的保护和发展及防洪等效益。

盐锅—阿肯色河工程是1962年8月由美国国会通过并经美国总统批准实施的。由垦务局承担设计、施工、运行和维修。该工程主要建筑物如下。

鲁迪伊坝及水库。鲁迪伊坝在鲁迪伊溪与盐锅河汇合处下游约400m处,西距巴萨尔特约22km。建坝主要目的是要形成一座水库,春季拦蓄山区的径流,夏季泄放以替换高山区的夏季径流,鲁迪伊坝系非均质碾压土坝,最大坝高98m,坝顶长318m,宽9.14m,总填筑方量为286万m^3,1968年7月建成,8月1日正式投入使用。

集水系统。分为南、北边集水系统和查尔斯.H.布斯特德隧洞。1965年开工,1978年建成。

附表 5-3　科罗拉多河—大汤普逊河调水工程的主要水库、泵站及水电站

一	水　库	坝　名		水力高度（m）	库容（万 m^3）	位置
坝及水库	青山(Green Mt)	青山		80.5	19 100	落基山西
	格兰比(Granby)湖	格兰比		68	66 500	落基山西
	柳溪(Willow Cr)	柳溪		29	1 310	落基山西
	影山	影山		11.3	2 270	落基山西
	马利(Marys)湖	马利湖		6.1	110	落基山东
	埃斯蒂斯(Estes)湖	奥林普司(Olympus)		13.7	380	落基山东
	松树(Pinewood)	响尾蛇(Rattle Snake)		30.5	270	落基山东
	熨斗(Flatiron)	熨斗		16.8	90	落基山东
	卡特(Carter)湖	卡特湖		57.9	13 800	落基山东
	马牙(Horsetooth)	马牙		33.9	18 700	落基山东
		士兵峡(Soldier Canyon)		61.9		落基山东
		迪克森峡(Dixon Canyon)		65.5		落基山东
		泉峡(Spring Canyon)		60.4		落基山东
二	**站　名**	**机组台数**	**流量（m^3/s）**	**扬程（m）**	**农机容量（马力）**	**位置**
泵站	格兰比	3	17.0	55.7	18 000	落基山西
	柳溪	2	11.3	53.4	10 000	落基山西
	科罗拉多河整治	12	0.057～0.34	2.3～5.2	7.5～20	落基山西
	熨斗	1(可逆)	10.5	73.2	13 000	落基山东
三	**厂　名**	**水头（m）**	**装机容量（kW）**	**年发电量（100 万 kW·h）**		**位　置**
水电站	青山	62.0	21 600	78		落基山西
	马利湖	62.5	8 100	50		落基山东
	埃斯蒂斯	147	45 000	117		落基山东
	竿山(Pole Hill)	249	33 250	213		落基山东
	熨斗(常规机组)	322	63 000			
	(可逆机组)	76.3	8 500	286		落基山东
	大汤普逊(Big Thompson)	54.9	4 500	15		落基山东

大陆分水岭东坡水利设施。盐锅—阿肯色河工程的效益显著。经灌溉后的 11.3 万 hm^2 农作物如玉米、豆类、高粱、甜菜、瓜果、蔬菜等产量大增。

科罗拉多、奥罗拉两市及普拉特河沿岸一些地方供水条件大为改善。年水力发电8亿～9亿kW·h。渔业、旅游事业也得到迅速发展。

2.1.3 防洪非工程措施

2.1.3.1 科罗拉多河水管理问题

美国科罗拉多州约有1/3的地区属于科罗拉多河流域,这一地区的降水约占全州总降水量的60%,而人口只有12%。尽管科罗拉多河流域在科罗拉多州的面积占全流域面积不足30%,然而在亚利桑那州利斯费里断面(协议点)的径流量有70%来源于科罗拉多州。

科罗拉多河的开发与管理成为相关各州关注的焦点。科罗拉多河系的水量是按有关方面(包括流域内的7个州及墨西哥)签署的条约、协议及美国联邦最高法院的法令等进行分配的。

协议、国际条约、联邦最高法院的法令以及大量的联邦和州的法律法规,在科罗拉多河水管理中发挥了重要的作用。在1922年的科罗拉多河协议中,将科罗拉多河系的用水在流域内按上游和下游进行了分配,上游区和下游区每年永久性地拥有92.5亿m^3消耗性用水的使用权。同时还规定,上游区的用水不得造成任何一个连续的10年里利斯费里断面的径流总量低于925亿m^3。在1944年墨西哥条约中规定,每年必须保证给墨西哥18.5亿m^3的水量。上述数字加在一起已超过了科罗拉多河的多年平均径流量。

在另一协议,即1948年科罗拉多河流域上游协议中,将上游区的消耗性用水权按一定比例分配给有关各州。

在科罗拉多州内进行分水时,遵循的是“优先占用”原则,即“首先用水者,水权优先”原则。这一原则起源于多数干旱州,因为当水太少而无法满足所有用户需求时,均分这点水对任何用户都无济于事,而有些投资效益的可靠性是以水来作保障的。这些专有权由科罗拉多州水资源局(DWR)的工作人员进行管理,他们遵循州的有关法律和既定程序,按法定次序进行管理和向用户分水。

在科罗拉多州,水权可以看做是私人财产,拥有者依法取得水的使用权,并有权改变水的利用方式,也可以将这种权力从一个地方转移到另一个地方,但不得损害其他水权,并需经水事法庭批准。

科罗拉多州经常对其水资源管理进行估价,以尽可能适应人口和需水量的日益增长、联邦水预算经费的不足。管好和用好现有水资源是州政府和用户们所共同关心的问题。

(1)州际协议问题。因下游各州的需水量超过其协议分配量而导致全流域的管理困难,这些需水量给已经不平衡的系统又增加了负担。对上游来讲,一场严重的持续干旱同样会导致用水紧张,但为了履行协议规定的义务,不得不削减其用水量。为了应付这些压力,科罗拉多州通过科罗拉多州水利局(CWCB)来继续维护协议赋予的权利,以避免引起经济赔偿和法律诉讼。河流和水库的运行政策改变时,应进行可行性评价,以使由于改变运行政策而产生的不利影响和可能的州际协议纠纷降到最低水平。

(2)水资源规划问题。大量的规划问题产生于需水量的增加和出于环境保护的需要。城市正在向农村和偏远地区购买更多的农业水权;正在研究濒危鱼类以确定其所需的水流条件,来保护和恢复这些物种;水资源开发计划和水权转让需进行必要的审查,以免对现有水权产生不利影响,并为各类有关工程贷款提供支持;国际环境可能导致科罗拉多州能源的盲目开发,并由此引起需水量的增加。所有河外用水和河内用水计划都要通过州政府和用水户的审查,并与有关当事人协商,解决分歧,达成一致。

(3)水资源行政管理问题。科罗拉多州水资源局负责科罗拉多河流域的水权管理,这是一项因流量和库水位的不断变化,以及各州用水量的不断增加而导致复杂化的任务。州的管理人员则正在寻求一项更为有效的管理措施来保护水资源和防止资源浪费。近年来,旅游观光已成为科罗拉多州的第二大支柱产业。许多水上娱乐活动都离不开水,如垂钓、放筏等。通过运用科罗拉多河决策支持系统的综合实时信息和预报系统,可以大大增加上述各种不同需求的供水。

2.1.3.2 科罗拉多河决策支持系统(CRDSS)

(1)科罗拉多河决策支持系统的开发动因。当科罗拉多河流域的水管理进入一个新时期时,为便于制定正确的决策,必须实现各州政府、供水人、用水户之间的合作。这样就需要一个综合决策支持系统,为科罗拉多各有关管理机构进行广泛的信息和各种策略的编辑、存储和评价等提供决策参考。

1992 年,科罗拉多州议会委托科罗拉多州水利局进行科罗拉多河决策支持系统的必要性分析和可行性研究。1993 年,科罗拉多州水利局又受委托设计并建立科罗拉多河决策支持系统。依据 1992 年 7 月州长令设置的科罗拉多河政策咨询委员会和联合决策支持系统咨询委员会,负责过问科罗拉多河事务,并对科罗拉多河决策支持系统提供建议和指导。

(2)科罗拉多河决策支持系统的目标与任务。科罗拉多河决策支持系统的主要目标是提供开发可靠信息的能力,为科罗拉多河水资源管理决策奠定基础。

科罗拉多河决策支持系统将做到:

a.开发适用于科罗拉多河流域水管理和水量调配的准确可靠、便于用户掌握使用的数据库。

b.提供评价水管理决策的数据库与模型,实现在各种水文条件下能最大限度地利用水资源。

c.成为一个供决策者及有关人员使用的功能系统,并由州政府运用和完善。

d.能够准确快捷地查询现行与拟行的联邦和州在水资源管理和调度方面的政策与法规。

e.增进政府机构与用水户之间的信息共享。

科罗拉多河决策支持系统包括数据库和模型,既可提供经整编的数据资料,又可帮助进行诸如科罗拉多河流域规划、管理及调度等重大问题的决策制定。科罗拉多河决策支持系统的核心是数据库,它拥有河道流量历史资料、气象资料、用水资料以及水权资料和水管理政策法规资料等。地理信息系统(GIS)可用于流域实测资料的处理,这一计算机辅助系统可使决策者获取水资源信息,模拟可能的决策和政策,并对与以下相关的可能结果进行探讨。

州际协议政策。包括水库与河流优化调度政策的比选;确定可供开发的水量;科罗拉多河水资源的最优分配。

水资源规划。包括水资源规划模型的开发和运用(即新项目、水交换、运行计划)及河内流量分配的影响评价(如濒危鱼类所需流量及最小流量)。

水权管理。包括水权的最优化管理;用水户之间的信息联机共享;协议内分水的水权管理(即选择管理策略以实现最大限度地利用可用水资源)。

(3)科罗拉多河决策支持系统设计。为建立有效的、面向用户的科罗拉多河决策支持系统,系统设计重点放在以下 5 个关键的要素上。

数据库开发。科罗拉多河决策支持系统选择的数据库采集方式决定了数据库将作为该系统的核心。数据库包括一个相关数据库系统(RDBMS)和一个地理信息系统(GIS)。其中 RDBMS 将用于存储适合表格形式的数据(如流量记录、分流设施所有人等),并与州水资源局开发的水文库(HYDRO-BASE)联机;GIS 可以有效地进行空间资料(如灌溉区域)的存储、检索、分析和显示。灌溉面积由联邦垦务局(USBR)利用航片进行勾绘,并由州水资源局运用科罗拉多河决策支持系统的相关成果进行现场核实。

模型。计算机模型使得流域系统模拟成为可能,这就有条件对可能选用的管理方案进行评价。最初两年的工作重点将放在开发科罗拉多流域模拟模型、水资源规划模型和耗水量模型上。

科罗拉多河流域模拟模型(大河模型)由垦务局承担开发,将用来评价整个科罗拉多河流域的水库与河流的运行调度方案,并让现行的和未来的州际协议政策和调度运行原则得到合理的检验。

水资源规划模型可用于科罗拉多河流域现有的和拟议的水系统评价,包括水库运行、水权转让以及河内流量对其他资源的影响。

耗水量模型可用来计算农业用水总量(包括当地农作物和家畜用水)、生活和工业用水以及其他各方面的用水。这个计算模型主要是为了确定现在和未来协议规划的用水及水资源开发。解决上述问题的模型都是现成的,并都将在科罗拉多河决策支持系统中得到应用。

系统一体化。各种水资源数据和正在开发的科罗拉多河决策支持系统项目的计算机模型应当综合成一个有机的功能系统。系统一体化就是将各自独立的部分“整合”成一个整体系统,其首要问题是设计标准的建立与配套,以使各自独立的部分有相似的“作用和感应”,这样才能保证各自独立的部分实现广泛联机。系统一体化是贯穿于整个软件开发与完善全过程的螺旋式上升的活动。

用户参与。用户参与的目的在于征求用户对设计与开发的要求,并为用户提供应用练习。用户参与有助于保证系统满足用户的需要,便于他们认可和连续使用系统。用户参与包括演示系统的实体计算站(演示室系统设置于科罗拉多州水利局的办公室、会议室以及专题研究小组工作室)和辅导材料的编制。演示室对公众和有关人员开放,并可邀请有关人员考察科罗拉多河决策支持系统原型。

文档。建立软件文档将是贯穿科罗拉多河决策支持系统开发全过程且不断发展的一项任务。文档对系统的长期完好运行是至关重要的，它将向州政府提供完备的信息以维护和改进科罗拉多河决策支持系统。建立文档的目的还在于在开发早期即建立一个反馈机制，便于开发者之间的软件共享，帮助系统的维护和进一步开发，并为用户提供基础培训教材。

(4)科罗拉多河决策支持系统应用情况。科罗拉多河决策支持系统的效用可以通过对应用实例的介绍加以说明，其应用集中在用户完成其所从事的特定水管理工作范围之内，下面就通过3个应用实例来作一说明。

应用空间数据库确定灌溉面积。科罗拉多河决策支持系统空间数据库的作用是可以用来检查一个或多个编入科罗拉多河决策支持系统之中的数据集。例如，州议员可以要求州水资源局确定该州内的灌溉面积，州水资源局的工程师可以借助空间数据扫描仪显示出科罗拉多河流域内科罗拉多州的灌溉面积图，同时还可以显示出区域图，选择感兴趣的局部区域，显示其灌溉面积，以表格形式将灌溉面积和相应的作物种类一并打印出来。

应用于流域开发计划的评价。科罗拉多州水利局的工程技术人员可以应用科罗拉多河决策支持系统的水资源规划模型对西部河流上拟建的水工程进行评价。工程技术人员可以通过论证确定一个工程开发水平，而该水平不致产生对法定水权的不利影响，且在技术和经济上都是可行的。信息开发可以利用数据库管理和通过科罗拉多河决策支持系统接口完成的模拟功能来实现。制图应用程序可以用来论证开发项目的可行位置。应用电子数据表编辑功能对水权次序、水量大小以及时限进行编辑，以明确开发规划。这些资料可与其他流域的水权资料和本身条件相结合，输入水资源规划模型，即可以得到一组基本情况或对比情况的时间序列概图，以评价规划工程对其他水资源的影响。

应用于科罗拉多河运行策略评价。科罗拉多河流域模拟模型可以用来评价因库水位、库容以及调度原型的改变对供水、发电、上游来水以及其他系统所造成的影响。例如，通过模拟，可以确定在采用不同下游区水量余缺标准时，对上游水库的水位与库容以及上游出水的短期和长期影响。这就为决策者对此问题进行决策时提供了充分的技术资料。

2.2 水资源综合开发利用

2.2.1 干支流水电资源开发

科罗拉多河是美国进行水资源综合利用与开发的第一个流域，每个工程都具有发电、灌溉、旅游、防洪与航运等综合效益，是美国水资源开发最充分的流域，也是争议最多的流域。该河第一次大规模的开发活动始于1928年，当时通过了兴建鲍尔德峡（即胡佛坝）工程的法令，该工程于1936年建成，是一座具有防洪、灌溉、发电及城乡供水等综合效益的水利工程。

此后，在科罗拉多河流域兴建了一系列水利工程，干流上已兴建水库11座，支流上修建水库95座，干、支流水库总库容约为872亿m^3，总装机容量超过524万kW。另外，还规划在干、支流上分别兴建5座大水电站，其中装机容量超过100万kW的电站有两座。这些水电站建成后，科罗拉多河流域的水能资源将得到充分的开发和利用。科罗拉多河干流、主要支流已建较大水利工程主要技术指标分别列入附表5-4、附表5-5。

附表5-4　　科罗拉多河干流已建水利工程

工程名称	坝型	最大坝高(m)	水库库容(亿m^3)	装机容量(万kW)	投产年份(年)
格兰比(Granby)	土坝	91	6.7		1950
格兰峡(Glen Canyon)	拱坝	216.4	346	90	1966
胡佛(Hoover)	重力拱坝	221	393	208	1936
戴维斯(Davis)	土坝	61	22.43	22.5	1950
上戴维斯(Davis Upper)	土坝	27	0.37	180	1982
帕克(Parker)	拱坝	98	6.97	12	1938
首闸岩	土坝	23			1941
阴山	土坝	19.2	0.23		1946
帕洛弗迪(Palo Verde)	重力坝	15			1957
英皮利尔(Imperial)	支墩坝	26	1.05		1938
拉古纳(Laguna)	重力坝、堆石坝	13	(0.024)		1909

2.2.2　引水灌溉工程

由于干旱缺水，在科罗拉多河干、支流上兴建了许多大型引水工程，上游有弗赖因潘河—阿肯色河引水工程，灌溉农田11万hm^2；圣胡安河—查马工程，灌溉农田3.7万hm^2；纳瓦霍印第安人灌溉工程，灌溉农田4.5万hm^2；科罗拉多河—大汤普逊河工程，灌溉农田28万hm^2。下游有南达科他工程、科罗拉多河引水工程、全美渠、中央亚利桑那工程（可灌溉农田14.9万hm^2）、索尔特河工程（灌溉农田10.7万hm^2）和希拉河工程（可灌溉农田4.3

万 hm^2)等。

附表 5-5　　科罗拉多河流域主要支流已建水利工程

支　流	工程名称	坝　型	最大坝高(m)	水库库容(亿 m^3)	装机容量(万 kW)	投产年份(年)
布鲁河	狄龙(Dillon)	堆石坝	94	3.12	—	1963
	格林山(Green Mountain)	土石坝	94	1.91	2.6	1943
弗赖因潘河	鲁埃迪(Ruedi)	土石坝	98	1.26		1969
甘尼森河	布鲁梅萨(Blue Mesa)	土　坝	119	11.61	6.0	1966
	莫罗波因特(Morrow Point)	双曲拱坝	143	1.45	12.0	1968
	克里斯特尔(Crystal)	土　坝	98.5	0.32	2.8	1976
格林河	丰特内尔(Fontenelle)	—	—	1.84	1.0	1968
	佛莱敏峡(Flaming Gorge)	双曲拱坝	153	46.7	10.8	1964
	斯特罗伯里(Strawberry)	土　坝	77	13.7	—	1974
圣胡安河	纳瓦霍(Navajo)	土　坝	123	21.09	2.4	1963
比尔威廉斯河	阿拉莫(Alamo)	土　坝	105	12.9	—	1968
希拉河	柯立芝(Coolidge)	连拱坝	76	14.91	1.30	1929
	佩恩蒂德罗克(Painted Rock)	土　坝	55	30.74	—	1959
索尔特河	西奥多罗斯福(Theodore Roosevelt)	砌石拱坝	85	17.05	1.93	1911
弗德河	霍斯舒(Horseshoe)	土　坝	59	1.76		1946
	巴特莱特(Bartlett)	连拱坝	87	2.21		1939
圣罗萨河	塔特莫诺利科特(Tat Monolikot)	土　坝	23	2.45		1974
纽　河	纽　河	土　坝	32	0.54		1985
斯康可河	阿多贝(Adobe)	土　坝	33	0.23		1982
凯夫河	凯夫巴特斯(Cave Buttes)	土　坝	33	0.58		1979
皇后河	惠特洛兰特(Whitlow Ranch)	土　坝	45	0.44		1960

科罗拉多河—大汤普逊河调水工程于 1938 年开工,1959 年完工,将科罗拉多河上游格兰比水库、影山湖威洛河水库和格兰德湖的水量经 21.1km 长的隧洞,穿过落基山脉调往东部,每年可调水 3.8 亿 m^3,其中城市用水 8 000万 m^3,灌溉农田 28 万 hm^2。该调水工程建有水库 10 座(总库容超过

12.25 亿 m^3)、泵站 4 座(总扬程 187.5m)、发电站 7 座(总装机 18.4 万 kW,年发电量 7.59 亿 kW·h)。经多年运行,该工程实际调水量为 2.84 亿 m^3。

20 世纪 70 年代建成的弗赖因潘河—阿肯色河工程,把科罗拉多河支流弗赖因潘河水,通过萨沃奇山脉的地下水道输往阿肯色河流域,每年可调水 2 亿 m^3,灌溉农田 11 万 hm^2,同时兴建的鲁埃迪水电站每年可发电 8 亿～9 亿kW·h。

全美渠全长约 130km,由科罗拉多河干流水库英皮利尔水库向加利福尼亚南部的英皮利尔谷地引水,最大引水流量达 430m^3/s,可灌溉农田 20 万 hm^2。

2.2.3 节水和水的重复利用

科罗拉多河的地表水,绝大部分用于农业灌溉。由于科罗拉多州的土地含有大量盐碱,河水反复地被引来灌溉,灌区土壤中含盐量不断增加,致使被浇灌的土地盐碱化,给流域内的工农业及生活用水带来巨大的危害和经济损失。含盐量高的水用于灌溉,排水管道受到腐蚀,使作物组成被迫改变,导致作物减产,生活用水处理的费用相应增加。据估计,每年因引用水的含盐量每高出 1mg/L 而导致的直接和间接的经济损失达 10.8 万美元。

科罗拉多河的水质恶化已成为一个国际问题,遭受严重影响的是位于最下游的墨西哥。这是由于科罗拉多河河水在美国境内已全部利用,排入河道进入墨西哥的河水,已是利用过的水,含盐量在国境线处从年平均 800mg/L 猛增至 1 500mg/L,致使墨西哥灌区的农作物枯死。过去上游有多余的水下泄,有利于稀释咸水,近 20 年来,由于上游水库拦截,使墨西哥境内科罗拉多河水量骤减。

1974 年开始实施"科罗拉多河盐碱控制计划",主要是采取渠道衬砌以减少渗漏;鼓励采用喷灌和滴灌,提高灌溉效率;减少咸水排泄量;拦截地下咸水;灌区排出的含盐量很高的水需经淡化水厂处理;把灌区的排水道延至加利福尼亚湾使含盐量高的水直接入海等。

按该计划,在英皮利尔坝以上,修建 4 项工程,在英皮利尔坝下游,经墨西哥同意,修建了 6 项工程。其中最大的工程是尤马以西的大型净化水厂,日处理咸水 48.8 万 m^3,可以恢复灌区排水量的 70%,去其杂质 90%。从威尔顿—摩霍克灌区排出的水含盐量很高,经尤马净化水厂处理后,可直接排入科罗拉多河,并按两国协议向墨方提供。

美国目前在进一步加强科罗拉多河本身已建工程的科学经营管理的同时,还努力发展节水灌溉技术和城市及工业节水技术,不断调节沿河各段用水,以缓解需水量超过河流及工程供水能力的矛盾。

2.3 长距离调水工程

美国已建的跨流域调水工程有 10 多项,主要为灌溉和供水服务,兼顾防洪与发电,年调水总量达 200 多亿 m^3,其中规模最大的加州调水工程,年调水量 52 亿 m^3,调水总扬程达 1 151m,居世界现有调水工程之首。其他较重要的调水工程还有科罗拉多—大汤普逊工程、盐锅—阿肯色河工程、中央河谷工程、中部亚利桑那工程等。

长距离调水工程对美国西部地区经济的快速发展,以及对整个美国经济的宏观布局和资源优化配置都起了十分重要的作用。通过有计划地建设长距离调水工程,给缺水地区的经济发展注入了新的生机和活力,大大促进了地区工农业生产的发展和人民生活水平的提高。

2.3.1 长距离调水促进了美国西部经济的发展

为开发建设美国西部,缩小美国东西部经济和社会发展差距,国会在 1902 年通过了《垦务法》。数十年来,垦务局依法得到了联邦政府的大批资金,建成了许多长距离调水工程。与此同时,地方各州政府亦通过各种渠道组织兴建了许多长距离调水工程。至 20 世纪 70 年代,可以说该建的工程都已建成。著名的调水工程有联邦中央河谷工程、加利福尼亚北水南调工程、科罗拉多水道工程和中央亚利桑那工程等,这几项工程年调水总量 200 多亿 m^3。

通过建设长距离调水工程,给缺水地区的经济发展注入了新的生机,促进了工农业生产的发展和人民生活水平的提高,为西部经济的发展创造了条件。在加利福尼亚州中南部,年降水量仅 200 ~ 400mm,部分地区不到 100mm,素有“荒漠”之称。由于中央河谷工程、加利福尼亚州调水工程、科罗拉多水道和洛杉矶水道等长距离调水工程的建成,为该地区经济社会的发展提供了充足的水源,发展灌溉面积 133 万 hm^2,保证了加利福尼亚州南部以洛杉矶为中心的 1 700 多万人生活和工业等用水。历史上干旱的加利福尼亚州目前已成为美国人口最多、灌溉面积最大、粮食产量最高的一个州,洛杉矶市成为美国的第三大城市。昔日干旱荒凉的南加州目前是一片绿洲,景色宜人,成为世界旅游观光的胜地。由于这些调水工程的建成和发挥效益,使美国西南部大片荒漠成为繁荣的经济高增长区,不仅农牧业生产稳定发展,农产品的出口不断增加,而且绿化美化了环境;促进了航天航空、原子能、飞机制造、石油化工、机器制造、电影工业迅速发展,使西南地区和西海岸成为美国石油、电子和军事等尖端新兴工业中心。如果没有这些长距离调水工程,美国西部经济发展将会受到极大的限制,东西部经济差距不仅不会缩小,而是只会越拉越大,更不会有今天的洛杉矶、菲尼克斯和拉斯韦加斯这批新兴城市的出现。可以说,长距离调水工程对美国西部的经济快速发展,对整个美国经济宏观布局都起到了重要的推动作用。

2.3.2 积累了丰富的长距离调水工程建设管理经验

2.3.2.1 长距离调水工程的建设得到了政府的高度重视和法律的保证

美国是市场经济社会,尤其是水资源的产权和优先开发权在各州之间、各河流之间、东西部之间都各不相同。为了使水资源得到合理利用和优化配置,美国在长距离调水工程的建设上有很强的政府行为。几乎所有的调水工程都由联邦政府和各州政府统一组织建设,并负责工程的运行管理,社会团体和个人可参与工程集资,但私人不允许直接建设和管理,即国家在调水工程的建设上实行了垄断性经营管理,以确保国家经济发展和人民生活对水的需求。

美国长距离调水工程从立项、确定投资规模到项目施工管理、投资偿还、水价及水费收取等都严格按照有关法律进行,一般建设一个工程就有一部具体的法案。有效的立法和严格的执法是调水工程建设成功的重要保证。即一项调水工程在批准建设之日起,在水量分配、投资、工程标准、工程运行管理机制和工程建成后效益的充分发挥等方面都得到了法律上的保证。对工程目标的改变和调整也要有法律规定,如最近通过的《中央河谷工程改善法》。对跨州、跨流域的调水工程涉及到的复杂社会环境问题,均由联邦政府出面协调,对长期协调不了的问题,为达到优化配置水资源的目的,最终要动用国家机器,由联邦高级法院判决。如美国西部科罗拉多河调水工程,东部纽约市从特拉华河引水工程等均由高级法院判决。

2.3.2.2 实行优惠的投资政策

水资源开发工程,特别是中长距离调水工程,往往具有社会环境效益明显、经济财务效益相对较小的特点，而这些工程是国家经济和社会发展的重要基础设施。为此，美国政府对这类工程建设投资给予了很多优惠政策。

(1)联邦政府提供拨款和长期低息贷款。对防洪、环境保护和印第安人保护区工程，政府给拨款投资；纯灌溉工程，政府给40～50年的无息贷款；对具有发电、供水等综合效益的工程，政府给长达50年的低息贷款。建设期免还利息。

(2)发行建设债券筹措资金。这是美国长距离调水工程的主要集资方式之一，购买此类债券的人所得收入免交各种税费。按债券性质分为3种：一是有限责任债券，或称义务债券，一般由政府发行，本金和利息由政府税收支付，故一般没有风险，如加利福尼亚州调水工程发行的“加州水资源开发债券”，第一批于1962～1963年就发行了近20亿美元；二是发行收益债券，其发行有相应的债券发行文件和法律合同，并由评等委员会评定等级，如加利福尼亚州水资源局发行的收益债券，被评为最高等级的收益债券；三是发行抵押债券，这是指用指定的不动产作为抵押担保而发行的债券，这种债券一般用于小型配套建设项目。

此外，还有依法从某种调水受益行业提取调水建设基金等。

2.3.2.3 建立良性的工程管理机制

美国已建成的几项调水工程，经过几十年运用后，工程设备仍完好如新，做到这一点，除了工程有一整套先进的管理设备和管理手段外，在很大程度上离不开工程的良性管理体制。为保证调水工程效益的发挥，其管理单位一律作为经济实体，实行单独核算，但又有行政职能，为保证工程管理单位有足够的收入支付运行管理费用，又使受益人对象有承受水费的能力，一般是在水资源工程建设的同时，水管理单位都要建设一批经济效益好的项目，最主要的项目是水电、火电和核电等，政府对管理单位建设的这些项目在资金上给予优惠条件，并免交各种税费，管理单位用这批项目的经济效益补充调水工程收入的不足，做到“以电养水”。

3 流域治理开发存在的主要问题

3.1 土壤盐碱化日益严重

科罗拉多河流域的地表水，绝大部分用于农业灌溉，每年引水量约95亿

m^3,灌溉 7 个州的土地,由于河水中含盐量不断增加,致使被浇灌之土地盐碱化。河水含盐量不断增加的原因是,科罗拉多州的满科斯页岩风化层是隆起外露并含有大量盐碱的土壤,河水反复地被引来灌溉,土壤中大量盐类被河水溶解后又排入河中。据统计,1968～1972 年期间,河水平均含盐量随流而下不断递增,河水平均含盐量小于 50mg/L:李津(格兰峡坝下游)站为 606mg/L;米德湖为 739mg/L,帕克坝处为 750mg/L;英皮利尔坝处为 880mg/L;如不进行控制,预计 2000 年将增至 1 210mg/L;而在墨西哥境内,则达1 500mg/L。例如,全美灌渠引用科罗拉多河水灌溉土地 25.6 万 hm^2,在开挖该渠之前,该地区称为英皮利尔灌区,总土地面积 24 万 hm^2,已有 75 年灌溉历史,有人很早就提出盐碱化问题,到 1913 年灌区的 1/4 土地地下水位上升,使土壤盐碱化。

河水含盐量不断提高,对流域内的工农业及生活用水造成巨大的经济损失。含盐量高的水用于灌溉,排水管道受到腐蚀,作物组成被迫改变,作物减产。生活用水的处理费用相应增加。据估计,科罗拉多河水的含盐量每增长 1mg/L,每年所引起的直接和间接的经济损失为 10.8 万美元。以加利福尼亚、亚利桑那和内华达 3 个州为例,这 3 个州从科罗拉多河中计划引水量,1980 年、1990 年和 2000 年时分别为 89 亿 m^3、107.5 亿 m^3 和 108 亿 m^3,由于河水含盐量增多,所受的经济损失分别为每年 1 400 万美元、4 400 万美元和 8 000 万美元。另一个估计是,在科罗拉多河的全流域内,1975 年各地区的经济损失是5 300万美元,如果不采取降盐措施,2000 年经济损失将达每年 1.24 亿美元。

科罗拉多河的水质恶化已成为一个国际问题,它不仅影响河流下游美国境内 1 000 多万人的生活用水和 40 多万 hm^2 农田的灌溉,而且更严重地影响了居于河流最下游的墨西哥,致使墨西哥灌区的农作物受碱枯死,过去上游多余的水下泄,有利于稀释咸水,但近 20 多年来,由于上游水库拦截,使墨西哥境内科罗拉多河水量骤减,含盐量在国境线处从年平均 800mg/L 猛增至 1 500mg/L,墨西哥政府为此向美国政府提出正式抗议。

1944 年,美、墨两国签订了关于科罗拉多河的用水协议,规定美国按协议所定时间保证每年向墨西哥供水 18.5 亿 m^3,1972 年 6 月,美、墨两国总统签署了联合公报,保证采取可靠措施,“永久性”地解决科罗拉多河的水质问题。1973 年两国政府又签订了关于科罗拉多河水质协议,规定在墨西哥的莫勒洛斯坝址处，河水含盐量应限制在(115±30)mg/L范围内。为解决水质问题，需建许多工程设施。1974年美国总统签署国会决议案，批准了“科罗拉多河盐碱控制计划”，并拨款2.8亿美元，其中1.25亿美元用于英皮利尔坝上游的工程建设，1.55亿美元用于该坝下游的工程。美国垦务局被指定作为主要建设单位。

根据“科罗拉多盐碱控制计划”，在英皮利尔坝以上的流域面积内，初期修建帕腊道格斯河谷、格兰德河谷、克里斯水喷泉等工程，引入太阳蒸发池，减少大量的盐分流入科罗拉多河；或进行渠道衬砌，以减少渗漏和提高灌溉效率，使灌区的咸水排泄量减至最底限度。在英皮利尔坝下游，经墨西哥同意，修建6项工程：①科阿切拉渠道衬砌；②彭特拉克坝；③尤马梅萨井群；④净化水厂；⑤威尔顿—摩霍克灌区管理；⑥威尔顿—摩霍克排水渠扩建工程。其中最大的工程是尤马以西的大型净化水厂，日处理咸水48.8亿 m^3，可以恢复灌区排水量的70%，去其杂质90%。从威尔顿—摩霍克灌区排出的水含盐量很高，经尤马净化厂处理后，可直接排入科罗拉多河，并按两国协议向墨方提供。1981年净化厂建成后，处理过的废盐水，经1977年6月新建成的排水渠流入墨西哥境内圣克拉腊。该渠道长83km，其中26km由美国垦务局承建，另57km在墨西哥境内，由美国投资修建。排水渠每年排入圣克拉腊的咸废水约4 936万 m^3，预计尤马净水厂每年可恢复1.52亿 m^3 的水质，科阿切拉渠道衬砌渗漏损失每年可减少1.62亿 m^3 的水，井群年抽水量为1.54亿 m^3。这样“科罗拉多河盐碱控制计划”的实施每年可增加4.68亿 m^3 的可用水量，并按协议向墨方供水。

3.2 水资源供需矛盾日益突出

科罗拉多河开发初期，由于所用水文系列短且恰恰包含了一个较长的丰水系列，计算流域可用水量为215.8亿 m^3，数字偏大，造成有关各方在签订分水协议时，年分配总量超过实际径流量的20%～30%，这为以后埋下了水事纠纷的隐患。近年来，随着经济社会的发展，实际用水量1996年已达到165亿 m^3，接近实际年径流量。特别是近年来，随着当地土著印第安人自身水权意识的觉醒，这一矛盾更为突出。

科罗拉多河是美国西部开发调控最彻底的河流之一，科罗拉多河为7个州提供水源，各州都小心谨慎地守护着自己的取水权利，根据众所周知的《河流法》法律条款来行使使用河流的权利。科罗拉多河流公约的第1批文件签订于 1922 年,那时内华达州几乎渺无人烟;拉斯韦加斯也仅仅是前往远东的中途停留点;布格斯·塞加尔还未开放佛朗明哥(直到 1946 年塞加尔才开放佛朗明哥)。当时的投资者决定 7 个州分享科罗拉多河的河水,拨给加利福尼亚州每年多达 54 亿 m^3 的水权,该州当时拥有的人口最多;亚利桑那州分得 35 亿 m^3 的水权;而内华达州当时满足于分得的 3.7 亿 m^3 最小份额的水权。

内华达水利局现在努力争取的就是这份至关重要的取水权协议。拉里·布朗宣称:"《河流法》可不必废除,但须进行部分修正,以适应 1922 年以后的情况变化"。内华达州不仅希望修改取水配额,而且希望废除各州从私人水权拥有者那儿购买取水权的禁令。南内华达州水利处的代表解释说,在过去 5 年内,有很多投资者到拉斯韦加斯来,他们希望将拥有的科罗拉多河水取水权卖给拉斯韦加斯市,但这在目前是非法的。

内华达地区并非是惟一寻求修改《河流法》的地区,加利福尼亚独自使用科罗拉多河取水配额的将近 1/3,也希望在供求关系的基础上拥有一个自由的水市场。

与此同时,各州都在协商取水配额以满足当前用水需求和将来的用水指标,犹他州最近宣布,将其部分配额以每年 2 000 万美元的价格租赁给内华达州 50 年。亚利桑那州正在考虑和内华达州达成一项协议,允许内华达州使用亚利桑那州本身并不需要的 7 400 万 m^3 的科罗拉多河水。在这种情况下,科罗拉多河流下游的 3 个州——加利福尼亚州、内华达州和亚利桑那州正致力成立一个水源银行,帮助 3 个州管理水源,鼓励相互交流。图库什市水利局办公室主任卡萨瑞恩·加各布斯解释说:"我们现在都要努力地将科罗拉多河管理得更好,因为这条河不会永远像现在这样流淌。"

根据年轮分析和史前记录,科罗拉多河流域历史上曾发生过持续严重干旱,其严重程度超过了最近数百年来所发生的最严重干旱。水资源问题在今后相当长的时期内,仍将是影响科罗拉多河流域工农业生产和经济发展的制约因素。如果全球变暖问题被进一步证实,这一地区降水的变化将会更加剧烈,再加上由于变暖引起的蒸发量的增加,就有可能增加出现持续干旱现象的机会。随着水资源供需矛盾日益突出,各州要求修改《河流法》、建立水市场、实行水权再分配的呼声也日益高涨。

3.3 生态环境用水矛盾加大

特别是为加大供水量,要求降低水库发电蓄水水位的呼声日益高涨,环境、生态、旅游等新兴用水要求日益提高,需水量增加。水质要求提高,也促使供需矛盾进一步加大。

科罗拉多河早期分水协议签订时没有考虑到环境生态的因素,一度造成下游河道环境水质恶化、河口湿地减少、多种野生动物灭绝或濒临灭绝等问题。为了改善、消除这些问题,不得不花大量的财力、物力加以恢复和保护,并不得不通过法律协商签署部分新的用水协议,提高环境生态水权优先级别,限定下游河道基流流量,提高水质要求,以保证适当的生态环境用水量及水质。

该流域自20世纪修建了许多水工程以后,对环境产生了多方面的重要影响。

3.3.1 对鱼类的影响

大坝拦断了鱼类通道,减少了流量,拦截了泥沙,也改变了水温,这些改变一方面更适合许多引进的鱼种(如几种鳟鱼),另一方面却不利于当地鱼种。为此,1994年美国鱼类及野生生物管理局(USFWS)将科罗拉多河干流及其支流长3 346km的河段列为鱼类“危急栖息地”,并提出了专门保护措施。这将使上游区新墨西哥、科罗拉多、犹他、怀俄明4州水源开发更困难。

为了保护濒危鱼种,在1991~1994年间,国会批准了大峡谷保护法案,规定格兰峡坝下泄流量需考虑环境、文化、旅游和印第安人的利益。垦务局也拟订了环境保护有关文件,以减少坝下游的流量日变化。通过减少峰荷发电流量以减少河道下游冲刷并改善鱼类栖息条件。这一做法也有争议,水电方面人士认为电价将因此提高。

3.3.2 亚利桑那州中央平原灌溉工程的水污染问题

亚利桑那州的居民为了实现引取科罗拉多河水灌溉亚利桑那中央平原的梦想,花费了约40亿美元,经历了40年无休止的法律纠纷。亚利桑那中央工程是美国西部最具雄心也是最昂贵的工程,该工程通过540km长的运河、隧道、虹吸管道以及供水管,将加利福尼亚哈福逊湖水提升调往亚利桑那州的第二大城市——图库什市(75万人口)。图库什市距墨西哥边界100km。为了克服880m的高差,使用了14座泵站,兴建了5座大坝,还对另外两座大坝进行了部分改造。每年有 18.5 亿 m^3 的河水分送到亚利桑那州西部的各乡镇、城市、印第安人居住区以及农庄。

共有 50 多家施工单位参加了该工程的建设，最大的建设公司是 ESI 集团，该公司是凤凰城西北部 New Waddell 大坝的主要承建单位。保勃和布若萨摩公司、贝彻特尔集团、奇威特·威斯特恩以及 PLC 集团参与兴建了倒虹吸管、泵站和输水管道，还有一些国外公司参加了建设，如意大利特莫米坎尼公司和美洲托尔偌公司。

当 1985 年亚利桑那中央工程第 1 次通水时，人们以为从此解决了该地区过量抽取地下水的问题，认为通过使用地面上的新水源就可减少该州对地下水的依赖，缓解蓄水层的压力（过去每年从蓄水层中超抽约 1.85 亿 m^3 的地下水），但图库什市居民失望了。1994 年即该工程完工 2 年以后，居民对市政当局怨声载道，强烈要求关闭这条供水渠道。认为供水渠道所提供的水具有腐蚀性，且破坏供热系统和水管接头，水中含盐量是当地地下水的 2～3 倍，有些地区的居民不断抱怨从水龙头流出来的水浑浊不堪。

3.3.3 拉斯韦加斯市 2010 年将严重缺水

拉斯韦加斯人希望能改变其浪费用水的形象，虽然拉斯韦加斯是建立在沙漠中的一块人工绿洲，作为赌城闻名于世。但如今名声已有所改变，至少是南内华达州水利处正在进行规划，南内华达州公共关系经理拉里·布朗证实："在过去的 5 年中，拉斯韦加斯积极奉行节约用水政策，任何人都必须服从。"但他也承认，内华达州落后于其他城市（如图库什市和凤凰城）15～20 年，而且此项政策的效果还需时间验证。拉斯韦加斯市还保持着全国用水量最高的记录，人均日耗水量达 720L。布朗强调，并非像人们想像的是阿月浑子果树种植者和旅游者用去了大部分的水，如今拉斯韦加斯居住人口已近 100 万。

拉斯韦加斯位于莫加夫沙漠，年降水量约 100mm，拉斯韦加斯市并没有采取措施来控制人口的不断增长，每星期都有 1 000 名新迁来的居民。南内华达州水利处估计，到 2010 年该地区将由于人口激增而导致严重缺水。

3.4 水库泥沙淤积问题

科罗拉多河兴建胡佛高坝形成米德湖大水库后，对径流进行调节，满足了灌溉、发电、防洪等要求，取得了巨大效益，但大量泥沙淤积在水库内。胡佛坝壅高河水位 180m,水库长 195km,是坡度很陡的峡谷型水库。1935 年 2 月开始蓄水,1963～1964 年实测已淤积 33.5 亿 m^3,平均每年淤积 1.13 亿 m^3。据 W. H 格拉夫《水库淤积和水力特性》一文的资料,1937～1948 年科罗拉多河米德湖逐年淤积,大量泥沙淤积在水库尾部、死水位以上的有效库容内,影响到灌溉、发电、防洪等所需调节库容。

后来在胡佛坝上游建格兰峡高坝,形成鲍威尔湖,正常蓄水位 1 128m,总库容 323 亿 m^3,死水位 1 064m,死库容 76 亿 m^3,有效库容 247 亿 m^3,水库长 300km,也是峡谷型水库。1963 年 3 月开始蓄水以来,至 1986 年实测水库内已淤积 10.7 亿 m^3,23.5 年内平均每年淤积 4 550 万 m^3。美国 1989 年水电会议论文集中《鲍威尔湖泥沙淤积研究》一文所附的"1963～1986 年沿程淤积纵剖面图",也显示大量泥沙淤积在水库尾部、死水位以上的有效库容内。

胡佛坝和格兰峡坝水库尾部淤积严重,幸好科罗拉多河上游没有通航要求。库区尾部也没有大城市,不存在因淤积后回水位壅高而影响防洪的问题。

4 未来发展方向、发展规划及主要措施

4.1 科罗拉多河治理经验和教训

4.1.1 *应用立法开发和管理水资源*

1922 年,流域内的 7 个州签订了第一份水资源分配协议。协议以利斯费里为界将科罗拉多河流域人为地分为上、下两个供水区,并以流域径流量控制站利斯费里站的年径流量为标准进行水量分配。首先满足科罗拉多河下供水区,分配水量 92.5 亿 m^3;然后满足科罗拉多河上供水区,分配水量 92.5 亿 m^3;之后,在水量允许的情况下,再多分配给科罗拉多河下供水区 12.3 亿 m^3,以保证科罗拉多河下供水区 10 年平均分配年水量不小于 92.5 亿 m^3(当时计算的年平均径流量为 215.8 亿 m^3)。

1944 年,美国与墨西哥签订协议,保证进入墨西哥的可利用水量(满足一定的水质标准)为每年 18.5 亿 m^3。枯水时,相应于美国的年配额 197.3 亿 m^3,按比例减少。1948 年、1966 年科罗拉多河上下两个供水区又分别签订了各自的分水协议,对各区内的定额水量及可能的超额水量进行了进一步

分配。

以后，逐步签订了其他一些国际、州际、州内乃至用户间多层次的水资源分配协议，并将水资源开发与水权紧密相连，形成了一个较为完善的水资源开发和管理法制体系。

科罗拉多河供水区的发展是与水资源的开发密不可分的。水资源匮乏的恶劣环境，使“以供定需”的水资源观念自然而然成为该地区经济社会发展的一条常识性法则，深入人心，并在法律体系的保障下得以严格执行。

4.1.2 建立多渠道多层次的水资源协调管理机构

科罗拉多河的水资源开发始终与美国国会与政府的支持紧密相连。20世纪30年代初，国会通过了科罗拉多河开发规划法案，政府投入大幅度增加。以1936年胡佛大坝的建成为标志，水资源开发与建设进入一个发展期，逐步形成了以米德湖、格兰峡水库为龙头，以亚利桑那中心区供水工程、加州供水工程等为骨干的水资源利用体系。有效蓄水库容达760亿 m^3，为流域平均年径流量185亿 m^3 的4倍多，基本实现了科罗拉多河供水区的稳定供水，大幅度减少了防洪弃水，为科罗拉多河供水区的开发与繁荣做出了巨大的贡献。1996年供水量达165亿 m^3，为2 500万人提供了生存和发展水源。

在坚决实施依法治水的同时，科罗拉多河流域来自政府和民间等多渠道的水资源协调与协商机制也是其一大特色。流域内结合实际建立了多种层次与规模的协调及管理机构(如科罗拉多河上游委员会、格兰峡调控管理委员会、科罗拉多河含盐量论坛、科罗拉多河10部落伙伴关系组织等)，为水资源的开发与管理提供了有力的组织保障。

4.1.3 建立法制制约和经济引导体系

科罗拉多河开发之初就强调水资源的有效利用。随着经济社会的发展，水资源短缺日益明显，水资源的节约与保护更加受到广泛重视，逐步形成了一整套法制制约及经济引导体系，推动和保障了水资源保护与利用的实施与发展。此外，科罗拉多河水资源管理中，各有关机构都有相应的水文及水情系统，其水文测报、预报数据和用水、调水计划公开，且经常加以协调，为水资源比较合理、有效的调度提供了技术支撑和公众支持。

4.1.4 多龙治水管水弊端多

目前，在科罗拉多河流域，与水资源相关的联邦政府机构达10个之多，如垦务局、印第安事务局、土地局、陆军工程师团、环境保护局等。多个机构管理水资源，办事机构交叉重叠，管理权限缺乏地域统一性，在资金使用、工程建设等水资源管理方面协调困难。

4.1.5 过量引水导致严重环境问题

1936年美国在科罗拉多河上建成了第一座大坝——胡佛坝之后，又先后兴建了14座控制性水库和32项灌溉工程，使该河在美国境内的水库总库容达760亿m^3，是该河美国境内年平均径流量的4倍多。科罗拉多河兴利工程体系形成以后，水资源一直保持供大于需。到1997年，由于部分州将自己剩余水量引走，用于补充地下水，部分州超量使用1922年协议分水量，第一次出现需大于供的情况。近两年，每年大约缺水12亿m^3。这样，河道下游和河口地区出现了以下情况：①河道萎缩；②河道环境、水质恶化。河口地区径流量，除了每年极少量的超额洪水外，通常只有极少量水质较差的灌区排水；③下游湿地面积大幅度减少，野生生物失去生存条件，不少生物濒临灭绝。为此，美国目前正在研究采取以下对策：①增加环境用水份额，讨论签署新的用水协议，要求保留适当的环境用水流量，该部分水量下游不得引用；②研究人工模拟洪水，改善下游河道环境；③继续兴建污水处理工程。

4.2 上游的水利区域规划

科罗拉多河上游地区位于北美大陆分水岭的西侧，包括亚利桑那州、科罗拉多州、新墨西哥州、犹他州和怀俄明州。自1971年后，美国制定了一个平原地区的综合研究规划，作为制定2020年前区域远景规划的基础。除亚利桑那州、科罗拉多州、新墨西哥州、犹他州和怀俄明州政府参与此规划的合作外，还有科罗拉多河上游委员会以及农业部、国防部、贸易部、内务部、环境保护部、劳动部、交通部、能源部和保健部也参与了合作。

科罗拉多河上游各州区域规划的总目标是对规划区自然资源的最佳利用要有一个周详的考虑，不仅考虑对水的利用，还要顾及农业、工业、矿山和旅游等方面。更重要的一个方面是人口规划问题。

4.2.1 2020年的人口预测与规划

根据水文的划分情况，规划区可分为：①格林河区；②科罗拉多河上游的干流区，即上迈因斯坦姆区；③圣胡安—科罗拉多区。至2020年科罗拉多河上游人口发展的远景规划列于附表5-6。

根据人口预测，至2020年科罗拉多河上游区人口将达近70万，几乎是1965年人口的两倍。根据人口的预测，对科罗拉多河流域的河水供应能力和基础结构的发展作出了规划，附表5-7是农业生产发展的预侧。

附表5-6　　至2020年科罗拉多河上游的人口预测

地区和州	年份				
	1965	1980	2000	2020	1965～2020(%)
格林河地区	100 579	107 100	124 400	151 200	+50.3
科罗拉多河上游干流区	136 725	142 900	171 400	204 200	+49.0
圣胡安—科罗拉多区	128 725	176 200	241 900	324 800	+152.0
亚利桑那州	29 100	41 700	52 300	64 300	+120.9
科罗拉多州	186 450	205 400	252 800	313 900	+68.3
新墨西哥州	46 600	65 000	95 000	125 000	+168.2
犹他州	65 100	74 500	94 100	124 100	+90.6
怀俄明州	38 779	39 600	43 500	52 900	+36.4
总计	366 029	426 200	537 700	680 200	+85.8

附表5-7　至2020年科罗拉多河流域农业生产发展的预测

农产品	单　位	年份				
		1965	1980	2000	2020	1965～2020(%)
牛肉	100万kg	93.3	127.0	169.0	221.8	+137.7
羊羔肉和羊肉	100万kg	39.5	41.5	55.0	72.0	+82.2
羊毛	100万kg	5.6	5.9	7.8	10.2	+82.0
牛奶	100万kg	86.7	156.0	204.1	263.5	+203.9
鸡蛋	100万kg	36.0	43.5	57.1	74.3	+106.0
大麦	1 000t	26.4	54.5	93.2	132.5	+401.0
小表	1 000t	126.0	185.7	208.5	241.7	+91.8
甜菜	1 000t	172.5	361.0	565.0	825.0	+378.0
马铃薯	1 000t	20.5	23.5	28.0	32.5	+60.9
干草	1 000t	1 168.1	1 418.3	1 750.9	2 084.4	+78.5
青饲料	1 000t	490.1	610.0	882.0	1 242.8	+153.6
木材	100万m^3	1.4	4.77	7.98	9.5	+578.0

整个科罗拉多河上游地区规划要求采取防洪和调节河流的措施。1965年,由土壤侵蚀、水灾、淤积和火灾造成的损失总计8 700万美元。其中最主要的损失是河流附近的土壤侵蚀,受灾面积共达12万km^2。若不采取防止措施,估计到2020年的年均损失将增加到2.56亿美元。为了采取必要的调节水量措施,修建了蓄水池、加固河岸设施和泄水渠等。

在水利工程中,扩大排灌设施具有重要的作用。为了完成农业增产的计划(附表5-7),需要再扩大2 023km^2的灌溉农田,另有3 700km^2的灌溉农田需改进灌溉设施;大约有2 428km^2的灌溉农田需要再增加灌溉量。为了保证灌溉设施的作用,还需要相应的排水设施。

能源需求估计至2000年将达到1980年的3倍,但不再发展水电站。能源的增长率只依靠增建火电站。所得能源的80%供应给太平洋沿岸的西北部、大盆地、加利福尼亚南部、科罗拉多河下游盆地和东部岩石山区。

科罗拉多河上游规划区拥有丰富的地下矿藏,主要矿产为石油、天然气、铀、钒、铝、磷酸盐、黄铁硫、锌、银、铁、钾碱等。对2020年采矿业发展情况的估算不可能十分精确,从科罗拉多规划局的预测看,煤和铀的开采量在2000年后有发展的趋势;石油和天然气的开采2000年后会有所下降。另一些矿物,由于在21世纪越来越耗尽,将失去在规划区开采的意义。

4.2.2 总规划方案

科罗拉多河上游的主要问题是早已预测并已发现的缺水问题。科罗拉多河流域协定、墨西哥水资源协定和科罗拉多河下游流域协定中规定的配水额、使用特权和其他一些决定都暴露出以提高科罗拉多区生产能力为目标的总规划的严重局限性。因此,目前科罗拉多区邻近各州对总规划进行公开和内部的讨论,并制订了3个对照方案(附表5-8):第一方案,发展基础为80亿m^3水;第二方案,发展基础为100亿m^3水;第三方案:发展基础为116亿m^3水。

这3个方案是根据不同的供水和水的使用目的制订出来的,如第一方案是根据每年80亿m^3的取水额制订的。

到1980年科罗拉多州的灌溉用水量较少,但是工业用水的比重有所增加,因为要向刚兴起的油页岩工业提供用水。另外,还计划建造两座石油工厂,连同上述油页岩工业总需用水1 200万m^3以上。怀俄明州、犹他州、新墨西哥州也制订了类似的若干方案。

第二方案是根据100亿 m³ 的取水量制订的。水量计算数值较高的原因是由于科罗拉多河上游干流蓄水池的蒸发量是按照理论来计算的。根据科罗拉多河下游的协定,毗邻各州的取水比例同样适用于2020年。

第三方案是根据116亿 m³ 的取水量制订的。它不仅包括蒸发量的这一部分,还包括地方直接调用数百万立方米的这一部分水量。

科罗拉多州声称至2020年需水量将大大增加,包括8 500万 m³ 水用来发展灌溉,主要在科罗拉多河上游的干流地区;还有1 400万 m³ 的水量调往岩石山区的奥斯特法尔。

新墨西哥州的调水量应增加到2 800万 m³,用于开发能源、灌溉耕地和调往里欧—格朗德盆地。

附表 5-8　　科罗拉多河上游的水利规划　　(亿 m³)

规划方案		1965年	2020年总规划	2020年80亿 m³ 方案	2020年100亿 m³ 方案	2020年116亿 m³ 方案
1914～1965年平均流入量		183	183	183	183	183
取水量	用于能源经济等不同用途	1.6	11.6	14	20	23
	其中:能源经济	0.28	7.7	7.5	8.8	9
	矿山和矿物加工	0.41	0.65	2.8	6.8	0.9
	用于灌溉	26	40	40	45	50
	向外流域调水	6	20	18	27	34
	流入的水	−0.03	−0.03	−0.03	−0.03	−0.03
取水总量		42	80	80	100	116
径流量		144	103	103	83	67

2001年至2020年,犹他州计划调用25 000多亿 m³ 的水用于灌溉,每年调往大盆地的水量达1.25亿 m³,进行碳酸化合物作用每年需水2 800万 m³。

4.2.3 方案的比较和结论

把总规划的不同目标和几个方案,同1965年的现状作一对照,并以附表5-8概要地说明。

科罗拉多河上游的总规划依赖于水利发展的可能性。所有方案都是从天然流入量为 180 亿 m^3 这一基点出发的。这个数值是 1914～1965 年多年的平均值。取水量的增加决定于改进取水的方法、气候影响,特别是降水情况。从现在来看,流入的水量可能从 12 亿 m^3 增加到 24 亿 m^3。如果实施第二方案和第三方案,径流量将大大减少,致使科罗拉多河下游的水量达不到协定中规定的 90 亿 m^3 的最低值,为此,必须寻求增加流入量的新途径。

4.3 流域现行管理手段和管理制度抵御持续干旱的能力

在美国内务部、地质调查局、美国陆军工程师团、科罗拉多河水资源节约规划局等部门的组织下,流域各州从 20 世纪 80 年代中期开始,对本地区的水资源管理手段和管理制度抵御持续严重干旱的能力进行了近 10 年的研究,即 SSD 研究计划,其主要内容为:采用年轮重构方法得出科罗拉多河的历史流量情况、河流可能分布情况的水文分析、各种流量情况下水资源管理手段和制度所起作用的模拟分析、现行的州际水资源分配政策法规及其可能调整的法律和制度分析、各种水文情况下潜在的环境影响研究和与水有关的成本效益分析及经济预测、干旱对流域各州产生的社会影响、以及干旱过程中水资源管理政策法规的调整等。

科罗拉多河有一套较完善的政策法规,它包括科罗拉多河水资源分配和管理的有关法律法规,包括两项州际间的法案、一项国际条约、数项国会法案,以及内务部颁布的水库运行指标等。这套河流法规(在处理流域内的工业用水方面)虽已经实施了 70 多年,但还未经受过持续严重干旱的检验。

研究者们从自然条件和水资源管理制度出发,利用科罗拉多河水文模型和近 500 年来的科罗拉多河历史水文资料,对科罗拉多河水系可能发生的干旱进行了研究,评价了严重持续干旱对径流量、水资源分配、库(湖)蓄水、水力发电和河水含盐度等的影响。研究结果在政策建议方面可归结为:一是现存法规(河流法)存在的问题;二是现存法规的潜在变革;三是变革的可行性(通过谈判、立法或诉讼等手段)分析。

根据严重持续干旱的水文模拟研究,在现行的政策法规条件下,经过 20 年之后,随着河水流量减少,鲍威尔湖及其他上游水库蓄水将完全排空,米德湖的蓄水也几乎排空(少数年份除外)。上游的消费性水输送量将比正常水平减少一半,而在下游,除亚利桑纳州中心工程供水区之外,其他多数地区的消费性用水几乎不受影响。

研究结果表明,现行的管理手段和制度在干旱时消费性用水满足程度较好，非消费性用水则较差，州际间水资源协调管理是一项有效措施，即通过可能的水权交易重新配置水资源，使缺水由低值利用部分来承担，从而达到降低干旱损失的目的。

4.3.1 主要研究发现及结论

4.3.1.1 非消费性水资源利用对干旱存在很大影响

非消费性利用是指用于维持水力发电、生态环境保护功能和水质控制等方面的水资源利用，它们都与公众利益息息相关，而其价值一般难以用货币来定量表述。

按照现行河流法规体系，在持续干旱期，从损失价值的绝对量以及在总损失中的比重来比较，非消费性利用方面因缺水造成的损失远远高于消费性利用方面的损失。也就是说，现行河流体系下，非消费性利用抵御干旱的能力比消费性利用差得多，非消费利用对干旱具有更高的脆弱性。

严重持续干旱时，由于总水量减少，水力发电受到很大的影响，消费性用水也存在类似情况。在干旱时，即使停止所有消费性用水的供给，可用于水力发电的水量仍然有限。如果科罗拉多河水资源管理法规体系使上游地区消费性利用量维持在较高水平上，则干旱引发的水力发电损失将更为加剧。

非消费性利用方面遭受的损害不仅包括水力发电、旅游业和水质的货币损失，也包括对濒危物种、湿地和其他环境资源所造成的影响。

4.3.1.2 消费性水资源利用的保护

严重持续干旱对消费性利用者（农场、工业企业和城市居民）虽然的确造成了一些损害和损失，但这种情况在空间上仅局限于上游地区，在时间上则局限于少数年份。在干旱最严重的时候，消费性用水的供水量会大量减少，但如果各州对其辖区内水资源进行有效管理，现行管理体制可以使干旱造成的经济损失显著减少。

4.3.1.3 上游地区干旱的风险性最大

1922 年制订的科罗拉多河流法案，从根本上保证了下游各州在水资源分配方面比上游各州优先拥有 92.5 亿 m^3 的水量。其中的一半用水分配给墨西哥。只有下游各州依据河流法分配的用水量完全得到满足后，才考虑给上游各州供应所分配的用水量。这样就从法律上保证下游各州至少可以优先分配到 83.2 亿 m^3 的水量，而对上游各州的保证用水量仅为 27.1 亿 m^3。

下游的这种优先权几乎把所有的干旱风险都留给了上游地区。

上游地区在正常年份的分配用水量约为67.8亿m^3,目前上游地区年均用水量为49.3亿m^3,也就是说,在现有的发展水平下,只要上游地区的出口流量接近正常水平,上游地区所用水量就比其授权用水量要少得多。

4.3.1.4 下游地区干旱的风险性较小,但存在周期性缺水问题

加利福尼亚也许可以说处于周期性缺水状态,但是在目前的需求水平下,加利福尼亚以及下游各州实际上并不受科罗拉多河干旱的影响。根据1922年河流法的规定,下游地区可以保证得到稳定的供水,其代价是将其长期用水量的平均值限在低于其未来的潜在需求量的水平。与此相反,上游地区在赢得对下游地区长期用水量加以限制的同时,也为此付出了承担几乎所有的干旱风险的代价,从抵御干旱、减少干旱损失等方面来看,下游地区在消费性水资源利用方面比上游地区具有很大的优势。目前的这种情况下,上游地区和下游地区双方为获得未来长期用水配额或为减少非消费性用水方面的损失,都付出了很高的代价。

4.3.1.5 政策调整

现行的运行规则对加利福尼亚州的长期水供给作了不必要的限制,而同时不必要地增加了上游地区对短期干旱的脆弱性。如果上游地区和亚利桑纳州能降低其长期用水配额,使加利福尼亚州得以满足业已存在的用水需求,同时加利福尼亚州同意更公平地分担未来的干旱风险,以减轻干旱对上游地区尤其是科罗拉多州的损害,那么就可以从总体上降低干旱损失。这是解决用水争端的积极态度。

4.3.1.6 在现行政策及法规框架内难以再进行大的调整

SSD研究结果表明,如果没有相应的政策措施,各州都会从自己的地方利益出发,使自己的用水量达到最大化。但由于现行的州内分水的有关法律、条例的司法解释难以有大的改变,因而即使经过大量的谈判协商,也难以对水资源短缺现状产生大的改观。如果缺少了公理原则,现行水资源管理制度很难完成兑现给各州的分水配额。

4.3.1.7 州际间协商是降低干旱潜在损失的有效措施

通过SSD研究发现,如果把两个州当作一个整体来考虑,可以更有效地减少干旱损失,其中亚利桑纳州和怀俄明州的联合是最有效的。亚利桑纳州

在消除干旱引起的缺水问题的前提下，可以逐步将其年均科罗拉多河用水量从30.8亿 m^3 降到24.7亿 m^3，年均干旱损失减少了2 300万美元(如果在最干旱的年份，减少干旱损失的效果将更加明显)。取得上述成效主要应归功于两方面：一是州际间灵活的市场化的水权交易；二是州际间水资源管理政策，包括对彼此密切相关的地表水和地下水实行联合管理。

4.3.2 政策建议

根据以上研究结果，SSD的研究人员给科罗拉多河水资源管理者提出了如下政策建议：

(1)建议流域各州和联邦政府制订新的联邦法案来替代1922年法案。

(2)仿照戴维尔河流域的管理方式，成立州际间水法委员会。

(3)从目前的垦务局或其他部门挑选研究人员为水法委员会提供技术支持，并负责指导旨在寻求解决干旱等方面的水资源管理问题的共同方案的研究活动。

(4)从农业、工业、城市、水电、环境、旅游和印第安部落等各用水方推选代表，组成顾问委员会。

(5)对满足非消费性用水需求的紧迫性和重要性的重视程度不低于对待消费性用水的水平。

(6)以目前的需求水平为基础，建立科罗拉多河水资源分配的长期方案，以取代1922年制订的长期分水方案。

(7)按比例分摊和共同承担短期(干旱)缺水问题，以改变目前主要由上游承担干旱风险的不合理状况。

(8)鼓励和促进州际间的水资源蓄存和交易。

(9)促进与墨西哥的合作，共同寻求恢复和保护加利福尼亚湾入海口生态系统的可能性，制定公平分担成本的相关规定。

从以上研究结果可以看出，科罗拉多河水资源利用各方在水的问题上既存在着争取各自的最大用水份额的矛盾，同时也存在着双方互利的机会。1922年的法案在开始实施阶段看起来比较简单，即上游和下游每年各得到92.5亿 m^3 的水量。1944年的条约又规定每年要从科罗拉多河给墨西哥分水18.5亿 m^3。在上述分水计划中存在的一个严重问题就是错误地高估了科罗拉多河的可分配水量。正常年份可分配水量实际为185亿 m^3，而不是预估的208亿 m^3；在目前的干旱情况下，每年可分配水量进一步下降为111

亿 m^3。

因此,即使对1922年分水法案进行可能的修改,由于水作为一种至关重要的资源在未来不能充足供给,必然会在谁应该参加分水、如何给各方分配合理的份额等敏感问题上发生争议。美国现在有许多人已经认识到西部的核心问题是水资源,水的问题涉及过去和未来,决定着未来的成败。同时水的问题也是一个经济学问题,是美国西部未来100年面临的最严峻的问题之一。

水资源作为一种不可或缺的资源在今后将变得越来越珍贵,从客观上来说,完全满足某一方的用水需求,必然会使其他各方的利益受到损害。例如,农业用水和城市用水不可能同时被满足;印第安人希望尽量开发利用本地资源,而环保主义者则希望降低资源开发以保护生态环境。面对这样的现实,农业、城市、水力发电、环境保护、旅游业、美洲印第安人、墨西哥等科罗拉多河水资源利用各方已逐渐认识到,在解决缺水问题的过程中,各方都不可避免地要付出一定的代价,重要的是通过有效合作使总代价降到最低,为了共同的利益,必须进行坦诚的合作以寻求解决缺水问题的最佳方案。

5 启示与借鉴

5.1 关于水资源问题的几点认识

(1)水资源对美国西南部极为重要,没有水,大量沙漠和干旱平原就不可能开发,没有水,城市就不能发展,诸如菲尼克斯、拉斯韦加斯和洛杉矶等著名城市就没有今天的繁荣。正如美国地质调查局当年局长鲍威尔在第一次率队考察科罗拉多河后说:“在这整个区域,真正价值在于水权,否则土地就是土地,将没有任何价值。”

(2)在流域治理和开发过程中,由于涉及不同地区的利益,存在着水利矛盾,解决起来难度相当大,而且需要较长的时间。协议的达成往往通过各方面的讨价还价和利益平衡。有关地区水利要求的改变和洪水灾害可以成为解决矛盾的契机。解决矛盾需要协调和适时裁决,也需要协调人和当事人的决心。美国国会多次就科罗拉多河流域重要水工程或水事活动通过法案或做出决定。联邦最高法院多次对其水利纠纷做出裁决,内务部及垦务局也对流域开发和管理进行干预,垦务局在某些方面起到了流域机构的作用。

(3)流域治理开发到一定程度,管理和环境问题会更加突出。19世纪早期,美国还是发展中国家,在科罗拉多河流域建设了大量水工程,垦务局当时的主要任务是建坝,而今天在美国担心的已是过度开发,垦务局的任务也转向了水资源管理,包括水土保持、改善现有设施的维护和运用、供水以及水资源保护。因此,要处理好建设和管理的关系,随着有关流域治理和开发的进展,应及时加强管理和环境保护。

5.2 美国长距离调水工程的启示与借鉴

我们在研究南水北调中遇到的许多问题可以从美国调水工程的实践经验中得到启示或答案,当然中美两国国情不同,工程建设条件也有较大的差异,但有几点还是值得我们借鉴的。

(1)美国几乎所有的大型调水工程的建设难度很大,水源分散,扬程高、隧洞长、穿沙漠、地形地质条件复杂、耗资巨大。如特拉华河到纽约的调水工程隧洞长超过220km,加州调水工程总扬程超过1 000m,其中埃德蒙斯泵站一级扬程约600m。我国南水北调中线工程地理位置优越,渠道沿线地势平坦,全线自流,是解决京津华北缺水的最佳方案。与美国已建的工程相比,可谓投资省、效益大、见效快、建设条件无比优越,应早日决策兴建,尽早发挥工程效益。

(2)长距离调水工程除技术经济问题外,往往还有复杂的社会问题,必须要有强有力的政府行为来协调解决。美国属资本主义国家,天然资源一般属私人所有并由私人开发,惟水资源具有特殊性,美国政府一直是水资源的主要开发者,对水资源的开发大规模地介入。虽然美国各州分水法规定了水的使用权和开发权,州政府有权控制向州外调水,但地方的这种控制权力受到国家政府权力的限制,阻止各州的过分限制是国家政府的一项基本权力。为了防止各州的过分限制,联邦政府直接参与水资源的开发活动,特别是重大的调水工程。在美国,国家具有关于调水的最高权力。为了优化配置水资源,国家政府有权实施或批准调水工程而不必考虑州立水法。内政部长在签署调水合同时的行政活动可不受州立水法的限制,而合理合法地分配水资源。

(3)长距离调水工程一般属公益性的基础设施,社会效益大,经济效益相对较小,投资偿还能力较低。筹措建设资金,必须要考虑工程的这种特殊性。即使在美国那种商品社会,联邦政府仍给予大量的拨款、无息贷款、长期低息贷款或免交各种税费的建设债券等优惠政策,来建设调水工程。这一点是很值得借鉴的。如1928年为开发科罗拉多河水资源,美国国会通过《鲍尔德峡工程法案》,明确规定建造胡佛坝及相关工程的资金由联邦政府支付,还款期50年,年息4%,建设期不付利息。

(4)调水工程一般具有距离长、输水过程不均等特点,其调出水量如何有效利用至关重要。美国在工程的调度管理上有一套成熟的经验和先进的方法。目前美国设计的调水工程通过"常水位"或"等容积"等方法调度并运用集控等现代化的管理办法,其渠道上很少设置退水建筑物,也就是说做到调水工程基本无弃水,从而使调出水量得到充分利用。

调出水量均考虑和当地水资源的联合调度,统一使用,以充分发挥各种水源的综合效益。如负责向包括洛杉矶在内的加利福尼亚州南部1 700余万人及工业供水的大都会供水区,其水源除当地地表水和地下水外,还有来自加州北水南调工程、科罗拉多调水工程和洛杉矶水道等各种不同水源、不同工程、不同成本的外来水源。通过多水源的统一调度、补偿调节、统一水价标准,使各种水源得到了充分有效的利用,也使该地区水资源严重短缺的问题得到妥善的解决。因此我国中线工程引汉水量通过流域管理部门和当地水资源的联合调度,统一使用,各省统一水价标准,各种水资源是能够得到充分有效利用的。

5.3 科罗拉多河与黄河的比较分析

5.3.1 美国科罗拉多河与黄河的比较

从河流特性及水资源开发的角度看,科罗拉多河与黄河有极其相似的一面,如水资源分配极不均匀,河流含沙量高,水资源相对短缺等,从附表5-9、附表5-10我们会有更清晰的概念。

从表中可以看出,科罗拉多河流域面积与黄河流域相近,也是一条多沙河流。其自然环境条件更为恶劣,水资源空间分布极不均衡,该流域86%的年径流量集中在仅占全流域面积15%的科罗拉多高山区,年平均径流深仅27.7mm,为黄河流域的1/3,但由于供水区人口少,人均水资源量为740 m^3,为黄河供水区的1.95倍。科罗拉多河水资源的开发与利用率远远大于黄河,人均用水量是黄河的2.56倍。因此,研究科罗拉多河的水资源开发利用与管理,对黄河有一定的借鉴意义。

附表 5-9　　　　两条河流的水文特征比较

河流名称	科罗拉多河	黄　河
河长(km)	2 333	5 464
流域面积(万 km^2)	66.8	75.3
年平均径流量(亿 m^3)	185 (利斯费里)	558(河口)
年平均径流深(mm)	27.7	77.0
汛期 3 个月径流量占全年(%)	70	60
河流含沙量(kg/m^3)	11.6	35.7
年输沙量(亿 t)	1.8 (利斯费里)	16 (花园口)
年径流量丰枯比	4.0	3.4

附表 5-10　　　　水资源开发与利用

河流名称	科罗拉多河	黄　河
年平均径流量(亿 m^3)	185	580
供水区人口(万人)	2 500	15 300
供水区人均水资源量(m^3)	740	379
供水区灌溉面积(万 hm^2)	120	733
流域内总库容(亿 m^3)	760 (有效库容)	574 (有效库容)
引水量(亿 m^3)	165(1996 年)	395(1997 年)
水资源利用率(%)	89	68
农业用水比例(%)	80	80
供水区人均用水量(m^3)	660	258

5.3.2　关于黄河水资源开发利用与管理的建议

5.3.2.1　应当系统、全面、综合、辩证地对待黄河水资源问题

(1)黄河的水资源开发与利用,必须与区域乃至国家的总体发展相互协调。一方面,黄河的水资源开发与利用要符合国家、区域的总体发展规划格局。黄河水资源的进一步开发、流域外调水、节水以及水资源保护等必须放入经济社会大系统中去考虑,而不是就水论水。另一方面,区域乃至国家的发展规划及经济布局必须充分考虑黄河水资源的状况,切实体现以供定需、

以供导需。科罗拉多河开发过程就是一个典型的以供导需、以供定需的过程。

(2)应当处理好水资源的开发利用与节约保护的关系。水资源开发、保护和节约的目标本质上是一致的,都是为了增大可利用水量,具体采用何种措施,应进行综合比较、选优实施。水资源开发与利用必须辅以相应的水质保护、用水效率等限制条件。

5.3.2.2 认真研究科罗拉多河应用立法开发和管理水资源的经验

建立健全黄河流域水资源法制体系,加强水资源全流域统一管理。应逐步建立健全黄河流域水资源法制体系,使黄河水资源分配、水权保障、水价体系、水质保护、水量协调等都能有法可依、有法必依。

应当尝试在现有水量分配的基础上,建立以水权为核心的水资源管理体制,通过立法或合约形式,逐步建立省际、省内、县等多层次多级分水协议。水资源管理应重视法律制约手段,强调水资源用户间依法监督与协调,逐步从单纯的行政手段中解脱出来。

尽早建立全流域的水资源协调(管理)委员会,该委员会应是综合性、多省区、高规格的。黄河水利委员会应是水资源协调(管理)委员会常设办事机构,主要任务应集中在水资源的规划、分配与协调,并掌握水资源的监督与预报,提供必要的技术支持,服务于水资源调度决策。

必须尽快建立全流域的水资源监测预报系统,切实掌握全流域实时用水、调水数据信息,并能够根据已有数据作出未来用水预测,从而提出合理的调度协调方案。

5.3.2.3 引导和鼓励流域的水资源节约与保护

科罗拉多河法制制约和经济引导体系的建立,推动和保障了水资源保护与利用的实施与发展。黄河也应该利用政策法规及经济杠杆引导和鼓励流域的水资源节约与保护,促进这一工作的快速发展。

节约与保护是相辅相成的,其目的都是为了实现有限资源的合理有效利用。黄河流域节水的潜力很大,例如占用水量80%的农业用水中,水资源利用系数仅为0.4左右。

水资源的保护与节约应以限制和引导为主,利用水价、水资源分配、水权交易、灌区改造、财政补贴、污水排放控制等多种措施,引导和鼓励节水。

农业是流域内的用水大户。因此,节水的重点应放在农业用水,通过田间改造、农业种植结构调整、灌溉制度革新以及发展微、滴灌等多种方式实现。此外,还要进一步加强对高耗水产业的限制。

必须加强水资源的保护,确保优质水源。要加强水质断面控制的监测,将水资源分配与保护挂钩。

应当研究通过科学调度提高水资源利用率,特别是要研究合理、有效利用黄河 200 亿 m^3 输沙及环境分配水量的技术方案以及相应的法制、经济管理体制。此外,通过合理调度减少水库的蒸发损失也是值得重视的一个课题。

5.3.2.4 流域外调水与流域内挖潜相结合,适时合理开源

从黄河整个流域长远发展看,要解决流域资源性缺水的问题,就必须实施跨流域调水。实施的方案应当放在一个大的系统中去研究,应充分考虑上下游、流域内与流域外的关系,特别是要重视内部挖潜,并处理好水资源调出与调入的关系。

从科罗拉多河的例证看,黄河的开源还可通过蓄水工程开发、调度方案调整等多种渠道挖潜,有必要结合黄河中下游调水调沙减淤任务,研究黄河干流中游河段大型水库的建设程序和建设时机,旨在提高黄河下游安全运用周期和水资源的调控能力。

此外,还可以通过研究全流域水库的水资源统一联合调度或分区联合调度,在这一方面,也是有潜力可挖的。

5.3.2.5 必须加强对黄河水资源的合理开发利用以及节约与保护的宣传

治水与用水方略转变的根本在于人的观念的转变。因此,要加强流域内有关水资源短缺、以供定需的宣传,使水资源短缺意识深入人心;加强有关水资源政策法规宣传,严格执行水量分配制度,并逐步倡导宣传以水权为核心的水量分配体系,强调依法治水、用水、管水;加强节水意识的宣传与引导,特别是要注意节水与经济效益的关系;加强水资源保护的宣传,切实加强水污染防治。

5.4 美国西部大开发对我国西部大开发的启迪

我国“西部大开发”战略是一项艰巨复杂的巨型工程,在认真做好对国情和对西部地区的调查研究的同时,还要十分重视和参考国外开发落后地区的

经验教训。在这些经验教训中,200 多年前刚取得独立的美国人开始的“西进运动”及其后的进程是最值得我们注意的案例。

5.4.1 美国开发西部的历程和效果

美国开发西部的进程实际上从立国便开始,并不断深入地跳跃式地向前发展,从疆域上看,开发的范围包括了从阿勒格尼山到密西西比河的“旧西部”、从密西西比河到落基山的“新西部”以及从落基山到太平洋沿岸的“远西部”(现今,“旧西部”的大部分地区已被看做是东部地区,而它的西部与“新西部”一道,也被称为中西部地区)。这个范围的面积,相当于美国最初 13 州总面积的 7.5 倍。

公元 1787 年,美国政府颁布了《西北准州地区条例》,规定了成立新州的程序。它规定任何一个准州地区的居民人数超过 6 000 人时,就可以成立永久性的州政府,并且与“原来各州在一切方面享有同等地位”。这个条例从法律上保障了生命、人身和财产的安全及宗教自由,大大鼓励了千百万人向西部迁徙。同时政府也颁布了土地政策,鼓励人们向西扩张,开始了历经 100 多年的“西进运动”。

公元 1793 年轧棉机的发展,为生棉提供了一个广阔的市场。南部居民从弗吉尼亚、南卡罗来纳和北卡罗来纳出发向西扩张,寻找肥沃的土地以种植棉花。

公元 1800 年,来自东部的白人移民者开始越过密西西比河向西挺进。大批摩门教徒开始了远征,并于公元 1848 年到达了太平洋沿岸的加利福尼亚。公元 1848 年加利福尼亚发现金矿的消息更使大批“淘金者”蜂拥而至,因此西海岸人口剧增。

人们在西进的同时,一边不断把当地的印第安人赶入深山,一边不断扩大美国的版图,到南北战争前,美国的领土扩大了 777 万 km^2,从大西洋沿岸扩展到了太平洋沿岸,比公元 1815 年扩大了 70%。

19 世纪是美国西部领土疯狂扩张的时期。公元 1803 年,美国以极低廉的价格从法国购得面积达 215 万 km^2 的“圣路易安那”,总面积扩展了一倍。公元 1836 年,少数合法及大批非法移居当时仍属墨西哥领土的得克萨斯的美国移民宣布建立独立的得克萨斯共和国。公元 1845 年,美国将面积达 69.2 万 km^2 的得克萨斯据为己有。公元 1846 年,美国以战争相威胁,迫使英国与其签订条约,将西北部与加拿大的边界划定为北纬 49 度线,从而取得了直抵太平洋的俄勒岗和华盛顿等州的 72.5 万 km^2 的土地。公元 1846～1848 年,美国又通过美—墨战争,夺取了北纬 42 度线以南的 136 万 km^2 土地,使美国的西南部疆界直抵太平洋。公元 1853 年,美国又从墨西哥政府手中购买了现今美国西南边界 7.77 万 km^2 左右的狭长土地,之后又从西班牙手中购得佛罗里达(该州于公元 1845 年加入联邦)。因此,可以说,美国西部开发史实际上就是美国人在荒原上建立起国家的一部经济发展史。这其中,既有移民们的艰辛劳动和创造,也有列强间疯狂的争夺和战争,还有对弱国领土的征服和掠夺,特别不应忘记的是,在全部美洲殖民史和美国西部的原始开发中,始终伴随着对原土著居民印第安人的残酷战争、血腥杀戮和无情驱赶。

从经济角度看,美国西部开发的效果也是十分显著的。随着美国对西部的逐步开发,首先使其西北部的十几个州成为了著名的"小麦王国",又把西南部的海湾平原地区变成了美国的"棉花王国",接着将整个西部大草原变成了北美大陆最大的"牧牛王国"。19 世纪中在加利福尼亚地区发现金矿以后,西部的采矿业获得了迅速发展,而采矿业的发展及采矿技术的不断提高,不仅带动了铸造、机械和木材等相关工业的发展,而且带动了为满足矿工生活需要的农牧业以及交通运输业的发展,也加快了远西部城市化的速度。

从南北战争到第一次世界大战这半个多世纪里,美国迅速由农业国转型为一个以工业为主的国家。公元 1860 年,美国工业居世界第 4 位,但到公元 1894 年,美国工业已跃居世界之首。其中一个重要原因是持续地开发西部。但是,西部经济的现代化发展和落后状态的根本改观是从第二次世界大战时期开始的。战争期间,美国政府在西部投入巨资,创办了许多军事工业,并建立了许多军事基地;战后"冷战"期间,又继续在西部投入巨额国防经费。这些投资,为西部创造了大量就业机会,刺激了西部地区人口剧增,繁荣了西部的市场。同时,由于资本、技术和人力的引入,导致了西部大城市产业结构的调整,使得国防工业逐渐成为西部的主导产业,并吸引了众多相关工业部门和服务业的迅速发展,西部产业结构日趋合理与完善,逐渐形成了独立的综合工业体系。

此后 60 年代的科技革命催生了西部的高技术产业并且与西部国防工业紧密结合,进一步促进了西部经济的发展。到 1980 年,美国西海岸与太平洋国家和地区的贸易额首次超过了东海岸与大西洋国家和地区的贸易额。西海岸的经济发展速度和城市化水平远远高于全国的平均水平，西海岸大都市区已经崛起为美国新的经济中心。

5.4.2 中美开发西部的异同分析

从上述对美国开发西部的简况可以看到，中美开发西部，既有相似点，又有更多的不同之处，初步分析，相似点主要有两个方面：①都是自东向西开发，且西部的国土面积和发展潜力都很大，都需要以极大的热情、气势和努力来开发才能成功；②在开发前都很荒凉，开发结果不仅使西部彻底变样，成为繁华地区，而且会带动全国各地区的协调和持续发展，是全国经济的新增长源泉，是一个长期的、持续的开发过程。

中美两国开发西部也有许多不同。①美国开发西部同时是扩展疆域、驱赶土著居民的过程，而我国开发西部是消除地区差异，促进民族团结和巩固国家统一的过程。②美国开发西部在其初、中期是个自发的过程，其后政府才给予支持和援助；而我国开发西部，一直是在中央政府的统一部署和支持下进行的自觉行动。③在开发基础与条件上也有所不同。一是开发基础不同。美国在200年前开发西部时，西部是人烟稀少、一片荒凉的处女地，而中国的这次西部大开发是在已有一定基础的情况下展开的。经过新中国50年的建设，西部已经有很多大城市、大学校、大企业和交通干线，物质资源和资产存量都已相当雄厚，当前是再开发和向纵深开发的问题。二是区位条件不同。美国西部大都沿海，有较好的区位优势；而我国西部属内陆地区，没有出口，且有帕米尔高原、喀拉昆仑山等高山屏障，对外联系比较困难。三是在自然资源上无论是土地、气候、矿产资源，还是生物资源，美国西部都比我国西部优越得多。

因此，我国在西部开发中绝不能盲目照搬美国开发西部的经验，必须从我国的国情和西部的具体条件出发，有步骤、有重点地开展西部的开发工作。

5.4.3 美国西部开发中值得我们借鉴的几点经验教训

尽管中美两国国情和西部区情不同，但美国开发西部的某些经验教训还是值得我们认真研究和借鉴的，主要有以下两点。

(1)恰当地选择开发重点。美国西部开发的产业重点在不同时期有不同的选择。例如，在美国西部开发的初期，由于这种开发是一种自发的活动，因此开发者是根据当地的自然、地理条件和自身所具备的生产要素及条件，因地制宜,自行选择开发产业的。首批越过阿巴拉契亚山向西迁移的早期开发者,发现在该山脉以西、五大湖周围的地域范围内有大片土质松软、土壤肥沃、适于耕种的土地和日照充足的气候。于是,他们便在这里种植小麦和玉米,使这一地区变成美国小麦和玉米的主要产地。由于石油和烟煤矿产和优质铁矿资源被发现,大湖平原地区在农业开发成功的基础上又发展了采矿业,并进而将这一地区建设成了美国新钢铁工业和汽车工业基地。

又如远西部的开发是随着公元1848年加利福尼亚金矿的发现而骤然兴起的,从公元1849年起,在很短的时间内,采矿业在几乎整个远西部各州和领地中全面铺开。接着,又发展起建筑业和农业以及食品加工业。后来,为解决深层采矿问题,又发展起设备制造和加工工业。因第二次世界大战期间美国成为"民主国家的兵工厂",政府大力投资建立了军事工业和其他制造业。此后,硅谷的兴起使加州成为美国高技术产业的中心。

我国西部大开发,应借鉴美国开发西部根据自然资源和市场条件因地制宜地选择开发重点的经验,在西部的不同地区选择具有比较优势的产业作为开发重点,并围绕这个重点展开建设,切不可一哄而起、齐头并进。

(2)依靠科技进步。美国西部开发成功的另一个重要原因,是十分重视科学技术的作用。例如,在西部大平原这个美国最重要的大农业基地的开发中,农业机械化和科学化以及科学种田方法的推广是提高农业生产力水平的最主要手段。在南北战争前西部农业地区的农民已经对犁头、打谷机和收割机等最初的农业机具进行了不断的改良,内战后,使收割速度提高了8倍的轧谷机,以及插秧机、中耕机、双铧犁、双铧耙、播种机等多种新式农机具开始在中西部和远西部广泛使用。到1910年时,农业机械的动力已经从马匹和蒸汽机过渡到了内燃机;到30年代时,一些靠近电厂的农场已开始使用小型室内机械。据估计,从1900年到1935年,美国应用于农场的各类动力增加了8倍,农业生产率增加了4倍。自公元1873年以来的大部分时间里,美国基本上是处在农产品生产过剩的状态中。又如,40年代初,美国政府在新墨西哥州的洛斯阿拉莫斯投资建立了国家原子能基地,此后,新墨西哥州立大学的科学研究也开始活跃,从而形成了以上述两地为端点的"格兰德河学术研究走廊"。坐落在该学术研究走廊中心的阿尔伯克基市建立了研究高技术的桑迪亚国家实验室。科技研究与开发活动的活跃带动了该地的经济发展,随着美国经济重心的西移,一些著名的高技术公司(如通用电话电子公司、优利系统公司及通用电器公司等)总部均设在这一地区。

再一个明显例子是硅谷高科技园区的兴起。它作为科学研究和工业创新的孵化器,对加利福尼亚州乃至整个美国的经济发展起到了巨大的推动作用。30 年代发端于斯坦福大学及其周围地区的科技研究与开发活动,使得加州圣何塞市的圣可拉拉县变成了举世闻名的硅谷。这一地区在信息系统、个人计算机及外围设备研制和生产方面均处于世界领先地位,使该地区形成了完备的高科技工业综合体。如今在该市坐落着 2 600 多家高技术公司,雇用了 25 万名员工。高技术产业的发展又带动了金融服务业、房地产业、建筑业及零售业的繁荣,使得第二次世界大战前仍是一个农业城市的圣何塞变成了一个蓬勃发展的高技术工业城市。在高技术产业的带动下,整个加州的经济从 60 年代起进入了腾飞阶段,到 1994 年时,仅加州一州的国民生产总值已达 8 757 亿美元,在美国 50 个州中跃居第一位(在世界各国和地区中居第六位)。

美国西部开发的这一经验很值得我国进行西部大开发时参考。我们可利用原三线建设的国防工业和西安、重庆、成都、兰州等城市高校与科研资源的某些优势,建立高技术园区,建立并完善风险投资机制,加快发展某些高技术产业,使它们成为西部发展的引擎。

(3)从开发一开始就要十分重视环境保护。在这个问题上,美国是走了弯路的。最初越过阿巴拉契亚山的移民定居于田纳西河流域的地区,他们在这里伐树拓荒、垦殖耕种。过度的森林砍伐,使植被遭到毁灭性破坏,造成了不断出现的洪灾和严重的土壤侵蚀,残存的树木又遭到经常发生的山火袭击。人为灾害与自然灾害使得田纳西河流域内 7 个州的人均收入到 20 世纪 30 年代初时还不足全国平均数的一半。

为了改变这种状况,1935 年 5 月美国国会通过《田纳西河流域管理法案》,设立了一个既有政府权力、又有私人企业灵活性的公司——田纳西河流域管理局,统一指挥流域内的水电工程、洪水控制、土壤保护、植树造林、土地休耕、河流净化和通航,以及多种类型小工业的建造等事宜。田纳西河流域管理局在成立的最初 10 年中,修建了 21 座大坝,控制了洪水;疏通河道,开凿运河,发展了航运事业;规划了土地,使流域地区呈现耕地、草场和梯田各占 40.5 万 hm^2 的合理布局;它帮助农民改革农具、提高土壤肥力,并通过植树造林,制止了土壤侵蚀;并发展了电力工业和地方企业,使这片贫瘠的农业地区出现了初具规模的工业系统。到 1940 年，流域地区的人均收入比 1933 年增加了 73%，银行存款增长约 76%，商品零售额增加了约 81%，均高于同期美国全国的平均水平。在西部大平原的开发中，也遇到了同样的问题。由于过度的垦殖耕种加之气候异常，1934 年春季引发了毁灭性尘暴，摧毁了中西部平原上 20 多个州的庄稼，使全国小麦减产达 2 亿蒲式耳(1933 年美国小麦总产 8.6 亿蒲式耳)。为扭转这种状况，联邦政府建立了国民资源保护队，先后雇用了 250 多万名青年，沿 100 度子午线种植了一条宽 161km、几乎纵横美国的防护林带，改善了这一地区的自然环境。据统计，美国现有的人造林中，有一半以上是国民资源保护队种植的。

我国的西部大开发，绝对不应再走美国西部那种“先污染后治理”的老路，必须走开发与环保并进，经济、社会、生态、环境协调发展之路，即可持续发展之路。特别是我国西部的一些地区自然环境本来就比较恶劣，更要从植树种草、改善生态着手，严格防止工业污染和资源破坏，从一开始就把开发与保护环境、改善生态结合起来进行。

(4)政府重视中西部水资源的开发。为了发展中西部的经济，美国政府十分重视中西部的水资源开发，把它作为联邦和有关州政府的重要任务之一，联邦政府早在 1902 年就设立了垦务局，致力于开发中西部的水资源，经过近 100 年的努力，已经建成并管理 345 座水库、254 座大坝、267 座泵站、21.6 万 km 渠道、2 300km 输水干管、950km 隧洞和 58 座水电站，这些水资源开发利用的骨干工程的建设和建成，为中西部的开发、为中西部的社会和经济发展奠定了坚实的基础。

(5)发挥政府和政策在西部开发中的作用。美国开发西部是从移民们的自发行动开始的，但政府通过制定政策和直接支持所起的作用也不可低估，特别是愈往后开发，政府起的作用就会愈大。

制定十分宽松的土地政策。西部开发之初，为了处理西部拓殖中的土地问题，同时也为了解决联邦政府的财政困难，美国国会从公元 1784 年起相继制定了几部土地法，逐步将出售的最小地块降为 32.4hm^2，每公顷 3 美元，在出售公地的过程中，还采取了部分信贷和延期付款的优惠政策，并延缓未付地款土地被没收的期限。这些措施对贫苦农民获得土地起了一定作用。

公元 1841 年国会通过了《土地选购权法》，承认了占地者的合法权益，并允许他们以每公顷 3 美元的价格购买已被其垦殖的 64.7hm^2 土地。这种“先用后买”的政策对西部土地的拓殖起了很大的推动作用。

公元1862年5月20日通过了著名的《宅地法》，它规定美国公民或已递交入籍申请者等几类人，只要交纳10美元的手续费，即可申请获得64.7 hm^2 的联邦土地；这实际上等于每个或每户定居者无偿分配到了一块安身立命的宅地。公元1873年又通过了《鼓励西部草原植树法》，规定只要在自己的地产上植树16.2 hm^2 并成功地保持了10年，即可获得64.7 hm^2 的联邦土地。公元1877年又通过了《沙漠土地法》，规定移民在产权登记后3年内灌溉了土地，即可按每公顷62美分的价格购买259 hm^2 土地。1909年的《扩大宅地法》将大多数西部州的宅地扩大为129 hm^2；同时规定，移民只要将32.4 hm^2 土地成功地耕种5年，即可取得该地的所有权。

公元1866年，联邦政府将土地出售政策扩大到了矿产地，推动了采矿业的资本主义开发。

从公元1832年起，联邦政府为公路、运河及铁路的修建，拨赠了大量的土地，推动了西部交通运输业的发展。

美国对西部地区土地的这种十分优惠的政策，对西部开发起了很大作用。我国西部某些地广人稀的地区和沙漠、高山地带，也可以制定类似的“赠地法”，可鼓励移民的迁入和开发。

政府对发展农业教育和科研给予直接援助。美国西部开发初期，农业的耕作方式是广种薄收。这一时期，常有农机具的改进和“农民协会”组织的资料交换和展览会，但基本是一种农民自发为主的活动。美国通过的《莫里尔法》规定，由国会给忠诚于州的每一位参议员和众议员拨赠联邦公共土地1.21万 hm^2，变卖这些土地的资金作为基金，以其利息去支持、捐赠或维持至少1所学院，这些学院除讲授其他知识外，必须按各州法律规定，讲授农学和农业知识。这类学院总共建了69所，被称做“土地赠与学院”或“赠地学院”。其中包括麻省理工学院、康奈尔大学的一部分，以及伊利诺伊大学、威斯康星大学、俄亥俄州立大学等美国著名高校。这些院校开办后，大都设立了农业附属服务机构，负责在本州各县传授农业和农机技术，改进农业生产。这项措施对农业科学化的推进起了很大作用。

公元1887年，国会立法为州立高校中农业实验站建立和发展提供资金。公元1889年，联邦政府正式设立了农业部，开始了对农业教育和农业科研的系统规划和指导。1914年，国会通过了《斯密—利弗法》，拨款建立了联邦、州、县 3 级农业推广系统，使科学种田的方法、病虫害的防治和良种的选用直接推广到农场和农户。我国西部大开发中也应遵循科教领先的原则，政府大力发展教育，提高人口资源素质。

政府对铁路的援助和管制。修筑铁路对美国西部开发起了巨大的推动和促进作用。从公元 1830 年美国第一条铁路建成，到公元 1885 年，铁路总长达到 20.6 万 km。1929 年，仅干线铁路长度已达 43.3 万 km，加上调车场、编组站和复线铁路的长度，总长达 69.2 万 km，可以绕地球 17 圈。铁路的兴起，不仅促进了美国全国性市场的形成，而且在西部催生了众多的“铁路城镇”，使西部铁路沿线及附近地区步入了早期的繁荣。

美国铁路高速增长的原因是多方面的，但联邦政府对铁路的援助却是众多原因中一个不可忽视的因素。这种援助主要包括技术援助和财政援助两种形式。具体措施包括派出勘察队协助勘察、设计及建设线路、赠予土地修筑铁路（总共赠地 8 090 万 hm^2）和用以抵押贷款，以及直接投资等（据估计，美国全国铁路建设投资中约 30％是州和地方政府投资）。因此有的经济学家认为“铁路本来就是政府的创造物”。

此外，美国还在公众的要求下对铁路建设中的舞弊与运营中的收费等进行管制，是联邦政府对经济进行干预最早的部门之一。

总的看，美国对西部的开发是成功的，许多做法和经验教训都值得我们在西部大开发中认真参考。我国是社会主义国家，在科技飞速发展的新世纪里我国开发西部有比美国更优越的环境与条件，只要认真筹划，谨慎操作，就一定会取得更大的成就。

附件 6　墨累—达令河治理开发基本情况

1　流域基本情况

1.1　自然地理概况

澳大利亚是一个岛屿国家,大部分地区属干旱和半干旱地区。墨累—达令河是澳大利亚最大的河流,位于东经 139°13′～152°28′,南纬 24°43′～37°34′,面积 105.7 万 km^2,约占澳大利亚总面积的 1/7。大部分地区地势平坦,海拔在 200m 以上,属于典型的平原地区。流域主要位于南澳大利亚洲以东、大分水岭以西、昆士兰州沃里戈岭以南的地区。

流域跨越不同的气候带,从高山严寒带到亚热带,从温湿地区至干旱地区。流域降水稀少,气候干旱。平均年降水量 425mm,降水的地区分布极不均匀, 5% 的地区年降水量在 750mm 以上,河流源头地区年降水可达 1 400mm,其他地区降水稀少,甚至降水量少于蒸发量,86% 的地区径流极少或不产生径流。

1.2　主要水系

墨累—达令河是澳大利亚最大,也是惟一发育完整的水系,由墨累河及数十条大小支流组成,达令河是其最大的支流,全长 2 740km,其次是马兰比吉(Murrumbidgee)河,全长 1 690km。

墨累河干流长 2 530km,发源于新南威尔士州南部的雪山西南的派勒特山南坡,在峡谷间北流约 200km,逐渐西流,经休姆水库至奥尔伯里,自此向西北流经支流众多、沼泽遍布的洪泛平原。在斯旺希尔与罗宾韦尔之间,马兰比吉河自右岸汇入,至文特沃思,达令河自右岸汇入,继续向西进入南澳大利亚州境。在斯旺希尔以下,河流进入半干旱的桉灌丛地区,过南澳大利亚州界至摩根折转向南,经亚历山德里娜湖注入因康特湾。

达令河发源于新南威尔士州新英格兰山脉的西麓,先向西流再转向西南,在文特沃思汇入墨累河,全长 2 740km,流域面积 65 万 km^2。上游自芒金迪以上河道为昆士兰州和新南威尔士州分界,大部分支流集中在芒金迪至伯克以上河段,右岸支流有穆尼、巴朗、卡尔戈阿等,左岸支流有卡斯尔雷、麦夸里、博根等。自伯克以下是干旱地区,除沃里戈、帕鲁两条间歇性河流外,基本无支流,河道有时形成分汊,在河流下游梅宁迪附近有一系列的湖泊,对墨累河下游径流起着重要的调节作用。达令河地处亚热带内陆地区,流经大面积的盐碱草原,降水少,大多数地区降水量在250mm以下,从支流补充的水量常少于干流河水的蒸发量。大部分支流为季节性河流,仅在雨季才形成径流,有些支流尚未流到干流就消失在内陆盆地中。

马兰比吉河位于新南威尔士州东南部,发源于雪山北段,先南流又北转,穿越首都堪培拉直辖区,到亚斯折向西流,在奥克斯利市以南约30km处接纳其最大的支流拉克伦河后在罗宾韦尔市附近注入墨累河,全长1 690km,流域面积9.7万km^2。拉克伦河发源于堪培拉市以北的大分水岭,全长2 388km,流域面积8.5万km^2。其他主要支流有库马河、罗克弗拉特河、纳斯河、布雷德博河等(详见正文图3-7)。

1.3 水资源概况

1.3.1 地表水资源

流域年均地表水资源总量仅243亿m^3,约占澳大利亚全国地表水资源总量的6%,可利用量123亿m^3,占澳大利亚可利用地表水资源量的12.4%。年入海水量约122亿m^3,其余的在沿途损失(其中包括人为开发利用水量)。

墨累—达令河虽然以其长度可排在世界大河的第15位,以其面积可排在世界大河流域的第21位,但与长度和面积相似的河流相比,墨累—达令河流域地表水资源是相当贫乏的,即使按澳大利亚的标准衡量,该流域地表水资源量也是相当贫乏的。澳大利亚全国划分为12个汇水区,其中墨累—达令河流域为其中的一个单独分区,按面积墨累—达令河流域可排在第3位,按年径流量和出境水量仅排在第6位,按可利用水量排在第5位。

墨累—达令河地表水资源地区年分布极不均匀,地表水资源主要集中在流域的南部地区。如墨累河上游、马兰比吉河和古尔本(Goulburn)河面积只占全流域面积的11%,地表水资源量却占到全流域地表水资源量的45.4%,特别是墨累河上游只占流域总面积的1.4%,地表水资源量却可占到流域地表水资源总量的17.3%。相反,达令河水系面积占到流域总面积的60.4%,地表水资源量仅占流域地表水资源量的31.7%,仅达令河干流面积就占流域总面积的10.9%，地表水资源量却只占流域地表水资源总量的0.4%。

受气候特别是降水的影响，澳大利亚的河流径流变化比较大，墨累—达令河也不例外。地表径流的变化不仅表现在年内变化上，而且还表现在年际变化上。根据公元1894～1993年近百年的资料统计，墨累—达令河河口的年径流量变化幅度在16.26亿～541.68亿m^3之间。通过人工调蓄径流，可以抵消大部分小的径流变化，但对大洪水影响是有限的。墨累河和马兰比吉河的产水区与降水关系密切，径流比较容易预报，其径流变化较达令河小。达令河径流变化很大，既可能经历长期断流，又可能遭遇大的洪水。

1.3.2 地下水资源

墨累—达令河流域地下水分布较为广泛，各种类型的岩层中均有地下水的分布。虽然地下水的储存量较大，但由于地下水的补充速度缓慢，可利用的地下水是有限的。如在纳莫艾(Namoi)河谷下游沉积岩中含有地下水200亿m^3，但每年可循环的地下水只有0.3亿m^3。根据《1985年澳大利亚水资源和开发利用评价》(AWRC)，墨累—达令河流域地下水可利用量为36.8亿m^3。

墨累—达令河有两个主要的地下水系统。一个是大自流地下水流域，面积170万km^2，占澳大利亚全国总面积的22%，包含了墨累—达令河流域北部的昆士兰和新南威尔士的部分地区。她具有多层含水层，主要由砂岩组成，间含有泥岩，含水层厚度近3 000m，地下水储存量十分巨大，但可利用量只有27.4亿m^3。该地下含水系统处于干旱与半干旱地区，地表水很少且不可靠，地下水就成了城镇、农牧业、采矿业和发展旅游业惟一的水源。然而，这里的地下水由于含盐量高，一般不适合于灌溉。政府已加强了对流域水土资源的综合管理。另一个地下水含水系统是墨累地下水流域，面积29万km^2，位于墨累—达令河流域南部，几乎全部在墨累—达令河流域内。该系统地下水含水层较薄，一般在200～600m，储存水量较少。由于含水层薄且比较平坦，地下水循环和补充的速度较快。证据表明在过去的50万年间，地下水循环了6～7次。由于在干旱地区和灌溉地区，用浅根系的植物替代天然植物，地下水补充的速度加快，在最近20多年里，地下水位已明显回升。现在，地下水的利用量只占可利用量的很小一部分，原因在于地下水水质的恶化。增加开采地下水有助于降低地下水位或至少可以延缓地下水位的上升。

1.4 社会经济概况

墨累—达令河流经澳大利亚人口集中、经济相对发达的地区，流域包括维多利亚、新南威尔士、南澳大利亚、昆士兰4个州和堪培拉一个直辖区。墨累—达令河在澳大利亚国民经济发展中具有重要的战略地位，主要体现在以下几个方面。

(1)墨累—达令河承担着流域内180万人和流域外临近地区125万人的供水任务，供水人口约占澳大利亚总人口的17%。

(2)墨累—达令河是澳大利亚最重要的农业区，流域内的农场占全澳大利亚的40%，主要农牧产品包括羊毛、小麦、大米、牛羊、乳制品、油料、葡萄、棉花、水果和蔬菜。年农产值约85亿澳元，占澳大利亚农产值的40%以上。

(3)流域内制造业主要依靠农业，年产值约107.5亿澳元。此外，流域外临近地区的制造业也主要依靠或全部依靠墨累—达令河水资源供给，如Adelaide地区主要依靠墨累—达令河的水供给，制造业年产值约123亿澳元，Northern Spencer Gulf市全部依靠墨累—达令河水资源，制造业年产值10亿澳元。

(4)流域内采矿业年产值16.6亿澳元。

(5)旅游业年收入34.4亿澳元。

(6)流域内林业年收入占全澳大利亚的15%。

2 治理开发的历史沿革

2.1 历史回顾

墨累—达令河防洪任务较轻，流域的治理开发主要围绕水资源的开发利用、保护以及防治土壤盐碱化进行。墨累—达令河流域面积比黄河还大，径流量不足黄河的一半，相对于广大的流域面积、快速发展的经济以及保持必要的生态水量(包括必要的入海水量)来说，流域水资源显得比较贫乏。水资源供需矛盾突出是流域面临的主要问题，如何实施分水是流域水事问题的焦点。

澳大利亚是一个联邦制国家，根据1901年的《宪法》，各州对州内水资源拥有所有权，对水资源的管理是自治的，全国没有统一的水法，各州可根据实际情况，制定自己的水法。联邦政府主要在研究全国性的关于水的重大课题、制定水资源管理方法、管理政策方面起组织者、指导者和协调者的作用。

墨累—达令河的治理开发可大致分为以下几个阶段。

(1)以航运为主的开发阶段,这一阶段持续到19世纪末。对河流水资源开发主要是要求保持一定的河流水位,以保障航道的畅通。

(2)以灌溉为主的开发阶段,这一阶段从20世纪初延续到20世纪60年代。由于土地资源的大规模开发,灌溉的重要性替代了航运,同时,各州修建了通往墨累山谷的铁路,河运陷入危机。随着灌溉用水量的大幅度增加,州际间分水的矛盾日益突出,各州就针对水资源如何分配产生了激烈的争论。19世纪末发生在澳大利亚人口聚居区的干旱和引水矛盾促使流域内维多利亚州、南澳大利亚州和南新威尔士州达成了澳大利亚历史上第一个分水协议。1915年在联邦政府的协调下,由上述3州正式签署墨累河分水协议,就分水的规则、水资源保护及灌溉工程的资金支持问题达成了协议,并成立了墨累河委员会作为执行协议的技术秘书处。工程的修建和运行由各州负责,费用由各州分摊,联邦政府参加投资,不负责运行和维护。此后,墨累河流域进入经济快速发展时期,在墨累河上修建了两座源头控制性调蓄水库,总库容达70亿m^3,下游建设了堰、坝等工程,构成了较为完整的工程体系。

(3)从20世纪60年代至今,墨累—达令河流域从着重对水土资源开发转入到加强对资源和环境保护为主的阶段。促成这一转变的主要原因是水土资源的不合理利用,用水矛盾更加激化,水污染和土地盐碱化等环境问题逐渐暴露出来。1996年6月,部长会议对流域水资源总体利用水平进行了调查,调查显示出水资源利用水平已接近可利用的极限,甚至某种程度上已超过利用极限,从而对流域可持续发展构成威胁。1994年部长会议提出要对水资源利用水平加以限制,与发展水平相适应。为适应新的形势,流域委员会对水资源承载能力进行了重新评估,强化环境保护的职责,加强了各方的协调和配合,在用水管理方面,进行了以控制需求为主的改革。1995年在流域内实行了控制用水上限的“帽子”方法。在此阶段,为强化流域的协调管理和延伸流域管理的范围,1987年签订了新的墨累—达令河流域管理协议,取代了原分水协议。流域管理协议要求各州制定相应的法律明确该协议的法律地位,州政府必须服从州议会批准的流域管理协议。1993年协议各方通过了墨累—达令河流域法案,同年昆士兰州也参加了协约,1998年,澳首都直辖区也作为代表参加了会议。流域管理协议主要内容是:明确了部长会议、社区顾问委员会和流域委员会的构成、职责和运行方式；水量、水质和环境方面的监测和评估；工程的建设、管理和维护；协议方在流域管理经费方面的分担、年度预算和财务审核；年度报告；不履行义务的处置；水量分配等。

2.2 水资源开发利用

2.2.1 水资源开发利用现状及存在问题

墨累—达令河水资源开发已达到了很高的程度。现状地表水年均用水量 106 亿 m^3，占地表径流的 44%，已接近地表水资源的可利用量。在地表水总利用量中，农业灌溉占 95%，灌溉面积 147 万 hm^2，占澳大利亚总灌溉面积的 70%。

对水土资源的粗放利用，也导致一系列的生态环境问题。用水量的快速增加，造成干流断流时间越来越长，在干旱的 1998 年，墨累—达令河干流断流时间累计达 10 个月左右。现有迹象表明，河流中鱼类的种类在减少，水质下降，富营养化水体的面积增加。过度不合理的灌溉还造成土壤盐碱化，尤其是近年来，干旱地区出现了大范围的土地盐碱化问题。

2.2.2 主要水利工程

墨累—达令河流域大部分地区属于干旱与半干旱地区，水资源的开发利用对维持当地经济社会的可持续发展起着重要作用。围绕水资源的开发利用，流域内修建了一批水利工程。

(1)大型水库。现状流域内已建水库总库容达 300 亿 m^3，其中库容大于 1 亿 m^3 的大型水库主要有：墨累河的休姆水库(库容 30.84 亿 m^3)、达令河的梅宁迪水库(库容 24.67 亿 m^3)、麦夸里河的巴伦东水库(库容 16.78 亿 m^3)、圭迪尔河的科普顿水库(库容 13.63 亿 m^3)、米塔米塔河的达特茅斯水库(库容 33.92 亿 m^3)、马兰比吉河的巴林贾克水库(库容 10.26 亿 m^3)、尤坎本河的尤坎本水库(库容 48 亿 m^3)、蒂默特河的布洛韦灵水库(库容 16.32 亿 m^3)、拉克伦河的怀安加拉水库(库容 12.33 亿 m^3)等。

(2)雪山调水工程。墨累—达令河流域本身水资源贫乏，水资源的地区分布又极不均匀，为合理配置和综合利用水资源，澳大利亚联邦政府与新南威尔士州和维多利亚州政府达成协议，修建了著名的雪山调水工程，雪山调水工程是墨累—达令河流域最大的工程体系。其目的是将马兰比吉河上游的水和雪山(贯穿澳大利亚东部的大分水岭东南端的一部分)东坡水资源丰富的斯诺伊河的河水经两组隧洞分别引到墨累河和马兰比吉河下游,以缓解墨累—达令河流域的缺水状况,并利用巨大的水头发电,提供经济发展所需的电力。雪山工程包括16座水库,有效库容70亿m^3,7座水电站,总装机容量374万kW,两座扬水站(扬程分别为232m和155m),输水隧洞145km。

整个调水工程分为南、北两个调水系统,将墨累河、马兰比吉河、斯诺伊河、蒂默特河(马兰比吉河的支流)和图马河(墨累河的支流)连通起来,两调水体系分别与高山调蓄水库尤坎本湖连成一片并能双向供水,进行统一管理,综合调度,充分利用流域内的天然水量。

北方调水工程(斯诺伊—蒂默特跨流域双向引水工程),利用坦坦卡拉水库拦蓄马兰比吉河上游的部分水量,利用隧洞输水到尤坎本湖,再输水到蒂默特河的旁德水库;另一条输水线路利用图马水库拦蓄图马河水,再输水到旁德水库。汇集在旁德水库的水经三级电站,泄水至蒂默特河,并汇入马兰比吉河,为下游提供灌溉用水。从尤坎本湖到旁德水库为双向引水,通常为尤坎本湖向旁德水库输水,但当蒂默特河和图马河水量较多时,多余水量可经该隧洞反向引至尤坎本湖储存。

南方调水工程(斯诺伊—墨累跨流域双向引水工程),将尤坎本湖水通过隧洞输送到斯诺伊河的爱兰本德水库(为增加水量,抽取斯诺伊河上的金德拜恩湖水到爱兰本德水库),再输水到吉黑河(墨累支流),经过两级电站,泄水至墨累河,供下游灌溉用水。从尤坎本湖到斯诺伊河德输水隧洞为双向引水式,通常从尤坎本湖向斯诺伊河供水发电,但当斯诺伊河和吉黑河水量多时,则将多余水量反向引入尤坎本湖储存。

雪山调水工程每年可向内陆输水11.3亿m^3,更重要的是,通过水库调节,可大大提高灌溉供水保证率。经过调蓄,每年可增加马兰比吉河和墨累河下游23.6亿m^3的灌溉水量。工程装机容量占澳大利亚东南部电力容量的16.5%,并在电网中起调峰作用。所发电优先供给首都地区,在满足其要求后,剩余电力的2/3分配给新南威尔士,1/3分配给维多利亚州。

2.3 洪水特点及防洪

墨累—达令河发源于雪山西侧,得到雪水的补给,所以洪水主要发生在冬春两季。墨累河干流下游大部分地区地势平坦,气候干燥,无地表径流,上游洪水需经几周时间才能到达下游。在该河的中游地段,大部分洪水离开主河槽,分流到众多支流中,形成一个天然的滞洪区,滞洪区蓄水容量可达49

亿 m^3。再经过 640km 在下游重新注入主河道。该分洪系统可对来自上游的洪水进行有效的拦蓄，从而减少下游洪峰流量，也延长了洪水历时。

3 流域管理

3.1 **管理经验**

总结墨累—达令河流域管理的实践，其成功的经验有以下几个方面。

3.1.1 稳定健全的流域管理机构

为促使分水协议的落实，1917 年成立了墨累流域委员会，此后，流域机构的设置不断完善，职能得到加强，对促进流域水土资源的综合开发利用和环境建设与保护，起到了重要作用。

最初的墨累流域委员会仅有政府官员和有关州的供水和灌溉经销商的代表组成，只负责水资源保护和供水，随着形势的发展，需要在不同州和不同自然资源之间寻求一种实现合作的途径。流域管理的范围延伸到水资源管理之外的土地资源和其他自然资源的管理，流域管理机构设置也得到进一步完善，成立了有签约州水资源部、土地资源部和环境部等相关部部长组成的流域部长会议，并于 1988 年实现了第一次会晤。部长会议的宗旨是力求高效、持续利用土地、水资源以及其他环境资源，促进和协调有效的规划和管理。

墨累—达令河流域管理有 3 个职能相互衔接的管理层次，流域管理机构设置如附图 6-1。

(1)部长会议。部长会议是墨累—达令河流域管理的最高决策机构，根据墨累—达令河流域管理协议成立，通常有 12 名成员，这些成员由联邦政府和流域 4 州负责土地、水利及环境的部长组成。每年至少召开一次会议，通常是两次，主要职能是制定指导性的政策，包括环境保护政策、水质政策、水流管理政策和流域地区经济发展政策等，在此基础上，形成全流域的战略规划，最后形成具体的项目。为了在流域内采取统一的政策行动，并广泛听取各方面的意见，设立了一个社区顾问委员会。

(2)社区顾问委员会。是部长会议的咨询协调机构。有 21 名成员，来自有关地区及一些部门，如全国农民联合会、澳大利亚自然保护基金会、澳大利亚地方政府协会、澳大利亚工会理事会等。其主要职责是负责广泛收集各方

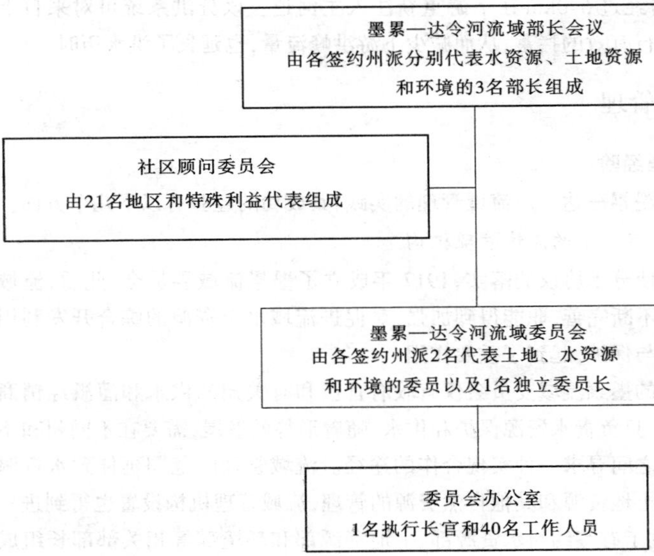

墨累—达令河流域部长会议
由各签约州派分别代表水资源、土地资源
和环境的3名部长组成

社区顾问委员会
由21名地区和特殊利益代表组成

墨累—达令河流域委员会
由各签约州派2名代表土地、水资源
和环境的委员以及1名独立委员长

委员会办公室
1名执行长官和40名工作人员

附图 6-1　墨累—达令河流域管理机构

面的意见,进行调查研究,并就一些重大问题进行协调咨询,保证各方面的信息交流,及时发布最新研究成果。这样做的目的是在政策制定阶段就广泛吸收不同阶层的意见,使制定的政策更具代表性,充分反映流域管理的民主性。

(3)流域委员会。流域委员会是部长会议的执行机构。委员会成员是来自流域4个州政府中负责土地、水资源和环境的官员,每州2名,主任由部长会议指派,通常由持中立态度的大学教授担任。委员会是一个独立机构,其职能由流域管理协议规定。一般每年要开4次会议,具有指导性的权力,扮演促进者、合作者以及项目管理者的角色,负责分配水资源,配合签约州和部长会议发展各方同意的政策和战略,制定由各方按规则给予资金支持的流域管理预算,协调各州的行为。委员会下设办公室,负责日常事务。

流域委员会的职能包括行政管理职能和水利工程设施的管理职能两部分,其中从事行政管理职能的人员有40人,从事水利设施管理的人员有14人,管理的资产达16亿澳元。为加强综合规划与管理,将最先进的技术方法和经验运用到流域管理中，委员会还建立了 20 多个特别工作组，聘请了 100 多名来自政府部门、大学、私营企业及社区组织的关于自然资源管理及研究的专家。

上述机构设置、人员组成和职能都在 1987 年通过的墨累—达令河流域管理协议中有明确规定，并已反映在各州通过的相关法律中，起到了对各方行为稳定的制约作用。

3.1.2　全面的流域自然资源管理规划

从部长会议制定的政策到形成资源管理的战略规划到最终落实到项目，这就是墨累—达令河流域的规划过程(附图 6-2)。

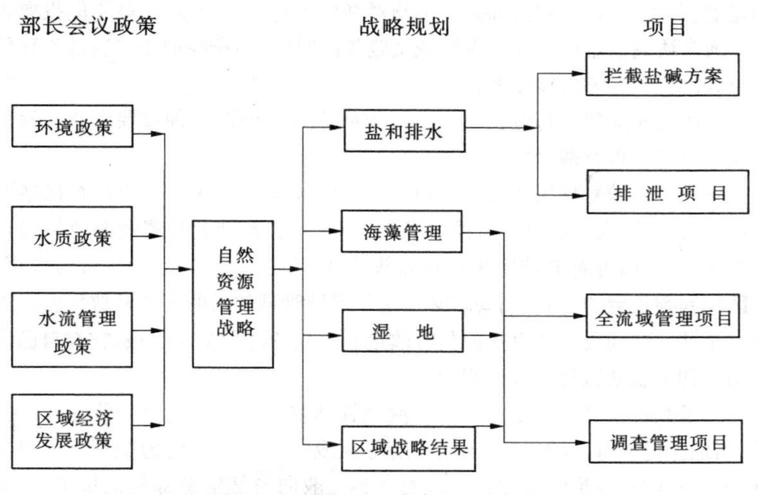

附图 6-2　墨累—达令河规划过程

规划是进行流域治理开发和管理的基本依据。墨累—达令河流域资源管理战略规划由各签约州提供资金支持，规划来源于成熟的管理政策，最终形成具体的项目。重要的自然资源战略规划把单项的战略规划纳入进去。墨累—达令河自然资源战略规划更加强调的是管理好现有的开发项目，而不是增加开发项目。目的在于维持自然资源可持续利用的同时，提高当前资源开发的经济效益。

流域委员会协同各州的有关部门，规划和协调全流域的自然资源管理，目的在于对流域内土地、水及环境资源公平、有效和可持续地利用。为协调政府和社区的行动计划，在流域自然资源管理策略中，将全流域分成 19 区（小流域），并成立小流域管理委员会。

3.1.3 民主协商与社区参与

墨累—达令河流域的管理模式属于水议会式管理模式，由河流流经地区的有关州政府通过协议建立河流协调组织。流域管理侧重于宏观的政策指导，各签约州的行为受共同遵守的协议约束。流域管理十分重视民主协商，流域管理协议本身就是各方相互协调的结果，协商的过程是利益分配的过程，在很大程度上，协议要求委员会和部长会议作出的决定必须是全体一致同意的；各州的权力一样，如果一个州对某件事情持不同意见，就不能投票表决。通常协商的难度很大且需要花费较长的时间，但最终的结果通常是比较满意和能够为各方所接受的。

社区与民众的参与也是墨累—达令河流域管理的一种重要形式。社区与民众参与管理有两个层次。

一是在流域管理层次，设立由有关地区、民间组织代表组成的社区顾问委员会，社区顾问委员会一方面可直接收集居民、特殊利益集团对流域管理的意见，一方面可对流域管理提出咨询意见，起到与民众直接沟通的作用。社区顾问委员会的参与，则要求必须增加流域管理的透明度和开放程度。重要的是社区顾问委员会直接向具有政策制定权的部长会议汇报，它有自己的秘书处和资金来履行其咨询职责。

二是在各州内部都设有健全的流域管理委员会。一般由一位独立的主席、当地土地所有人的代表、当地政府等组成。一些委员会的职责是监督指导，另一些则有筹集资金的作用。委员会一般向自然资源部长汇报工作，有时则通过州协调委员会。同时，州内的民众还可组成各种各样的小组，如在澳大利亚开展土地保护的活动中，许多由土地所有人组成的小组利用政府提供的技术和资金保护社区内的土地和植被。

民主协商与民众参与可保证在流域管理政策制定阶段就广泛吸收各方意见，减少决策的失误和政策执行阶段的阻力；同时，流域管理政策的具体落实也离不开民众的支持和积极参与。

3.1.4 完善和灵活的水权管理制度

墨累—达令河流域水资源的分配分两个层次，首先流域内各州通过分水协议，获得利用一定量的墨累—达令河流域地表水资源的权力，这是水资源的第一次分配。在各州内部，各用水户通过申请水权，获得水资源的使用权，这是水资源的二次分配。水资源的二次分配主要体现在水权管理上，水权管理既要有一定的稳定性，又要适应新的形势的发展。水资源的一次分配经过各州之间长期的争论、协商，已形成了为大家所共同接受的分水协议，维持了州际间水资源的有序利用。在水资源的二次分配方面，通过水权的管理，也使水资源在不同用水户间得到有序合理分配。

澳大利亚最早的水权制度源于英国，实行河岸权(Riparian Rights)制度，与河道毗连的土地所有者拥有用水权，并可以继承。20世纪初，认识到河岸权制度不适合相对缺水的澳大利亚，当时的联邦政府通过立法，将水权与土地所有权分离，明确水资源是公共资源，归州政府所有，由州政府调整和分配水权。自20世纪80年代开始，规定水权可以交易。这种水权形式的改变，促进了流域水资源更加合理地配置和有效地利用。

水权管理是墨累—达令河流域水资源管理的一个方面，特别是流域内各州在水权管理上的转变对缺水地区加强水资源的配置管理具有重要的借鉴意义。由于流域内各州在水权制度方面发展水平不一，相对来讲，维多利亚州在水权制度改革方面走在各州前列，以维多利亚为例介绍流域水权管理的实践。

(1)水权的类型。《维多利亚水法》规定，州政府对河道内的水和所有地下水拥有使用和控制的权力。农户对河道外的水有使用的权利，同时有从流经其土地的河道内为家庭生活和家禽饮用而取水的权利。其他取水、用水都需申请。

根据《维多利亚水法》的规定，其水权分为3种类型：一是授予具有灌溉和供水职能的管理机构、电力公司的水权，称为批发水权(Bulk Entitlements)；二是授予个人从河道、地下或从管理机构的工程中直接取水以及河道内用水权利的许可证，许可证有效期限一般为15年，到期前须申请更换；三是灌区内的农户具有用水权(Water Rights)，灌溉管理机构必须确保向农户提供生活、灌溉和畜牧用水。

(2)水权的分配。在早期，用水户申请取水和用水，不论其规模大小，维多利亚州政府都批准其水权。但随着水资源供需矛盾的突出，1995年维多利亚州北部逐渐停止了这种做法。自80年代起，州政府开始实行水权拍卖。

目前,州政府不再审批发放新的水权,要想取得水权,只能通过水权交易取得。

根据《维多利亚水法》,批发水权和许可证的取得,一般要经过6个步骤:①申请人按照规定的格式和方式提出申请,提交用水要求等相关材料,并交纳申请费用。②自然资源和环境部要求申请人发布申请告示,以在规定的时间内按规定的方式征求意见。③自然资源和环境部组织一个调查组,委托其研究和考虑对有关申请的意见,提交调查研究报告,调查报告中也可包括调查组的建议,调查组的费用和津贴由政府支付。④在考虑了调查组的报告,以及其他必须考虑的因素(如已存在或计划的水量与水质、对排水系统和环境的不利影响、申请者已被授权的水量、环境保护的要求、水的用途、潜在申请者的需求等)后,决定批准或不予批准申请。⑤对于批发水权的授予,必须在政府公报上发布授权命令。授权命令包括授权水量的定量方法(如用体积,或指定水位,或用水流或库存水量份额等方法)、是否可以转让以及转让的方式和范围、安装计量设施、水的记账程序,以及其他需要规定的条件等。⑥对于许可证的批准,附加有必须遵守的条件,包括水道的保护、用途、最大取水量、支付水费、保护环境、有效利用水资源、补偿对他人的不利影响、计量设施的安装和使用等。对于违反上述规定的,可吊销许可证。许可证除可通过授权给予申请人外,也可在申请人之间采取出售的方式,出售的方式可采取拍卖、招标和部长认为的其他合适方法。若部长决定出售许可证,可在政府公报或在有关地区广泛发行的报纸上发布告示。未取得许可证而擅自取水的属于违法行为,将受到罚款或3~6个月的监禁处罚。

(3)水权转让。批发水权、许可证和用水权均可转让。水权转让可以是临时性的转让,也可以是永久性的转让;可在州内转让,也可跨州转让;可以全部转让,也可以部分转让。转让水权、开放水市场是澳大利亚水管理改革的一项重要措施。水权转让始于1983年,其背景是:由于可授权的水量越来越少,在部分地区已审批的授权水量甚至超过了可利用水量,新的用水户已很难通过申请获得水权。通过水市场购买水权是新用水户获得所需水量的有效途径,具有剩余水量的用户也可通过转让获得收益。

水权转让的价格完全由市场决定,政府不进行干预,转让人可采取拍卖、招标或其他合适的方式进行。但是水权转让必须遵守州议会通过立法制定的有关规则。这些规则在《维多利亚水法》中有详细的规定,主要有:①转让人必须事先向有关部门提出申请,并缴纳规定的费用。批发水权和许可证的转让须向自然资源与环境部提出申请,灌区内农户用水权的转让需向负责供水的管理机构提出申请。批发水权的永久转让,申请人必须在政府公报或在相关地区广泛发行的报纸上刊登布告,说明转让的水权是部分转让,还是全部转让,以及出售方法的具体细节。②自然资源和环境部在考虑由其组织的调查组的意见和其他必须加以考虑的因素后,可以批准批发水权或许可证的转让,也可以不予批准。灌区内用水权的转让必须经供水管理机构的同意,永久转让还需经在转让方土地上享有权益的人的同意。③在批发水权永久转让后,出让人必须申请调整授权。批发水权可临时或永久转让给州内的土地所有者或占用者,也可临时转让给州外的土地所有者或占用者。永久转让给州内或临时转让给州外的土地所有者或占用者后,出让人必须将出售细节给受让人,以便在土地注册簿中登记。

许可证转让后,自然资源和环境部可以修改持证人必须遵守的附加条件,对州外土地所有者或占用者的转让,必须遵守政府公报上颁布批准命令中规定的期限和条件。

批发水权临时转让给农户或灌区内用水权的临时转让,其转让期限规定为:在双方协议的时段内生效,但是,如果转让在灌溉期内被批准,则不得超过该灌溉期的剩余时间;如果转让批准在两个灌溉期之间,则不得超过下一个灌溉期的全部时间。

(4)水权的转换。水权转让如果发生在不同类型的水权拥有人之间,就面临着水权转换问题:①灌区内具有用水权的农户或许可证持证人将其拥有的水权永久转让给具有批发水权的供水机构时,供水机构需向自然资源与环境部提出申请将转让的用水权或许可证转换成批发水权;②许可证持证人将许可水量转让给灌区内的土地所有者,受让方可向负责供水的管理机构申请将许可水量转换成与土地相关的用水权。

(5)水权转让的现状。从 1983 年开始水权转让以来,水权转让已在澳大利亚各州逐步推行,交易额越来越大,有关的管理制度也不断完善。大部分的水权转让发生在农户之间,也有少部分发生在农户与供水管理机构之间。其中永久性转让占少部分,大部分属于临时性转让。转让一般在州内进行,跨州转让由于涉及的因素较为复杂而受到限制,如维多利亚州与南澳大利亚州取用墨累—达令河水的用水户承担供水大坝的费用不同会影响两州之间的水权转让。

目前,维多利亚州水权永久转让年交易量为2 500万m^3,临时转让年交易量2.5亿m^3。考虑到环境因素及控制用水量不会大幅度增加,政府部门对年交易量进行控制。在维多利亚州的北部已形成了固定的水权交易市场。

建立水权转让制度的好处在于:水权分配更加清晰,大多数用水户的用水安全性加强了,同时使用水户对自己的用水风险承担责任;能更好地保护环境,对用水实行限额控制,使森林、湿地、鱼类用水得到更好的保证;促进管水部门和机构提高管理效率;能建立更有效的管理机制,通过与公众协商,政府可以制定和实行更严格的环境保护制度。

3.1.5 完整的流域管理

通过对实践经验的总结,墨累—达令河流域管理越来越强调系统管理,重视流域内自然资源系统各部分的相互联系,进行全面的管理,而不是对自然资源系统内某个环节进行单独的管理。同时,将流域内自然资源的管理和流域经济社会的发展统筹考虑,制定经济社会发展的政策和自然资源的管理政策。

3.2 流域管理取得的主要成就

流域管理经过几十年的实践,取得了一些引人注目的成就。

(1)经过长期不懈的努力,联邦政府与流域内各州之间就如何分配墨累—达令河的水资源达成了协议,保证了水资源在各州之间的公平分配,有效控制了用水需求的快速增长。更为重要的是,经过长期实践,流域管理从单一的分水演变为流域综合管理,分水协议也被流域管理协议所取代。

(2)制定了自然资源管理战略,具体指导流域内各州合作开发和管理流域内各种自然资源。

(3)制定了防止盐碱化和排水计划,这是在澳大利亚首次由各州联合起来从全流域角度共同治理环境。

(4)开展了广泛的教育计划,培养社区公众重视持续发展,在政府的组织和支持下,发挥最基层群众在各项行动中的积极性。

(5)监测管理流域南部地下水,保护区内植被不被破坏,并对湿地和藻类进行管理,保护了鱼类等。

通过实施流域管理,使参与者逐渐认识到流域综合开发和管理的重要性，接受按流域实施综合管理的观念，并使流域发展在干旱、半干旱和水资源短缺的不利条件下，实现经济社会的可持续发展。

3.3 存在的问题

虽然墨累—达令河流域实施了流域管理，但水资源可持续利用和管理的进展却不很顺利。近年来，澳大利亚人也在反思墨累—达令河流域管理的不足。归纳起来有：①资金有限；②权力和影响有限；③可持续发展的概念有限；④缺少流域性的规划和战略；⑤个人权力和公众责任之间的冲突；⑥政府的政策、计划和机构之间缺少协调；⑦缺乏指导机构；⑧社区参与、投资人和社会公众学习不足。

4 发展趋势

近几年在墨累—达令河流域进行的流域管理改革显示出了其未来流域管理的发展趋势。

4.1 更加注重流域的可持续发展

可持续发展的观念已逐步深入到流域管理中，从制定流域自然资源管理的战略、进行有关基础研究到具体的措施方面，都在试图贯彻可持续发展的观点。

在基础研究方面，已开展了综合的流域环境资源研究，建立以水文为基础的模拟模型和专家决策支持系统。编制可持续利用的流域规划，采用流量、水深和水面宽、滨岸植被、相邻湿地水质、洪泛范围、洪泛平原动植物群落等数据，预测由于灌溉引水导致的流量变化对环境所产生的影响。

在水质管理方面，推行国家水质管理战略，通过鼓励更适宜的土地利用方式及最好的废水处理和河流外水处理措施来提高水质。

采取各种措施协调保护鱼类和滨河环境，进行地下水和含盐量模拟。

推动公众教育计划，宣传各种有关流域内的自然资源保护。

将流域资源的可持续利用与区域经济的可持续发展结合起来，制定有关管理政策。

上述各项措施无不体现了可持续发展的思想，但由于流域本身是一个复杂的生态系统，各种资源以及资源之间的关系非常复杂，实现可持续发展是一项长期艰巨的任务，可持续发展的观念也在逐步完善中，但将可持续发展的观念贯彻到流域管理中,是现阶段正在积极探索和今后流域管理必须加强的。

4.2 控制用水需求的增长

控制用水需求的增长是墨累—达令河流域管理改革的主要内容。鉴于墨累—达令河水资源开发利用已接近极限,并进而引起一系列生态环境问题,威胁到流域的可持续发展,控制用水需求的增长已成为流域水资源管理的重要任务。

20世纪90年代中期对各州用水实行的“帽子”管理,即用水上限管理,是控制流域用水需求增长的有益尝试。在州内部管理上,一些州已停止审批发放新的水权证;为控制用水增长、保护水质、促进水利工程的良性运行,各州对水价进行了改革,提高了水价标准,水价结构也进行了调整。用水需求管理已成为流域管理的一项重要内容。

4.3 对水权制度进行改革

随着水资源开发利用程度的提高,可利用的水资源量越来越少,新的用水户获得水权的难度增加,同时为促进水资源从低水平的经济活动转向高水平的经济活动,提高水资源的经济效益,必须对现行的水权制度进行改革,允许水权的转让。为使水权可以转让,在澳大利亚,已将水权与土地所有权分离。

目前,水权转让已在流域内普遍开展,水权转让主要在州内部进行,跨州的水权转让由于涉及因素较多,尚未进行,但从长远看,跨州的水权转让也要逐步开展。维多利亚州是流域内开展水权转让较早、管理也较为完善的一个州,已经形成了固定的水权交易市场,其他各州也在进行水权转让的尝试,水权转让已成为流域内水资源重新配置的一个重要手段,也将成为新的用水户获得用水权的主要途径。

附件7　卢瓦尔河—布列塔尼流域治理开发基本情况

1　流域基本情况

1.1　自然概况

1.1.1　地理概况

卢瓦尔河—布列塔尼流域位于西经2°07′～东经4°55′,北纬44°34′～48°39′,总面积为15.5万km^2,其中卢瓦尔河流域面积11.7万km^2。其余属沿海诸河流域。卢瓦尔河是法国最长的河流,发源于中央高原东部维瓦赖山。河流先向北流,至迪关转向西北流,经法国中部,至奥尔良后蜿蜒西流,在圣纳泽尔附近注入大西洋比斯开湾,全长1 020km,多年平均流量900m^3/s,多年平均径流量284亿m^3,洪峰流量高达12 000m^3/s,枯水流量50m^3/s。

布列塔尼是一个半岛,岛上有许多不很发育的滨海河流,其中最大的一条是维埃纳河。

流域两端是两个古老的山地高原,阿莫利干(Armoricain)高原和中央高原,中部是广袤的平原。

上卢瓦尔河及其主要支流从高原区流下,一出河源,水流迅即流向不透水地层区,该区占流域面积的45%左右,这也是河流桀骜不驯的部分原因所在。河流流出山区,便进入称之为"河谷"的平原中央,平原由透水地层构成,易受洪水淹没,淹没带宽度不一,但这些淹没带均由许多窄长地带隔开。

中央高原的古代地质结构大部分受到侵蚀,悬崖高耸,河谷被陡峭的山峰隔开。

卢瓦尔河—布列塔尼流域有大约2 000km的海岸线,占国家海岸线的40%,为典型的地貌多变地区。比斯开湾是岩石海岸及海水更新能力强的开放型海湾。

在布列塔尼大区、旺代省及普瓦图地区,沼泽面积达3.8万km^2。

卢瓦尔河主要支流有:阿鲁河、阿列河、科松河、谢尔河、安德尔河、维埃纳河和卢瓦河等。详见本书正文图3-8。

1.1.2 暴雨洪水特征

受气候和地形因素的影响，流域内降雨空间分布很不均匀。整个冬季积雪不化，但是，一旦太阳露头就迅速融化。4 月 1 日以后，残雪已非常有限，只能产生局部性山洪。

中央高原的降雨类型。一种是源自大西洋的降雨（西北至西南地带），主要影响中央高原以西地区（谢尔河和维埃纳河流域）以及莫尔旺地区，进入阿列河和上卢瓦尔河谷地的降雨不多。这是“冷季”降雨，时间从 10 月开始，持续到翌年 5 月末。另一种是源自地中海的降雨，它几乎只影响卢瓦尔河和阿列河流域地势最高的地区。这是“暖季”降雨，降雨强且量大。

只有上述两种降雨现象同时发生，洪水才会突破局部性，变得真正猛烈，影响整个流域。但是产生这种现象的概率较少，没有规律。

流域内洪水类型。受地中海和大西洋两种气候的影响，流域内主要有三种类型的大洪水。

第一种是急剧暴发的洪水，即塞文诺尔洪水，一般出现在中央高原东部边缘地区，洪水以非常凶猛的方式在面积很小的流域内发生。这种洪水是由来自地中海的降雨形成，并且降雨仅在卢瓦尔河和阿列河流域的上游。最近一次大洪水是在 1980 年 9 月 20 日发生的。局部地区降水量超过 600mm，而在布雷夫—夏朗萨克（Brive－Charensac）发生的洪峰流量达 2 000m^3/s，水位迅速上涨，达到每分钟 6cm。像这样的洪水，由于不是海洋带来的降雨，洪水很快就衰退，没有给维勒莱斯特（Villerest）水库以外地区造成灾难性的损失。

第二种是海洋型洪水，常发生在漫长的多雨季节，几乎扩展到整个流域，但是往往不包括地势较高的地区。一般是在寒冷的季节发生，正如在 1977 年、1982 年甚至在 1994 年还发生过这种类型的洪水。

在只有海洋性降雨的情况下，灾难性的洪水危害常常发生在支流，例如在维埃纳河、谢尔河、安德尔河、麦纳河、萨尔特河或卢瓦尔河等流域。然而，如果这些地方在几天时间内多次产生降水，且和卢瓦尔河的洪水及其支流洪水同时发生的话，就可能在卢瓦尔的高地发生洪水危险，正如 1982 年 12 月的洪水。

第三种是混合型洪水，这是卢瓦尔河全河最危险的洪水，特别在中游。它是上述两种类型洪水不同程度的组合，这种洪水曾在 19 世纪发生过 3 次，即公元 1846 年、1856 年、1866 年发生的大洪水，这 3 次大洪水发生期间，在阿列河汇合处的下游流量接近 8 000m^3/s。自 16 世纪初以来，卢瓦尔河中游发生过 17 次这种灾难性的洪水，即平均每个世纪发生 3～4 次。

河口三角洲及旺代省的海滨地区，洪水的危害性取决于潮差系数。卢瓦尔河几次大洪水水位见附表 7-1。

附表 7-1　　卢瓦尔河的几次大洪水水位

洪水日期	洪水成因	实测最大值(m)					
		纳维尔(日夫里)	奥尔良	图尔	郎热	索米尔	蒙让
1970 年 11 月	上游支流区大雨	6.33	6.00	6.65		5.66	
公元 1825 年 1 月	普遍降雨，上游支流区更为突出	6.10	5.98	6.20		5.52	
公元 1843 年 1 月	下游支流区大雨	3.12	3.80	4.25	4.85	6.70	5.83
公元 1846 年 10 月	上卢瓦尔河持续暴雨	6.33	6.78	7.15	6.30	6.01	5.59
公元 1856 年 6 月	上游区持续大雨	6.13	7.10	7.52	6.65	7.00	6.26
公元 1866 年 10 月	上卢瓦尔河暴雨	6.36	6.92	6.59	6.80	6.88	6.09
公元 1872 年 10 月	普遍降雨，上游支流区更为突出	4.82	5.23	5.67	5.24	5.22	4.84
公元 1872 年 12 月	下游支流区特大降雨	3.70	3.45	3.70	4.25	5.75	6.20
1907 年 10 月	普遍降雨，上游支流区更为突出	5.34	5.25	5.60	5.35	4.96	4.75
1910 年 12 月	普遍降雨，下游支流区更为突出		3.69	4.56	4.98	5.38	5.70

注：19 世纪的 3 次暴雨使阿列沙嘴处流量达 9 000m^3/s，引起灾难性洪水，特别是在奥尔良和图尔。

1.2 社会经济概况

卢瓦尔河—布列塔尼流域全部或部分管辖奥弗涅、勃艮第、不列塔尼、中央高原、利穆赞、佩依德卢瓦尔、普瓦图—夏朗特、下诺曼底、罗讷—阿尔卑斯和朗格多克—鲁西永10个大区的阿列、上卢瓦尔等31个行政省,总面积占国土面积的28%。

流域内人口1 150万人,平均密度达到75人/km^2。然而,人口分布极不均匀,流域东部的河谷以外地区人口密度低,西部居民聚集点的人口密度较高。人口主要集中在邻近滨海及几条大支流内,特别是阿列河、卢瓦尔河、谢尔河和维埃纳河。

近20年间人口分布变化比较明显,在那些很适合人类居住的地区,人口密度有所增长,而本来就人烟稀少的地区,特别是中央高原及布列塔尼大区的中部地区,人口密度在逐步降低。

卢瓦尔河—布列塔尼流域是法国的经济中心,流域内农业生产很发达,其中用于饲养牲畜的谷类作物占全国的50%。工业总产值占全国的20%,主要有农产品加工业、机械工业、化学和药品工业。

流域内畜牧业也很发达,占全国的2/3,集中在流域西部地区,生猪饲养业主要在布列塔尼地区,2/3的屠宰业分布在生猪饲养地区。

流域内渔业和贝类水产养殖业也占主要地位,其产量占全国渔业养殖的1/3,其中鲑鱼年捕捞量占全国的2/3(主要分布在布列塔尼大区)。法国市场上贝类产品的50%产自该流域。

该流域内电力生产占全国的1/5。工业企业分布均匀,但占主导地位的农产品加工业主要集中在流域中部及西部地区。

目前,第三产业正在全流域展开,旅游业发展迅速,已经把海滨、山脉与河流连为一体,旅馆客容量达270万人。

1.3 流域管理机构

法国的水资源管理是根据1964年颁布的水法进行实施的,同时根据水法成立了6个流域管理机构,卢瓦尔河—布列塔尼流域管理机构就是其中的一个,分流域管理董事会、流域委员会、流域管理局和地区级流域管理局。

1.3.1 流域管理董事会

流域管理董事会由8名地区选举出的官员,8名流域委员会成员选出的水用户代表,8名中央政府代表,1名流域管理局的代表组成。董事长由环境保护部部长提名、总统任命。

流域董事会的主要职责是:与流域委员会直接联系,制定多年实施计划,确定流域内相应的财政收费和流域管理局的财政资助。

流域5年计划的制定,主要针对流域内的水资源管理问题、水质目标、用户的需求、对自然环境保护的要求及用户的财政支付能力,同时也包括水价收费的影响等。

1.3.2 流域委员会

流域委员会共有116名成员,其中包括:地区代表8名,县级代表28名,市级代表7名,用户代表43名,中央政府代表22名。另外其中有8名是由各地区社会经济委员会提名指定的人员。

现任流域委员会主席是 Ambroise Guellec 先生,由流域委员会选出。他是布列塔尼大区的议会议员,前任部长。

其主要职责是:对流域内宏观的水资源政策进行咨询;批准流域的多年(5年)计划,批准流域管理局提出的用水及排污收费标准。

根据区域特点,流域委员会下设5个地区委员会:卢瓦尔河上游—阿列河委员会;卢瓦尔河中游委员会;马耶纳—萨尔特—卢瓦尔河委员会;卢瓦尔河下游—旺代河委员会;布列塔尼地区委员会。

卢瓦尔河—布列塔尼流域委员会确保卢瓦尔河总体开发规划的科学实施。

1.3.3 流域管理局

流域管理局是由当地选举出的官员、水用户代表和中央政府代表组成的非政府行政机构。其主要的职能是:就水资源问题达到共识;获得必要的财政收入,执行污染治理和水资源管理以及保护水环境平衡的相关政策,制定重点项目的跨年度框架目标和协调措施,报流域委员会批准执行;收取水资源费和排污费,这是流域管理局的主要财政来源。卢瓦尔河—布列塔尼流域管理局1997年的预算达到18亿法国法郎。

流域管理局1997年为230人,其中50名在勒芒、南特和克莱蒙—费朗地区分局工作。流域管理局主席由 Jean - Louis Beseme 担任,他是负责水利、林业和农业的总工程师。卢瓦尔河—布列塔尼流域管理局下设6个地区级管理局:奥尔良地区管理局;勒芒地区管理局;普瓦捷地区管理局;南特地区管理局;圣—布里厄地区管理局;克莱蒙—费朗地区管理局。

2 流域开发治理及主要成就

2.1 工程措施

卢瓦尔河主要防洪工程系统分3类:河道整治,包括清淤、疏浚、改善水流、马蹄形弯道裁直以及清障等;近距离防护,主要是通过堤防实现,堤防有非淹没式(一般用来保护居民区)、淹没式或混合式几种(多半用来保护农田);远距离防护,主要是在河道上游修建水库,拦蓄全部或部分上游水量。

除个别情况外,修建防洪工程以及选定相应的防洪标准均应经过经济上的可行性论证,以确定工程未来的效益。

2.1.1 卢瓦尔河的治理工程

卢瓦尔河的防洪政策集中在建设水利工程上。新的防洪战略则不仅仅局限于水利工程,而且将重点转移至研究河谷地区可持续发展的方式,这个发展要能适应洪水和水灾,优先考虑到预防、预报和管理洪灾,减少暴露在灾害面前的财产的受灾程度,振兴风险文化教育。这项新的防洪战略配合1996年通过的卢瓦尔河—布列塔尼流域水资源整治和管理指导纲要(SDAGE)的贯彻,将使人们学会与洪水和谐共存。

法国现有的许多防洪工程中,有些工程历史十分悠久。它们通常是建于灾难性洪水之后,为了保护受洪水威胁的某一局部地区,这类防洪工程很多,因此即使有可能,也很难确定其保护区的面积。总之,保护的概念完全是相对的。设防流量为1 000m^3/s的地区,即使流量再提高一些,其面积相差也并不很大。

卢瓦尔河流域具有比较完整的防洪系统。洪泛区易受淹面积总计25万hm^2;受到堤防保护的面积10万hm^2(近似值),见附表7-2。

卢瓦尔河河水流量变化较大,百年一遇洪水为7 500m^3/s,枯水期流量为15m^3/s,对此,过去的防洪是千方百计地加高河堤。

19世纪,这一地区的人民对遭受大洪水灾害采取的惟一办法,就是让洪水在河谷里四处流淌。因此人们修建了设有"自溃式堤坝"的安全(非常)溢流堰,当遇到特大洪水时,溢流堰被洪水冲垮。到了20世纪,卢瓦尔河流域

附表 7-2　　　　　　卢瓦尔河流域堤防加固计划

<table>
<tr><th colspan="2">堤防保护区</th><th>保护面积(hm²)</th><th>居民人数(人)</th><th>损失(100万法郎)</th><th>堤长(km)</th><th>加固费用(100万法郎)</th></tr>
<tr><td colspan="2">谢尔省</td><td>5 810</td><td>3 200</td><td>51</td><td>40</td><td>16</td></tr>
<tr><td rowspan="3">卢瓦雷省</td><td>奥尔良洪泛区</td><td>16 700</td><td>32 500</td><td>226</td><td>42</td><td>16.8</td></tr>
<tr><td>圣伯怒瓦洪泛区</td><td>6 580</td><td>4 000</td><td>54</td><td>23</td><td>9.2</td></tr>
<tr><td>其他地区</td><td>6 320</td><td>8 100</td><td>51</td><td>45</td><td>18</td></tr>
<tr><td colspan="2">卢瓦尔—谢尔省</td><td>4 838</td><td>12 400</td><td>78</td><td>24</td><td>9.6</td></tr>
<tr><td rowspan="3">安德尔—卢瓦尔省</td><td>图尔洪泛区</td><td>4 646</td><td>93 000</td><td>289</td><td>28</td><td>11.2</td></tr>
<tr><td>锡斯洪泛区</td><td>6 981</td><td>3 300</td><td>41</td><td>36</td><td>14.4</td></tr>
<tr><td>其他地区</td><td>44 600</td><td>21 700</td><td>268</td><td>50</td><td>20</td></tr>
<tr><td colspan="2">总计</td><td>96 475</td><td>178 200</td><td>1 058</td><td>288</td><td>115.2</td></tr>
</table>

注:假定秋季洪水一般会引起决堤,还有两座缓减洪峰的大坝也属于上述计划,其投资费用(1.71 亿法郎)列入加固费用内。

的人民继续加固了现在的 600km 河堤,并建造了一座调洪水库。计划中建设的第二座工程表明了控制管理大洪水的战略。一项多学科的综合考察表明,那种单纯的为避免洪水灾害而控制洪水本身不足以避免全部 400 亿法国法郎的洪水灾害损失,应该关注那些易受洪水淹没的财产,减少洪水威胁的财产数量,管理好人们的物资、器材、设备及钱财,不仅在发生洪水时要管好这些财物,在洪水过去以后也要管好财物以便恢复生产、恢复生活。为此制定了易受洪水灾害威胁的 250 个市镇的可持续发展规划(包括 30 万人,14 000个企业),这种可持续发展应能和水灾相适应。

长期以来人们一直致力于用堤防来保护卢瓦尔河中游的易淹没地区。这类防洪工程的特征是:大堤不连续,上游每段河堤保护一片平原,下游有时大堤延长至海岸,将一片平原封闭,但更多的情况下未延长至海岸,造成洪水波涛从下游回灌淹没土地;大堤位于河岸单侧的居多,两岸筑堤的河段很少;大堤一般沿岸而筑,但在河道游荡段或弯曲较大的河段,堤防与河岸分开,堤防亦呈弯曲状。

最早的河堤是由沿岸有权势的居民或居民团体修建的,目的是保护他们在当地的财产。大多数河堤原由国王管辖,以后由省接管,现在属公共工程部管理。

尽管经过协调和改进,使这些堤防工程在建成后发挥了效益,但由于修建时都是从各自的利益出发,改进和发展又仅按经验办事,故至今该堤防工程仍不时暴露出这方面的缺点。

目前,整个防护体系包括:阿列河以上卢瓦尔河右岸 22km 长的大堤,左岸 28km 长的大堤;阿列河右岸 14km 长的大堤,左岸 10km 长的大堤;阿列河以下卢瓦尔河右岸 235km 长的大堤,保护土地 5.3 万 hm^2,左岸 248km 长的大堤,保护土地 4.2 万 hm^2;昂热和南特河段的右岸是长 20km 的铁路堤,保护土地 1 200hm^2。

上述数字只是指最初计划中的非淹没式堤坝。过去由于对堤坝的作用估计不足,非常洪水的实际水位常常超过预计值。如公元 1706 年洪水漫过大堤,后来河堤加高到 6.4m,结果在以后的洪水中导致大桥被冲垮。此外,公元 1846 年的非常洪水(当时布里亚尔和图尔之间的河堤有 100 处决口)也证明这次加高太少。对河堤再次检修,并加高到公元 1846 年洪水的平均水位以上。但公元 1856 年 6 月 2 日的特大洪水又一次造成所有大堤决口(在布里亚尔和南特之间河堤决口 160 处),这才使公共工程部开始对洪水及防洪措施问题进行认真的研究。

研究结果表明:阿列河以下卢瓦尔河流域屡次受灾的原因是由于堤防之间过流断面不足。早在第一批河堤修建以前,就没有考虑由于河槽断面缩窄以及洪泛区受淹滩地面积的减少而可能对大洪水产生的影响。这种影响是很大的,估计相当于水位升高 2m。这就需要研究在卢瓦尔河两岸大堤之间河槽断面的过水能力是否有增加的可能,即或是加高大堤,或是拓宽过流断面。

(1)加高大堤。为了不被类似于公元 1856 年 6 月那样的洪水所淹,布里亚尔和南特之间的大堤一般均应加高 2~2.5m。经研究,这一点很难实现。

(2)拓宽过流断面:据初步估算,如果要使公元 1856 年 6 月洪水的最大流量安全通过从布里亚尔到南特间的河段,那么堤防防线应放宽 450~700m。

鉴于工程规模和工程量以及需重打基础等原因,拓宽工程就不一定可行。于是又考虑其他可能性。

(3)利用溢流堰有计划地放水淹没洪泛区平原。公元1846年和公元1856年两次洪水表明,由于河堤几处决口,洪泛平原积了大量的水(例如奥尔良洪泛平原面积14 400hm^2,估计积水1.6亿m^3)。在确知洪泛平原在削减洪峰上的调节作用后,于是决定采用溢流堰,在洪水一旦危及河堤时,可有计划地放水淹没各个洪泛平原。

公元1861年发现上述办法也不行,因为它预先假定河堤附近的土地是受保护的。堤防的首要任务是要避免因决口而造成突然性淹没,否则就会导致生命伤亡、土壤冲刷、泥沙淤积和随之而来的土地大面积荒芜、堤上或其附近的建筑物毁坏、桥梁受损、桥梁坡道受冲刷等严重后果。根据这些情况,在公元1866年9月的洪水之后,不得不对这种办法重新考虑。

(4)利用水库蓄水。对水库调节作用的要求是,必须按"开闸"方式运用,即闸门无需作任何启闭。初期对水库蓄水量和水力特性的要求是:当天然洪水退落时的流量等于水库最高水位自由放水(无闸门)的流量时,水库应蓄满。

公元1861年初在得出研究成果之后,对公元1856年6月洪水损坏的河堤进行了修复。上述两项建议均未采用。公元1866年9月特大洪水再次使河堤几处决口。防洪委员会在公元1866年洪水之后起草了修复计划,并于公元1867年4月29日呈送了报告。该报告提出了在布里亚尔和南特河段之间的洪泛平原上利用修建溢流堰等措施的一项周密防洪计划。兴建的工程旨在保护河谷内容易受淹的城市中心和某些城镇,保护铁路线,保护某些地区完全不受淹没以及改善主要河道的过流条件。除了蓄水水库外,该计划大部已得到实施。

自那时以来,没有再发生灾难性洪水。但是,由于淹没区的财产价值和大洪水可能造成的损失值已大大增加,所以只考虑部分防洪是不能接受的。因此,一项对筑堤河谷进行全面防护的工程计划正在研究之中。计划内容包括:加固现有堤防,将它们按同一标准维护,以及在卢瓦尔河的维尔勒斯特和阿列河的维德尔修建两座坝,以减少洪水流量,防止大堤受损。

卢瓦尔河上的维尔勒斯特调洪水库控制流域面积为6 500km^2,大约占流域总面积的5%,该水库可蓄存1.4亿m^{3}的水,可削减1 000m^3/s的洪峰流量,在这种情况下水库可以使卢瓦尔河下游的洪水水位下降0.2~1.0m。水库只在进入库区的洪水流量超过1 600m^3/s时才起作用。在1996年11

月发生洪水时,该水库对削减卢瓦尔河的洪峰发挥了明显的作用。

目前堤防加固工作正在图尔河段进行。这些堤防大多建在卢瓦尔河和谢尔河之间,距离两河交汇处不远。谢尔河大堤采用在大堤内侧用形状良好的截水墙止水,截水墙深入地下直达基岩。为了改进过流条件,同时还对谢尔河进行了河道整治。

卢瓦尔河的中游处在特别脆弱的重大风险隐患地区。铁路修建之前卢瓦尔河是真正的交通干线,把巴黎与大西洋、地中海连接起来。整治卢瓦尔河道是为了航行方便,但当河水的流量削减到 $50m^3/s$,且持续几周乃至1～3个月,就为航运造成了极大的困难。

卢瓦尔河中游并没有因为一些工业设施而改变其本来的性状,仅对一段河道因为长期严重的枯水而进行了整治。该段河道公元1856年的洪水淹没了33个乡(镇),淹没深度为1～4m,受灾人数为30万;现在这个地区有250个市镇,比19世纪增加了10倍,在这易受洪水淹没的地区有企业13 600个。1907年,在维埃纳河上游的这一地区发生了从未经历过的50年一遇洪水。大约有1 550个易受洪水淹没的大型设施被淹,易受洪水淹没的居民和企业占卢瓦尔河两岸居民和企业的15%和20%。

75%～80%的洪水淹没风险区集中在图尔河谷的欧提翁、奥尔良第5区和西斯的4个河谷地区,占淹没风险区的1/3。剩余20%～25%的风险散布在卢瓦尔河两岸的许多居民和企业不多的小市镇。估计洪水造成的经济损失2/3是企业的损失,而1/4是居民损失。

2.1.2 防洪工程系统的评估

法国Hydratec公司建立的卢瓦尔河中游模型,能让人们看到卢瓦尔河发生洪水时的情况,了解今天防洪系统如何运作,哪些地方不正常,进而找到解决问题的办法和改进的措施。

这个模型反映了卢瓦尔河中游长450km河段的情况,每公里设一个断面,是根据1995年的实际情况研制的,共花费250万法郎。用它可以评估卢瓦尔河防洪工程,找出改进的办法。

模型真实地再现了卢瓦尔河(洪水周期2～8年)最近几年发生的3次洪水(1992～1996年期间)的情况,模拟出每1.5～2km河段的水位。这一模型在模拟任何洪水时其绝对精度都可达25cm。

这个模型证明单靠河堤和现有的溢流堰并不能完全达到防洪目标,但很多卢瓦尔河沿岸的人们却过于相信这些建筑物的作用。

据统计，100 年一遇以下的洪水就能淹没卢瓦尔河的一些滩地(平均超过 1m 的水深)，并危及 2 万居民和 1 600 个企业的安全，估计损失 30 亿～50 亿法国法郎(5 亿～8 亿欧元)。

洪水位升至河堤顶部，即达到公元 1846 年修建的土堤高度，或漫过河堤，从而使河堤逐渐溃决。模型中包括了河堤高程，因此，可以精确地判定洪水到达时间、溃堤地点。正是有了这个模型我们可以判定当 100 年一遇的洪水到来时，有 20km 长的土堤会出现隐患，6km 长的土堤会发生漫堤；当 200 年一遇的洪水到来时，会有 40km 的土堤出现隐患，18km 土堤会有漫堤发生。这一信息非常重要，它可确定和评估将要实施的工程，在洪水到来时加强对有可能出现隐患的河堤的监视和抢修。

模型还向我们展现了河堤基部的管涌情况及与低水位河床接触的河堤根部不稳定性的加剧。在洪水期间，卢瓦尔河低水位河床的冲刷深度可达 4～8m，造成目前低水位河床的深度成倍、甚至成十倍地增加。这种现象极为严重且令人担忧，在 550km 长的河段上至少有 130km 的河堤有类似现象存在，在卢瓦尔河全河有 120 处存在类似现象。

河堤的决口主要是由于河堤的不稳定性造成的，能引起严重的损失。实际上如果没有这些决口，在遇到百年一遇的洪水时，损失估计是 150 亿法国法郎，对于 500 年一遇的洪水，损失估计是 200 亿法国法郎。如果在图尔或奥尔良的居民区附近发生一处决口，就会使损失增加 70 亿～150 亿法国法郎。如果卢瓦尔河中游所有的谷地因为一系列决口而受水淹，整个损失就会超过 400 亿法国法郎。

河堤状况的改善是不可否认的事实，但伴随这种改善，河堤根部也更加脆弱了，河道内杂草增多，从而使洪水水位增加。这个模型是在假设河床受到良好的维护、在河堤基部稳定的情况下做的试验，如果河床得不到妥善的维护，河堤基部也不稳定，这时试验结果与实际情况可能有很大的误差。事实上，假设河床没有很好地进行整治维护，情况很糟时，就会使水位线升高 30～70cm。如果河床维护不好，修建维尔勒斯特水库以及加固河堤所带来的好处就会丧失殆尽。

2.2　非工程措施

防洪非工程措施包括对洪水威胁地区实行城市化土地管理、洪水预报和编制防洪计划等。

洪水预报由环境部负责，环境部下设预报机构近 60 个。在洪水量较大的河流上装置自动水位计和雨量计，采用有线或无线通讯设施预报洪水。20 世纪 80 年代研制出一种洪水警报装置，可将气象水文数据通过无线电或卫星传至洪水预报中心，经处理后通告该地区的有关政府机构和居民。

建立指挥机构，或指挥站、指挥台、管理中心，筹备经费，征用等各种干预手段(人和物资)编制防洪计划和救援计划。

防洪政策涉及五个方面：对洪泛区进行城市化管理，预防洪水造成的损失；建立防洪工程体系，修建地区性蓄水保护设施，建坝控制水位；及时准确进行洪水预报，迅速向居民和领导人预报即将到来的洪水以减少损失；加强防洪工程及洪泛区管理，实施紧急救援计划；对于遭受洪水损失的个人和单位，实事求是地进行洪灾损失赔偿。1982 年 7 月 13 日《自然灾害损失赔偿法》颁布以前，受灾者只能按契约索赔，不是全部赔偿。1982 年修改了财政机构制定的关于各种保险合同对严重自然灾害的赔偿制度，同时考虑减少对风险区投保人解除责任人特权的赔偿制度，或至少要采取以投资为股份的预防措施。实行义务保险，由保险公司负责洪灾损失赔偿。按 1984 年 7 月 14 日颁布的《农业灾害保险法》，室外农作物的损失只赔偿 75%。

具体措施是：按 1982 年 4 月 30 日颁布的法令，对洪水威胁地区实行城市化土地管理，包括编制洪水淹没地区图。图中分 A、B 两区，A 区相当于行洪区，区内严格控制建设；B 区占地建设需经申报批准，绘制地面占用图，确定危险边界，绘制预见自然危险图(包括洪水危险、崩塌、滑坡、地震等)。

计划决定加强洪水预报和报警方法，实现报警和疏散居民计划，重新规划洪水灾害的敏感地区，加强管理洪水灾害。

整个流域规划的补充部分被列入国家计划，1994 年 1 月 24 日的部长级通报确定并指出了预防洪灾和淹没区管理政策的模式。通报强制性禁止在最有可能被淹没的地区和目前还未城市化的洪水泛滥区域进行建设，以及禁止在未被证明有可能城市化的地方建设防护工程。要求各省省长根据两张地图制定防护计划，一张是最有可能淹没的洪灾风险图，一张是防止整个都市遭受洪水泛滥的区域图。制订具体方案(洪灾风险方案)、风险计划、总体利益保护方案。保护方案的条款将纳入治理规划纲要。同时，1994 年 2 月 2 日环境部通报公布了预防自然灾害的行动计划，包括重要的修复和维护江河的十年计划。

国家从 1994 年 1 月 24 日起确定了国家重要的政策方针提出了洪泛区的管理措施:禁止在最容易暴露在洪水中的地区修建新的工程。保留洪水淹没的田地,并停止其城市化建设,使这些区域发挥自然削减洪峰及消散洪水能量的作用。禁止一切以保护现有城市房产为理由的筑堤或重新淤堤。

为了监测河流的变化,每个洪水预报机构的 52 个测量站要配置雨量预报设备,安装法国气象局提供的雨量预报和雨量预测装置,以收集远距离自动传送河流水位变化信息。

为了防止融雪造成的洪水泛滥,不是在洪泛区修建堤防,而是由地方行政区采取尽量保护天然滞洪区、防止下游洪水流量增大、仅在堤后保护区修建堤防的防洪措施。作为最大限度减少洪泛区灾害损失的措施,国家在积极加强洪水预报及进行防洪意识教育的同时,在洪泛区推行了限制土地使用的政策。

综上所述,法国洪泛区管理虽已走向正轨,但法制措施的普及程度还很低,在制度上明显地存在许多问题,亟待今后研究解决。小城市采用这些管理措施比较容易。当前,人们极为关注的是大城市周围的洪泛区将采取何种措施来进行抗洪救灾。

3　流域治理经验及存在的主要问题

法国水的管理是在长期工业化过程中,随着供水需求不断增加和水污染日趋严重,不断改进水资源的权属管理和水资源保护工作,逐步完善了水管理体制。从过去分散的、以行政区为主的管理,逐步转向综合的、以流域为单元的管理。水管理体制可分为上下 3 个层次——国家管理层、流域管理层和地方管理层。

国家水管理包括水利用、水污染防治、江河整治、防洪等,主要由国家的国土整治与环境部统一管理,其他部委履行与其有关的管理职责。其中,农业部负责农业灌溉、水土保持、森林管理、农业污染防治;内务部负责防洪抢险、救援、通讯保障;装备部负责水库、水电站等工程修建;卫生部负责制定水卫生标准;工业部负责工业污染防治;国防部负责水坝防空安全。

地方水管理机构是由地方政府选举的水议会,也称地区管理局,代表地区行使一定的管理权，全国共有 23 个地区水管理机构。其职责是负责水质管理，对批准修建的水工程进行招标等。地区水管理机构不具体管工程，水利工程的设计、施工和管理由水公司负责，其中，有国营公司，大量的是私营公司。

水管理法律健全，流域水管理以立法为先导，实行依法管水。水法对负责水管理各有关部门的职责，流域管理机构与地方水管理机构的职责分工，流域机构的设立、组成和职责，如何行使职责等都有比较明确的规定。

流域管理除了有一个健全的组织机构，各方代表有明确的职责外，还有一个科学合理的运行机制。董事会内部、国家部委、地方政府和用户代表，遵循共同参与、相互尊重、相互制约、充分协商的原则。

针对水法实施过程中出现的一些问题，不断地补充修订、完善水法，如在水的调配和管理中，流域总体规划与区域规划制定原则、程序及它们之间的关系；在供水建设、管理和水资源的保护中，流域管理机构与地方权力机构的关系；水的法律与其他法律如市政法、农村法、公共健康法、矿业法的关系协调等，使水的法律规定更加完善。法国公民的法制观念很强，遵纪守法和依法管理已成为人们的共同认识和行动准则，因此水资源的管理是有序的，水资源的利用是经济的，水资源的保护和生态环境治理是卓有成效的。

3.1 防洪减灾的主要做法和经验

3.1.1 从环境水利角度出发重视防洪治水

在治水思路上，曾经较长时间沿袭单一目标进行治理。随着社会和经济的发展，人们物质生活水平的提高，在治水观念上由过去单一修建防洪工程来达到防灾减灾目的，转变为以保护水环境为重点的多目标综合治理。单一目标治理，虽然取得了很大成效，但往往破坏了自然环境，给生态环境带来长时期的不利影响，从而又严重威胁到人类自身的利益和安全。因此，对江河宜采取综合治理的办法，修建防洪工程应从生态保护和环境治理的全局考虑，把工程措施与水环境、社会环境保护结合起来，将河流的整治和居住点的保护，纳入环境强制管理系统。

在治水中必须要给洪水保留足够的通道，采取防洪措施，首先应以保护人的生命为主，其次是保护好可能给周围环境造成污染的企业工厂，其他设施，不要为保护某块土地花太多的人力和物力。

将水利工程建设与建造更加优美的环境紧密结合起来，普遍采取了还河道以原来状态的措施。经过多年的有效治理，水环境有了很大改善，避免或减轻了洪水灾害。流域内基本不见裸露的土地，森林、花木、草地，郁郁葱葱，空气清新，视野开阔，河流沿岸更是水碧草绿，景色如画，风光无限。

3.1.2 大投入高质量地建设防洪减灾工程

已建成了由坝、闸、堤防、堰、渠道和泵站组成的庞大的防洪网络。在工程建设施工方面，应用先进的机械设备和性能优良的建筑材料，土工织物运用比较广泛；在堤身的填筑、地基处理、水下施工等方面手段先进。

防洪工程建设实行业主负责制、招投标制、施工监理制，并规定在 50 年内堤防如果出现质量问题，设计、施工单位要承担法律责任。工程运行管理，除了有官方机构管理外，在受益地区还有民间协会组织、公民对工程的建设和管理，他们通过“协会”来实施监督。

3.1.3 非工程措施作用大

重视防洪非工程措施的建设，非工程措施投入一般为工程措施的 1/10。非工程设施比较完善，在防洪减灾中发挥了重要作用。建立洪水预报中心，与各个水文站、雨量站实行计算机联网，水情、雨情信息收集分析处理都用计算机进行。

法国在防洪政策主要文件中规定：保护洪水流经区域和扩展区域；禁止在洪水严重区域建设任何新工程与居民区；保护与水相关的景点和环境。将城市较低的地区或河道两岸滩地，开辟成公园、绿地、球场、停车场、道路等，平时为娱乐场所，当有洪水时作为调蓄洪水场所。对蓄滞洪区内的土地管理非常严格，不准开发建设就坚决做到不开发建设，决不含糊，所有的蓄滞洪区都能正常运用。

3.1.4 机构精简效率高

十分重视水资源的统一管理，注重将水量和水质纳入统一的管理体系，法国由环境部管理全国的水利。水管理采取统一管理与分级管理相结合的体制。

在防洪抢险方面，由省长、市长调动消防队和警察，宪兵由省长请示总统调派。洪水时，市长、镇长对辖区内的公共安全负责。

在防洪的组织管理和行动程序方面都有明确规定。各地区、各部门在防洪工程的调度运用上都有严格的协议,各单位按职责行事。

3.1.5 法律法规完善

法国虽没有单独的防洪法,但防洪工程规划建设、防洪管理、洪水预警预报、抗洪抢险组织,以及灾后救济等,都有相应的法律规定及相关执行部门。各部门依法行事,各司其责。

法国在公元1807年就有了关于水的法律法规,20世纪30年代至60年代陆续颁布了关于在洪泛区修建防洪工程的法律、关于各有关方面在防洪工作中的职责的法令、关于一般防洪行政管理的法令等。由省长、市长对防洪负责任,如属人为失职,法官按照法律追究市长、省长的责任。

3.1.6 救灾、恢复生产由社会负责

法国的洪水灾害和其他自然灾害的救灾经费和有关救灾工作,主要由保险公司、红十字会、教会和慈善机构承担。中央政府承担的救灾任务非常有限。法国于1982年和1984年分别颁布执行《赔偿自然灾害损失法》和《农业灾害保险法律》,实行义务保险。由于经济基础雄厚,社会保障体系比较健全,他们的防灾抗灾能力强,灾后恢复生产、重建家园速度快。

3.2 存在的主要问题

尽管经过了卓有成效的治理,流域内还存在着各种各样的问题、分歧和风险,并且到处都有,而且问题之间还有些突出。这也确实是在卢瓦尔河—布列塔尼流域特殊存在的问题。

在这一方面,流域内河流的水文特征变换莫测,枯水季节流量可能达到零;多雨季节可能发生极其凶猛的洪水。

水的流动条件多变,因此给大部分水的利用带来无法确定的难题,而水的利用在时间上一般是很稳定的,枯水期的废弃物使得河流的水质等级下降,枯水期的取水影响到水的其他用途和河流的功能,湿地的干涸或因几年没有发生洪水,河谷到处被耕地侵占。

3.2.1 损害水环境的农业问题

1992年以前欧共体的农业政策一直是鼓励增加生产,提高生产力,这一政策对于河流和地下潜水层带来了非常不利的影响。

在水量方面,由于过量取水用于灌溉,尤其是大面积的农业灌溉,导致一些河流干涸。1988~1991年的干旱季节,造成地下潜水层等级明显下降,对

局部的影响更重。

在水质方面，由于产生的粪便和废料过多，到处撒播这些粪便，致使某些地区长期遭受来自农业的硝酸盐污染伤害，以及因过量使用肥料、杀虫剂和其他有毒的产品等造成的污染现象。

此外，在河道附近实行集约耕作、平整灌木树篱和边坡，或者各种整治工程（调整规模、排水等）均大大加重了它们对环境自身的影响。

3.2.2 濒水区域的问题

与淡水或海水资源有直接联系的区域，往往被优先治理和开发，事实上不论是对都市化，种植业，或运输业还是对旅游业，这一区域都具有巨大的诱惑力。但是，近几年这些地区的压力越来越大，从而诱发了灾难性的后果。

近十年来都市化和工业化活动在可淹没地区大量的发展，造成这些地区人口数量及经济效益都有非常大的增长，使之暴露于水灾淹没的风险之中，随着洪水河床的变窄使得洪水流动的条件严重恶化。

农业生产活动使大量的湿地变成耕地，同时也影响到对生态水库和枯水季节起调节作用的湿地的保护。由于对农业的不重视导致把原始草原变成了针叶林，从而加速了蒸腾作用。

滨海地区迅速的都市化，在度假期间，污水净化设施的能力不足，对贝类养殖业及某些滨海地区旅游活动造成了危害性的污染。

河床的过度开发，不论是对能源或是建筑材料的采掘，都招致其地貌形态、河水的流动条件、鱼类的生存条件以及湿地性质等发生明显的变化。

3.2.3 增加设备投入及加强管理问题

设施不足表现在没有与供水网连接的城市或工业地区，由于缺少净化处理站，而许多规模不大的净化站往往不能处理某些污染物，尤其是磷。另外，不论是饮用水管理局（AEP）的，还是处理污染的许多设施，均没有发挥作用，实际上是因为产量低劣，缺乏管理结构，几乎不能连续运行。

几乎没有（不足5%）保护取水口周边地区的措施，预防意外污染事件的装置质量相当差以及饮用水供应设备的安全性差等，使得水源普遍容易受到污染。

关于水源，必须保留或补充水库容量是毋庸置疑的，但是，现有设备往往用途单一。要重新考虑他们的开发条件，广泛考虑公众利益。

关于同洪涝灾害的斗争,如果目前被广泛应用的设施问题解决了(保护设施),那么预防手段就显得不太重要,尤其是都市。这一战略正是今天要达到的,并应该朝着重新定向的预防手段方面努力。

从以上描述看来,流域的形势显得更加严峻:由于各自顾各自的利益,而使得环境利用的价值广泛地降低,但是最终还是可以在水文方面找到发挥作用的地方。因此,要发挥设施或有关的规章制度的作用,尽管它们是必要的,但是仍不能满足恢复生态平衡的需要。最好是通过持久的解决办法加以配合,尤其是在加强发展的同时,要在水的各种用途和提高决策层的环境意识方面进行商讨。

3.3 黄河开发治理可借鉴的经验和模式

我国的国情与法国不同,不能照搬法国的管理模式。但其流域管理的思路和一些做法是可以借鉴的。多年来,黄河水利委员会一直被定位于事业单位,《水法》等法律没有明确授予足够有效的水行政执法地位和行政处罚权,国家赋予的职能与现行机构的地位不一致,责权不统一,流域管理体制不顺,流域机构在履行职能时困难重重,流域管理中的一些突出问题难以解决。为了协调黄河治理开发与沿黄地区经济建设、资源利用、环境保护的关系,建议改革黄河现行管理体制,建立新型的流域管理体制,由国家有关部委、流域机构及流域内省(区)负责人组成黄河管理委员会,国务院领导担任主任委员,负责制定或拟订流域性的政策法规,组织协调流域管理各方面的关系。黄河水利委员会作为管理委员会的办事机构,负责实施管理委员会的各项决策决议,并对执行情况进行监督,履行统一规划、统一管理水量水质的水行政管理职责。黄河水利委员会从事水行政管理人员纳入国家公务员系列,以有效发挥黄河水利委员会的职能。

为适应市场经济的需求,对现黄河水利委员会实行政、事、企分开,精简机构,分流人员,组建黄河开发集团,职能如下。

(1)由流域机构统一管理流域的水量水质,实行入河排污许可制度和污染物入河总量控制,对省际断面和重点入河排污口进行监控。按水污染补偿原则,水价的核定应包含治污费用。费用统一征收、统一管理,确保其用于供水工程建设、管理和治污措施的落实。

(2)对于下游防洪,要加快上拦工程的建设和中游水土保持工作步伐,减少入黄泥沙,整治河道多排沙入海。放淤固堤、挖沙固堤,构筑相对地下河。

要坚持破除生产堤，不要缩窄河道行洪断面。低滩区居民实行外迁，高滩区搞好安全设施建设。要重视非工程措施，搞好预报和警报系统，同时推行防洪保险，确保灾后迅速恢复生产。

(3)法国的遥感遥测技术比较先进，与法国合作的"黄河下游河道遥感监测"项目正在按计划进行。经了解，可在洪水跟踪监测、取水口远程监控和水量、水质监测信息传输技术方面扩大合作。

4 未来发展、规划方向及主要措施

法国从1992年开始研究制定各个流域的SDAGE(水资源整治及管理指导纲要)。1996年7月4日卢瓦尔河—布列塔尼流域委员会通过了该流域的SDAGE。流域治理的指导纲要始终以恢复、保护生态环境，依法加强对水资源的经营管理为目标。法国政府于1994年1月4日通过了专为卢瓦尔河制定的合理整治和保护"卢瓦尔河大自然计划"。该计划优先要达到以下几个目标。

(1)面临水灾对人民安全的威胁，从严控制在易受洪水淹没区建立居民点，加强对居民集中居住区的保护，改善警报系统。

(2)满足对水量和水质的要求，改进阿列河和谢尔河的供水，防止枯水季节河水的减少。

(3)恢复丰富多彩的生态，尤其是恢复洄游鱼类的自由游动，重新使河口三角洲恢复为具有国际意义的湿润自然环境，以减少河道淤泥堵塞的负面效应，以及三角洲扩大的负面效应，恢复和保护自然的水生环境，保持好自然风景。

4.1 水利工程设施的建设

应该严格限制水利设施的建设，选择合适的时机对潜水坝、水坝等河流中的所有拦水建筑物进行维修。一方面是为了不使水流减慢，造成水质变坏(淤泥和富营养化)；另一方面是为保障水流的自由运动。如果某项工程具有重大意义，符合1992年1月3日的水资源法，就可以启动总体利益，或公众利益工程的程序。

修建一处蓄水工程可能会对环境造成危害，因为静止的水改变了水质，也改变了河流的动态。

构建一处娱乐性的水面，或小水电站，如果被批准建设，也只能在河流的支流段上建筑，其数量也应严格限制。对于用于其他用途的水面都应该在支流上修建。

所有水利工程方案，在提交审批前均应进行总体性研究，要想到工程建成后的影响，要分析有无可替代的方案。所有上述内容均应包括在提交审批的文件之中。

所有的工程，项目建成后如引起周围环境被彻底破坏，或改变了周围环境，工程、项目负责人应按照补偿的原则，有必要根据保护生态平衡的原则并遵照现存的法律条文和规定重新恢复周围环境。

4.2 河流的维护

河流的维护是维持河道保持其正常功能的首要条件，务必建立一支常年维护河道的队伍。为此有必要把两岸的居民组织起来，当地的一些行政单位可以成立河流工会，采取和整个流域相关联的协调一致的行动。特别有必要保证经常性的河床监测和小流域的陡峭河岸的监测。先复原河流，然后恢复自然状态，其中要满足水文生态的要求，要限制富营养化，不能增加沉积物。

4.3 流域规划的7项重要目标

4.3.1 做好供应可饮用水的规划

本流域几个地段都存在供应饮用水的困难，缺水有时是因为水源水少，但也常是因为饮用水的水质受到威胁，这在1989～1993年旱灾中表现尤为突出。同时，饮用水水质的变化令人担忧，尤其是硝酸盐农药、细菌、铅，乃至有机材料。

应全面认识，甚至是重新认识地下蓄水层，避免过度开采，必要时要优先储备饮用水。保护好地下水，或想法使地表水具有饮用水的标准，使处理水的系统和供水系统现代化、可靠化，采取相应措施完善安全供水。

4.3.2 继续改善地表水水质

本流域改善水质的进展受到了一种反常现象的影响：有毒污染物减少了，而有机碳化物污染却导致生物活动更加活跃。这主要是残留污染的增加酿成的富营养化或因污水排放产生的，其影响直到如今才看出一点迹象。因此必须继续努力减少垃圾对河道的污染，并且减少污染河段。

4.3.3 更好地经营管理，使河流重新获得生机

流域的居民和来流域参观的人不仅仅是想拥有必需的一定数量、一定质

量的水，他们需要的是真正的河流。为此，要重新建立江河的生态环境，妥善地管理好江河两岸。禁止或限制在洪水河床和低水位河床上采挖建筑材料，尽快找到它们的替换材料。还必须很好地维护好河床，成立持久的维护机构，保证稳定的财政供给。

4.3.4 保护和开发利用湿地

湿地在生态环境上有很高的价值，有调节控制洪水的功能（自动净化水，缓冲流量和水位的变化），人们常常忽视湿地的这些功能。

一些特殊的湿地关系到全国利益，或者其他国家的利益，因此牵动了议员、两岸人民和水资源用户的心，必须和这些人一起商定一个多年的持续管理的计划。

对其他一些涉及地方利益的各种各样的湿地，主要是指那些冲积平原上的湿地，流域源头上的湿地也要采取措施加以保护。在贯彻这些措施时要执行 1992 年 5 月 21 日欧洲关于保护自然动物栖息地的指示。

4.3.5 保护和恢复沿海生态系统

流域的滨海地区占全国的 40%，这些地区经济活动的分量所占比重很大。近几年为恢复海滨浴场海水质量做了极大努力，效果是明显的，但还有一些经济活动的区域情况相当糟糕（60%的浅水捕鱼区，10%的贝类生活区的水质较差，或者相当坏）。因此要加倍努力，建立滨海海水质量显示系统和永久监测系统。坚决减少来自（浴场、养鱼区）细菌的污染，建立起与之匹配的废水净化处理系统。在流域某些重点地区，坚决减少营养成分排进大海（主要是氮），营养成分的进入是造成海水富营养化现象的根本原因。在制订滨海整治方案时，一定要考虑防止水生环境的污染。

4.3.6 密切与农业部门很好协商

流域内到处发展的集约农业（畜牧或种植），不仅导致水资源的大量消耗，还通过营养物质和毒物（农药）对地表水和地下水造成污染。这就要求我们共同协商，团结一致，管理和限制畜牧业的垃圾污染；加强对取水的教育，必要时，限制取水量；减少因某种种植方式造成的污染；保护饮用水的取水和供水区域，保护好河岸；贯彻实行农业—环境措施；城市或工业废水净化后的污泥，作为肥料使用，要签订合同；采取必要措施，防止掩盖低估农业对水生环境的污染。

4.3.7 认识洪水,更好地生存

主要是限制、减少洪水所造成的损失,而不是根除洪水。应该指出的是洪水在生态系统更新、河道地形的改变方面都起着十分重要的作用。国家和各市镇政府,人们生命、财产保险部门要密切和所有的机构、所有的人配合共同制定一项政策,不要在易受水灾的地区建造市、镇;禁止在人民生命安全得不到保证的地区建房,在易滋生洪水的地方禁止新建居民区;在所有易被水淹的地区都应严格禁止建房;加强对易被水淹居民区的保护,不断对居民进行水灾危险的教育,通报洪水的到来,要有应急行动计划,人员撤退计划,加强保护堤坝安全、当地防护设施的安全,平时注意对这些建筑物进行维护保养,从而使这些易被水淹的地区提高抗拒洪水的能力。要下工夫维护好河道,以减少洪水的危险,同时还能保证生态系统的质量和多样化,在最能造成灾害时削减洪峰,这就要求用最佳的方式使用溢洪区,使用原有或新建的水利设施,新建水利工程应严格从经济上、生态上进行论证,应能更好地控制河水的流动。保护好或恢复溢洪区的自然特点、生态质量、风景特色。保持好洪泛区的功能和生物的多样性,以使这一地区更加生机盎然。

河滩地以及由河滩地引起的湿地起着调节水文变化、防止水土流失的功能。自然环境的功能不是只适应某一种直接用途,而是有多种用途,直到今天我们还没有足够认识这一问题,也没有在整治规划中充分地认识到它的脆弱性。

参 考 文 献

1 钱正英,张光斗.中国可持续发展水资源战略研究综合报告及各专题报告.北京:中国水利水电出版社,2001
2 赵纯厚,朱振宏等. 世界江河与大坝.北京:中国水利水电出版社, 2000
3 王志民主编. 面向 21 世纪的海河水利.天津:天津科学技术出版社,2000
4 水利部国际合作与科技司等. 国外水利水电考察与学习报告选编.北京:海潮出版社,2000
5 叶锦昭,卢如秀编著. 世界水资源概论.北京:科学出版社,1993
6 张天曾.中国水利与环境.北京:科学出版社, 1990
7 汪恕诚.资源水利.北京:中国水利水电出版社,2002